GABO: CUATRO AÑOS DE SOLEDAD

SU VIDA EN ZIPAQUIRÁ

Gustavo Castro Caycedo

GABO: CUATRO AÑOS DE SOLEDAD

SU VIDA EN ZIPAQUIRÁ

Asistente
Luz Helena Castro Herrera

Apoyo en la investigación:
Gloria Cecilia Palacios
Consuelo Quevedo de Nieto
Álvaro Ruiz Torres
Hernando Forero Caballero
Jaime Bravo

Fotografías de Gustavo Castro Caycedo, o con derechos cedidos al mismo.

Barcelona • Madrid • Bogotá • Buenos Aires • Caracas • México D.F. • Miami • Montevideo • Santiago de Chile

1ª edición: diciembre 2012

Cra 15 Nº 52A - 33 Bogotá D.C. (Colombia)
www.edicionesb.com.co

ISBN: 978-958-8727-52-3
Depósito legal: Hecho
Impreso por: Editora Géminis Ltda.

Dedico este libro a Zipaquirá y a quienes acogieron allí con cariño y generosidad a Gabriel García Márquez entre 1943 y 1946; es decir a sus compañeros de colegio y de curso; a sus primeras novias Lolita Porras y Berenice Martínez, a sus amigos, y muy especialmente a quienes reorientaron al Gabo coplista, poeta, caricaturista y dibujante, para que escribiera en prosa: el profesor Carlos Julio Calderón Hermida, que, según García Márquez: "Fue a quien se le metió en la cabeza esa vaina de que yo escribiera". A Cecilia González Pizano, Adolfo Gómez Támara, Carlos Martín, Manuel Cuello del Río, Álvaro Ruiz Torres, al Maestro Guillermo Quevedo Zornoza y a su hija Consuelo.

ÍNDICE GENERAL

Capítulo 1

García Márquez, de la soledad al Nobel

Hasta ahora, la mayor atención sobre la historia de la vida de Gabriel García Márquez ha recaído en su vida intelectual, transcurrida en Bogotá, Cartagena y Barranquilla; con algunos pasajes en París, Caracas, México y Barcelona. Visto y leído así, pareciera que fue en alguna de esas ciudades donde "el señor de Aracataca" se hizo y creció como escritor. Pero no, los biógrafos e investigadores de la vida del Nobel colombiano han sido injustos con una ciudad: Zipaquirá, situada en el departamento de Cundinamarca y famosa mundialmente por su fabulosa Catedral de Sal. Es la última en el abecedario de los municipios de Colombia, pero la primera en materia del Nobel, en la que descubrieron, le dieron forma a su talento y lo consolidaron como escritor. A Gabo le tendieron la mano y lo impulsaron para que ascendiera a la prosa literaria, lo dirigieron y moldearon su grandes dones enrutando sus pasos a la gloria, luego de su nacimiento y crecimiento literario allí. "La ciudad de la Sal" se fue quedando anónima, o como en un segundo plano, a no ser para que cuando se relaciona a ella con el Nobel, sólo se diga que él sintió allá mucho frío, pero nada más.

Inclusive, su más famoso y dedicado biógrafo, el inglés Gerald Martin, pasa con ligereza por sobre esa etapa vital y fundamental para la gloria y la fama de García Márquez.

Sí, en orden alfabético Zipaquirá es el último lugar que figura en la lista de los más de mil municipios colombianos. Pero era allí, donde reinaba la literatura al punto de ser una ciudad con alma de centro literario, donde compensaron el frío que tanto hizo sufrir a Gabo, con la calidez de quienes lo acogieron en el Liceo Nacional de Varones entre 1943 a 1946, años fundamentales de su vida y donde lo transformaron del caricaturista que hacía coplas, en el más sólido escritor de Colombia, y uno de los inmortales escritores del mundo.

Gabriel José de la Concordia García Márquez, quien se crió sin la cercanía de sus padres en sus años fundamentales, antes de llegar a Zipaquirá se había "madurado biche" en asuntos de cama; porque tuvo en la costa experiencias sexuales y aventuras eróticas, antes que románticas, o que un noviazgo propio de su edad. Paradójicamente, cuando Gabo llegó a Zipaquirá, hastiado de esa vida "licenciosa", según cuentan sus amigos, necesitaba con urgencia, ansiosamente, amor y ternura más que sexo; y eso mismo se deduce al leer los poemas románticos que escribió estando en el Liceo.

En Zipaquirá donde formaron la disciplina intelectual de García Márquez, lo `graduaron´ de poeta piedracielista, de declamador de orador y de escritor; fortalecieron su pasión por la lectura y canalizaron su talento hacia la prosa, dándole piso firme y formación literaria a su gran imaginación, que lo condujo finalmente a ganar el Premio Nobel de Literatura, en 1982.

En este libro desfilarán página a página los testimonios de 83 compañeros, profesores, amigos, novias y conocidos de Gabriel García Márquez, que descubren a un adolescente muy sensible, ávido de ternura y amor, romántico y sentimental, un joven serio, a veces extrovertido y "mamagallista" pero otras retraído o tímido, sedentario, que sin embargo le gustaba bailar y que le declaró su amor con bellos poemas a varias de las niñas más bellas de la ciudad.

Los siguientes son algunos versos y estrofas de distintos poemas que según sus amigos, escribió García Márquez en Zipaquirá, aunque él dice no recordar que algunos sean suyos:

"Llueve. Y estoy pensando en ti. Y estoy soñando".

"Contéstame, Minina: ¿Qué es el amor?
Dirás que juego, juego es todo, ¡nada más!
Pero es también crepúsculo y es campo y es sueño"...

"Quiero querer con música. Y quiero
que me quieran con tono verdadero
casi en azul y casi eternamente". "Llueve.

"Si aún la vida es verdad y el verso existe.
Si alguien llama a tu puerta y estás triste,
abre, que es el amor, amiga mía".

"Este amor que es el verso y es la rosa.
Y es saber que la vida en cada cosa
se nos repite cada vez más fuerte".

Para revivir la vida de García Márquez en Zipaquirá, apelé exclusivamente a la memoria de 83 personas cercanas a la historia de su vida cuando estudiaba bachillerato allí y con autoridad para hablar del tema. Pero claro, hice una solicitud oficial de autorización para publicar este libro.

Le he dado un valor muy especial a esta historia, entre otras razones, porque García Márquez, en *Vivir para contarla*, (Norma, 2002) dice: "Todo lo que aprendí se lo debo al bachillerato". Época en la que él y sus compañeros de estudio estuvieron rodeados de intelectuales, poetas, declamadores y escritores, y de un profundo ambiente literario, que aportó a la creación de más de 600 libros, escritos por zipaquireños.

Pasaron 36 años entre el día 6 de diciembre de 1946, cuando Gabriel García Márquez se graduó de bachiller, y el 10 de diciembre de 1982, cuando gracias a su inmenso talento y a lo que le enseñaron en el Liceo Nacional de Varones, de Zipaquirá, lo "coronaron" Nobel.

Sólo viven ocho compañeros de grado de Gabo

En la actualidad sólo viven ocho de los 25 compañeros de curso que se graduaron con Gabo como bachilleres, en Zipaquirá, el 6 de diciembre de 1946. Son los ingenieros Jaime Bravo Martínez y Luis E. Lizarazo; el arquitecto Eduardo Angulo Flórez, los médicos Hernando Forero Caballero, Humberto Guillén Lara y Jaime Amórtegui Ordóñez; el hacendado zipaquireño, Alberto Garzón, y el contador, Luis Garavito. En cuanto al abogado Álvaro Vidales Barón a quien no logré entrevistar a pesar de haberle hecho seguimiento a su vida en España y Francia, según su mejor amigo y un primo suyo, todo parece indicar que murió tras el deceso de su esposa y su duelo, en Bayona, Francia.

Siempre pensé que si Gabo es importante en alto grado por haber ganado el Premio Nobel de literatura, y que si Aracataca es famosa por que él nació allí, pues un buen grado de ese honor le corresponde a la ciudad, al Liceo y a las personas que variaron y condujeron "la ruta intelectual" de Gabriel García Márquez, de sus dibujos, caricaturas y poemas a la prosa; que lo formaron y llevaron con solidez a la literatura y a escribir, lo que él comenzó a hacer en 1943 y en lo cual ya había madurado sorprendentemente en 1946, en Zipaquirá. Desde entonces lo único a lo que él se ha dedicado, durante más de 65 años, es a escribir en prosa.

Por muchas circunstancias, como la de que nací en Zipaquirá y estudié en el Liceo donde se educó Gabo; porque nací 50 días antes de que él llegara a vivir a una cuadra y media de mi casa, y por otras muchas coincidencias, decidí un buen día del siglo pasado rescatar lo sucedido con ese interesante proceso intelectual vivido por el hoy Nobel colombiano, luego de considerar objetivamente importante registrarlo en la historia de la literatura, evitando que lo sucedido en esos cuatro años en Zipaquirá, por importante, continuara (como hasta hoy) siendo una especie de "eslabón perdido" en la vida del único Premio Nobel que ha tenido Colombia y de uno de los escritores más importantes del mundo.

Un capítulo de mi destino cercano a Gabo, lo escribí 25 años después y titulé para el periódico El Tiempo: "Mi noche amarga cuando sacaron a Gabo de la TV". Inicié diciendo: a las 8 y 5 minutos de la noche del viernes 10 de diciembre de 1982, después de 2 horas y 5 minutos, la señal de televisión originada en Estocolmo fue cortada abruptamente, y como director de Inravisión tuve que "capotear" la indignación de más de 15 millones de colombianos frustrados y dolidos, porque no pudieron ver, 'en directo', la entrega del Premio Nobel a Gabriel García Márquez. Pero ese será tema de otro capítulo de este libro.

Gabo con Tarjeta de Identidad zipaquereña

Aracataca es un nombre escrito con letras doradas en la historia de la literatura mundial, historia que por incompleta y desinformada no le hizo nunca justicia a la ciudad donde estructuraron al genial escritor, a la que él llegó el lunes 8 de marzo de 1943, dos días después de haber cumplido 16 años de edad, y donde se graduó de bachiller el viernes 6 de diciembre de 1949, noventa días antes de cumplir los 20, cuando se presentaba con la Tarjeta de Identidad número 4917, (su primer documento vital de registro), que no fue expedido en Aracataca, ni en Sincé, ni en Sucre, ni en Magangué, ni en Barranquilla, donde había vivido; sino en la ciudad que lo adoptó cálida y literariamente: Zipaquirá.

Los grandes escritores nacen con talento, pero no con gramática, estilo, vocabulario, o conocimientos de preceptiva literaria y ni con madurez en la literatura. A Gabriel García Márquez, todo eso se lo enseñaron muy bien en Zipaquirá, donde estaba el mejor Colegio Nacional de Colombia, en esa época, el cual era un verdadero "templo literario". Lo que sí no lograron perfeccionarle allí, entre 1943 y 1946, fue su ortografía.

En el Liceo Nacional de Varones, descollaba la alta calidad y preparación de los profesores, la mayoría de claras ideas de izquierda, quienes aparte de educar y formar a los estudiantes, les prestaban las últimas y más destacadas obras de la literatura, fuere cual fuere su contenido, incluyendo las de Marx, Freud o Vargas Vila.

Allí, el profesor huilense, Carlos Julio Calderón Hermida, tras haber intuido el potencial que tenía Gabo para ser escritor, y su innata inclinación a la política, se dedicó a él, hasta convencerlo de que debía dedicarse a la prosa, y de dejar la poesía y el dibujo como actividades secundarias, que eran sus dos mayores gustos cuando llegó al Liceo. Calderón, Carlos Martín, y otros profesores, recibieron a un muchacho común y corriente, y gracias a sus enseñanzas, en poco tiempo García Márquez era ya el estudiante más exitoso del Liceo.

A las historias y leyendas de misterio y espantos que escuchó a sus abuelos y a sus tías, Gabo experimentó otras nuevas en Zipaquirá, que enriquecieron su imaginación. Como ya dije, allí descubrió y pulió su talento para la prosa, el profesor Calderón Hermida a quien en 1955, cuando publicó *La hojarasca,* le llevó un ejemplar, reconociendo lo que hizo por él, dedicándolo, así: "A mi profesor Carlos Julio Calderón Hermida, a quien se le metió en la cabeza esa vaina de que yo escribiera". Cinco meses antes de que le otorgaran el Nobel, García Márquez escribió en una columna que publicaron muchos periódicos en todo el mundo, en la que reconoció a Calderón como, el "profesor ideal de literatura".

Gabriel García Márquez cambió por uno de tardes grises y mucho tiempo del año frías, su mundo cálido de vegetación exótica, (donde no se sentía bien con los suyos, ni con su falta de independencia), tras años de niñez y su asomo a la juventud, con privaciones y dificultades económicas.

Él dejó su comunidad descomplicada accidentalmente por una de intelectuales y de gente más formal, que lo llevaron a complementar su gusto por los ritmos vallenatos, con la música clásica que "descubrió" en Zipaquirá. Se vino de una tierra al nivel del mar para vivir en otra "más cerca de las estrellas", a 2.640 metros de altura; distante casi mil kilómetros de donde nació, y sobre la cual él le dijo a Germán Castro Caycedo: "Uno de los lugares donde no tuve la impresión de que no sobraba, fue en Zipaquirá".

Este libro no pretende ser una biografía profunda de la vida de Gabriel García Márquez, puntualmente se concentra en sus cuatro años de internado en Zipaquirá y eso sí, se dedica a desempolvar y rescatar una información que estaba detenida en el tiempo, y que a pesar de pertenecer a una historia importante, fue increíblemente ignorada durante décadas: es que se trataba nada menos que de la formación del escritor más famoso en la historia de Colombia.

Gabo: Cuatro años de soledad, descubre y presenta a un García Márquez, "elemental, al descubierto, romántico y humano", descrito

Foto de Gabo. Tomada en diciembre de 1946 en Zipaquirá.

Foto de Gabriel García Márquez tomada en octubre de 1946, para el Mosaico de grado.

así por personas que convivieron con él durante unos 1.400 días, y por familiares de otras que conocieron o tuvieron acceso a la historia de "Peluca", el interno costeño que llegó por cosas del destino, para hacer un "curso intensivo" de escritor a un mundo de "cachacos", sin familia cercana, añorando el ambiente tropical de su tierra y con profundos sentimientos de soledad generada por su pesar de sentirse lejos de lo suyo, por la ausencia o pérdida de su gente, de las cosas que le llenaban, con sentimientos de aislamiento, de desolación y melancolía generada por esa huida voluntaria.

Para García Márquez era un sentimiento de soledad, percibido dentro de sí aunque había compañeros con quienes mantenía cercanía física y emocional. Los siquiatras describen ese cuadro como "una soledad acompañada": tenía amigos, pero en el fondo no le llenaban su sensación de estar solo.

Para Gabriel García Márquez, aparte de sus más cercanos compañeros de estudio, su pasión y sus mejores amigos fueron los libros, que le resultaban a la vez un "mecanismo de defensa" en un ambiente al que no se acomodaba. A pesar de la calidez con que lo acogieron en Zipaquirá, a él siempre se le hizo extraño y desconocido, lo que acrecentaba su persistente sentimiento de soledad, que lo angustiaba.

Ese vacío que lo condujo a su escalada de soledad en Zipaquirá, se había iniciado años antes con la desaparición de su abuelo, el coronel Márquez, al que tanto amó. Desde entonces le faltó afecto, comenzó a sentir que era incompleto, que quería algo más que la comprensión y solidaridad de sus amigos, que necesitaba el amor de una joven, el de una adolescente tierna, y así, con esa carencia inició la búsqueda romántica en la existencia de algunas niñas zipaquireñas.

Lo quisieron por lo que era y no por su fama, porque no la tenía

En Zipaquirá llegó al máximo su romanticismo, convertido en sueños y poemas de amor. Gabriel escribía versos piedracielistas muy bellos, a veces para sus novias: los firmaba con el seudónimo de 'Javier Garcés'. En ocasiones sus poesías eran solicitadas por sus compañeros para conquistar con ellos a las niñas de quienes estaban enamorados. Él los firmaba con el seudónimo de 'Javier Garcés', y se ganaba algún dinero que le caía muy bien, con su diligente inspiración que hacía quedar como príncipes a sus amigos.

Pero la soledad no lo abandonó del todo durante sus cuatro años en "La ciudad de la Sal", donde le declaró su amor a Lolita Porras, a Luz Virginia Lora, a Berenice Martínez, y con menor intensidad a otras muchas más, cuya historia por falta de suficiente información, debí dejar en el anonimato.

La información que obtuve a través de testimonios, documentos, personajes, sitios y edificaciones, había sido desperdiciada, olvidada... Las pequeñas o grandes anécdotas, testimonios y relatos que aparecen en este libro, reviven el pasado de una legendario personaje, salpicado de sueños e ilusiones; soledad, amor, honores, alegrías y silencios; a quien antes de que fuera uno de los escritores más famosos del mundo, en Zipaquirá decidieron quererlo por lo que era y valía entonces, y no por su fama, porque por entonces no la tenía.

Las fuentes para esta investigación fueron fundamentalmente los testimonios rescatados de los recuerdos de 83 testigos excepcionales, 29 de los cuales ya murieron; de datos de la tradición oral zipaquireña, y de algunas informaciones públicas.

Indagué en los espacios, rincones y sitios por donde Gabo se movió entre marzo de 1943 y febrero de 1947 (cuando entró a la universidad), para revivir esos años de quien fue un estudiante sencillo, tímido y a la vez "mamagallista", que cuando compartía ya dificultades económicas con ocho de sus hermanos, resolvió que la solución era irse de su casa. Lo "rastreé" por toda Zipaquirá, como un joven elemental y temeroso, de quien se sabía poco, y eludí, conscientemente al García Márquez celebridad, porque de este ya se conoce casi todo.

Desde hace muchos años la inmensa mayoría de los compañeros de curso de García Márquez y muchos de sus amigos, supieron de sus éxitos pero no volvieron a verlo; aunque nunca olvidaron los días que convivieron con ese joven costeño que nunca imaginó "ir a parar" junto a ellos, a Zipaquirá, ciudad de la que él no había oído hablar nunca y a donde al llegar no se imaginó que allí se volvería un mítico escritor.

En estas páginas hay muchas historias en una; salidas de los testimonios y narraciones de los compañeros, enamoradas, amigas y

Panorámica aérea de La Plaza Mayor de Zipaquirá; sobresalen la Catedral diocesana a la izquierda de la plaza, el Palacio Municipal y a la derecha de la Catedral el Palacio de Salinas. Foto de "Chucho Barón".

amigos que Gabriel García Márquez tuvo en Zipaquirá, quienes revelan por qué lo educaron con principios marxistas, sus noches de miedo y terror en su internado y hasta de sus historias sentimentales, cuando se enamoró de varias jóvenes zipaquireñas.

Gabo, quien se crió lejos de sus padres durante los años fundamentales de su niñez, antes de estrenar sus sentimientos románticos y tiernos, de tener una novia acorde con su edad; antes de que fuera novio de "una niña bien", había saltado "de la cuna" a tener experiencias en camas con prostitutas y con mujeres casadas; se había "madurado biche en el amor", comentaron algunos de sus compañeros.

Según Álvaro Ruiz Torres, y corroborado por otros de sus amigos de colegio: "Gabriel necesitaba con urgencia, ansiosamente, de amor y de ternura, y eso lo expresaba en los poemas que escribió en su primer año de internado en el Liceo. Su vida denotaba una alternación entre una gran alegría y una dolorosa soledad, a pesar de su corta edad.

Mientras se le cumplía su sueño de tener una novia tierna, invertía gran parte de su tiempo en los poemas soñadores y en pintar gatos, rosas, burros, perros, patos, o lo que fuera, y en dibujar caricaturas de los profesores, de nuestros compañeros o de personajes famosos".

García Márquez vivía esa confesa e incontenible sensación de "soledad acompañada". Tenía amigos que le eran leales y con quienes compartía, pero pasaba inmerso en sus angustias, temores, miedos, en la sensación de frío que enfrentaba siempre "embutido" entre sus sacos de lana, en el recuerdo de su Caribe, todo lo cual se aunó como un factor de sus cuatro años de soledad.

Como ya dije, Gabito dejó accidentalmente su comunidad "costeña", descomplicada, por una de intelectuales y de gente más formal, que lo llevaron a complementar su gusto artístico como el famoso poeta, escritor, compositor, y director de orquesta sinfónica,

A la izquierda, de anteojos, Álvaro Ruiz Torres, y atrás, en el centro, Gabriel García Márquez.

Maestro Guillermo Quevedo Zornoza, quien fue su profesor de música, pero que tuvo una gran influencia en él, como escritor.

Quienes lo conocieron y compartieron su vida en esa época, describen a Gabo como un adolescente, "muy sensible, romántico; como un ser muy espiritual, que pasaba los días soñando romances".

Las primeras veces que sintió amor lo llevaron a noviazgos casi platónicos; llenaron en parte el gran vacío que arrastraba su corta existencia que casi desesperadamente buscaba ternura y besos, que no compañía de cama, y eso lo encontró en Zipaquirá.

Del Gabo bailarín al joven sacudido por las tragedias

Otra faceta de Gabo allí, fue la de "bailarín" todos los domingos y una que otra noche, entre semana; la de sus pilatunas con algunos compañeros de colegio; sus primeros amigos desinteresados y cálidos; y también sus duras y repetidas vivencias dramáticas y tristes, que le marcaron el alma y le fortalecieron su sentido de "realismo mágico"; entre ellas, la muerte prematura de una niña a la que amaba; el suicidio de uno de sus rectores; la "muerte súbita" de un "pastuso", compañero interno del Liceo, a quien enterraron en Zipaquirá, porque era huérfano; el accidente que le quitó la vida a su profesor de gimnasia, Jorge Perry Villate, el primer atleta colombiano en participar en unos Juegos Olímpicos, en Los Ángeles, 1932. Estas vivencias dramáticas, siendo tan joven, fueron experiencias dolorosas que llevaron a García Márquez a una serenidad temprana, como temprana fue su formación madura como escritor.

Cada entrevista, cada testigo, cada información que fui encontrando para reconstruir la historia contenida en este libro, me animó a indagar más, a preguntar más, a investigar más, a conocer más sobre Gabo en Zipaquirá.

En orden alfabético, el nombre de Zipaquirá es el último que figura en la lista de los más de mil municipios colombianos. Y fue allí donde durante más de un siglo reinó la literatura, sus gentes compensaron el frío que afectaba al "costeño" Gabriel García Márquez, con la calidez que le prodigaron durante los cuatro años fundamentales de su vida (1943 a 1946), durante los cuales, en el Liceo Nacional de

Varones, descubrieron y cultivaron su talento, haciendo que dejara de lado el dibujo, las caricaturas y la poesía que le apasionaban, para que le diera paso a la prosa literaria convirtiéndose en un sólido escritor, como el mismo Nobel lo reconoce en su obra, *Vivir para contarla.*

Gabriel García Márquez tuvo la gran suerte al llegar a Zipaquirá, ciudad donde se respiraban cultura y literatura, contrastando con la apacible Aracataca. El historiador Roberto María Tisnés, cuenta que "en Julio de 1863 fue fundado el Estado Soberano de Cundinamarca. Estudiada su importancia política, se decidió que Zipaquirá, la ciudad de mayor trascendencia en Colombia, después de Bogotá, fuera su capital". La sede fue abierta el 1° de agosto, y el 1° de diciembre de ese año, también se instaló allí la Asamblea del Estado, cuyo Presidente fue don Francisco Javier Zaldúa". Y luego, el general Antonio Nariño la erigió como Sub-presidencia de la República.

Esta ciudad fue en 1816 (durante la Primera República), capital de gobierno. José Fernández Madrid, quien sucedió a Camilo Torres como Presidente del gobierno de las Provincias Unidas de La Nueva Granada, cerró su Palacio en Bogotá y convirtió a Zipaquirá en nueva sede de la Presidencia. Luego, en 1904, fue capital del departamento de Quesada, y en 1918, ante la división territorial de Cundinamarca, se la declaró capital de la Provincia de Zipaquirá, en una nueva demostración de su importancia económica, política, y cultural.

Y también fue Subpresidencia de la República esta ciudad salinera que acogió a Gabriel García Márquez en 1943, cuando no era por entonces un pueblo cualquiera, sino uno de los más importantes centros culturales de Colombia, en el que hubo ópera ya en 1900. Infortunadamente se vino a menos por la decisión gubernamental del general Gustavo Rojas Pinilla de prohibir la elaboración de la sal a los particulares, lo que desestimó muchos capitales de más de 60 plantas de sal, que fueron a engrosar riqueza en otros sitios de Colombia, perdiéndose los grandes presupuestos que allí, tradicionalmente se destinaban con prioridad a la cultura, y muy especialmente a la literatura.

Con la riqueza de sus salinas, en 1813, Zipaquirá respaldó económicamente al gobierno del general Antonio Nariño; luego, desde 1816 financió la campaña libertadora del general Simón Bolívar y la independencia de Colombia, Venezuela, Perú y Ecuador; posteriormente, en 1824, al gobierno del general Francisco de Paula Santander, dándole solidez económica a la naciente República de Colombia.

Todo lo anterior resume la importancia de Zipaquirá, que tuvo equivalencia en lo cultural, artístico, científico y político desde el Siglo XVII, hasta llegar a la vida de Gabriel García Márquez allí, donde había tertulias literarias al más alto nivel y donde nacieron y se desarrollaron en la poesía y la literatura, el Presidente Santiago Pérez, Carlos Cortés Lee, Belisario Peña y Roberto Mac Douall; donde brillaron en las letras, Pedro Fermín De Vargas ("padre de la economía colombiana"), José Joaquín Casas, Federico Lleras Acosta, Luis Orjuela, Manuel José y Parmenio Cárdenas, Ricardo Hinestroza Daza, Carlos Medellín Forero, Juan De Dios Bravo, Daniel Coronado, Eduardo Castillo, Fidel Torres González ("Mario Ibero"), Guillermo Quevedo Zornoza, José Jerónimo y José María Triana, Germán Castro Caycedo, Carlos Medellín, Fernando Hinestroza Daza, Manuel José Cárdenas y muchos personajes más. Hasta el Barón Alexander Von Humboldt se ocupó de Zipaquirá en su "Memoria Raciocinada de las Salinas de Zipaquirá", luego de visitarlas y estudiarlas, en 1801.

"Errores" del biógrafo de Gabo, Gerald Martin

El escritor inglés, Gerald Martin, profesor de literatura Latinoamericana y biógrafo de Gabo, en su libro *Gabriel García Márquez, una vida*, comete varios errores. Por ejemplo, dice en la página 180 de su libro, que aquel se graduó en 1947, cuando en realidad lo hizo en 1946. Asegura que en Zipaquirá llovía todos los días, versión "traída de los cabellos". También cuenta que a García Márquez en 1946 "lo trasladaron al dormitorio pequeño" del Liceo: eso sucedió fue en 1944, a raíz de sus gritos nocturnos, generados por las pesadillas que solían acompañar sus sentimientos subconscientes de soledad.

Martin habla de los "toscos tejados rojos" de Zipaquirá, pero no son rojos, sino de color ladrillo y armónicamente colocados, no toscos, pues si algo ha habido en "La ciudad de la Sal", son unos tejados armónicos, con cubiertas muy bien techadas.

El inglés menciona la "magnífica" biblioteca del Liceo, cuando en realidad era muy modesta y limitada. Y cuenta que en el Liceo había ochenta internos, pero el listado del Liceo y según profesores y estudiantes amigos de Gabo, el número pasaba de 100. Además, Martín escribió que los sábados las clases eran "hasta medio día", otro error claro, ya que ese día no había clases sino las conferencias culturales (magistrales) del Maestro Andrés Pardo Tovar, brillante sociólogo, musicólogo y folclorista, las cuales dictaba a partir de las 10 de la mañana.

Todo indica que el famoso escritor Martin, por lo menos en lo relativo a la historia de Gabo en Zipaquirá, copió mal: porque hasta dice que García Márquez fue a donde el Presidente Alberto Lleras a solicitar recursos para una visita de estudio a la Costa, cuando en realidad, él y el rector del Liceo fueron a Palacio con Álvaro Ruiz Torres, y con la tía de este, la poetisa Laura Victoria, (quien era amiga de Lleras) para que apoyara la excursión de sexto, para lo cual el Presidente autorizó el regreso de los estudiantes en un avión de la Fuerza Aérea Colombiana, arma que ejercía funciones de observación y combate a raíz de la guerra de Colombia con el Perú, desde 1932 y ocasionalmente de causas socialmente especiales, como esta.

Aparte de tantos datos errados, sacados quién sabe de dónde, el tema del Nobel García Márquez en Zipaquirá no mereció el interés del señor Martín, y por eso aporta apenas unos datos "refritos" e inconsistentes. De ellos, llama la atención uno referente a la única entrevista suya a un aparente compañero de curso de Gabo, de nombre José Espinosa, y transcribe sus testimonios sobre la vida del Nobel en Zipa, pero resulta que el supuesto compañero del Gabito, según sus amigos de esa promoción que vive aún, ninguna persona con ese nombre estudió con ellos, ni recuerdan que haya estado en otro curso. Y eso se comprueba al ver las fotos de los mosaicos del Liceo, correspondientes a los años cercanos a 1946, cuando se graduó el Nobel.

Entre otras de las varias inexactitudes de Gerald Martin en su libro, anota que los internos se acostaban a las 9 de la noche. Sin embargo, el asunto según varios compañeros de García Márquez, "A las siete y cuarenta y cinco, 'Riveritos' (el portero del Liceo) entraba en acción, 'interpretando' la campana y señalando con su tañido que era hora de que los internos fueran a los salones a estudiar y a hacer tareas, hasta las 8 y 20 de la noche, cuando sonaban las últimas campanadas del día "ordenando a los internos ir rapidito al dormitorio y acostarse a escuchar la lectura de capítulos de las obras más importantes de la literatura, la cual hacía preferencialmente el profesor Manuel Cuello del Río (y a veces otros) sagradamente, todas las noches y en voz alta, desde un rincón iluminado del dormitorio.

"Este quedaba en el segundo piso del Liceo", (dice el profesor Héctor Figueroa), y no en el primero, como asegura el señor Martín. Figueroa me dijo: "Esa costumbre de leerles a los internos que permanecían a oscuras, fue implantada por el profesor de literatura Carlos Julio Calderón Hermida, el descubridor del escritor Gabriel García Márquez".

Gabo le confesó a Germán Castro Caycedo, y enfatizó, en que los años de su internado, fueron años de su vida que "recordaba muy poco". Y esos escasos recuerdos de sus cuatro años en "La ciudad de la Sal" de Colombia, los relata ligeramente en su libro, *Vivir para contarla*, para el que resultó útil parte de la información que en distintos artículos publiqué yo a final del siglo pasado y a comienzos de este, sobre su vida en Zipaquirá.

El olvido de sus años en Zipaquirá, fue una de las razones que me llevaron a apelar a la memoria de 83 personas cercanas a la vida y a la historia temprana del Nobel colombiano, sobre lo sucedido durante esos cuatro años cuando estudió de tercero a sexto de bachillerato, no seis, pues cuando llegó allí ya había cursado los grados primero y segundo, en el colegio San José de Barranquilla.

Gabo había estudiado antes en el Instituto Montessori, de Aracataca, donde su maestra Rosa Elena Fergusson, quien le enseñó a leer y escribir y fue su primer amor platónico. Permaneció allí, junto a ella, hasta 1936, cuando murió su abuelo, el coronel; entonces debió irse a vivir con sus padres a Sucre y de allí pasó a estudiar interno en el colegio San José, de Barranquilla, donde escribía coplas con buen humor.

Capítulo 2

Zipaquirá y el Liceo, algo del honor por el Nobel

Yo le fui adicionando valor agregado de interés a la historia que venía trabajando desde años atrás, por muchas razones; entre otras, porque Gabo, en *Vivir para contarla*, (Norma, 2002), dijo: "Todo lo que aprendí se lo debo al bachillerato". Época esta en la que él y sus compañeros de estudio en Zipaquirá, estuvieron rodeados de escritores, poetas, dramaturgos declamadores y otros intelectuales que se desenvolvían en un admirable ambiente literario. Es que en esa ciudad más del 10 por ciento de los presupuestos públicos, enriquecidos además por la explotación de la sal, eran destinados en esa época a la cultura.

Me parecía objetivamente importante, registrarlo en la historia de la literatura, evitando que lo sucedido en esos cuatro años en Zipaquirá, por importante, continuara siendo (como hasta hoy) una especie de "eslabón perdido" en la vida del único Premio Nobel que ha tenido Colombia.

En el año 2001, entrevisté por primera vez a Álvaro Ruiz Torres, el mejor amigo y compañero de curso de Gabriel García Márquez, a quien llegué por Consuelo Quevedo Navas. Él era quien sabía más y mejor sobre la vida de Gabo en Zipaquirá. Hicimos una excelente amistad que disfrutábamos hablando de el Nobel, especialmente los sábados por la tarde. Álvaro, quien irónicamente enseñó a fumar a Gabo, vivía conectado a un tubo de oxígeno, en una casa como de película, rodeada de flores bellamente cuidadas por su esposa Rosita, y acompañado casi siempre por su hijo Juan Manuel, quien como su otro hermano, Álvaro, saben casi tanto de García Márquez, como su padre.

Pero como lo bueno no dura, tristemente, mi amistad con Álvaro Ruiz Torres terminó, porque él murió, el 9 de agosto de 2004, después de haberme conectado con varios de sus compañeros del Liceo, que estudiaron con él y con García Márquez, y de haberme dado copia de muchos poemas suyos, escritos en Zipaquirá; de un acróstico que Gabriel le hizo; de algunas fotografías juntos, y hasta de una famosa caricatura que este le hizo a su profesor de Gimnasia, Jorge Perry Villate, "Míster Perry"; todo para que yo las incluyera en este libro, lo cual, dijo, "me dará mucha alegría". Pues los poemas no están porque nunca recibí de la representante de Gabo, la anunciada y reiterada autorización para hacerlo. Seguramente muchas de las anécdotas registradas en estas páginas se escapan a la memoria del Nobel. En su libro *Vivir para contarla*, él hace algunas referencias a su vida allí; es sabido que le declaró a Germán Castro Caycedo: "Los de mi internado en Zipaquirá son años de mi vida que recuerdo poco". Y le confesó que recordaba, "muy confusamente" cuando se despidió de su familia en Barranquilla, especialmente de su mamá. Y cuando pocos días después comenzó la historia del muchacho trasplantado de la costa Caribe a "La ciudad de la Sal", de la que él no tenía ni idea porque nunca había oído hablar de ella.

No hay duda de que a pesar de las grandes dificultades económicas que lo acompañaron cuando niño, Gabo tuvo la inmensa fortuna de ser un predestinado desde cuando decidió irse desde la costa Caribe al interior de Colombia, según Germán, a quien contó durante dos días su vida de manera amplia, en el salón de reuniones de Cromos, cuando yo era Jefe de Redacción de esa revista.

La casona del Liceo Nacional de Varones de Zipaquirá ocupaba media manzana; fue construida en 1782. Según decían los estudiantes, allí asustaban y había "fantasmas propios". Gabo, luego de saber estos cuentos, sufría frecuentes pesadillas. Por la primera ventana (después del portón), entraban de regreso en la noche Gabo y sus amigos,"alcahueteados" por el portero Riveritos, luego de que se habían escapado. La habitación del rector era la del balcón.

Esa noche creció aún más mi interés en la vida de Gabo en Zipaquirá y lo que mi hermano nos refirió en familia sobre su relato en la entrevista, acerca de su "trasplante" de Aracataca a Zipaquirá, reforzó mi interés en esta historia.

Germán nos pormenorizó el día cuando García Márquez ayudó a un casual compañero de viaje fluvial por el río Magdalena, y quien luego, providencialmente, obró el milagro de propiciarle una beca para irse a estudiar tercero de bachillerato a Zipaquirá, ciudad de cuyo nombre Gabo ni siquiera había oído pronunciar. El no se imaginó nunca sobre la gran oportunidad que le estaba dando la buena estrella de su destino, abriéndole las puertas a la gloria literaria que lo condujo a ganar un Premio Nobel de literatura, el único logrado por colombiano alguno.

Gabriel García Márquez también fue un predestinado porque llegó a estudiar a una ciudad de profunda tradición cultural, donde por entonces estaba ubicado al mejor colegio nacional de Colombia, al que estaban estrechamente ligados, escritores, artistas, poetas y otros intelectuales y donde formaron sólidamente y "graduaron" a Gabriel de poeta, de orador y de escritor; donde canalizaron estimularon su gran inteligencia creadora y donde desarrollaron su pasión por la lectura y la literatura, dándole piso firme y desarrollo, a su gran talento.

Rastreando recuerdos de quienes convivieron o fueron cercanos a García Márquez en Zipaquirá, supe que allí, semana a semana, él se cruzó con todo tipo de intelectuales: escritores, poetas, oradores, críticos literarios, pintores, musicólogos y compositores, que asistían a las tertulias literarias organizadas por su protectora, Cecilia González Pizano, en su casa, que quedaba frente al Liceo; a otras reuniones que realizaba Carlos Martín rector del Liceo, y a las que el mismo Gabo organizaba en el "Centro Literario de los Trece", en el Liceo Nacional de Varones.

Gabriel García Márquez consolidó también allí el periódico Gaceta Literaria, respaldado por el rector Carlos Martín, uno de los fundadores del "piedracielismo", y quien figuraba ya en esa época, (cuando apenas tenía 30 años), entre los más importantes poetas de Colombia. Durante los meses de 1944 que Martín fue rector del Liceo, alternó y reforzó las clases de literatura que hasta entonces solo le dictaba a Gabito, el profesor Carlos Julio Calderón Hermida.

García Márquez degustaba como espectador de primera fila, las obras de la literatura colombiana o universal, leídas todas las noches en su dormitorio, por el profesor Cuello del Río o muy eventualmente por estudiantes designados para ello, cuando ya los internos se habían acostado y antes de que se durmieran.

Y claro, recibió la instrucción intensiva de Preceptiva Literaria, Castellano, Gramática, literatura, y otras materias, que le impartía Calderón Hermida, y que le reforzaba Martín, las cuales eran complementadas por aquel con exigentes trabajos literarios. Las notas de Gabriel García Márquez son elocuentes: en tercero de bachillerato obtuvo 4.3, en Castellano; en cuarto, 4.6 en literatura Universal; en quinto 4.9 en literatura Colombiana; y en 1946, cuando se graduó, sacó 5 en literatura.

Complementaron el ambiente cultural en el que se ilustró y levantó García Márquez, las conferencias sabatinas sobre "Historia de la Música", dictadas por el intelectual crítico, Andrés Pardo Tovar; las clases de canto y música que le impartió el Maestro Guillermo Quevedo Zornoza; las veladas en las que Gabo (a instancia del Maestro), interpretaba zarzuelas y obras de teatro; y los conciertos de música clásica y colombiana que todos los domingos interpretaba la Banda Sinfónica en la Plaza Mayor de Zipaquirá, bajo la batuta del Maestro Quevedo, quien la dirigía y que Gabriel García Márquez no se perdía. De este excelso escritor, poeta, historiador y músico, que también "construyó" la vocación por la Ópera en vivo, que con artistas de talla internacional era programada en la ciudad, La RCA Víctor, la del famoso perro y la Victrola, grabó en los Estados Unidos más de 40 de composiciones suyas.

Siguiéndole la pista a Gabo desde siempre

Pasaron los años y los biógrafos de García Márquez no le pusieron la atención que merecía su vida en Zipaquirá, lo cual resulta desconcertante pues había muchos testigos sobre cómo fue que él llegó a ser escritor; sobre sus primeros amores y de las interminables historias que protagonizó en esa ciudad. Temas estos revividos a través de los relatos de los testigos centrales de su historia allí, en "La ciudad de la Sal"; de quienes estuve "detrás" siguiéndole la pista a Gabo, desde siempre.

Una condecoración bien guardada, se quedó esperando al Nobel en el cajón de un mueble del Palacio Municipal de Zipaquirá, ciudad a la que no regresó, pero donde quedó la satisfacción de haber compensado el frío que tanto hizo sufrir a García Márquez, con la calidez de quienes allí lo acogieron durante cuatro años, con aprecio y cariño. Entre ellos su profesor que lo impulsó a la literatura; el rector 'piedracielista' que lo estimuló como escritor; la artista a quien le faltaba una mano, que lo quiso y respaldó su energía creadora; las primeras quinceañeras que lo amaron; el profesor de Geografía de América que le acentuó su mundo mágico; el Maestro escritor, compositor y humanista que le dio su amistad; su compañero del alma; sus compañeros que le prodigaron solidaridad, cariño, compañía y amistad y, claro, el magnífico Liceo en cuyas aulas lo formaron para que conquistara la gloria.

Todos ellos, mucho antes de que García Márquez fuera una de las personas más famosas del mundo decidieron quererlo sin ningún interés, y entregarle su amistad sincera, por lo que entonces era él y sin saber hasta dónde llegaría; apoyaron a quien habría de convertirse en el "escritor vivo más importante del mundo".

Gabriel García Márquez escribió en Zipaquirá su primer cuento, "Psicosis obsesiva", en 1943. Sus primeros cinco discursos, entre 1944 y 1946; sus primeros poemas entre 1943 y 1946, dos de los cuales fueron acogidos por los periódicos El Tiempo y El Espectador, en sus suplementos literarios, en 1944 y 1946. Y claro, respondió cada vez mejor a los exigentes trabajos literarios de su profesor Calderón Hermida.

"Cien años de soledad" y cuatro de Gabo en Zipa

Zipaquirá es ese pueblo descrito en *Cien años de soledad,* como "remoto y lúgubre, donde 'Aureliano Segundo' fue a buscar a 'Fernanda del Carpio', a 1.000 kilómetros del mar" (Editorial La Oveja Negra Ltda, 10° edición, diciembre de 1982). Y es la ciudad donde Gabo, un costeño alegre y a la vez tímido, que llegó allí a estudiar por cosas del destino. Allí se enamoró de la literatura, de las mujeres, del amor, de la poesía, y de los cuentos y novelas en las que se reflejan sus propias vivencias, pues él es también un personaje de novela.

Durante su niñez, García Márquez había estrenado ya su amarga sensación de soledad, la cual aumento desmedidamente por el frío de Zipaquirá, y por la lejanía de su tierra, a pesar de la gente en esta ciudad a la que llegó inesperadamente, le brindó amistad, que antes le había sido esquiva.

Las historias fabulosas nacieron para García Márquez al lado de sus abuelos maternos y de sus tías, en Aracataca; el coronel Nicolás Márquez (veterano de la Guerra de los Mil Días), le contaba y repetía toda clase de historias de su juventud. Gabriel se enriqueció luego en Zipaquirá con el aporte que le dio a su "realismo mágico" el imaginativo y original profesor, Manuel Cuello del Río; con el de las historias de misterio, y de terror; y con los espantos, sustos y versiones fantasmales que fueron pan diario en la inmensa casona colonial zipaquireña con reminiscencias republicanas, construida en 1782, donde Gabo estudió, y donde se sentía solitario y triste; es decir, donde pasó cuatro años de soledad. Y donde, además, vivió la interminable y tortuosa cadena de pesadillas nocturnas, acompañadas de alaridos con visos de terror, que hicieron historia entre sus compañeros de dormitorio.

Gabriel prácticamente "huyó" de su casa, para ganar independencia y para no sentirse una "carga" económica, dado que su padre casi no tenía dinero para sostenerlo a él y a sus hermanos. Según comenta Germán Castro Caycedo, "tuvo claridad en que irse de su casa, le daba tres soluciones, una, para su ansiada independencia; otra para aligerar en algo la pobreza de su familia y la tercera, para estudiar".

Además, con una beca aseguraría alojamiento, alimentación, peluquero, médico, odontólogo, enfermera y otros servicios como agua y luz sin ningún costo,

Esa oportuna y afortunada decisión de dejar tierra y familia a comienzos de 1943, para emprender una aventura de casi 1.000 kilómetros de distancia, permitieron el milagroso encuentro de Gabo con Adolfo Gómez Támara, quien milagrosamente, le dio la gran oportunidad de irse a estudiar a Zipaquirá, en el mejor colegio nacional que había en Colombia.

Luego del increíble e insólito encuentro en su vida con Gómez Támara, Dios puso en el camino de Gabriel García Márquez, a Zipaquirá, al Liceo Nacional de Varones y a quienes allí lo impulsaron a la gloria.

Es decir, (lo repetimos porque es importante) a Carlos Julio Calderón Hermida, su profesor de Literatura, Español, y Gramática; a Cecilia González Pizano, la intelectual más destacada de la ciudad, que se codeaba con los grandes de la literatura colombiana; a Carlos Martín, uno de los poetas líderes del 'piedracielismo', quien providencialmente llegó como rector al Liceo; a sus profesores Joaquín Giraldo Santa, Héctor Figueroa, Guillermo Quevedo Zornoza, y Manuel Cuello del Río; y a sus compañeros Álvaro Ruiz Torres, Alfredo García Romero, Eduardo Angulo Flórez, Jaime Bravo, Ricardo González Ripoll, Guillermo López Guerra, Hernando Forero Caballero, Humberto Guillén Lara, Luis Garavito, Jóse Argemiro Torres y a otros compañeros que lo estimularon durante cuatro años.

Un García Márquez "elemental y romántico". Coincidencias curiosas

Esta investigación descubre a un García Márquez, "elemental y humano", descrito así, por personas que convivieron con él durante cuatro años, y por familiares de otras que conocieron su historia, la de un interno costeño en un mundo de 'cachacos', sin familia cercana, echando de menos el ambiente tropical de su tierra y adelantando un "curso intensivo" de escritor.

En relación con la historia del bachiller Gabriel García Márquez, hay algunas coincidencias curiosas, a mi parecer, poco comunes. Dos personas a las que les faltaba una mano tuvieron estrecha relación con él en Zipaquirá: "La Manquita" Cecilia González Pizano, su protectora, y don Héctor Figueroa, su profesor de Inglés, quien también lo fue del autor de este libro y de Germán y José Fernando Castro Caycedo.

En el salón de García Márquez había cuatro "Luises" y tres "Álvaros", mejor cuatro, porque así se llamaba también su profesor de Fisiología, y claro, a unos y otros los confundían con frecuencia.

Cerca de Gabo hubo cuatro telegrafistas: su padre, Gabriel Eligio García; José Domingo Palencia, (padre de José Palencia, su mejor amigo costeño), quien antes de ser ganadero manejó el telégrafo en Sucre, en esa época, municipio perteneciente al departamento de Bolívar. Sara Lora, quien sin conocer bien a García Márquez, tal vez por colegaje al saber que su padre fue telegrafista, por solidaridad, terminó siendo acudiente de Gabo en Zipaquirá; y el otro personaje fue su esposo, Liborio Botia Ruiz, con quien sostuvo su noviazgo por telégrafo en los años cuarenta, como adelantándose al extendido hoy mundo del chateo.

En el mes de diciembre García Márquez terminó su bachillerato; en ese mes murió su amor, Lolita Porras, y recibió su Premio Nobel, en 1982. Dos de los más entrañables amigos de Gabo, murieron de manera trágica en Nueva York, en diferentes fechas, Cecilia González Pizano y José Palencia, su mejor amigo costeño del Liceo.

Hacen parte importante del entorno de Gabo en Zipaquirá, dos médicos frustrados: uno, Álvaro Ruiz, a quien la vida compensó con dos galenos, su hermano Manuel, y su hijo Álvaro; y por otro lado, el profesor que hizo escritor a García Márquez: Carlos Julio Calderón Hermida, quien soñó inútilmente con estudiar Medicina, pero que tuvo tres hijos médicos en su casa, Zunny, Gladys y Héctor.

Nicolás, se llamaba el veterano de la Guerra de los Mil Días, abuelo de Gabo, y Nicolás, el abuelo del Maestro Quevedo, profesor y amigo del Nobel en Zipaquirá, quien luchó en el mismo bando del coronel Márquez en ese cruel conflicto. Además, estos dos militares esperaron durante muchos años que el Estado les decretara la "recompensa" que les había prometido desde 1903, como veteranos de esa guerra. Los dos, el abuelo y el Maestro, le contaron a Gabo sus historias y batallas en ese conflicto bélico, el peor que ha sufrido Colombia; y este, el que luego fue su profesor en Zipaquirá y que le entregó su amistad a García Márquez, le prestaba libros de la inmensa biblioteca de su casa, en donde García Márquez aprendió a escribir en su máquina Underwood, la cual aún existe allí, donde está hoy el Museo Quevedo Zornoza.

Gabriel García Márquez, dice en su libro, *Vivir para contarla*, (Grupo Editorial Norma, 2002, página 241): "Nunca supo el Maestro Quevedo, ni me atreví a decírselo, que el sueño de mi vida de aquellos años era ser como él".

Otro asunto curioso es que el profesor Carlos Julio Calderón Hermida, vivió en la casa de unos amigos que resultaron ser los padres de una niña a la cual Gabo quería mucho, y que murió enlutando su corazón.

A pesar de haberle dedicado casi cuatro años de su vida a la formación literaria de Gabito, el profesor Calderón, con inmenso pesar, no pudo estar presente el día de su grado como bachiller de su discípulo más adelantado ya que tres meses antes de esa ceremonia, el Ministerio de Educación lo envió en una misión especial a Chiquinquirá, ciudad en la que precisamente nació el rector Carlos Martín y donde murió fatalmente, el profesor de Educación Física de Gabo, Jorge Perry Villate.

La lectura que se hacía de los libros más destacados, todas las noches en los dormitorios del colegio, después de que se acostaban los estudiantes, refleja el ambiente literario del Liceo, que graduó a Gabriel García Márquez y a 25 compañeros el 6 de diciembre de 1946.

¿Quién, en condiciones tan excepcionales y coincidentes como las mencionadas, no se iba a interesar, como me pasó a mí, en investigar y escribir sobre este excepcional período de la vida de Gabriel García Márquez?

Sólo fue asunto de tiempo para hablar con sus amigos de colegio, sus compañeros de curso, profesores, amigas; con su primera novia y con otras más, pues los compañeros de bachillerato de García Márquez cuentan que tuvo cuatro. Para entrevistar a los testigos, consultar archivos y conseguir fotografías, realicé varias decenas de viajes a Zipaquirá, durante cerca de quince años.

Fue una investigación persistente para rescatar del olvido esta casi desconocida vida de Gabo. La consulta se extendió de Zipaquirá a Bogotá, a otros sitios de Colombia y al exterior, donde los testigos narran esta historia que descansó más de 60 años en su recuerdo.

Capítulo 3

Gabo "tragado" de la "La Sardina" Berenice Martínez

Ubico este capítulo romántico y sentimental aquí, al comienzo del libro, porque muestra a Gabriel García Márquez como era: romántico y sentimental en búsqueda del amor de una bella; no el joven frío que muchos imaginan.

Este capítulo es emotivo de comienzo a fin, y cuando digo fin, significa hasta el siglo XXI. Como decía su compañero de colegio Miguel Ángel Lozano Córdoba, se trata del Gabo, "tragado" de la "sardina" zipaquireña, Berenice Martínez.

Luego de averiguar con muchos testigos sobre si Gabriel García Márquez tuvo novia en Zipaquirá, el hacendado Alberto Garzón, vecino suyo de pupitre en sexto de bachillerato, en el Liceo Nacional de Varones, me dio la clave: "Aquí muchas personas quisimos a Gabriel García Márquez. Él protestaba, era rebelde e izquierdista, pero era un muchacho simpático y muy romántico. Había una niña muy linda, con un pelo hermoso, se llamaba Berenice Martínez, los estudiantes le decíamos, "La Sardina". Varios compañeros la pretendían, pero ella se la pasaba con Gabriel. Creo que fueron novios".

Este comentario de Alberto fue la pista para emprender la búsqueda de un romance de Gabo, sin interés de sexo, de su primera novia. Habían transcurrido más de seis décadas cuando la encontré. Luego de indagar y buscar incansablemente a una de las inspiradoras de los poemas de García Márquez, y de rastrear detalles que me condujeran a ella, (si es que aún vivía), casi 60 años después de su relación con Gabo, logré ubicarla en Pasadena, California, Estados Unidos, a donde se fue a vivir después de haber vivido en Bucaramanga, Barranca y Cartagena, y de quedar viuda.

Era Berenice Martínez Vélez viuda de Pinzón, tenía la misma edad del Nobel y tuvo seis hijos, cuatro hombres y dos mujeres, y fue una de las tres hijas del Maestro Miguel Ángel Martínez, un pintor, fotógrafo, poeta y escultor zipaquireño; ciudadano a quien condecoraron varias veces.

Curiosamente, mi madre fue amiga en su juventud de la bella Berenice; por boca de ella conocí parte de la historia de Cecilia González Pizano y Gabo. Sin embargo, nunca me enteré del noviazgo de Berenice con García Márquez.

Pero como todo esfuerzo da frutos si se realiza con fe, por fin descubrí y entrevisté a Berenice Martínez, quien vivía en Pasadena con una hija y un hijo. Ella se casó con el ingeniero Hernando Pinzón Mantilla, nacido en Piedecuesta, (Santander), quien construyó en 1948, la torre de las compuertas de la represa del Neusa, cerca de Zipaquirá.

"Después de estudiar en Zipaquirá, me fui a la Academia Remington Camargo, de Bogotá, y regresaba los viernes", es lo que primero me cuenta Berenice, quien anota: "Gabito visitaba a mi mamá y adivinaba que yo llegaría antes del viernes; me presentía. Ella me decía que Gabriel decía: 'Siento que 'Bereca' va a venir'. Y por algún motivo, yo adelantaba mi viaje. Si él me presentía ¡Qué mujer no se iba a sentir halagada con eso!".

Después de mi primer contacto con Berenice, en Pasadena, ciudad situada más cerca de Ciudad de México, (donde vive Gabo) que de Aracataca, o Zipaquirá, ella me contó que en ese mismo instante tomó un ejemplar en español de *El amor y otros demonios,* y lo tenía en sus manos, "más o menos como si fuera una novia solitaria releyendo las cartas de amor, que le escribieran en la lejana adolescencia:

Desde el día que Gabo empezó a escribir en los periódicos, y cada vez que aparece uno de sus libros, siempre leo a Gabito y recuerdo nuestros días en Zipaquirá", confiesa Berenice, y con cierto pudor inocente, aclara apresurada: "Como aún éramos casi niños, más que un noviazgo lo que tuvimos fue una profunda y bella amistad plena de cariño".

Berenice Martínez. Esta fotografía le fue tomada en 1944, cuando estaba de novia de García Márquez.

Amistad o amor platónico que se inició en 1944, al año siguiente de que Gabriel García Márquez ingresara al Liceo Nacional de Varones de Zipaquirá: "De verdad, fue una época inolvidable, (cuenta Berenice). Recuerdo que salíamos a caminar con 'La Nena' Tovar, Consuelito Quevedo, Emilita Ramírez, Alcira Méndez, Ligia Rivera y con otras niñas amigas mías y de Gabito. Íbamos a 'las Onces' a comer golosinas, salíamos a la plaza, o simplemente caminábamos. Y en otras ocasiones íbamos a fiestas en algunas casas, que en esa época llamábamos melcochas o empanadas bailables".

Habían pasado cincuenta y nueve años, ocho meses y cinco días cuando Berenice Martínez recordó: "Me hacía la visita en la sala de la casa o si no, en la ventana. 'Ven, mi corazón te llama ¡ay! desesperadamente; ven, mi vida te reclama; ven, que necesito verte...'. Eso lo cantaba Rafael Arnedo, afuera, como dando una serenata casi diurna. Yo abría los postigos de la ventana y Rafa que acompañaba a Gabito a las visitas, me anunciaba: "Gabriel me invitó para que te cante y salgas a la ventana. Es que quiere hacerte una visita".

Berenice añora las "largas y amables horas vividas cerca de Gabito, hablando cosas agradables durante ese tiempo en que yo estudiaba en Bogotá y esperaba ansiosa el regreso a Zipaquirá, los fines de semana, para encontrarme con él".

Y agrega: "Desde esa ventana (que hoy quisiera tener puesta en esta casa de Pasadena), él me recitó varias veces unos versos que no recuerdo si eran de los suyos, los cuales jamás voy a olvidar:

"En esta misma ventana
donde me diste tu adiós,
vi que se daban la mano
las mismas sombras que antaño
se miraron tras las rejas,
se contaron sus tristezas
y se dijeron adiós".

"Son muchos recuerdos"; dice Berenice, y suspira... Luego de una pausa, va y toma un libro: Es *Platero y yo*. Se pone seria. Lo abre en la primera página, y una sonrisa infantil le ilumina el rostro: "Bereca: para que se acuerde del amor cada vez que asome su alma a este detenido río de belleza", reza la dedicatoria al pie de la cual está la firma: Gabriel.Y surge en su cabeza un remolino de recuerdos que hacía casi seis décadas no removía tanto como ahora.

Entonces, Berenice me cuenta:"Para Gabito, Berenice, era 'Bereca', y mi mamá que se llamaba María Vélez de Martínez, para él era 'María Velacha'. Ella y mis hermanas Leonor y Marina, lo querían mucho.Y a mí me encantaba que otras niñas me envidiaran porque andaba con él. Íbamos a tertulias, o a las empanadas bailables que organizaban 'La Nena' Tovar, Bertha Ibáñez, Elvira o Fany Aráoz, 'Jujú' Osorio, Cecilia Robayo, o en mi casa. Gabito era un espectáculo hablando y bailando, se movía como un 'ringlete', nunca le escuché a nadie cosas tan bonitas como las que decía él, que era un poema costeño andante".

Berenice vivía en una vieja casona colonial, ubicada frente a la casa cural, donde despachaba el eterno párroco de Zipaquirá, Monseñor Joselyn Castillo, buen amigo de su padre, el Maestro Miguel Ángel Martínez. Era el mismo curita que celebraba la 'misa de Nueve' en la Catedral, a la que Gabo asistía los domingos con el colegio, antes del concierto o "Retreta" en la Plaza Mayor, dirigido por otro personaje zipaquireño relacionado con él, su profesor de canto y música, el Maestro Guillermo Quevedo Zornoza.

La casa de Berenice era como el Liceo, y como Zipaquirá, una especie de centro cultural; allí solían reunirse los intelectuales zipaquireños; su padre pintaba oleos, acuarelas e inmensos telones para las veladas o las funciones que se realizaban en el teatro Mac Douall, escenario donde varias veces García Márquez fue protagonista, actuando en comedias o cantando zarzuelas.
Allí, donde Berenice recibía las visitas de Gabo, como casi todas las casonas coloniales zipaquireñas, había un zaguán adoquinado y un patio grande con geranios, jazmines y claveles, que brotaban de materas colgadas bajo los aleros, o de grandes moyas de barro que adornaban sus cuatro esquinas.

Según Álvaro Ruiz Torres, "mancorna" de García Márquez en el Liceo, y principal testigo de su amor por Berenice Martínez: "Cuando la conoció, Gabito no volvió a ser el mismo; desde entonces las coplas que al llegar de Barranquilla eran muy escasas, se convirtieron de pronto en Zipaquirá en frecuentes poemas románticos y sentimentales. La mayoría con asomos de tristeza o añoranza, los que le brotaban copiosamente del corazón y de las manos de Gabriel, convertidos en frases de amor que casi siempre lo atropellaban, porque eran más rápidas que su velocidad para escribir".

Y Álvaro, recuerda: "A veces Gabito vivía distraído, como soñando despierto, y plasmaba sus pensamientos en poemas que escribía para Berenice, su amor platónico de turno, luego de la trágica desaparición del primer amor que tuvo en Zipaquirá; o para que algunos de nuestros compañeros le entregaran a sus novias, a nombre propio y no de su autor".

Y cuenta: "Una vez me dijo que en algunas ocasiones cuando él quería hablarle a Berenice, las palabras se le morían entre los labios. En su fantasía, la dibujaba con uniforme y libros debajo del brazo; esa niña–mujer despertó en su alma y en su corazón, sentimientos que me confesó desconocidos hasta entonces para él, pues 'Bereca', a diferencia de otras mujeres que había tratado, más que apasionados o eróticos, le inspiraba sentimientos románticos, tiernos, de amor, amor".

Prosigue Álvaro: "A veces Gabriel se dormía despierto en nuestro alargado dormitorio del segundo piso del Liceo, soñando con esa bella niña que vivía apenas a unos cuantos metros de allí, pero que a veces sentía muy lejana. Era pesimista, creía que ella no lo amaba. Fue tanto su cariño por 'Bereca', como le decía, que se conformaba con ir a visitar a su mamá para hablar de ella".

Y agrega: "Mira, él me dijo alguna vez que el recuerdo de Berenice se le había convertido en una fijación, que le hacía dar botes en la cama, hasta cuando el sueño lo consumía pensando en ella, con peligro de pesadilla, que era una de sus características nocturnas, con sus consecuentes alaridos. Y me contaba que ya dormido, una que otra noche, penetraba en su subconsciente la idea de que Berenice no lo quería, la lejanía de su tierra, la nostalgia de sus abuelos, el calor de Sucre y Aracataca, y entonces era cuando se apoderaban de él esas pesadillas dramáticas que nos despertaban y de verdad, nos incomodaban. Hasta el punto de lanzarle toallas, almohadas o zapatos. Lo que fuera, con tal de que dejara su 'serenata' y se callara".

Álvaro Ruiz Torres, rememora: "Gabriel, que también amó y soñó a Lolita Porras -a quien se la llevó la muerte muy prematuramente- despierto o dormido soñaba luego con 'Bereca'. Me decía que por tierna, por su sedosos cabellos, por sus labios dulces, por sus ojos románticos, por su piel que era como de terciopelo, y por todo el conjunto de su belleza física y de su alma. Mejor dicho, la había idealizado, dejando de lado las aventuras, digamos sexuales, que vivió en Barranquilla, pero que no llenaban para nada su corazón, que estaba lleno de romanticismo, sueños, ilusiones y ternura, como se puede apreciar en casi todos sus poemas.

Berenice sobresalía tanto como Sofia Vega, (una hermosa y distinguida zipaquireña que fue un amor platónico de Álvaro) o como Consuelito Quevedo, grupo de amigas con quienes nos reuníamos en La Plaza Mayor, los domingos, antes y durante los conciertos al aire libre dirigidos por el Maestro Quevedo, después de la misa de

Sofía Vega, el amor platónico de Álvaro Ruiz Torres.

Nueve a la que íbamos los internos, en fila; o en los bailes o en las tertulias, o en las reuniones... Donde fuera".

Y Ruiz, anota: "Lo cierto de todo es que cuando Gabito la veía, lo olvidaba todo; se quedaba extasiado, mudo, y le brillaban los ojos. Berenice había tenido de novio a Mario Charry Solano, quien salió del Liceo en 1944, cuando íbamos con Gabito apenas en Cuarto de bachillerato".

Hablando con Mario Charry sobre García Márquez y este libro, me dijo: "Berenice era una muchacha muy bella y educada; tuvimos una relación muy linda hasta cuando yo me gradué de bachiller. Luego nos vimos unas dos veces más. Supe que un tiempo después Gabriel tuvo una bonita relación con ella; un día en que me la encontré en Bogotá, donde estaba estudiando, me contó de su amistad con Gabo". Berenice se había fijado en Gabriel, y su corazón palpitaba por él.

Álvaro Ruiz, concluye: "En la práctica, así la relación de 'Bereca' y Gabito fuera medio platónica, claro que fueron novios. Él, en una ocasión me dijo que a veces creía que apenas eran amigos con Berenice. Podría ser que la sombra de Charry le incomodara, pero él ya no estaba; yo sé que 'La Sardina Berenice', quería a Gabo. ¿Si no fuera así, cómo es que ella le recibía visitas en la ventana? ¿Por qué Gabo le llevaba flores y serenatas que interpretaba Rafael Arnedo? ¿Y por qué le hacía versos? ¡Claro que fueron novios!".

Más de 56 años después, como en su adolescencia, cuando nacían sus impulsos de hombre, Gabo revivió sus recuerdos: no la había olvidado.

Tras localizar a Berenice Martínez y a un par de amigos, a raíz de una crónica mía escrita para la revista Diners, en septiembre de 2002, la cual titulé: "El amor que García Márquez olvidó", en la que contaba la historias de los años cuando Gabo vivió en Zipaquirá, él supo que Berenice estaba viva, que había enviudado y que residía en Pasadena, ciudad del Condado de Los Ángeles, que empezó siendo parte del territorio de la Misión española de San Gabriel Arcángel, y que pasó de ser de España a ser de México, allí mismo donde se disputó la final de la Copa Mundial de Fútbol de 1994; ciudad destacada por su "Desfile del Torneo de las Rosas" cada 1° de enero, y por ser la sede del Instituto Tecnológico de California.

La historia recorrió las agencias internacionales de noticias y llegó a muchas latitudes. El 7 de octubre de ese año, El País de Madrid, tituló, "La exnovia del Nobel Colombiano", fuente que le sirvió a Gerald Martín para tomar su fotografía e incluirla en su libro *Gabriel García Márquez, una vida.*

El primer impulso de García Márquez, luego de conocer "mi descubrimiento", fue comunicarse con Berenice Martínez, su primer amor, a quien le llevaba 49 días de edad. El nació el domingo 6 de marzo y ella, el sábado 11 de junio de 1927. Cuando yo la entrevisté por primera vez, luego de buscarla "por cielo y tierra", Berenice lo primero que me dijo, fue: "Siempre he querido volver a ver a Gabito, a quien nunca olvidé y siempre recordé".

Y pocos días después, luego de saber por primera vez de ella, en más de medio siglo, Gabo buscó y consiguió su teléfono a través de la cadena radial Caracol, en la que yo había dado el número de dicho teléfono para que pudiera entrevistarla, luego de que se conoció mi artículo para la revista Diners.

Gabo llamó a Berenice en 2002 y le dijo: "Soy la voz de otros tiempos"

Entonces, García Márquez la llamó a la casa de su hija Ana, allá en Pasadena; cuando él le habló, Berenice quedó muda, no se atrevía a hablar; y luego, creyó que la estaban "tomando del pelo"; casi no se convence de que era Gabo quien hablaba. Aunque su primera reacción fue de incredulidad -porque cuando oyó de quién se trataba, escuchó una voz que le pareció muy joven-, pensó que le estaban jugando una broma: "A mí qué me va a llamar un Nobel, no me mamen gallo", pensó. Lo que la hizo dudar mucho; sólo hasta cuando ese Nobel pronunció unas palabras claves, ella entendió que en realidad se trataba de Gabito.

Berenice cuenta que le dijo: "Bereca, soy una voz de otros tiempos". Me contó que había visto mi foto en la revista Diners, y que al verla, para él fue volver a los 17 años. Me comentó del artículo sobre nosotros dos, en la revista. Eres la Berenice que yo dejé en Zipaquirá, me dijo. Me contó que después de saber de mí por dicho artículo, buscó mi teléfono, que le costó trabajo conseguirlo, pero que por fin me encontró.

Y anotó: "Quince días después, en la segunda llamada, me habló de la enfermedad que lo aquejaba y que lo llevó a Los Ángeles, aparentemente cerca de donde yo estaba; me dijo que habría preferido que los exámenes médicos los hicieran en Nueva York, porque a él no le gustaba la capital del cine".

"Me habló de los recuerdos que tenía de nosotros dos, y sobre nuestros amigos comunes en Zipaquirá". Berenice dijo: "Siempre vi en él a una persona sensible, muy inteligente y con capacidades de clarividente. Y quedamos de vernos cuando Gabito regresara a Los Ángeles, a sus nuevos chequeos médicos. Pero al final él hizo una reflexión y aunque parecía que estábamos cerca, la verdad es que de donde le hacían los exámenes a mi casa, había una enorme distancia", anota ella.

"Bereca" se declaró feliz, de este inocente encuentro telefónico que no le hacía mal a nadie pues era como el de dos viejos amigos hablando del pasado; lo que sí fue claro es que le parecía como un sueño haber oído una vez más a Gabriel García Márquez, que era ahora era como una especie de Dios, hablaron extensamente, recodaron, se rieron. Días después él le hizo otra llamada, sobre la cual también me contó Berenice, cuando me volví a comunicar con ella.

Los detalles que ella me dio acerca de los diálogos con el Nobel, me fueron repetidos por su hijo Rafael, quien contestó las llamadas de Gabo en el teléfono de Pasadena, Lo que hablaron fue tema de conversación familiar con su madre, en varias ocasiones.

Recordando sus diálogos con García Márquez, Berenice me contó que hablaron casi dos horas en cada llamada, que revivieron "la película" de Zipaquirá, cuando "Bereca era la niña de sus ojos". Y expresó que ella creía que a la memoria de Gabo, como a la suya, regresaron los bellos recuerdos de esa adolescencia de sueños e ilusiones, (aun a pesar de la soledad que a Gabo le generaba el frío zipaquireño); de sus visitas y sus románticos encuentros en la ventana de la casa del Maestro Martínez, al alcance de la vista del párroco de la "La ciudad de la Sal", vecino de esa casa y de ese balcón.

Ella reitera: "Yo abría los postigos de mi ventana y Gabriel me hacía visita y pasábamos horas hablando". Los recuerdos se atropellaron en sus memorias casi seis décadas después, y tras ese reencuentro auditivo, García Márquez quedó con deseos de volver a oírla, de hablar una vez más con ella, porque de un momento a otro revivió en su pensamiento su bella relación de juventud, intacta a pesar del tiempo y la distancia.

Los recuerdos volvieron con la remembranza de su historia de amor, y se agolparon en sus mentes, con tanta intensidad como si el tiempo hubiera retrocedido y hubieran vuelto a ser los mismos de entonces. Según me confesó Berenice Martínez, para ella, "fue algo así como volver a vivir un sueño lindo. Yo me transporté al pasado y lo recordé todo, lo reviví todo, lo sentí todo... cerraba los ojos y era como haber regresado a la realidad. Durante varios días estuve inquieta y hubo noches en las que casi no pude dormir, acordándome de esos días bellos de la juventud; no me lo imaginaba como lo muestran sus fotos actuales, sino como cuando lo conocí, con sus ojos románticos, expresivos, con su aparente timidez y sus frases y versos plenos de amor, con sus bellos poemas, y con su inigualable forma de bailar".

Su hermana le destruyó los poemas que le escribió García Márquez

Y vino al diálogo, un asunto que parecía obvio: Berenice, le pregunté: ¿Y Gabriel García Márquez no le escribió poemas? "Sí, sí, (respondió emocionada) y una de las cosas más penosas de mi vida fue que yo los conservaba en Zipaquirá, con una foto suya, y un día que hablamos de ellos con mi esposo, él me dijo, tráelos de Zipa la próxima vez que vayas. Y así quise hacerlo, con tan mala suerte que al buscarlos, no los encontré; figúrese que después de que me casé, mi hermana Leonor decidió destruirlos y quemar los pedazos, porque según ella, 'no estaba bien visto que una mujer casada conservara recuerdos de un novio'. Cuando le reclamé, me dijo: 'Usted es una mujer casada ¿cómo iba a guardar eso?... Y mire cómo es la vida, mi esposo (Hernando Pinzón) no le vio nada malo a eso, y en cambio mi hermana acabó con esos valiosos recuerdos, absurdamente".

Pero esa segunda llamada de Gabo a Berenice Martínez fue la última, porque casi un año después ella se vio afectada por la demencia senil progresiva, síndrome mental que se presenta después de los 65 años, caracterizado por un deterioro de la memoria, y según explicación científica, "asociado a trastornos del pensamiento y modificaciones de la personalidad, que interfieren en las actividades de las relaciones sociales". El mal que sufre "Bereca", genera ansiedad, aislamiento social, y estrés. Yo llamé a Berenice en dos ocasiones más, pero medio se acordó de quién era y desafortunadamente, no logré consolidar una conversación con ella.

Berenice Martínez unos años después.

Según su hijo Rafael Pinzón Martínez, -quien me contó que ella tenía limitados momentos de lucidez-, no le volvieron a hablar de Gabriel García Márquez, por temor a hacerla sufrir.

En la revista Horizontes número 10, de noviembre de 1942, editada por los alumnos del Liceo Nacional de Varones, de Zipaquirá, publicaron una colaboración que le pidieron a Berenice Martínez (quien escribía desde niña), la cual fue titulada por ella "¡Vacaciones!", la cual decía:

"Esta sola palabra inundó mi alma de alegría y mil anhelos hicieron estremecer mi corazón con dulces emociones.

"Iba a dejar por quince días mi querido colegio, mi segundo hogar, iba a estar alejada de mis compañeras, de mi maestra, quien seguramente se iría también a tomar el justo descanso. Y de los míos.

"¿Y yo qué haría en vacaciones? ¡Iría a tierra caliente! ¡Qué bueno sería! Ríonegro, Guanacas, Talautá...

"¿Podría ir a Talautá, o tendría que quedarme en esta tranquila Zipa, con sus días grises? Esta idea me entristecía. Pero todas las noches pedía a la Virgen que vela mis sueños, y su mirada me hablaba de toda la alegría, de la inmensa dicha de mis vacaciones bajo los ardientes rayos del sol de Talautá.

"Sí, Talautá, con sus bellos amaneceres, con su olor a jazmín, con sus tardes espléndidas en las que el sol envuelve la naturaleza en el dorado y vaporoso ropaje de bellas luces crepusculares; con sus cafetales, el platanal y el trapiche, brillantes y ardorosos como si una lluvia de oro cayese sobre ellos; y el río lejano con su rumor confuso y raro que invita a dormitar en sus aguas. ¡Cómo se turbaba mi corazón por el temor y la duda!

"Han pasado las vacaciones y no fui a Talautá. Han transcurrido quince días, esta es la última noche de mis vacaciones, mi corazón parece debilitar sus latidos como cansado de tantas ilusiones e inquietudes; mañana entraré de nuevo al colegio. Calladamente ha caído la noche; no hay un solo ruido que turbe su inalterable calma. El sueño va cerrando mis párpados; quizá así se calmen mis ansias, pues iré esta noche a Talautá por el florido camino de mis sueños".

Tres meses después de que Berenice escribió esta nota, cuando tenía 15 años, Gabriel García Márquez terminaba sus vacaciones en Sucre, por entonces municipio perteneciente al departamento de Bolívar y hoy al de Sucre, y se aventuraba a venir hasta Bogotá a conseguir una beca para continuar su bachillerato y, por cosas del destino terminaba en Zipaquirá, en el Liceo Nacional de Varones, a menos de dos cuadras de la casa donde vivía la bella niña que se convirtió en un imborrable amor.

Cinco meses después de que Gabo terminara su bachillerato y se fuera de Zipaquirá, en abril de 1947, en la misma revista Horizontes publicaron una entrevista hecha a Berenice, algunos de cuyos apartes decían: "Es una de las más bellas muchachas zipaquireñas; la gracia y la dulzura le dan cierto tono de refinada coquetería".

Al contestar las preguntas, hizo gala de una facilidad de expresión asombrosa. (¡Qué boca y qué dientes!)

"¿Qué agüeros tiene usted? En realidad yo soy poco amiga de esas ridículas creencias; sin embargo, siento alguna antipatía por el número 13…

"¿Con quién prefiere el 'amacice' (ceñirse) en los bailes? El amacice no me gusta.

"Si se ganara la lotería, ¿cómo la utilizaría? En ayudar a mis padres. Y luego viajar, pues esa ha sido la aspiración de toda mi vida; lo segundo… bueno, eso depende de la plata que me quede.

"¿Qué dice de las faldas largas que trae la moda y qué del sweater? La falda larga, por su sencillez y elegancia es una moda que quisiera que perdurara. En cuanto al sweater… mejor no digo nada.

"¿Qué es lo que más anhela, lo que más sueña, lo que más quisiera para usted? Sueño y anhelo tantas cosas, que no sabría ciertamente qué decir.

(¡Oh! Mar insondable de los deseos de la mujer… dice Shakespeare), escribió al final, el autor de la entrevista a "La Sardina" Berenice Martínez, hoy inmersa en un mundo de confusión, tristezas y olvidos en Pasadena.

Capítulo 4

Gabriel se volvió marxista en esa ciudad de rebeldes

Pero bueno, después de esta bella historia de amor, retomamos el tema central de este libro que establece la importancia de Zipaquirá en la formación de Gabriel García Márquez como escritor, su definición política y la soledad que vivió allí.

Sin duda, una de las razones que llevó a Gabriel García Márquez a ser marxista, fue haber llegado a una ciudad históricamente rebelde, y además, al Liceo Nacional de Varones, donde varios de los profesores que lo formaron e influyeron en su vida, eran comunistas. Entre ellos, Héctor Figueroa, su profesor de inglés, quien dos años antes de morir, en una extensa entrevista que le hice, me dijo: "Varios profesores en Zipaquirá teníamos ideas de avanzada, y Gabriel fue ciertamente un alumno aventajado en teorías marxistas".

La mayoría de los profesores, provenían de la Escuela Normal Superior, de Bogotá, dirigida por el médico psiquiatra, José Francisco Socarrás, nacido en San Juan del César, y confeso de ideas de izquierda.

La educación del Liceo Nacional de Varones estuvo influenciada por las experiencias históricas de rebeldía zipaquireña, y por esos educadores intelectuales comunistas que fueron desplazados desde Bogotá al Liceo, para que no sembraran allá sus ideas "tan avanzadas".

En el Liceo hubo un grupo de personas a quienes les decían, "camaradas": el liceista Hernando Benavides; a los profesores Manuel Cuello del Río y Héctor Figueroa, y también, al estudiante Alfredo García Romero, a este, porque se acostumbró a decirle a todo el mundo: "Camarada".

Pero todo el ambiente que influyó en García Márquez cuando vivió en Zipaquirá, no se le debe adjudicar a sus vivencias del Liceo, pues también cuenta la tradicional rebeldía zipaquireña, registrada en innumerables capítulos históricos.

Más de cuatrocientos años antes de que García Márquez, "el rebelde de Aracataca" llegara a Zipaquirá, esta tierra muisca llamada "Chicaquicha", se había caracterizado por negarse a la conquista, por sublevarse en muchas ocasiones contra los abusos de los conquistadores y de los virreyes. Hay muchos ejemplos que ilustran esta afirmación sobre la calidad de insurgente, que caracteriza a esa ciudad.

Muchos años antes de que naciera Bolívar, indios y criollos se levantaron en Zipaquirá contra el gobierno español, contra las imposiciones confiscatorias del Virreinato y se habían amotinado contra los representantes del rey.

Los indígenas muiscas zipaquireños, se rebelaron contra la opresión, retardando el exterminio que, sin embargo, no lograron impedir. Su insubordinación y resistencia ante el despojo de sus tierras y de la posesión de las minas de sal, hicieron dramática su catequización, ejercida en el menor de los casos por curas doctrineros "bonachones", a quienes les dolía lo que hacían sus coterráneos con los desdichados indígenas, que sintieron en su alma y en su piel cómo, en aras de imponerles una nueva religión, practicaron con ellos métodos brutales y aniquiladores.

Uno de tales capítulos lo protagonizó don Domingo, cacique de Zipaquirá, perteneciente a la Encomienda de don Antonio de Olalla, quien puso en 1621 una querella criminal contra el corregidor Antonio de Mázmela, por el cruel tratamiento que este daba a los indios chicaquichaes. Esta fue una de las veces en que un indígena buscó la administración de justicia ante los abusos de los funcionarios virreinales. El caso fue llevado ante los más altos tribunales y el corregidor retirado de la ciudad. Esta historia está registrada en el Fondo Caciques e Indios, del Archivo Nacional de Colombia, Tomo 67.

La india Bernardina López se rebeló en 1692 contra los abusos y malos tratos del español Sebastián Pérez de Ayala; su valiente denuncia quedó consignada en documentos que reposan en el Archivo Nacional de Colombia, Fondo Caciques e Indios, No. de Orden 29.

La india Griselda Sabino, (en compañía de su hermano Pedro Sabino y del indígena José Antonio Campos, organizó el motín de indios zipaquireños contra el Corregidor, don Gonzalo Gómez de Cos, a raíz de que el Alcalde de Zipaquirá, don José Domínguez, golpeó con su bastón en la cara a Pedro, el día de mercado, martes 3 de mayo de 1768.

Pedro Sabino fue acusado, primero, de no aprehender al indio José Antonio Campos y (según el Alcalde) de ser un teniente de indios "insolente e irrespetuoso con la autoridad", pues no se quitó el sombrero para hacerle reverencia cuando el burgomaestre le habló.

El Corregidor tuvo que pedir refuerzos militares a Santafé de Bogotá, pues el golpe del Alcalde a Sabino, generó una revuelta en Zipaquirá. Domínguez trató de huir de la ciudad, pero fue enfrentado por la valiente Griselda en el sitio "El Barril", donde ella dirigió a un grupo de indígenas, hasta capturarlo y obligarlo a pedir perdón por su mal acto.

Ese mismo año, se alzaron los indios mineros contra los abusos del fiscal don Francisco Moreno y Escandón, fundador de la Real Audiencia, en un capítulo de rebeldía zipaquireña contra los españoles.

La india Isabel Tibará, junto con sus amigas indígenas María De Las Nieves Hurtado y Manuela Vega, lideraron en Zipaquirá un motín contra los españoles, el miércoles 16 de mayo de 1781; cuando desde el 13, se encontraba allí el Arzobispo Antonio Caballero y Góngora, para frenar la marcha Comunera hacia Santafé de Bogotá. En la revuelta, las tres indias, destruyeron el "Estanco de Tabacos y Aguardiente", y apedrearon la Administración de Salinas.

El motín no tuvo relación con la Marcha Comunera y sí con el reclamo de tierras de los indios. En la revuelta liderada por la Tibará y sus amigas, participaron indígenas zipaquireños que habían sido desterrados a Nemocón.

Los tumultos continuaron el 17, y fueron curiosamente los Comuneros, quienes lograron calmar los ánimos de los indígenas, y del pueblo zipaquireño.

El tema de García Márquez continuó siendo recurrente

En el Liceo Nacional de Varones la gran calidad intelectual de sus profesores, como ya se dijo, con claras ideas de izquierda, prestaban las novedades editoriales a los alumnos, sin ninguna censura, por fuertes que fueran sus textos.

En el Liceo recibieron a un muchacho común y corriente, y gracias a sus enseñanzas, en poco tiempo García Márquez era ya un exitoso estudiante.

Yo estudié anatomía y fisiología con "doña Bertha", el mismo esqueleto con el que Gabo siguió las enseñanzas del médico Álvaro Gaitán Nieto, amigo cercano de mi familia. Además, tres de los profesores que enseñaron a García Márquez, también me educaron a mí: el Maestro Guillermo Quevedo Z, Héctor Figueroa y el intelectual Rogelio Herazo.

Luego de que mi madre me interesó en este tema, y a medida que Gabo figuró cada vez más en los medios de comunicación, varios zipaquireños amigos míos o de mi familia, que estudiaron con García Márquez, me ampliaron la historia y me relataron nuevos detalles que fui anotando en una gruesa libreta de apuntes, que marqué con el nombre: para libro Gabriel García Márquez.

Y claro, el tema siguió tomando impulso; continuó siendo recurrente: unos meses antes de casarme, en 1974, compré mi primer apartamento, y justamente sobre él, en el piso de arriba, vivía un médico amable y buena gente, llamado Humberto Guillén Lara, nacido en Facatativá, con quien hicimos una excelente amistad. Una tarde me contó una historia personal: la de su amigo Gabriel García Márquez, que fue compañero de curso suyo en el Liceo Nacional de Zipaquirá.

Según Luis Alberto Garzón, compañero de curso del Nobel García Márquez: "Resulta muy curioso y sintomático que en los últimos años, 'prendidos' de la creciente fama de Gabriel García Márquez, han resultado como cien compañeros de curso suyo, que nunca lo fueron".

Entre el día 8 de marzo de 1943, cuando Gabo llegó al Liceo Nacional de Zipaquirá, y el 10 de diciembre de 1982, cuando recibió el Premio Nobel en Estocolmo, habían transcurrido 36 años y nueve meses exactos. Entró a tercero de bachillerato, había 28 alumnos; en cuarto bajó a 26; y terminaron bachillerato, 25. Gabo siempre fue el número 12 de la lista de la clase, en orden alfabético.

Nueve compañeros que estudiaron en los mismos cursos con Gabo, perdieron un año y se retiraron del Liceo o simplemente no llegaron a sexto de bachillerato, fueron ellos: Jaime Beltrán, Álvaro Contreras, José Del Carmen Galindo, Luis Portilla, Aurelio Prieto, Jaime Riveros, Joaquín Ruge y Emilio Castaño. Bernardo Ferreira se retiró del Liceo para ingresar a la Fuerza Aérea Colombiana, en Cali, y poco tiempo después se mató en un accidente aéreo.

Cuello del Río, un profesor de izquierda que influyó mucho en el Nobel

Según Eduardo Angulo, "Manuel Cuello del Río, el profesor marxista de Historia de América, fue muy importante en la formación de Gabriel García Márquez como escritor del 'realismo mágico', ya que lo llevaba muy dentro de sí: era un profesor imaginativo, original, creativo; creía en cosas extrasensoriales, extraordinarias, esotéricas y del más allá; tenía una fabulosa manera de ver las cosas. A mí no me queda duda de su inmensa influencia en la carrera de Gabriel como escritor. Le repito que él le aportó notoriamente al sentido de 'realismo mágico' que nació en Aracataca, en la casa de sus abuelos maternos, y que lo consagró al escribir, *Cien años de soledad*, y otras obras".

Ninguno de los profesores que tuvo Gabriel García Márquez en Zipaquirá vive hoy, los dos últimos en morir fueron Héctor Figueroa y Joaquín Giraldo Santa, en 2011. Las listas de las siguientes páginas son importantes porque incluyen a los protagonistas de este libro, y para identificarlos con sus testimonios.

De los 24 compañeros que se graduaron con Gabito, al publicarse este libro sólo viven ocho. La lista completa de bachilleres de 1946 en el Liceo, es:

Álvaro Pachón Rojas; nacido en Zipaquirá.
Álvaro Ruiz Torres; nacido en Bogotá.
Álvaro Vidales Barón nació en Chaparral, Tolima; parece que murió en Europa.
Benjamín Anaya, nacido en Barranquilla.
Carlos Guevara; bogotano.
Eduardo Angulo Flórez; bogotano, vive.
Fernando Acosta A., nacido en Sesquilé, Cundinamarca.
Gabriel García Márquez nacido en Aracataca.
Guillermo Granados Quintero, nacido en Bogotá.
Guillermo López Guerra, bogotano.
Gustavo Medina Nivia, zipaquireño.
Héctor Kairuz Gordillo, "El Turco", nacido en Rovira, Tolima.
Hernando Forero Caballero, de Pasca, Cundinamarca, vive.
Humberto Guillén Lara, nacido en Facatativá, Cundinamarca, vive.
Jaime Amórtegui Ordóñez, nacido en Albán, Cundinamarca, vive.
Jaime Bravo Martínez, de Cisneros, Antioquia, vive.
José Palencia, nacido en Sucre, cuando pertenecía a Bolívar.
Luis Alberto Garzón; de Zipaquirá, vive.
Luis Ariza; nacido en Quibdó.
Luis E. Lizarazo; de La Palma, Cundinamarca, vive.
Luis Garavito, de Fresno, Tolima, vive.
Marco Fidel Bulla, del Valle de Tensa, Boyacá.
Rafael Gaitán, zipaquireño.
Roberto Ramírez, ("Mogollo"), de Armero, Tolima.
Sergio Castro Castro, de Quetame, Cundinamarca.

La fecha de nacimiento y la edad de algunos de los personajes más importantes que figuran en este libro, era en 1943, cuando Gabo llegó a Zipaquirá:

Gabriel García Márquez, 16 años, nació el 6 de marzo de 1927.
Berenice Martínez, 16 años, nació el 11 de junio de 1927.

Cecilia González Pizano, 22 años, nació el 31 de mayo de 1921.
Adolfo Gómez Támara, 26 años, nació el 21 de febrero de 1917.
María Luisa Núñez Galán, 24 años, nació el 13 de agosto de 1919.
Carlos Julio Calderón Hermida, 36 años, nació el 16 de marzo de 1907.
Carlos Martín, 30 años, nació en 1914.
José Palencia Castro, 21 años, nació en 1925.
Sara Lora, 23 años, nació el 6 de diciembre de 1920.
Álvaro Ruiz Torres, 19 años, nació el 16 de octubre de 1924.
Consuelo Quevedo Navas, 16, nació el 1° de febrero de 1927.
Maestro Guillermo Quevedo Z., 57 años, nació el 25 de noviembre de 1886.
Daniel Arango Jaramillo, 22 años, nació el 25 de abril de 1921.

83 testimonios que revivieron esta historia

Expreso mi inmensa gratitud con las 83 personas cercanas, o relacionadas de alguna manera con Gabriel García Márquez, que aportaron sus testimonios para reconstruir la historia del Nobel en Zipaquirá. Infortunadamente 29 de estos protagonistas murieron sin que se pudiera cumplir su ilusión de leer este libro, del cual son protagonistas, y para el que "abrieron" su memoria y dieron sus testimonios. Ellas fueron:

Helena Caycedo de Castro, mi madre, murió el 4 de abril de 1990.
Germán Arciniegas, 30 de noviembre de 1999.
Sara Lora, acudiente de Gabo en Zipaquirá; 8 de mayo de 2003.
Álvaro Ruiz Torres, compañero de curso; 9 de agosto de 2004.
Donato Barragán, jardinero del Parque Principal de Zipaquirá: 2005.
Guillermo Granados, compañero de curso; 14 de noviembre de 2005.
Adelita González de Rojas, prima de Cecilia González; 13 de abril de 2008.
Daniel Arango Jaramillo, novio de Cecilia González; 27 mayo de 2008.

Virginia Lora, hermana de Sara, Gabo le hizo poemas; agosto de 2008.

Manuel Alvarado Cañón, compañero de colegio; 20 de septiembre de 2008.

Héctor Figueroa, su profesor de inglés; 4 de noviembre de 2008.

Carlos Martín, 10 de diciembre de 2008.

Hernando Benavides, "promotor" de García Márquez: 20 de diciembre de 2008.

Helena Tovar, "La Nena", amiga; 14 de febrero de 2009.

Rafael Escalona, amigo; 13 de mayo de 2009.

Mario Charry Solano, 2 de agosto de 2009.

Leonor Ferro de Martín, murió el 2 de diciembre de 2009.

Alfredo Rivera, compañero de colegio, murió el 14 de diciembre de 2009.

Berenice Martínez, murió en Pasadera, el 15 de diciembre de 2009.

Elvia Pedraza de González, amiga, murió el 22 de noviembre de 2010.

Joaquín Giraldo Santa, profesor, murió en Maracay el 10 de febrero de 2011.

Rafael María González, historiador zipaquireño, murió el 2 de febrero de 2011.

Miguel Ángel Lozano Córdoba, compañero de colegio, murió el 6 de mayo 2011.

Orlando Pión Noya, compañero de colegio, murió el 16 de diciembre de 2011.

Guillermo López Guerra, abogado, compañero de Gabo, 15 de febrero 2012.

Germán Sarmiento Ozman, compañero, murió el 15 de septiembre de 2012.

Luis Ariza, compañero de curso, murió el 28 de septiembre de 2012.

Álvaro Vidales Barón, compañero de curso, murió en fecha no precisada.

Emilia Ramírez, amiga de Zipaquirá, murió en fecha no precisada.

Los protagonistas de este libro que viven aún

Adriana Múnera, hija de Julio Múnera Duque, amigo en Zipaquirá.

Alfonso Angarita Baracaldo, compañero de colegio que fue senador.

Alfredo García Romero, compañero de colegio.

Álvaro Gaitán Garcés, hijo de su médico y profesor, Álvaro Gaitán Nieto.

Álvaro Nivia, compañero de colegio.

Álvaro Ruiz Morales, hijo de Álvaro Ruiz Torres, compañero de curso.

Beatriz de Castro, viuda de Sergio Castro Castro, compañero de curso.

Carmenza Caycedo de Urbina, estudiante zipaquireña en la época de Gabo.

Cecilia Calderón de Yamure, hija del profesor Carlos Julio Calderón Hermida.

Cecilia Martín Ferro, hija del escritor y rector del Liceo, Carlos Martín.

Consuelo Quevedo de Nieto, hija del Maestro Guillermo Quevedo Zornoza.

Cristina Chávez, encargada de los archivos del Liceo Nacional de Varones.

Edmundo López Gómez, alumno del Liceo y amigo en Bogotá.

Eduardo Angulo Flórez, compañero de curso.

Elvira Aráoz, amiga en Zipaquirá; vive hoy en Tunja.

Elvira Ramírez de Giraldo, esposa del profesor Joaquín Giraldo Santa.

Ernesto Martín Ferro, hijo de Carlos Martín.

Gabriel Escalante, Archivo Universidad Nacional, donde estudió Gabo.

Germán Castro Caycedo, escritor zipaquireño.

Graciela Loaíza, cuñada de Lolita Porras, amiga de Gabo, murió en 1944.

Guido Colmenares, compañero de colegio.

Gustavo Pedraza, compañero de colegio.

Guillermo Quevedo Navas, hijo del Maestro Guillermo Quevedo.
Héctor Calderón Lozada, hijo del profesor Carlos Julio Calderón Hermida.
Héctor Cuéllar, compañero de colegio.
Hernando Forero Caballero, compañero de curso.
Humberto Guillén Lara, compañero de curso.
Inés de Alvarado, esposa de Manuel Alvarado, compañero de colegio.
Inés Lozano, candidata al "Reinado de la Sal" de Zipaquirá.
Jaime Amórtegui, compañero de curso.
Jaime Bravo, compañero de curso.
José Fajardo, compañero de colegio.
José Salgar, Jefe de Redacción de El Espectador, amigo suyo.
Juan Manuel Ruiz Morales, hijo de Álvaro Ruiz Torres, compañero de curso.
Julio Ernesto Múnera, hijo de Julio Múnera, amigo suyo en Zipaquirá.
Lilia Pachón Rojas, hermana de Álvaro Pachón, compañero de curso.
Lucía Caycedo Caycedo, pintora zipaquireña.
Luis Alberto Garzón Díaz, compañero de curso.
Luis Garavito, compañero de curso.
Luis E. Lizarazo, compañero de curso.
Luz Marina Rojas, compañera de Guillermo Granados; compañero de curso.
Luz Virginia Laverde, hija de Virginia de Laverde a quien Gabo hizo un poema.
Marcos Vidales, primo de su compañero Álvaro Vidales Barón.
María Claudia Lizarazo, hija de Luis Lizarazo, compañero de curso.
María Luisa Gómez Núñez; hija de Adolfo Gómez Támara, quien le dio la beca.
Martha Charry de Londoño, hija de Mario Charry Solano, compañero de curso.
Mery de Pachón, esposa de Álvaro Pachón Rojas, compañero de curso.

Nhora Figueroa Lozada, hija de su profesor de inglés, Héctor Figueroa.

Olga Susana Otero, psicóloga.

Rafael Pinzón Martínez, hijo de Berenice Martínez, su primera novia.

Sara Lucía Botia Lora, hija de Sara Lora, su acudiente.

Sara Lucía Granados, hija de Guillermo Granados, compañero de curso.

Vicente González, odontólogo de García Márquez en el Liceo.

Vilma Figueroa, hija de Héctor Figueroa, su profesor de inglés.

Capítulo 5

¿Por qué, "Gabo: Cuatro años de soledad?"

El nombre de este libro tiene origen en una reiterada confesión y afirmación de Gabriel García Márquez: que mientras estudió en Zipaquirá, "sintió una gran soledad". Eso lo han reiterado Germán Castro Caycedo, Dasso Saldívar, Olga Martínez Dasi, Conrado Zuluaga, Gustavo Bell Lemus, Heriberto Fiorillo y varios periodistas y biógrafos de Gabo, así como Álvaro Ruiz Torres y otros de sus compañeros de colegio, lo que inspiró el título: *Gabo: Cuatro años de Soledad.*

El escritor Dasso Saldívar, en su libro *García Márquez: el viaje a la semilla*, de Ediciones Alfaguara, 1997, dice: "Durante los cuatro años de Zipaquirá, Gabriel iría desarrollando el virus de la soledad".

Olga Martínez Dasi, en su "Apunte biográfico, breve reseña biográfica de García Márquez", anota: "La ciudad de Zipaquirá, gris por el humo de las fábricas de sal, y helada, le generaba soledad y tristeza a Gabriel García Márquez".

El literato Conrado Zuluaga Osorio, ex-director de la Biblioteca Nacional de Colombia, considerado como la persona que más ha estudiado la obra de Gabriel García Márquez, refiriéndose a él, escribió: "Toda su obra pertenece a un solo libro, a su libro de la soledad, la soledad de un niño asustado y perdido".

Según vivencias referidas por Álvaro Ruiz Torres, uno de sus mejores amigos en el Liceo Nacional de Varones, "el frío de Zipaquirá, una ciudad que era desconocida para él, y saber que su tierra estaba casi a 1.000 kilómetros de allí, lo hizo llorar de coraje varias veces, y le causaba mucha soledad. Me comentaba que a pesar de mi amistad y de la de otros compañeros, se sentía solo. Y que cuando se fuera de vacaciones a Sucre, se quedaría allá. Pero regresó, porque a pesar del frío que afectaba a Gabriel, en Zipaquirá la pasábamos muy bien, entre libros, bailes, amigas y pilatunas".

Dasso Saldívar, el mejor biógrafo de García Márquez, dice en su libro, *El viaje a la semilla*: "Gabo amaba a 'papalelo', como llamaba a su abuelo quien fue la figura más importante de su vida. Sólo con él tuvo buena comunicación y un entendimiento plenos. Mientras el mundo de la abuela y de las tías lo desorientaba y a menudo le causaba terror, el del abuelo le proporcionaba orden y seguridad".

Saldívar expresa en su libro: "El miedo a la oscuridad lo ha perseguido (a Gabo), y enfatiza en su timidez, en su estar solo". Esos dos factores, la oscuridad y la soledad, tuvieron repercusiones dramáticas años después, pues mezclados con el "factor", frío, le generaron a García Márquez esa sensación de desamparo y aislamiento que le produjeron la sensación de haber vivido en Zipa, cuatro años de soledad.

El resultado de la primera fase de esta investigación sobre la vida de García Márquez en Zipaquirá, fue resumido para la revista Diners, en el año 2002, titulado, "El amor que García Márquez olvidó", el cual llegó a sus manos, generándole recuerdos sobre gente cercana, y lo llevó a comunicarse entre otras personas, con Berenice Martínez, su primera novia, a quien descubrí en Pasadena, California y de quien di a conocer la única fotografía que se conoce hasta hoy de ella. Dicho artículo ha servido a biógrafos del Nobel, para referirse a su vida poco conocida de colegial.

Posteriormente, seguí rescatando la historia del estudiante llegado a Zipa desde Aracataca porque así estaba predestinado, y escribí cuatro crónicas más de mi fiebre "Garcíamarquiana", que titulé: "Cuatro años de soledad"; "Sueño con ver de nuevo a Gabo"; "En Zipaquirá construyeron el Nobel"; y "Si 'Gabo no llega a Zipaquirá, no hubiera sido Nobel".

El 27 abril de 2000, en la instalación del "Primer Foro Internacional Sobre la Obra de Gabriel García Márquez", el Vice-presidente de la República, Gustavo Bell Lemus, tituló su discurso, "Zipaquirá: Seis años de soledad", y en él, expresó: "Gabo siempre dijo que en el tiempo que vivió en Zipaquirá, lo acompañó la soledad". Claro está que no fueron seis sino cuatro años, pues solamente cursó allí de tercero a sexto bachillerato, entre 1943 y 1946; pero la expresión de Bell fue válida.

He expresado que tuve múltiples motivaciones personales para interesarme e investigar esta historia; especialmente porque nací en Zipaquirá y siempre supe que allá, y en el Liceo donde estudió García Márquez, fue donde lo impulsaron y consolidaron como escritor, y no en ninguna otra parte; a no ser porque en Barranquilla antes de llegar a Zipa le alentaron su gusto por escribir coplas, "pero de prosa, nada".

La primera noción que tuve sobre la vida de Gabo en mi tierra, me la dio mi madre, Helena Caycedo de Castro, quien lo conoció allí. Su amiga Cecilia González Pizano le confió todo sobre su amistad con Gabriel García Márquez.

Aún tengo vivo el recuerdo de una noche de 1970, hace más de cuarenta años; cuando mi mamá estaba viendo un noticiero de televisión y mostraron a Gabo, y hablaron de su publicación, *Relato de un náufrago*, basada en una estupenda crónica por entregas en El Espectador, un tiempo atrás. Ella gritó: "Miren, miren, ese es 'Peluca', dejen oír a ver de qué se trata"; el relato sobre Gabo copó nuestra atención.

"Peluca" fue uno de los apodos que le pusieron a Gabriel García Márquez cuando llegó a Zipaquirá. Sobre Cecilia González Pizano, su protectora (que él llamó cariñosamente "cómplice"), a la que le faltaba una mano y le decían, "La Manca" González, (quien me llevaba colombinas cuando iba a mi casa,) contaba mi madre: "Fue el hada madrina de García Márquez; lo apoyó, lo ayudó, lo relacionó con sus amigos intelectuales, y lo quiso". Desde esa noche del grito frente al televisor, me interesé aún más por esta historia cercana a mí, no solo por ser zipaquireño, sino por otras razones expuestas ya y por otras que expondré posteriormente.

Cecilia González Pizano, ("La Manca"), quien apoyó decididamente a Gabo; era amiga de los intelectuales bogotanos y relacionó a Gabriel con algunos de ellos.

Mis abuelos veían con reserva que mi mamá se "tratara" con Cecilia, aunque respetaban su decisión de hacerlo; es que ellos y muchos zipaquireños "conservadores", consideraban a "La Manquita" como una mujer "muy liberal', porque se reunía con sus amigos intelectuales en los cafés literarios de Bogotá, donde adelantaban tertulias, de las que se originaban otras que ella organizaba en su casa, en Zipaquirá, los sábados y a las que asistían connotados personajes de la literatura colombiana. Eran tertulias famosas, a las que tuvieron acceso Gabo y algunos compañeros de colegio.

Mi mamá, murió el 21 de abril de 1990, dejándome el tema de García Márquez "metido" en la cabeza. Ella quiso mucho a Cecilia, con quien se reunía para hablar de sus temas comunes, que, entre otros, giraban en torno a su gusto común por la literatura, la historia universal y la mitología griega, plena de leyendas sobre dioses, héroes, cultos y rituales, y sobre la naturaleza del mundo. Ella nos decía: "Yo quería a Cecilia porque era una mujer culta, amable, simpática, alegre, francota, leal y una amiga excepcional".

Y pasaron los años, hasta cuando casi a finales de los 90 tuve el tiempo necesario para dedicarme más a investigar a fondo y complementar la información que había recopilado hasta entonces, con una especie de "autoridad moral". Ya con claridad de los capítulos de esta historia, esperé pacientemente muchos años para poder contarla, por útil para la memoria literaria colombiana. El ejercicio completo se tomó más de tres años de mi vida por cada uno de los "cuatro años de soledad" que Gabriel García Márquez vivió en Zipaquirá, y que me condujeron a escribir unos diez artículos en periódicos y revistas, con anécdotas y secretos de la vida de Gabo en el Liceo.

Gabriel García Márquez, el escritor de los "mil" nombres

Desde su niñez, García Márquez fue "llamaron" con varios nombres, pseudónimos y apodos. El cura que lo bautizó lo llamó Gabriel José de La Concordia García Márquez; sus abuelos y tías, le decían Gabo y Gabito; figura en documentos como Gabriel García Márquez. En la Escuela Cartagena, donde inició la primaria, lo apodaron, "El Viejo", porque no le gustaba hacer gimnasia. Cuando hizo coplas, en el colegio San José, de Barranquilla, las firmaba como Gabriel García, y usó también el seudónimo: "Capitán Araña".

En Zipaquirá, con la misma pobreza que trajo de la Costa, pero con menos apuros porque al llegar allí resolvía sus necesidades de alimentación, salud, educación, servicios públicos y hasta peluqueada, sin que le costara nada. Ya maduro literariamente, Gabo adoptó el seudónimo, 'Javier Garcés', parecido a su nombre. Y allí, sus compañeros de colegio venidos de Sincelejo lo llamaron "Peluca", que era el apodo de un personaje típico de esa ciudad, y a quien Gabriel se parecía por su esponjada cabellera. El rector Alejandro Ramos lo "rebautizó" con el nombre de "Mico Rumbero", porque vivía bailando en el patio del Liceo; y hoy, internacionalmente lo llaman, García Márquez, "El Nobel García Márquez", o "El Premio Nobel colombiano", o el Nobel de literatura de Aracataca.

Esta historia es en cierta forma la del bachiller más especial que ha tenido Colombia, si se tiene en cuenta que se trata del personaje colombiano de mayor trascendencia mundial. Es su historia y la de quienes compartieron su vida con él durante los cuatro años fundamentales para su formación como escritor.

Debe hacerse énfasis en que a pesar de las dificultades económicas que acompañaron a Gabriel García Márquez siendo niño, y cuando decidió irse desde la Costa Caribe al interior de Colombia, dio vida a su predestinación. Según Germán Castro Caycedo, esta se fortaleció más desde cuando ayudó a un casual compañero de viaje fluvial por el Río Magdalena, quien luego, providencialmente, hizo el milagro de propiciarle una beca para irse a estudiar tercero de bachillerato a Zipaquirá.

¿Por qué recuerda él tan poco sus años de colegio?

Gabriel García Márquez le declaró a mi hermano Germán, le dijo: "Los de mi internado en Zipaquirá son *seis* años que recuerdo poco". Y agregó que ni siquiera recordaba cuántos años tenía al llegar a Bogotá a presentarse al Concurso Nacional de Becas". Realmente tenía entonces dieciséis años, y se graduó tres meses antes de cumplir los 20.

Y en verdad, los recuerdos de Gabo sobre esa época, son débiles. Él le dijo a Germán, que vivió *seis* años en Zipaquirá, pero en realidad fueron sólo *cuatro*, desde comienzos de 1943 hasta diciembre de 1946.

Olga Martínez Dasi, en su "Apunte biográfico" sobre Gabriel García Márquez, refiriéndose a su vida en Zipaquirá, expresa: "Lugar del que guarda recuerdos sombríos y dolorosos y donde se sintió paralizado por la nostalgia de Aracataca".

El periodista Heriberto Fiorillo, escribió en el diario El Espectador: "Gabo apenas recuerda confusamente cuando en febrero del 43 se despedía de sus familiares en Barranquilla, especialmente de su mamá, sin derramar una lágrima".

Desde cuando Gabo nació, vivió con sus abuelos, quienes lo quisieron mucho; el golpe más duro vivido por Gabo fue la muerte de su abuelo, el coronel, en 1936. Tenía nueve años y entonces fue llevado a Barranquilla a estudiar. Desde sus primeros años, la soledad se asomó a su vida y se "consolidó" en Zipaquirá.

Cuentan sus biógrafos que, Gabo siempre tuvo miedo a estar solo, y más, en la oscuridad; posiblemente por los sustos que cuando niño le transmitían los cuentos de su abuela, miedo que trasladó al Liceo Nacional de Varones de Zipaquirá, en cuyo internado un tema muy frecuente entre sus compañeros era el de los espantos, los muertos y fantasmas que se presentaban en el Liceo. Había la leyenda de que allí se aparecía en las noches, "un muerto sin cabeza". Y entonces García Márquez expresaba sus miedos y angustias en su dormitorio, a través de pesadillas nocturnas y de sentimientos de abandono y soledad.

Una de las motivaciones de este libro ha sido que el mismo Gabriel García Márquez recuerde, para que disfrute algunos momentos o capítulos de su vida, que por lejanos no rememora, pero que son vivencias sin olvido en la mente de sus compañeros de colegio. Seguramente él las revivirá cuando lea los testimonios de sus profesores en este libro, y por algunos de los amigos y amigas que tuvo en Zipaquirá.

Él descubrirá en estas páginas hasta pasajes desconocidos sobre esos cuatro años en que compartió, con quienes vivieron a su lado, una de las etapas más importantes de su vida.

Pareciera que Gabriel García Márquez tiene un cúmulo de recuerdos de lo que vivió en Aracataca, Sucre, Barranquilla y Bogotá, pero muy poco sobre lo que vivió en Zipaquirá.

La psicóloga clínica Olga Susana Otero y la soledad de Gabo

Frente a ese fenómeno, luego de referirle a la psicóloga clínica, Olga Susana Otero Agudelo lo que fueron los cuatro años de Gabriel García Márquez en esa ciudad, ella accedió a hacer un análisis que da respuestas a la inquietud sobre el olvido de García Márquez sobre esos años tan importantes de su vida.

La doctora Otero es experta en Terapia de Familia y tiene especializaciones internacionales en Constelaciones Familiares, con Hellinger. Ha sido docente académica en las universidades: Javeriana, Andes, Santo Tomás, Rosario, Manuela Beltrán y de Manizales. Ha sido asesora terapéutica de: ICBF, Gimnasio Vermont, colegio Clearmont, Caracol, CITY TV, El Tiempo, El Espectador, y el Ministerio de Educación, entre otras. Ha escrito los libros: *Encuentre las fuerzas del amor familiar y vívalas*; *Cómo vivir feliz en soledad*; *Nuevos acuerdos de pareja* y *Perdurables*; es coautora de varios libros de Psicología. Realiza consulta particular individual y grupal y entrenamiento en psicoterapias a profesionales en el campo terapéutico.

La siguiente es su apreciación sobre las posibles causas que llevaron a García Márquez a olvidar gran parte de su vida en Zipaquirá:

"Un niño que se siente desde los tres años que no alcanzan las miradas para él por tener tantos hermanos, y además tener una situación económica difícil, sólo siente que está sobrando, que es una carga para los padres. Si además lo envían en un acto de amor esos padres para donde los abuelos, el niño no puede entender desde su alma nada diferente a que no era lo suficientemente valioso e importante, querido por sus padres. Se siente abandonado y el vínculo que tenía con su madre se rompe".

"A la edad de 3 años un niño está apegado a la madre y en proceso de apegarse al padre".

"Pero si desde cuando nace hay un desapego, se rompe el vínculo afectivo y detiene el desarrollo emocional de cualquier ser humano. Le limita la posibilidad de hacer amigos y de amar".

"Se queda con sus abuelos y allí está hasta los 10 años. Es posible que haya hecho un vínculo con ellos, pero al morir el abuelo, el dolor de ser excluido del núcleo familiar deja huella".

"Si va donde los padres luego, no es raro que se haya sentido extraño, que no pertenecía a esa familia y que no encontrara un lugar.

"La necesidad básica de un ser humano en su familia es tener vinculación y pertenencia, que haya equilibrio entre el dar y recibir. En el caso de esta familia no pudo dárseles a todos los hijos por igual, y tener un orden donde los mayores son primeros y los mayores dan a los menores". Según esta historia García Márquez debió crecer con un vacío afectivo profundo.

"En esta época de convivencia, un ser humano aprende a relacionarse con los padres, hermanos y aprende lo que es la amistad, dar y recibir en la misma proporción y un poco más para que las relaciones se construyan y alimentándolas perduren.

"Si nos imaginamos que se va luego para Zipaquirá, el choque cultural agrava las cosas. Es posible que el alma de García Márquez no pudiera sentir que tenía un lugar, ni que podía vincularse de verdad con nadie.

"Es algo así como, 'no me vinculo de profundidad con nadie para que no me vuelvan a excluir, no me expongo de nuevo a un sufrimiento igual'. Y la defensa que la mente elabora puede ser: no relacionarse, quizás por eso no recuerda la época de Zipaquirá. Dedicarse a desarrollar su talento, leer, escribir y estar algún tiempo solo; así, poco a poco va creando un lugar para él, que nunca tuvo. El lugar de un escritor famoso, reconocido, valorado y amado a través de sus obras. Esta salida fue reparatoria.

"Pudo ser que en el vínculo con su esposa se reparara el miedo a amar y no ser amado, a ser abandonado, no valorado. Así se reparan los dolores vividos. Con experiencias nuevas, donde el final sea diferente al doloroso vivido en la infancia.

"Es posible que también haya algo en el fondo de "a mí me excluyeron ahora yo excluyo a los demás, yo tengo lugar y los otros no lo tienen.

"Esto no se piensa, se actúa y se construye como una barrera de protección. Nada raro tendría que por eso mucha gente perciba que es distante".

Capítulo 6

Gabo nació físicamente en Aracataca, pero literariamente en Zipaquirá

Esta reflexión siempre me resultó justa y elemental: si Gabriel García Márquez es famoso por haber ganado el Premio Nobel de literatura, algún grado de importancia deben tener la ciudad, el colegio y quienes impulsaron y formaron con solidez a Gabo como escritor.

García Márquez se formó como escritor en una casona colonial zipaquireña de grandes balcones, cargados de geranios y orquídeas, y de materas con claveles, agapantos y begonias; hablo de la sede del Liceo Nacional de Varones, en la calle Séptima, entre las carreras Octava y Novena, que ocupa media manzana; casa que hasta hoy, por descuido oficial, no ha sido declarada monumento nacional.

La tesonera labor del profesor de literatura, Carlos Julio Calderón Hermida (su profesor de literatura, Español y Gramática) quien fortaleció y orientó su inmenso talento enseñándole Español y Preceptiva Literaria, en tercero de bachillerato; Historia de la literatura Universal, en cuarto; Historia de la literatura Española, en quinto, y más literatura en sexto, catapultó a Gabo al mundo de la prosa. Calderón, "su descubridor", fue quien más influyó en su formación como escritor y García Márquez así lo ha reconocido. Lo confesó a Germán Castro Caycedo. Y ha señalado reiteradamente como factor definitivo de su éxito como escritor, haber estudiado en el Liceo Nacional de Varones de Zipaquirá, y haber contado allí con las enseñanzas del profesor Carlos Julio Calderón Hermida, "quien me indujo a la literatura".

Varios escritores y periodistas se han pronunciado en el mismo sentido. Dasso Saldívar, escribió en su libro, *El viaje a la semilla* (Alfaguara 1997): "García Márquez no hubiera sido el escritor que es, sin Zipaquirá".

En una columna suya en el periódico El Espectador, en 1991, García Márquez dijo que quien más influyó en su formación académica, fue el "opita" Calderón: "La literatura hay que enseñarla como me la enseñó mi profesor Carlos Julio Calderón Hermida, quien me condujo por el mundo de los grandes escritores, sin problemas ni dificultades". Y se lo reiteró a Germán, hablando de ese maestro huilense, "a quien debo mucho en mi vida de escritor".

Olga Martínez Dasi, en su "Apunte biográfico, breve reseña biográfica de García Márquez", expresa: "La literatura, ciertamente, estuvo presente en su paso por Zipaquirá. Aquel internado le facilitó lecturas de novelas, cuentos y poesías que habrían de ir sentando las bases para el nacimiento del mago e ilusionista que deslumbraría al mundo, muchos años después".

Como habíamos dicho ya, John Anderson en, "Refriegas Otoñales, revista La Nación", adjudica a "Gabriel García Márquez la frase: "Cuando salí de ahí (del Liceo), yo quería ser periodista, quería escribir novelas".

El periodista Germán Santamaría, escribió en la revista Diners de octubre de 2002: "Zipaquirá es el instante y el lugar en que García Márquez se hace escritor, es el instante de su prehistoria literaria".

Luis Miguel Madrid, poeta, escritor y director de teatro, licenciado en Letras, designado por Gabo para que hiciera un montaje de *La Diatriba*, tituló: "Gabriel García Márquez: El mundo sin Macondo", y contó que este le había dicho: 'Durante esos años, (en Zipa), pasé encerrado la totalidad de las horas libres, despachando libros". Madrid también fortalece mi tesis: "Esos cuatro años de soledad, reclusión y lectura en Zipaquirá, fueron decisivos para su futura vocación de escritor".

Todos estos argumentos y otras múltiples razones expuestas en páginas de este libro, establecen con claridad que en el Liceo Nacional de Varones de Zipaquirá fue donde consolidaron a García Márquez como escritor. Por haberse convertido durante muchos años de mi vida en un tema recurrente y reiterativo, se tornó para mí casi en una obsesión, mejor, casi en un vicio buscar información, imágenes, documentos y fotografías, y leer varios miles de de páginas buscando datos valiosos e importantes para este libro, que en resumen, cuenta cómo "fabricaron" al único Premio Nobel que ha tenido Colombia.

En alguna ocasión, al tocar el tema de Gabo en el Liceo, alguien de quien no he podido recordar su nombre, dijo es que, "García Márquez nació en Aracataca, pero intelectualmente en Zipaquirá", y hoy tomo esa frase en préstamo para expresarla casi igual.

Manuel "Fantasmagoría" Cuello, "vehículo de realismo mágico"

Eduardo Angulo Flórez reiteraba su apreciación sobre Manuel Cuello Del Río: "Otro costeño, de Chiriguaná, excelente profesor, que tenía una memoria envidiable. Él le prestaba libros de contenido marxista a Gabo e influyó mucho en él; es bueno recordar que cuando García Márquez llegó al colegio, a tercer año, era más o menos conservador, pero ya en Sexto tenía ideas de izquierda, era marxista".

El profesor Del Río, quien dictaba Historia de América, era supervisor en el dormitorio, y a la vez, quien les leía a los internos todas las noches capítulos de las obras literarias más destacadas, desde una especie de cubículo ubicado en una esquina, al fondo de aquel. Eduardo, como reviviendo la historia, se emociona, y cuenta: "Del Río era delgado, alto, flaco, moreno, con ojos profundos, verdes, y gesticulaba. Tenía una imaginación extraordinaria, mágica, en su cabeza. Veía y describía cosas muy raras, nunca vistas; aves de cuatro patas, todo tipo de ilusiones, por eso lo llamábamos 'Fantasmagoria', con aprecio".

"Le reitero, no me queda la menor duda de que Manuel Cuello Del Río, influyó muchísimo en Gabo, creía mucho en él; por algo era su candidato para los discursos del Liceo. Del Río tenía una gran memoria, era amable, imaginativo y expresivo, con una inmejorable capacidad de descripción; a mí me parecía que su clase se acababa muy pronto, por lo amena. Y fíjese, él terminó con un negocio de helados en Fusagasugá, un pueblo templado del departamento de Cundinamarca".

La vida de Gabo, antes de que llegara a "La ciudad de la Sal"

Gabriel García Márquez fue el primero de los 11 hijos de Luisa Santiaga Márquez Iguarán y Gabriel Eligio García, quien luego de la boda en Aracataca, se fue con su esposa a vivir en Riohacha. Santiaga volvió a esa población para tener a Gabriel José de la Concordia, su primer hijo, quien vivió al lado de sus abuelos desde el día cuando nació. Santiaga Márquez Iguarán de García, regresó a Riohacha con su esposo, quien sólo conoció a su primogénito al cabo de mucho tiempo.

Cuatro meses después, para ser exactos, Luisa Santiaga regresó a Aracataca con motivo del bautismo de Gabriel José de la Concordia. En el libro de la parroquia de San José de esa población, perteneciente a la Diócesis de Santa Marta, fue sentada la partida de bautismo, el domingo 27 de julio de 1930, en el libro 0012, folio 0126, número 0324.

El abuelo materno de Gabo, el coronel Nicolás Ricardo Márquez Mejía, dedicó los últimos años de su vida, a la formación de su nieto; a quien estimuló su vocación de dibujante y caricaturista.

Curiosamente, el coronel Márquez luchó como miembro del ejército revolucionario liberal del general Rafael Uribe Uribe, al lado del coronel zipaquireño Edilberto Zambrano, bajo las órdenes del general Clodomiro Castillo, en los departamentos de la Guajira, Magdalena y el Cesar, incluyendo a Aracataca, pueblo en el que vivía con su esposa Tranquilina Iguarán Cotes; historia de la guerra esta, de la que nos ocupamos en otro capítulo del libro.

Orlando Araújo Fontalvo, Magíster en literatura Hispanoamericana, escribió en la revista de Estudios Literarios, número 25, en

2003: "El abuelo condujo a Gabo de la mano, mostrándole y contándole cosas; le enseñó a leer e interpretar la realidad y provocó su despertar ideológico".

En 1935, el coronel Márquez, quien experimentaba serias limitaciones económicas, se accidentó y quedó muy mal físicamente y además, perdió un ojo. Gabo se trasladó con su familia a Sincé donde, huérfano del abuelo que lo crió y que lo había querido entrañablemente, ya no lo volvería a ver jamás, pues en marzo de 1937 falleció en Santa Marta, a la edad de 73 años.

En 1936, Gabriel García Márquez, ingresó a la escuela Montessori, donde en primero y segundo de primaria, su maestra Rosa Helena Fergusson Gómez, le enseñó a leer y a escribir.

Gabo estaba muy pequeño cuando vivió en Sincé, pero gozó de esa temporada jugando en las calles con otros niños de su edad y comiendo los platos típicos regionales: "Molletes", "galletas", "mote de queso", "mote de ñame", y "bollos". Y vivió dentro de la inocencia las tres celebraciones más importantes del municipio: el magnífico desfile del 20 de julio, con música y trajes típicos regionales; las fiestas de la Virgen del Socorro, patrona del pueblo y los carnavales de febrero.

Sincé, municipio fundado en 1775, tierra natal de Gabriel Eligio García, padre de Gabriel García Márquez, se encuentra a 32 kilómetros al sureste de Sincelejo, capital del departamento de Sucre, y limita con los municipios de San Pedro, Los Palmitos, San Juan de Betulia, Buenavista San Benito Abad, Galeras, El Roble y Corozal. Tiene una altura de 137 metros sobre el nivel del mar y su temperatura media es de 28 grados centígrados.

De Sincé, los García Márquez se trasladaron a Barranquilla donde Gabo terminó su primaria, en el colegio Cartagena de Indias, y donde luego, en 1940 y 1941, cursó su primero y segundo de bachillerato, en el colegio San José, regentado por sacerdotes Jesuitas.

El "trasplante" de Gabo de Aracataca a Zipaquirá

El trasplante de Gabo de la Costa Caribe a Zipaquirá, le dio un vuelco total a su vida: pasó de 30 grados centígrados de temperatura, a 13 en el día y a veces dos o tres, en la madrugada.

Se despidió de su familia a mil kilómetros de distancia de la capital de la República de Colombia, estando al nivel del mar, y se fue a vivir a 2.652 metros de altitud. Cambió el sancocho de bocachico, por el ajiaco; su mundo de vegetación exótica, por un paisaje con muchos verdes, que contrastaban con sus muchas tardes grises. Dejó atrás su gente; canjeó una regadera cálida, por un baño con baldosas blancas, yertas, que a las seis de la mañana surtía agua ofensivamente helada para el aseo.

Mezcló los porros vallenatos con pasillos, y se convirtió en "cliente fijo" (fanático), de los conciertos dominicales de música clásica y colombiana, en la Plaza Mayor de Zipaquirá, después de la "misa de once"; a los que asistían los zipaquireños, luciendo sus mejores galas, y mucha gente llegada de Bogotá.

Abandonaba una comunidad que en cierta forma había sido un tanto indiferente con él, pero lo adoptaba otra que le abrió sus puertas y lo acogió con calidez. Había caminado por calles ardientemente polvorientas, y ahora transitaría por otras pavimentadas, pero frías, en "La ciudad de la Sal".

Gabo había vivido la mayoría de su vida en Aracataca, donde nació; un pueblo de temperatura ardiente, donde muchas casas eran construidas en madera y muchas otras con techos de zinc, o de paja y las demás con paredes de bahareque. En Zipaquirá, las imponentes casonas coloniales del centro histórico y de la Plaza Mayor, eran construcciones en piedra, ladrillo, y tapia pisada, con anchísimas paredes cubiertas por techos de teja españolas de barro cocido.

Tenía algo menos de 16 años cuando llegó a la Sabana de Bogotá, afrontó toda una serie de experiencias desconocidas que le causaron un impacto inmenso, y descubrió un mundo nuevo, muy distinto al que conocía hasta entonces.

El Barón Alexander Von Humboldt al hablar del "páramo de Zipaquirá", en 1801, pareciera haberle dado razón unos 142 años antes al "calentano" Gabriel García Márquez, a quien el frío de esa ciudad, lo "maltrataba" de día y de noche.

La vegetación era diferente, también las aves, y las frutas; como lo eran los cuentos, fábulas y leyendas mágicas locales. Tan distintas como el carácter de los costeños, los zipaquireños externos y el de los demás internos del Liceo.

Gabo conocía hasta entonces especies animales como: flamingos, carpinteros, atrapamoscas, jaibas, camarones, pelícanos, cocodrilos, manatíes, tortugas, gaviotas, garzas, espátulas, iguanas, culebras y jaibas; pero en Zipaquirá vio por primera vez, cucaracheros, monjitas, copetones, petirrojos, chisgas, siriris, tinguas, ardillas y conejos sabaneros; faras, curíes, abejorros, mariposas de especies diferentes a las que él hizo famosas, mirlas, mochuelos, tierrelitas, y peces, como la trucha y el lebranche. Y aprendió a coger "guapuchas" en un frasco, en las quebradas cercanas al campo de deportes del Liceo, o en las adyacentes al río Susaguá.

Su nueva vida transcurrió entre el estudio, la lectura intensiva, el "mamagallismo" en el Liceo, los paseos, las revistas musicales y las zarzuelas en el Teatro Mac Douall, de las que fue desde entonces protagonista. Y también entre bailes, conferencias sobre historia de la música y tertulias literarias. En Zipaquirá le estimularon la lectura y, "se la convirtieron en una obsesión; lo hacía en la biblioteca, en el salón, en el patio, en el campo de deportes, el dormitorio, la clase... Y hasta en el baño", según su compañero Luis Ariza.

Todas las noches leía o le leían obras literarias en su dormitorio, cuando los internos se acostaban. Poco a poco le sembraron la pasión por las obras más importantes de la literatura, por los periódicos, revistas, o todo cuanto tuviera letras. A más no poder, Gabo "escribía con la voz", en las continuas tertulias literarias zipaquireñas, donde "La Manca" González, o con el "Grupo de los Trece". Amén, claro está, de la escritura que inducida, estimulada, y programada por su profesor Carlos Julio Calderón Hermida, le comenzó a brotar de su mente creativa que impulsaba sus manos para componer poemas "piedracielistas" bien estructurados, y cada vez con más intensidad a escribir crónicas, discursos, tareas de literatura, trabajos de otras materias, y columnas críticas, temas para la Gaceta Literaria; que le publicaron en periódicos como El Tiempo o El Espectador. Hasta llegar a sus primeras novelas; pues ya había aceptado el reto que le impuso Calderón de convertirse en un sólido escritor.

Pero desafortunadamente lo que no supo García Márquez, porque no tuvo quien se lo contara o enseñara, fue la importancia histórica de Zipaquirá, que de haberla siquiera sospechado, lo habría apasionado, pues siempre fue un enamorado del pasado importante de Colombia.

Teatro Roberto Mac Douall, construido en Zipaquirá 1927, para la presentación de conciertos, ópera, espectáculos musicales y obras de teatro.

Aunque oyó hablar de ellas, otra cosa de la que se perdió Gabo de Zipaquirá, fue de la celebración de los carnavales de fin de año, porque era época de vacaciones y él se iba para su tierra. En cambio, compañeros como Álvaro Ruiz Torres, venían desde Bogotá a pasar estas fiestas que se celebraban con la coronación de la "Reina de la Sal"; novenas bailables, concursos de pesebres, fuegos pirotécnicos en la Plaza de Zapata; lanzamiento de globos, corridas de toros, desfiles a caballo, comparsas, apuestas de aguinaldos por equipos, bailes en tablados populares, desfiles de máscaras, voladores y "vacalocas".

En lo que sí participó Gabo fue en las celebraciones culturales del 3 de agosto, fiesta de los "Mártires Zipaquireños", cuando había desfiles de carrozas alegóricas; disfrazados; zarzuela, obras de teatro; recitales, tertulias literarias, exposiciones florales y de pintura, y también concursos de fuegos artificiales, y mucha pólvora; voladores, volcanes, velas romanas, buscaniguas y totes. Se toreaban "vacalocas", en la Plaza de Zapata.

Volviendo a Baranquilla, Gabriel se enfermó y perdió el curso Segundo, de bachillerato debiendo repetirlo en 1942. Estuvo en el colegio San José, desde sus 13 hasta sus 15 años de vida. Heriberto Fiorillo, contó en la revista del Jueves, de El Espectador, que a Gabo le publicaron en la revista 'Juventud', de ese colegio, sus primeros versos, titulados por él: "Instantáneas de la Segunda División", "Bobadas mías", "Desde un rincón de la Segunda", "Crónicas de la Segunda División", que eran unas coplas en las que le "mamaba gallo" a sus compañeros de estudio.

En 1943, la vida de Gabriel García Márquez tomó un rumbo que ni él ni nadie hubieran imaginado. Emprendió la gran aventura de su vida: una travesía desde la Costa Caribe hasta la capital de la República de Colombia, en búsqueda de una beca del Ministerio de Educación, para el colegio de San Bartolomé. Y fue entonces cuando llegó su providencial primer viaje de Barranquilla, en vapor por el río Magdalena, con destino final La Dorada y de allí, a pocos metros atravesando el río, a Puerto Salgar, a tomar el ferrocarril, y llegando a Bogotá en una tarde fría que le generó su primera imagen negativa de la altiplanicie cundinamarquesa, aventura que le narró detalladamente a mi hermano Germán.

El destino le tenía "separado salomónicamente" un cupo, no para San Bartolomé si no para el Liceo Nacional de Varones de Zipaquirá, municipio que jamás había oído mencionar, pero que, como cuenta Álvaro Ruiz Torres, "arribó allí y su aventura le permitió aligerar las dificultades económicas que atravesaba su numerosa familia, y conquistar algo de independencia".

Gabo dejaba atrás sus recuerdos y su cálida tierra, pero también los sinsabores que su corta existencia (15 años, próximos a los 16) le había proporcionado el mayor de todos ellos: la muerte de su abuelo el coronel Nicolás Ricardo Márquez Mejía, la persona que más lo amó, que siempre le dio la mano, que le entregó su corazón, sin reservas y que se fue el día más ingrato en la vida de Gabo.

Capítulo 7

Su buena estrella lo llevó a Zipaquirá, y esta al Nobel

Ese viaje a Bogotá en vapor y en tren, según le describió Gabo a mi hermano Germán, en marzo de 1977, fue una verdadera fiesta, con "traguito", música, de paseos, vallenatos, puyas y boleros, interpretados por García Márquez y unos casuales compañeros de viaje, costeños, parranderos, "gocetas" y bullangueros, que venían acompañados de un par de guitarras.

Al llegar el buque a La Dorada los pasajeros trasbordaron al tren en Puerto Salgar, donde prosiguió la fiesta. Y en el trayecto, un hombre de 30 años, muy bien vestido, que venía en el vapor, se dirigió a García Márquez pidiéndole el favor de que le copiara la letra de uno de los boleros que había cantado, porque le había gustado mucho y era el preciso para dedicárselo a su novia, María Luisa Núñez de Galán.

Gabo le contó a Germán que unos días después estaba haciendo turno muy temprano en el Ministerio de Educación con infinidad de jóvenes de todas las regiones de Colombia, que buscaban lo mismo: una beca. Y fue entonces cuando sucedió el milagro que le puso a Gabo el primer peldaño al Nobel. De pronto, el señor al que le había copiado la letra de la canción, entraba al ministerio, y cuando vio a García Márquez "haciendo cola", medio extrañado, le preguntó qué estaba haciendo ahí.

"Pues ese señor de 26 años, elegante, con sombrero, que iba en el barco y luego en el tren, era mi papá, Adolfo Gómez Támara, Jefe de Becas del Ministerio de Educación, nacido en Sincelejo, el 21 de febrero de 1917 y quien viajaba en vacaciones a esa ciudad", cuenta María Luisa Gómez Núñez, su hija, quien nunca estudió en un colegio donde se hablara español y que a los 13 años, era ya profesora de ruso y de otros idiomas.

Adolfo Gómez Támara, el Jefe de Becas del Ministerio de Educación que le dio la oportunidad a Gabo en Zipaquirá.

Ella anota: "María Luisa Núñez de Galán, para quien Gabriel García Márquez copió el bolero que le pidió mi padre, tenía dos años menos que él y fue mi madre; su abuela materna era prima de José Asunción Silva. Mis padres se casaron en 1944, un año y medio después de que mi papá conoció a García Márquez".

"Según nos corroboró mi padre la veces que hablamos sobre el tema de Gabriel García Márquez, (prosigue María Luisa), las becas para el colegio San Bartolomé eran muy apetecidas, en especial por jóvenes de familias acomodadas, importantes o con palanca; eran 'peleadas' y muy difícil conseguirlas. Así que ese día cuando mi padre le pidió a Gabo que se saliera de la fila y lo siguiera, contándole que él había sido contratado por el ministro de Educación, Alfonso Araújo, (quien también era sincelejano), como Jefe de Becas, y que con mucho gusto le otorgaría una para que ingresara a tercero de bachillerato, pero que no se la podía dar para San Bartolomé, por dos razones: porque ese colegio tenía mucho pedido, y detrás había muchas palancas y porque, como le había tomado aprecio en el viaje a Bogotá, quería que estudiara en el mejor colegio que había en Colombia: en el Liceo Nacional de Varones, de Zipaquirá".

María Luisa Gómez Núñez, prosigue: "Contaba mi padre que el rostro de García Márquez expresó entonces una mezcla de desconcierto y admiración, y que se quedó callado. Pero luego de que escuchó sobre las virtudes del Liceo; sobre la tradicional cultura que se respiraba en Zipaquirá desde el Siglo XVIII, entonces "el joven del bolero", terminó aceptando irse para allá. Y enseguida lo bombardeó con preguntas sobre esa ciudad desconocida, averiguándole dónde quedaba, qué tan lejos, cómo era, y qué tal era el Liceo".

Cuando Gabo escuchó que sólo 47 kilómetros de distancia separaban a Bogotá de Zipaquirá; que se gastaba una hora y cuarto en bus y hora 30 minutos en tren; que el Liceo tenía renombre; que la comida allí era muy buena; que su mayor virtud radicaba en la alta calidad académica de su profesorado, y que ese era colegio que tenía el mayor pedido, entre centenares de estudiantes de todas las regiones del país, que aspiraban a estudiar allí, se calmó y la expresión de su rostro "ya estaba distensionada".

Alfredo García Romero, quien pocos días después sería compañero de colegio de Gabo, y que iba un año antes que él, cuenta:

"Adolfo Gómez Támara, como yo, nació en Sincelejo, donde cuando se ocurrió que yo viniera a estudiar al interior, lo primero que le habló a mi familia y a mi fue del Liceo Nacional de Varones de Zipaquirá. Nos explicó su importancia y calidad académica. Tenía el mejor concepto de él. Y aparte de asegurarme la beca, decidió que sería mi acudiente allí". Y anota: "El noventa y nueve por ciento de los internos, que éramos unos cien, veníamos de muchos municipios de Colombia, pero la mayoría, de la Costa".

Adolfo Gómez Támara, autor de los libros, *Ideas e inquietudes sobre problemas colombianos* y *Status jurídico del extranjero*, (su tesis de grado en Derecho y Ciencias Políticas); creía tanto en el Liceo Nacional de Zipaquirá, que se convirtió en el mejor promotor de las becas para los costeños en ese colegio.

Miguel Lozano, recuerda: "Nosotros desarrollamos grupos por afinidad geográfica; uno era el de los zipaquireños casi todos externos, acomodados, normales y otros pobres, como muchos de los internos. Otro grupo estaba conformado por costeños, que éramos los más numerosos de quienes veníamos de otras ciudades, y el tercero, fundamentalmente por los muchachos de otros departamentos, incluyendo los de Cundinamarca".

Y agrega: "Entre los primeros costeños en el Liceo, había hasta un sanandresano. Ahí estaban, entre otros, Juvenal Viña, Absalón Lozano, Eduardo López, Rafael Arnedo, Antonio Martínez, Sabas Socarrás (samario), Víctor Urueta, Humberto Jaimes (de Mompox) quien fue estudiante y bibliotecario del Liceo, 'El Camarada' García Romero quien llegó en 1942, con Mario Convers, a quien botaron del Liceo".

Lozano explica: "Mire lo que sucedió, eso fue un día en que Mario tenía pereza y no se había levantado, entonces como a las seis de la mañana el profesor Daniel González, quien pasaba revista en el dormitorio, le levantó las cobijas a Convers y este, sin saber de quién se trataba, reaccionó airado creyendo que era un compañero, gritó furioso: ¡Hijueputa!... Y entonces el rector Espitia lo expulsó. Convers se había entendido intelectualmente muy bien con Gabo, tanto que los dos fueron quienes sacaron adelante la idea del "Grupo de los Trece' y la Gaceta Literaria del Liceo".

Pero, sobre el "Ángel" que Dios le puso en su camino a Gabriel García Márquez para que le enviara providencialmente a Zipaquirá, es decir Adolfo Gómez Támara, cuenta su hija: "Mi padre fue un hombre aventurero, pero serio, responsable; con grandes ambiciones, y muy honesto. A los 17 años se voló de su casa en Sincelejo, para Cartagena, donde un tío que le ayudó los primeros días; pero mi papá terminó de estudiar con plata que le prestaron unos amigos, mientras dictaba clases en un colegio. Fue portero del Ministerio de Hacienda; estudió Derecho en la Universidad Nacional, con Augusto Espinosa Valderrama y sacaba 5 en casi todas las materias. Era muy 'pilo', fuerte, estricto, puntual, y donde metía la cabeza, la sacaba".

Frailejón, el famoso crucigramista del periódico El Tiempo, lo describía como, "el Hitler Costeño: exacto y cumplido". Fue hijo de padres acomodados, que lo perdieron todo, pero con su esfuerzo se convirtió en un abogado prominente. Cuando se conocieron, Gabo tenía 16 años y él 26. Tuvo cuatro hijos: María Luisa, (filósofa, y dos hermanos que viven en Europa, a donde él viajó en 1955).

"Cuando regresó, trajo una institutriz para que nos educara muy bien a mis hermanos y a mí y nos preparara para viajar. En 1957, de 40 años, nos fuimos todos a Europa; íbamos para Hamburgo, y el barco en que viajábamos, se hundió en el Canal de la Mancha; todos estuvimos en peligro, pero nos salvaron porque llevábamos puestos chalecos salvavidas, y porque un bote nos recogió poco tiempo después, recuerda María Luisa. Días después, el 13 de agosto llegamos a Hamburgo, recuerdo la fecha porque era el cumpleaños de mamá. Mi padre compró un Volkswagen, y de allí fuimos a Viena. Lo que él no compró nunca fue un televisor, en su lugar nos compró muchos libros", concluye María Luisa.

En 1965, regresaron de Europa, pero Adolfo Gómez Támara retornó a Viena en 1972, donde murió de leucemia en 1986, de una manera estoica. "Nunca nos contó a sus hijos ni a mi mamá, sobre su grave enfermedad; no quería que nos derrumbáramos. Lo enterraron en Viena y cuando murió mi madre, en 2003, llevaron sus cenizas junto a las suyas, en Viena".

El último contacto que tuvo la familia Gómez Núñez con Gabo, fue a través de Julián, (hijo del providencial Jefe de Becas del Ministerio de Educación), quien se encontró a García Márquez en un aeropuerto europeo. Se identificó, y luego tomaron café, hablaron de la historia del encuentro con su padre y de cómo este gozó mucho cada uno de los triunfos que alcanzó a conocer de él: hizo un aporte verdaderamente significativo.

Ese día Gabo le dijo a Julián que siempre estuvo agradecido con su padre. Coincidencialmente, María Luisa Gómez, la hija del famoso Jefe de Becas del Ministerio de Educación, años después fue compañera de estudio en la Universidad Nacional de Colombia, en Bogotá, de la esposa de Eligio, el desaparecido hermano de Gabriel García Márquez.

Alfredo García Romero: "Allá se respiraba literatura"

"En la Costa, (dice Alfredo García Romero), no había casi colegios de bachillerato, por eso muchos jóvenes buscábamos el interior del país, y el mejor colegio, en efecto, era el Liceo de Zipaquirá, que entre otras cosas, presentaba dos grandes ventajas: que los alumnos no teníamos las tentaciones que se presentaban en Bogotá y que distraían los estudios; y que por su calidad académica, en sus aulas se respiraba literatura de mañana a noche, era su fuerte, allí casi todos los profesores escribían, y el ambiente en que nos formamos fue el de la lectura permanente; el del mejor uso del lenguaje, el de la forma más pura de la redacción y la escritura; mejor dicho, era un colegio de verdad intelectual".

Y también cuenta: "Con Edmundo López Gómez (quien fue senador y ministro de Comunicaciones) y otros muchachos, fuimos de los primeros costeños en arribar a Zipaquirá. Después, llegaron a estudiar más y más costeños. Tanto en mis vacaciones en Barranquilla, donde yo vivía con mi familia, como en mis viajes desde allí de paseo a Sincelejo, yo le hacía mucha propaganda al Liceo y creo que entusiasmé a muchos costeños a irse para allá".

Durante los cuatro años que permaneció en Zipaquirá y el año que estuvo en Bogotá estudiando Derecho en la Universidad Nacional, donde se matriculó en febrero de 1947, (por iniciativa de su madre Luisa Santiaga), García Márquez hizo diez viajes de ida y regreso por el río Magdalena, hasta la Costa Caribe. Ello enriqueció su conocimiento de Colombia, que complementó en su temprana edad con las vivencias compartidas con sus compañeros de colegio, venidos de todas las regiones del país. Juntos, aprendieron, de primera mano, sobre nuestra rica diversidad cultural.

Y García Márquez encontró las grandes diferencias de sus compañeros, según las regiones; lo que resultó vital en su formación como escritor, porque ello fortaleció su creatividad e imaginación literarias; alguna vez "acompañadas por sus cuatro años de soledad", hijos del frío zipaquireño que es fruto de las perturbaciones atmosféricas propias de sus 2.652 metros de altura sobre el nivel del mar, que no de su gente, que siempre tuvo un corazón cálido para el dibujante, caricaturista, poeta y finalmente escritor de prosa, Gabriel García Márquez.

Un "inmortal" caminando por las calles zipaquireñas

Ese día la gran noticia nacional fue la declinación del doctor Eduardo Santos a su postulación como candidato a la Cámara de Representantes, hecha por la Dirección Liberal. En lo internacional, la Segunda Guerra Mundial: en el frente asiático, las tropas japonesas que avanzaban hacia Napangho, sufrieron más de 2000 bajas.

A 14.380 kilómetros de allí, ese mismo día, en la casona colonial de grandes balcones cargados de geranios, orquídeas y begonias, que ocupa media manzana de la calle Séptima con carrera Octava, a dos cuadras de la Plaza Mayor de Zipaquirá, en el Liceo Nacional de Varones, donde convivían estudiantes acomodados y jóvenes pobres de provincia, se vivía otro cuento. Allí, la noticia del día fue la matrícula de un nuevo interno para tercero de bachillerato, casi tres semanas después de iniciado el año escolar.

Ese el lunes 8 de marzo de 1943, llegó al Liceo Nacional de Varones de Zipaquirá un costeño, delgado y de abundante cabellera, nacido el 6 de marzo de 1927, en Aracataca, Magdalena; hijo del telegrafista Gabriel Eligio García y de Luisa Santiaga Márquez de García. Los demás alumnos, por ejemplo Jaime Bravo, habían iniciado clases el 13 de febrero de 1943, año este en que se graduó.

Al nuevo alumno de 16 años de edad, como a todos los del Liceo, le pusieron apodo: "Peluca". Le asignaron una cama en el "dormitorio grande". "El Negro" Humberto Guillén, lo vio desorientado y despistado, muy solo, y con bondad solidaria se ofreció para ayudarle a subir el colchón y el baúl. José Gabriel firmó la matrícula No 182 para tercero de bachillerato.

A la misma hora en que Gabo tomaba el tren que lo llevaría a Zipaquirá, ese lunes 8 de marzo, los señores más importantes de la ciudad, incluyendo el Alcalde y los concejales, madrugaron como siempre al café de don Luis Valbuena, para "desayunarse" con los sucesos y noticias del día, y para "tertuliar" sobre las de la víspera. El café quedaba en la calle Cuarta que daba al la Plaza Mayor y exactamente al frente de la gigantesca Catedral de la ciudad y enseguida del Hotel Caribe.

La gigantesca Catedral Diocesana de Zipaquirá, construida por el sacerdote capuchino arquitecto Fray Domingo Pérez de Petrés, quien edificó también la Catedral Primada de Bogotá.

Para describir la llegada de García Márquez a "La ciudad de la Sal", resulta útil asimilar algunas vivencias de sus compañeros; libertad que me permite recrear mejor la llegada de Gabriel a Zipaquirá, y acercarme a la historia real, sin causarle ningún daño. Hecha esta salvedad, regreso al viaje.

El tren comenzó a pitar a las siete en punto, cuando partió al rumbo que por un acaso le había deparado el destino a Gabriel García Márquez, quien a cada kilómetro recorrido, le aumentaba la ansiedad.

Gabo y su acudiente Eliécer Torres, subieron al vagón del Ferrocarril del Norte, en la Estación de la Sabana, el viaje se demoraría una hora y 25 minutos, aproximadamente.

El servicio del tren de pasajeros tenía dos horarios de salida: las siete de la mañana y las tres de la tarde; pero si García Márquez hubiera viajado en este ultimo, no habría llegado a tiempo para sentar la matrícula y tramitar su ingreso como nuevo alumno interno, protagonista de la "aventura estudiantil", que llevaba entre pecho y espalda.

Ya había recorrido casi mil kilómetros en vapor y en tren; así que Gabo y su acudiente, Eliécer Torres Araújo, dueño de la pensión para costeños de la carrera Décima N° 19-52, (donde estuvo situada luego la sede de la famosa Radio Sutatenza, y donde despachó el hoy Cardenal Darío Castrillón), madrugaron para no perder el tren.

A eso de las 7 y 20 de la mañana, luego de haber parado en Usaquén, se repitió el paisaje sabanero, tranquilo y sosegado, que tanto le había gustado a Gabriel García Márquez unos días antes, cuando llegaba a Bogotá desde Puerto Salgar. El ritmo acompasado del Ferrocarril del Norte, (que si se describiera hoy, sería más o menos el ritmo repetitivo de la música "dance"), y el paisaje, se repetían kilómetro a kilómetro, distrayendo la angustia de Gabriel, temporalmente.

El venía distraído viendo el paisaje cuyo fondo eran los cerros del occidente, la visión era aún novedosa para él, porque donde vivía no tenían el espectáculo cordillerano, que ciertamente es bello. Cerca de la carrilera, el campo estaba salpicado de espigas doradas, hijas de los trigales que servían de desayuno a los copetones y a los cuervos, antes de que las volvieran pan; y había campesinos colgados de sus arados, halados por yuntas de bueyes; de tapias de barro con una hilera doble de tejas y de sembrados de papa, vecinos de inmensos eucaliptos. Una bandada de patos madrugadores, unas vacas bien formadas que regresaban al corral, luego del ordeño, y la bruma matinal; terminaron por cautivar la atención del 'cataquero' García Márquez, que iba derecho a su reclusión estudiantil..

Por ratos, Gabo volvía a su nostalgia; experimentaba un doble sentimiento: el de la añoranza de su vegetación costeña, plagada de platanales y palmeras, y el gusto por el verdor y la armonía de la Sabana de Bogotá, que gozaba de un cielo con muchos tonos de azul, concentraciones de nubes con "rotos" por los que se colaban los rayos del sol, iluminando y dándole notoriedad a los ranchos campesinos.

La campana de la estación de La Caro marcó la tercera parada del tren, donde Gabo fue invitado a una 'almojábana' de queso por su acudiente. Tres minutos después, se reinició el viaje y entonces apareció el río Bogotá, al que en esa época aún no lo habían enfermado y envenenado los curtidores de cuero, ni las fábricas, ni toda la gama de contaminadores que surgieron para abusar de sus aguas.

A los ojos de García Márquez y de todos los que lo veían en esa época, era un río bello, silencioso, aun limpio, al que le hacían calle de honor los sauces llorones, que acariciados por el viento, más bien deberían llamarse sauces alegres. En otros momentos, por acción de la niebla, esos delicados sauces asemejaban encajes sobre el paisaje.

Después de la última parada, en Cajicá, la inquietud y el temor a lo desconocido retornaron al corazón del muchacho flaco, pálido y de abundante cabellera, nacido en Aracataca 15 años antes, o mejor, casi 16. Los vecinos de puesto le contaron a él y a su acompañante que faltaba poco para llegar. Que al pasar la loma de "San Roque", se vería ya Zipaquirá. De pronto a Gabriel lo invadió nuevamente la sensación de "dolor" de lejanía; se sintió desorientado y se acordó que estaba haciendo mucho frío.

Eran las 8 y 25 de la mañana cuando el tren, con su pito animado por el vapor, avisó que llegaba a Zipaquirá, el maquinista halaba la cadena que hacía "bramar" ese potente aparato por entre bocanadas de humo.

Y entonces apareció la primera imagen de ese trozo de Colombia sobre el que no sabía nada, nada de nada, y donde habría de permanecer cuatro años de su vida, descritos hoy como: Gabo: Cuatro años de soledad.

Había llegado a Zipaquirá luego de su largo viaje desde Barranquilla por el río Magdalena y luego en tren hasta el centro del país, donde entabló amistad con otros jóvenes costeños, como él, alegres, escandalosos, fiesteros, que traían una guitarra que sabía sonar a vallenatos y a boleros, interpretada a la perfección.

La noche anterior, Gabriel no había podido conciliar el sueño pensando en su futuro; había dejado el baúl, la "muda de ropa" y su equipaje, listos; pero las horas se habían hecho lentas y pesadas, casi no pudo pegar los ojos tratando de imaginarse cómo sería esa tal Zipaquirá. Ya en la mañana, antes de las siete, llegó a la Estación de la Sabana, en la calle 13, relativamente cerca de la pensión de Eliécer Torres, en la carrera Décima entre las calles 19 y 20.

El ferrocarril había traspasado Usaquén, La Caro, Cajicá, y finalmente estaba en Zipaquirá. Gabriel y Eliécer Torres se bajaron del tren en la Estación Bazzani, a las 8 y 30 minutos. Y paradójicamente, lo primero que vieron en "La ciudad de la Sal", fue a las "carameleras", vendedoras de dulces, que se abalanzaban contra las ventanas del tren, sobre los pasajeros que continuaban el viaje a Nemocón.

Estas blandían sus canastos repletos de atractivas golosinas no aptas para diabéticos, y gritaban: "Caramelos, obleas; están fresquitas sumercé".

Lo otro que captaron las pupilas de Gabo, fue a una campesina que estaba frente a la Plaza de Ferias, junto a un burro amarrado sobre el que había fijado un canasto, pero no con dulces, sino repleto de yerbas aromáticas.

Gabo no debe haber olvidado el sonido de la campana de la estación de Zipaquirá anunciando la salida a Nemocón, y el prolongado pitazo de este, antes de partir. Tal vez era un pasaje similar a lo que él había captado en Aracataca, cuando llegaba y partía el famoso tren amarillo. Y es posible que, ese día esto lo haya llevado a recordar a su abuelo, el coronel Nicolás Ricardo Márquez Mejía, con quien iba a esa estación; y a sentir que lo embargaba desde ese momento la nostalgia en esta ciudad plana, bordeada al occidente por una extensa cadena de cerros; que Gabo vio durante cuatro años desde ese 8 de marzo.

Estación del tren de Zipaquirá y el Ferrocarril del Norte, en el que viajaba García Márquez.

Rumbo al Liceo con "El Ciego" Isidro, Nemesio, y Eliécer Torres

Luego de bajar del tren y recoger de su bodega el baúl y sus bártulos, García Márquez se encontró de frente con las calles anchas que muchos años antes habían sido recorridas por virreyes, personajes de la historia, patriotas y próceres, como el Libertador Simón Bolívar, el general Francisco de Paula Santander, José Fernández Madrid, don Antonio Nariño, y muchos otros. Eran vías bordeadas por grandes casonas coloniales a las que acompañaba el frío que al recién llegado le parecía insoportable.

Gabo veía todo distinto a su paso por la ciudad; se sentía desorientado. Por primera vez estaba en tierra extraña. Y allí, en la carrera 11, frente a la estación, el y su acudiente encontraron al "Ciego" Isidro, un famoso carguero zipaquireño a quien contrataron para que, por unos quince centavos, llevara el baúl y el colchón del estudiante recién llegado. El Liceo Nacional de Varones, quedaba a 48 kilómetros al norte de Bogotá, como le había contado su ocasional protector, Adolfo Gómez Támara, Jefe de Becas del Ministerio de Educación y a unas seis cuadras del centro educativo.

Lo que cobraba Isidro por sus acarreos era menos de la mitad de lo que valía viajar de Bogotá a Zipaquirá en Flota, precio considerado muy alto; con el agravante de que en los buses era imposible llevar cosas grandes, como las que llevaba Gabo. Una copla publicitaria zipaquireña del siglo pasado, decía:

"Cuarenta centavos el pasaje
cuesta a Bogotá la Flota Zipa,
con puesto numerado para el viaje
y derecho a llevar una valija".

"El Ciego" Isidro, un moreno "tirando a negro", era un personaje al que todos los zipaquireños querían por servicial y por bueno. Era humilde, muy simpático y se reía permanentemente. No tenía tiempo para amarguras, usaba un overol azul, enterizo, y cachucha; caminaba con "la pata al suelo", pues aunque tenía calzado no le gustaba usarlo. En la mano derecha cargaba un bastón y en la izquierda una ramita que "bamboleaba" armónicamente a lado y lado para que pegara en la palma de su mano, pues según decía, con eso se orientaba.

A Isidro, la risa le brotaba permanentemente por entre el hueco que le había dejado la caída de dos de sus dientes, por culpa de unos caramelos zipaquireños. Siempre iba acompañado por "su secretario", un lazarillo medio bobo, pero leal, llamado Nemesio. Los dos se ganaban la vida acarreando bultos, cajas, mercancías, o cualquier tipo de carga en la zorra que Isidro impulsaba, tirando de ella con una faja de fique que se pasaba por delante del pecho, a manera de cincha.

Aunque Isidro trabajaba llevando bultos el día de mercado, quería mucho a la bella y alegre estación del tren, porque era el sitio donde más centavos conseguía; especialmente al frente de los vagones de primera clase, donde viajaba la gente más acomodada, pues además de carguero era compositor y cantante, (eso sí, bien desafinado), a quien le regalaban monedas. A él, nunca se le vio de mal genio, vivía sonriente; él mismo se tomaba del pelo y reconociendo sus "limitadas dotes como intérprete vocal", solía cantar coplas, por unas moneditas, como:

"Yo no canto porque sí,
ni porque la canta es buena,
canto sólo por cantar
y dar alivio a mi pena".

"La mujer chica y bonita
estrechita de cintura,
sirve para los enfermos
y yo tengo calentura".

Pues bien, ese hombre ciego, moreno, alto y delgado, debió servir también de "guía turístico" ese lunes a Gabriel García Márquez, el ya pronto estudiante, flaco y melenudo que llegaba a residir en Zipaquirá luego de atravesar medio país. Isidro le absolvió sus primeras inquietudes, le explicó dónde quedaban la Plaza Mayor y el Liceo, y emprendió el recorrido hasta ese claustro, anotando que días antes había trasteado otros baúles y colchones, a estudiantes que llegaron a tiempo a estudiar, antes que él.

Una vivencia del músico boyacense Jorge Velosa, creador del grupo "Los Carrangueros de Ráquira", sirve como elemento para suponer parte de lo que Gabo vivió de primera mano en la estación, a la llegada del tren.

Leoncio, el abuelo de Velosa, canjeaba tiestos y aceite de higuerilla por sal, y este aprendió a leer en la famosa "cartilla Charry" en la que había un tren pintado, del que disfrutó por primera vez cuando Leoncio lo llevó a Zipaquirá. Y en esa misma estación a donde llegó García Márquez, conoció a las "carameleras", que vendían el famoso caramelo que le encantaba a Velosa.

Un día de recuerdos y nostalgias del tren y de caramelos, a Jorge "se le metió entre ceja y ceja componerles a esta mujeres la canción, "El caramelito rojo", algunos de cuyos versos, dicen:

Cuando mi taita viajaba
de Ráquira a Bogotá,
me llevaba de regalo
dulces de Zipaquirá.

Caramelitos y obleas,
caramelos de los rojos
que tienen su saborcito
muy distinto al de los otros.

Cuando ya crecí un poquito,
me echaron pa' Bogotá,
dos cosas yo quería ver
el tren de Zipaquirá.

El tren porque en la cartilla
estaba cerca d' la k
y en Zipa puel caramelo
que llevaba mi papá...

De la estación del tren, ubicada en la carrera Once, Gabo y "El Ciego" Isidro, quien tenía unas manos morenas plagadas de callos, condujo la zorra en la que el baúl y el colchón de Gabo eran su pasajero; tomaron el camino más lógico para llegar al Liceo Nacional de Varones: subieron por la calle Quinta.

Apareció la carrera Décima, y entonces García Márquez comenzó a apreciar la ciudad industrial que tenía sesenta y tantos hornos de sal y muchas otras fábricas. Se admiró con los más de cien buitrones que exhalaban bocanadas de humo "renegro", y entonces le oyó decir a Isidro que por eso a Zipaquirá la llamaban, "Villa Ahumada", donde cada buitrón o chimenea representaba el humo de la riqueza y el progreso que cobijaba a la ciudad.

La secuencia de imágenes, distintas en todo a las que Gabo solía ver en su Costa Caribe, fueron apareciendo en la "travesía" entre la estación y el Liceo; al paso que imponía Isidro, impulsando su zorra de ruedas de madera, ayudado por Nemesio, quien se reía sin musitar palabra alguna, y que lo único que hacía era acomodar cada rato el colchón que se corría de su sitio, para que no se fuera a caer.

Al llegar a la carrera Octava esquina, donde está a pocos pasos la catedral de la Plaza Mayor, Gabo vio las cúpulas verdes de unas edificaciones estilo francés republicano; los palacios Municipal y de Salinas, que contrastaban con las grandes casonas coloniales españolas del centro de la ciudad. Y al fondo, arriba, el majestuoso "cerro del Zipa" con sus tres cruces que, como le explicó Isidro a Gabriel, tiene en su seno la inmensa mina de sal roca; que por entonces no tenía aún Catedral en sus entrañas, sino apenas los inmensos socavones, excavados inicialmente por los indígenas muiscas a punta pica, y luego por mineros blancos o mestizos con taladro y dinamita; socavones que ocho años después de que partiera Gabo de Zipaquirá, en 1954, se convirtieron con su área de más de 8.000 metros cuadrados, en el templo religioso más extenso del mundo.

En el recorrido, García Márquez, su acudiente, Isidro y Nemesio, vieron de cerca la casa donde, cuando se gestó la "Revolución de los Comuneros", se hospedó el Arzobispo Antonio Caballero y Góngora, durante 34 días. Y frente a la cual fueron sacrificados los mártires zipaquireños. Allí, había funcionado después el Tribunal Superior del departamento de Quesada, cuya capital fue Zipaquirá, a principios del siglo pasado.

Gabo vio por primera vez la gigantesca Catedral barroca, con torres que hacen juego con tejados armónicamente remontados (no toscos como los describe el inglés Gerald Martin) y jardines centenarios, donde nació la rebelión conservadora contra el Presidente

Murillo Toro, en 1865. Ese templo fue diseñado por el arquitecto Capuchino Fray Domingo Pérez de Petrés (el mismo que edificó la Catedral Primada de Bogotá).

Ya más cerca del Liceo, a dos cuadras, García Márquez y su acudiente, vieron el suntuoso Palacio de Salinas, hoy Casa de Gobierno de Zipaquirá, construido en estilo neoclásico francés con reminiscencias góticas, e inaugurado en 1927.

Seguramente, a pesar de todo lo que le contaba Isidro, en ese momento el estudiante recién "desempacado", no tenía cabeza para pensar en cosas distintas a su temor a lo desconocido, a: ¿Cómo sería el Liceo? ¿Qué clase de compañeros tendría? ¿Cuál sería su suerte en esa ciudad a la que, de entrada, le tiritaba el frío?

Frente a la oficina de Sara y al lado de la casa de Berenice

Ya habiendo tomado la carrera Octava, Gabriel avanzó los cien metros de largo que tiene el "Palacio de Salinas", sin sospechar siquiera que allí, al final del edificio, en la oficina de Telégrafos y Correos por donde pasó, trabajaba Sara Lora, una espléndida mujer, telegrafista (como el padre de Gabo), quien en un gesto de generosidad y solidaridad habría de constituirse un año después (en 1944), en su acudiente, protectora y amiga; pues desafortunadamente para Gabo, Eliécer Torres Araújo, el dueño de la pensión de la carrera Décima de Bogotá, escogido por su padre como acudiente en el Liceo, "le sacó muy pronto el cuerpo" a esa misión. Para García Márquez nada era extraño, ni siquiera la falta de solidaridad de personas en las que debía confiar, como Torres.

Esas seis interminables cuadras en tierra fría zipaquireña que Gabriel vio y sintió por primera vez, al lado de Torres, de Isidro y de Nemesio, nada tenían que ver con las polvorientas calles de Aracataca, ciudad sobre cuyos cálidos andenes reposaban muchas casas de madera, y otras con acalorados techos de zinc, de latón o de refrescante paja.

A su paso por la carrera Octava, Gabo pasó a menos de una cuadra de otra casona colonial, la de Berenice Martínez, quien luego fuera uno de sus grandes amores en Zipaquirá. Y vio otras suntuosas edificaciones centenarias, en cuyos balcones, como en

LICEO NACIONAL DE VARONES

LIBRO DE MATRICULA

En Zipaquirá, a 8 de Marzo de 1943

Matrícula número 182

Nombre del alumno Gabriel José García Márquez

Matriculado como Interno Bdo Nal. en el curso Tercero

Nacido en Aracataca (Magdalena) Residencia Sucre - (Bolívar)

Edad del estudiante (Comprobada conforme a la Ley) 16 años

Religión que profesa

Cursó en el Colg. Sn. José de B/quilla los años de 1º y 2º

Presentó certificados de

Resultado del examen de admisión:

Nombre de los padres Gabriel García y Luisa Márquez de García

Residencia: Sucre.

Nombre del acudiente Eliécer Torres Arango

Residencia: Bogotá Dirección: Cra 10ª # 19-52

Aceptamos los planes, programas y normas reglamentarios del establecimiento.

Firma del padre o acudiente, Firma del alumno,

EL RECTOR, El Secretario,

Matrícula de Gabriel García Márquez en el Liceo para tercero de bachillerato en 1943; figura como acudiente Eliécer Torres Arango y como rector Alejandro Ramos.

los del Liceo, colgaban materas con geranios, orquídeas, margaritas, claveles o pensamientos y con ventanas arrodilladas pintadas, como en la época colonial, de color verde esmeralda, o "botella".

Y llegó el momento de franquear el gran portón del Liceo, cuya inmensa fachada ocupaba una cuadra larga, más de cien metros y que a Gabo le pareció, desde entonces, un convento. Las palpitaciones de García Márquez se aceleraron y apareció en su mente el temor a una reclusión en ese claustro.

Ya, allí, comenzó a recordar más a sus abuelos y a sus tías y a extrañar un poco a sus hermanos, y a sus padres... Pero, ahí, en semejante lejanía, no había nadie a quien le doliera, excepto a su acudiente (quien partiría máximo una hora después para Bogotá), repitiéndole que debía aprovechar el tiempo y estudiar mucho para "llegar a ser alguien", algún día.

Cuando Isidro le dijo, "aquí es", llegamos: "Riveritos", el portero del Liceo fue el encargado de indicarle qué hacer; dónde quedaban la Rectoría y la Secretaría donde debía matricularse entregando los documentos y los datos necesarios, entre ellos su partida de nacimiento y de bautismo, y el certificado de sus dos primeros años de bachillerato en el colegio jesuita, San José, de Barranquilla.

Gabo dejó el baúl, su colchón y algo más con "Riveritos", y cuando concluyó la diligencia de matrícula, su acudiente, el rector y el secretario del Liceo, diligenciaron la hoja de inscripción. Ese 8 de marzo de 1943, Torres firmó la matrícula No. 182 de José Gabriel García Márquez para tercero de bachillerato, exactamente dos días después de que este hubiera cumplido 16 años, y se regresó a Bogotá. Esto lo atestiguan los añejos archivos del Liceo de Zipaquirá, desempolvados en la Secretaría con gran paciencia por Cristina Chávez, quien conoce mejor que nadie el "tesoro" académico de Gabo.

Los dos salieron al patio, Gabo se despidió de Torres Araújo y se sintió, ahora sí completamente solo, abandonado, acongojado y pensativo. Tenía la mirada perdida. Enfrentaba esos sentimientos, hasta cuando de pronto se le acercó un interno y de manera amable lo saludó y se ofreció para ayudarle a subir el baúl, y el colchón al dormitorio.

Con su "huida" de Barranquilla para afrontar un mundo desconocido e incierto en el interior del país, y su llegada a Zipa, García

Márquez se ganó a pulso la forma de educarse y de no ser una carga más para su familia.

Todo lo demás corrió por su cuenta y por la de su "buena estrella". Llegó por accidente a Zipaquirá, y allí encausaron su gran talento hacia las letras; Gabo leyó, estudió, aprendió, perseveró, se dejó formar, se desarrolló intelectualmente, escribió como quería su profesor de literatura, y triunfó, llegando tan tan lejos como ningún colombiano, hasta hoy.

Una vez sembrada allí en él la pasión por escribir, García Márquez se nutrió más de motivos y vivencia plenos de "realismo mágico", y entonces desbordó sus fantasías, su creatividad, su originalidad, su ingenio como escritor.

Capítulo 8

Soledad, terror y tragedias de Gabo en Zipaquirá

Y empieza entonces a desgranarse esa galería de sucesos y de amigos que el Nobel tuvo durante sus cuatro años de "novela" en Zipaquirá. Ese interno que lo abordó, era Humberto Guillén Lara, nacido en Facatativá, hoy médico, a quien le decían, "El Negro" Guillén. Luego de que García Márquez aceptó su oportuno apoyo, subieron el colchón y el baúl al dormitorio, en el segundo piso del Liceo; luego de "pujar" subiendo las escaleras de piedra que terminaban frente a la habitación del rector, quien en ese momento era Alejando Ramos.

Los testigos de la vida de García Márquez que con más información nutrieron mi investigación, dada su excelente memoria sobre esa época colegial, fueron: Álvaro Ruiz Torres, Alfredo García Romero, ("Nerú"); Miguel Ángel Lozano, Hernando Forero Caballero, Jaime Bravo, Eduardo Angulo Flórez y el profesor Héctor Figueroa; y quienes más fotografías y documentos aportaron, fueron

Juan Manuel y Álvaro Ruiz Morales, hijos de Álvaro Ruiz Torres, Humberto Guillén y Jaime Bravo.

Gabo tenía 16 años y dos días de edad. Le asignaron una cama en el "dormitorio grande" para 60 internos, situado al final del corredor, con tablas que crujían al caminar. Su catre quedó al lado de el del "El Pibe" Mario Charry Solano, quien murió el 2 de agosto de 2009 y de quien Gabo diría años después, que "era muy culto".

Su hija Martha Charry de Londoño, cuenta que su padre, "se identificaba con Gabriel en algunas cosas, entre ellas, que no le gustaba los deportes, ni la Educación Física, en cambio la lectura era para él, (como para García Márquez), una pasión. Él me decía que Gabriel le llevaba dos años de edad, que era un muchacho tímido, pero a la vez muy simpático; que era pobre, pero que en el colegio lo querían, y algunos compañeros, le ayudaban. Mi padre guardaba muy buenos recuerdos de su colegio en Zipaquirá, al que quiso mucho".

Ese mismo día, Gabo se dio cuenta de que Guillén era tímido, pero excelente persona, amable, cálido y detallista; lo que se dice "un buen tipo". Y pocos días después se enteró que "lo molestaban" sugiriendo que tenía una relación amorosa con Teresita, la enfermera santandereana, flaca pero atractiva, del Liceo.

Antes que cualquier otro compañero, Guillén le explicó a Gabo cómo se vivía en ese internado; los horarios de clases, comidas y descansos; es decir lo enteró de su nueva vida.

Orlando Pión Noya, quien estudiaba en el Liceo, y que después fue periodista, contó: "Yo fui uno de los sorprendidos con la llegada a destiempo al Liceo de un nuevo estudiante costeño como yo, 20 días después de que habíamos iniciado clases. Después conocí toda la historia de Gabriel, de quien me hice amigo, porque él, desde su llegada de sentía más cómodo con sus paisanos internos que con los zipaquireños, externos. Nosotros teníamos el privilegio de estar en el colegio de bachillerato de mayor prestigio en Colombia, por su calidad académica, y por todo; razón por la cual era el más solicitado, especialmente por los estudiantes de la Costa.

Humberto Guillén, con quien años después fuimos vecinos de apartamento, en Bogotá, y quien aparte de darme distintos testimonios sobre su amistad con García Márquez, me prestó varias fotografías de esa época, donde están juntos. Él me decía: "Han pasado más de sesenta años y aún tengo frescas las imágenes de admiración, disgusto, simpatía o alegría de Gabo ese día, cuando llegó al Liceo. Estaba muy desorientado, impaciente, enfrentado a un mundo desconocido, vacilante, inquieto. Lo atormentaba estar tan lejos de la Costa, y eso lo hizo sentir arrepentido de haber arribado a Zipaquirá, pero luego de llegar cogió el ritmo, la gente lo aceptó y le llegó la calma".

"Esa tarde yo le había presentado a Álvaro Ruiz Torres, a Jaime Bravo; ya estaba más tranquilo, dice Humberto Guillén. Ya por la noche, Gabriel decía que a pesar de que la comida había sido abundante y sabrosa, tenía hambre. Era un fenómeno causado por el frío, eso nos pasaba a todos".

Recostado contra la columna Humberto Guillén Lara, a la derecha, Gabo.

El drama de su propia novela en "La ciudad de la Sal"

Un asunto sobre la vida de Gabriel García Márquez, que hasta hoy ha pasado inédito, es la cadena de temores, miedos, sustos y tragedias vividas por él en Zipaquirá, que rebasaron la muerte natural de una novia, el suicidio de su rector, y la desaparición trágica de amigos y profesores suyos.

En Zipaquirá, como en la casa de los abuelos de Gabo, (en Aracataca), los cuentos de terror y las leyendas de misterio, especialmente sobre la época virreinal, eran pan diario. Allí eran tradicionales, historias como las de "cocheros fantasmas" que recorrían las calles a la madrugada; las de espíritus de indígenas que atormentaban a los españoles y no los dejaban dormir; y hasta de una especie de "Jorobado de Nuestra Señora", que rondaba por las noches la calle del "Puente de la Leña", aullando como un lobo.

Zipaquirá fue declarada "Ciudad de blancos", impidiéndose que allí vivieran indios, esclavos, zambos, y mestizos, razón por la cual fue poblada por muchas familias aristocráticas, así que "Fernanda" Del Carpio bien pudo ser "calcada" de alguna de estas: Ordóñez, Pombo, Holguín, Santamaría, Urdaneta, Umaña, Esguerra, Hinestroza, Peñalosa, Quevedo, Quijano, Huertas, Enciso, Sáenz, Caycedo, Uricoechea, Bonilla, Casas, Sáenz de Santamaría, Dávila, Lleras, Saavedra, Linares, Navas, Pérez, Triana, Escallón, Navia, Villaveces, Madero, Angulo, Zorro, De Brigard, Flórez, Pizano, Cárdenas, Ortega, Coronado, Talero, Camargo, Gaitán, Alvarado, Medina, Nieto, Triana, Peña, González, Vega, Garcés, etc.

A Eduardo Angulo Gómez, compañero de Gabo, no le queda ninguna duda de que, "el municipio donde Gabriel ubica a 'Aureliano Segundo' buscando a 'Fernanda del Carpio', es Zipaquirá. Como debe serlo 'la ciudad de los treinta y dos campanarios', que describe en *Cien años de soledad"*. Muy cerca del Liceo donde estudiaba él con Gabriel García Márquez, estaban los campanarios de la Catedral Mayor, y los de las capillas de Los Dolores, Del Sagrario, De la Paz, del Cedro, Del Hospital, del Ancianato, etc.

John Leonard, en The New York Times, escribió: "Tan vivamente están creados los Buendía, que incitan a compararlos con los Kamarazov y los Sartoris". Y Pablo Neruda, refiriéndose a *Cien años de Soledad*, dijo: "Es la mejor novela en castellano después del Quijote de Cervantes".

Sea cual fuere el origen de sus personajes literarios y de *Cien años de soledad*, algo o mucho tiene de Zipaquirá, donde formaron a su autor, asunto que él reconoce y donde uno de sus profesores, fantasioso, original y creativo, le profundizó el "realismo mágico". Esa novela magistral que algo guarda de Zipaquirá, le valió el Premio Nobel a Gabo que generó uno de los momentos estelares e inolvidables en Colombia, el de la entrega a su más grande escritor, del mítico galardón de la literatura.

Carlos Martín, el gran rector del Liceo de Zipaquirá.

Luego del increíble e insólito encuentro que representó haber tenido acceso en su vida al amable Adolfo Gómez Támara, Dios puso en el camino de Gabriel García Márquez, a Zipaquirá, al Liceo Nacional de Varones y a quienes allí lo impulsaron a la gloria; es decir, a Carlos Julio Calderón Hermida, su profesor de literatura, Español, y Gramática; a Cecilia González Pizano, la intelectual más destacada de la ciudad, quien se codeaba con los grandes de la literatura colombiana; a Carlos Martín, uno de los poetas fundadores del 'piedracielismo', quien fue nombrado providencialmente como rector del Liceo; a sus profesores Joaquín Giraldo Santa, Héctor Figueroa, Guillermo Quevedo Zornoza, y Manuel Cuello del Río; y a compañeros como Álvaro Ruiz Torres, Alfredo García Romero, Eduardo Angulo Flórez, Jaime Bravo, Ricardo González Ripoll, Guillermo López Guerra, Hernando Forero Caballero, Humberto Guillén Lara, Luis Garavito, y a otros que lo estimularon durante cuatro años.

No queda duda de que en Zipaquirá, donde el pánico en las noches le causaba pesadillas al hoy Premio Nobel, lo llevaron a la literatura mágica y fantástica.

La primera noche en Zipaquirá y sus alaridos nocturnos

Se conoce bien que las primeras historias fabulosas para García Márquez, llegaron a él por sus abuelos y sus tías, pero es preciso enfatizar en que se enriquecieron luego en Zipaquirá con sus tragedias, miedos, sustos y soledades. También, con la valiosa influencia del imaginativo y original profesor de historia y Geografía Manuel Cuello del Río, dueño de una mentalidad fantástica y creativa; con las historias de misterio, espantos, y versiones fantasmales, cultivadas por sus compañeros internos las cuales fueron pan diario en la inmensa casona con reminiscencias coloniales, construida en 1782, todo lo cual acrecentó su "realismo mágico", y claro está, con sus sentimientos de soledad y tristeza. Es decir, donde pasó Gabo cuatro años de soledad, y donde además, vivió una interminable y tortuosa cadena de pesadillas nocturnas, acompañadas de alaridos cercanos al terror, que hicieron historia entre sus compañeros de dormitorio.

Aun a pesar de los compañeros de colegio que lo rodeaban, su primera noche en Zipaquirá, el lunes 8 de marzo de 1943, fue la conclusión de un día pleno de emociones y su enfrentamiento con costumbres distintas y extrañas, de sorpresa, de frío, de añoranza. Gabriel García Márquez experimentó sus primeras horas nocturnas de profunda soledad, rodeado de muchachos de regiones colombianas muy distintas a la suya; y a muchas leguas de su Costa Caribe.

Y lloró de coraje, en silencio, (como lo hizo otras veces allí) tapándose la cara con la sábana, para que sus compañeros de dormitorio en el segundo piso de la casona colonial del Liceo Nacional de Varones, no se dieran cuenta, porque supuestamente los varones no podemos llorar.

Fueron horas eternas, plenas de ansiedad, casi sin poder conciliar el sueño debido a la añoranza de su tierra, a las cobijas yertas y a uno que otro ronquido, con "esencia" boyacense, cundinamarquesa, valluna o costeña, de sus compañeros de dormitorio: Gabo casi no puede dormir.

A las diez, y a las once y a las doce de la noche, Gabo trataba de dormirse pero no podía, a pesar del día tan duro y del cansancio que tenía. El frío era más fuerte que el sueño, y los perros de los solares vecinos al Liceo 'le ladraban a la luna', o como sus amigos le habían dicho esa noche, (después de la comida), a los espantos, al demonio y a los duendes que revoloteaban por la noche dentro del Liceo. Él tenía entonces a Aracataca en el pensamiento con todos los espantos y demonios que su abuela le había metido en la cabeza: estos nuevos elementos fantasmales zipaquireños, aumentaban su ansiedad, su inseguridad, su soledad.

Pasó esa primera noche casi en vela. Y luego, poco tiempo después de que lo venció el sueño, sintió el torturador toque de una campana que le mató el sueño. Ahora sí iniciaba en su pensamiento la certeza de que estaba en Zipaquirá, interno en el Liceo Nacional de Varones y bajo unas reglas de disciplina que lo metían en algo muy distinto a todo lo que había vivido. No eran aún las seis de la mañana y ya era hora de estar en pie, y de bañarse. ¡Qué terrible tortura!

Amaneció con los ojos cargados de sueño y ahora alertados por esa campana del colegio, que "Riveritos", el portero (y luego amigo suyo) "tocaba" en el primer piso. Apenas había amanecido y Gabo enfrentaba ya su primera gran pesadilla allí: el agua ofensivamente entumecida que brotaba por el tubo de la regadera y que "hirió su cuerpo".

Él nunca se imaginó lo que le esperaba en ese baño, enchapado con baldosines blancos de pedernal Corona, pequeños y congelados, de piso a techo, y con esos tubos sin poma ni regadera, por donde salía esa agua más helada que el mismo hielo, porque retenían el frío como si fueran congeladores para los varones del Liceo.

Terminada la tortura, llegó el espléndido desayuno que Gabriel José de la Concordia García Márquez tampoco había soñado y luego de salir del comedor, recibió su primera clase en un salón de gruesas paredes pintadas de blanco y con ventanas verde oscuro, desde las cuales se veían otras construcciones de estilo español, con vistosos zócalos y al frente, la casa de una intelectual llamada Cecilia González Pizano, a quien le decían "La Manca" González, porque le faltaba una mano y quien sería pronto de gran importancia para la iniciación de su camino como escritor.

"Al concluir el primer día de clases de Gabito en el Liceo, lo esperé a la salida del salón. Tenía puesta una camisa blanca y un pantalón delgado", cuenta Álvaro Ruiz Torres, quien aparte de acompañarlo a las tertulias donde "La Manca", se convirtió en el confidente del Nobel que le ayudó a planear estrategias para conquistar a Berenice Martínez, y a otras jóvenes zipaquireñas.

"Por esas ventanas nos volábamos con Gabriel", cuenta Jaime Bravo

Jaime Bravo, compañero de curso de García Márquez, recuerda: "Desde cuando llegó, Gabriel se sentó bien atrás del salón, y a la izquierda; se ponía unas camisas de colorines que parecían hawaianas; o blancas, como muchos de sus pantalones. A los pocos días de su llegada, vimos cómo dibujaba mujeres, gatos, rosas, burros, sin levantar la mano. Y después apreciamos caricaturas de sus profesores y compañeros. Todos al comienzo en el Liceo creíamos que él iba a ser pintor o dibujante, pero mire en lo que terminó".

"Por esas ventanas nos volábamos con Gabriel", descendiendo por un larguero de sábanas amarradas a manera de cuerda, que recogía un amigo arriba. Volvíamos a la madrugada y subíamos por la ventana que daba a la pieza de 'Riveritos', el portero que nos encubría, cuenta el ingeniero Jaime Bravo", compañero de curso de García Márquez, quien agrega: "Pasaron los días y Gabriel no podía acostumbrarse al frío, y mucho menos al baño helado con que estaba obligado a saludar cada día".

Más se demoró en llegar al Liceo Zipaquirá que en recibir el apodo de 'Peluca', -dice Miguel Ángel Lozano- "en el Liceo todos, profesores y alumnos tenían sobrenombre, con excepción del profesor Calderón Hermida, a quien sus alumnos respetábamos tanto, que le decíamos don Carlos Julio".

Prosigue Bravo: "Pero no hay tal, como dicen, que a Gabo le hayan puesto el nombre de 'Peluca' cuando llegó al Liceo, por su abundante cabellera, no señor. Resulta que en Sincelejo, de donde eran Alfredo García Romero, Orlando Pión Noya, y Víctor Urueta, (ex-alumnos del colegio Simón Arango, de esa ciudad), había un personaje típico al que le decían 'Peluca', y como Gabo se parecía mucho a él porque era flaco, huesudo, tenía una cabellera abundante y un bigote incipiente, lo bautizaron así".

Y prosigue: "Nosotros teníamos servicio gratis de peluquería, todas las tardes, desde las seis y media. Los peluqueros eran Benito Rozo y Luis Quintero, pagados por el Liceo, y aunque a Gabo, 'precursor de los Hippies', no le gustaba que le cortaran el pelo, a veces 'se sometía', y entonces le gritaban desde la puerta al que estuviera de turno, señor Rozo, o señor Quintero, ahí le dejamos a 'Peluca' para que lo peluquié, quítele un bulto de pelo".

Álvaro Ruiz era como una especie de "consejero sentimental": estuvo al pie de García Márquez desde su llegada al frío de Zipaquirá. Álvaro cuenta con mucho orgullo: "Con Humberto Guillén, fuimos los primeros compañeros de colegio en ofrecerle nuestra amistad. Recuerdo que Humberto me lo presentó el día que llegó. Le di la bienvenida, él estaba decaído y traumatizado porque el frío que nunca había sentido en esa magnitud hasta cuando llegó a Bogotá, lo maltrataba".

"Yo le expliqué algunas cosas sobre el colegio, especialmente sobre los dormitorios, el baño y el comedor y sobre la personalidad del rector Alejandro Ramos, caracterizado por ser muy estricto y un poco gruñón, mejor dicho psico-rígido; es que parecía tener algunos problemas personales que nunca supimos cuáles fueron pero que se dejaban traducir en su genio. Aunque era un buen hombre, serio, puntual, y promotor de la disciplina en el Liceo, la cual cumplíamos a cabalidad pues no nos quedaba otra alternativa. Gabito le tuvo cierta reserva a Ramos, pero lo respetaba. Al año siguiente con la salida de Ramos y el ingreso de Carlos Martín, las cosas cambiaron muchísimo".

Álvaro Ruiz, quien llegó a ser su gran amigo, el más leal de todos, a pesar de no ser costeño sino bogotano, era como otro personaje del "realismo mágico". Siempre vivió orgulloso de haber sido compañero de quien, "fue el bachiller más importante que ha tenido Colombia".

La primera empresa de buses instalada en la ciudad, la cual transportaba a la gente hasta y desde Bogotá, fue la Flota Zipa, inaugurada mucho después de que Guido Colmenares montara un servicio de automóviles para llevar pasajeros a Pacho y Bogotá. La flota tuvo mucho éxito, aunque a Gabo y a sus compañeros de estudio, les gustaba más el tren porque era más divertido y barato.

A Zipaquirá le decían, "Villa Ahumada", por los más de 100 buitrones de las fábricas y los hornos elaboradores de sal. Foto de Nereo López, Biblioteca Nacional de Colombia, tomada del libro, *Lo mejor de Zipaquirá*.

El día cuando García Márquez llegó a Zipaquirá, ("Villa Ahumada"), le impactó el humo que botaba más de un centenar de buitrones, durante las veinticuatro horas del día. Era una ciudad verdaderamente industrial. Ese año, Gabo fue testigo de la construcción del bello Parque Villaveces a la entrada de las Salinas, a donde luego solía ir los domingos, en compañía de Alfredo García Romero, Luis Ariza, Guillermo Ramírez Ripoll, Miguel Ángel Lozano, y otros compañeros.

Según información de la "Oficina de estadística municipal", en 1943 funcionaban en Zipaquirá, 18 Fábricas de alfarería (teja, ladrillos, moyas, etc.), 18 Talleres de mecánica y fundición; la "Compañía Salinera de los Andes", de don John Miller; la "Sociedad Colombiana Distribuidora De Sales, S.A."; la "Empresa Harinera La Estrella del Norte"; una fábrica de jabones; dos de textiles, "Tejidos de Punto Cecilia", de Augusto Colmenares, quien inauguró en 1929 el primer servicio de transporte de carros expresos a Pacho y Bogotá y padre Guido Colmenares, compañero de colegio de Gabo; la de "Tejidos Santana"; las de gaseosas y Cerveza, "La Tequendama", del coronel de la Legión Británica e ingeniero, John Johnston; 61 hornos o fábricas de sal (grano de caldero y compactada); una industrias de Tejido y Costura de empaques de fique; varios chircales y también un pujante comercio; su agricultura y ganadería desarrolladas, que hacían contraste con el eterno verdor de su planicie y de sus cerros, con los eucaliptos, pinos y sauces y bosques de eucaliptos, que también sumaban en la bonanza salinera del municipio.

Zipaquirá era una sólida fortaleza intelectual, debido a que un alto porcentaje de su abultado presupuesto oficial, se destinaba a la cultura; dentro de un ambiente cultural, apacible y sereno; había allí academias musicales, de actuación; de pintura y escultura, y la literatura era uno de las áreas con mayor respaldo, por no decir, "la consentida". La ciudad, contaba, además, con el mejor colegio de bachillerato del país: el Liceo Nacional de Varones, en cuyas columnas del patio principal colgaban materas pletóricas de geranios, orquídeas y begonias, que adornan la histórica casona; flores estas que multiplicadas por mil crecían en el inmenso jardín y huerto aledaños a la inmensa casa de Lolita Porras, a quien Gabriel García Márquez metió en su corazón, desde el día en que la conoció.

El Concejo Municipal, conformado en su mayoría, por intelectuales y hombres cultos, en esa época estimulaba toda manifestación artística o cultural, con becas para las y los jóvenes que buscaban proyectarse.

En 1926 llegó a Zipaquirá una misión pedagógica alemana traída por el gobierno del Presidente Miguel Abadía Méndez, y de cuantas visitaron en Colombia, esta fue la ciudad que más sedujo a sus cultos integrantes, y la que recomendaron ellos para fundar un gran colegio, por varias razones, pero muy especialmente, por el alto nivel cultural que encontraron en la ciudad y entre sus gentes.

Día y noche, 24 horas completas, se trabajaba al pie de los hornos de sal, uno de los cuales sirvió de "refugio experimental" durante toda una noche al joven estudiante Gabriel García Márquez, quien se "voló" del internado con un compañero, para conocer de cerca cómo era que pasaban la noche los horneros, y los pobres que se arrimaban a los hornos a conciliar el sueño, cobijados por el calor de sus potentes calderos, que contrastaban con el frío de la ciudad, y que veían cómo un camión cargaba bultos de sal para llevarlos a la estación del ferrocarril, donde en la mañana, el tren los recibía para llevarlos a Bogotá, donde luego los distribuían a todos los mercados del país. El resto de la sal producidas en los hornos era despachaba en camiones que comenzaban a cargar a las seis de la mañana.

En agosto de 1945, cuando Gabo ya había experimentado y soportado hasta la desesperación el implacable frío de la ciudad, el cual casi no dejaba que en las noches sus gruesas cobijas le calentaran el cuerpo, el Gobernador de Cundinamarca, Parmenio Cárdenas, en un informe público sobre su administración, expresó a la prensa: "Por lo que hace a Zipaquirá, nada más satisfactorio que destacar los adelantos que ha realizado hasta presentarla como una taza de flores; teniendo como principal atractivo su hermosa Plaza Mayor, admirada por quienes visitan la ciudad; la pavimentación de sus principales calles; un teatro a la altura de los de Bogotá; una gran Plaza de Ferias; un amplísimo hospital dotado de todos los servicios técnicos y de asistencia social.

Hay un gran espíritu de todos los zipaquireños y de los que allí viven, por seguir activando el progreso de esa Tierra de la Sal, que en el mañana será uno de los principales centros de turismo, dignos de visitar. Zipaquirá ha adelantado lo que merece como ciudad industrial e intelectual, más que ninguna, porque es un suelo fecundo en todo sentido".

Pero se olvidó el Gobernador de nombrar la plaza de mercado cercana a la Plaza Mayor y con la extensión de una manzana doble, la cual donó al municipio, Matilde Melo de Porras, madre de Lolita, la bella amiga del estudiante de quinto de bachillerato, Gabriel García Márquez, quien ya era conocido en la ciudad por sus famosos discursos, pronunciados desde el balcón del segundo piso del Club Social, en el Liceo, o donde fuera.

Capítulo 9

Muerte de Lolita Porras acongojó a García Márquez

Uno de los concejales más destacados de Zipaquirá y hombre acaudalado, Asdraldo Porras, quien con su esposa y su hija Lolita, de quien se enamoró Gabriel García Márquez, vivieron una historia dramática y desgarradora, como veremos.

En "La ciudad de la Sal" había cerca de 3.000 trabajadores, afiliados al los sindicatos, de "Obreros de la Industria de Sal", de las salinas, al cual pertenecía solamente una mujer. Otro era el de la "Compañía Salinera de los Andes"; el de las "Minas de Carbón"; el de los "Obreros de los Hornos de Elaboración de Sal"; el de de los "Industriales elaboradores de Sal"; los de las "Fábricas de Textiles", el de la "Cooperativa de Elaboradores de Sal", y de otras más.

Los Porras eran dueños de tres fábricas de sal, del gran huerto y cultivo de frutales, en el que los ciruelos, manzanos, peros y duraznos; y las rosas, azucenas, orquídeas, cartuchos, claveles, begonias y geranios ocupaban un espacio tan grande que fue luego una urbanización. Se llamaba La Lorena, era una inmensa "floristería" que surtía a los hogares zipaquireños, a la Catedral, a las capillas, a los colegios, a la Alcaldía, a la única funeraria que había allí y a las necesidades florales de los pueblos cercanos.

Los Porras también tenían fincas y muchos negocios, y los distinguía una alta sensibilidad social, pues le ayudaban a la gente más necesitada y a la ciudad. En una ocasión regalaron al municipio un terreno para que se pudiera construir la carrera Décima, la principal vía de la ciudad. Precisamente el jardinero Donato Barragán al tumbar una pared, de la propiedad cedida, encontró allí unos fusiles, supuestamente pertenecientes a los guerrilleros liberales zipaquireños que, como el abuelo y el profesor de Gabo, Guillermo Quevedo, combatieron en la Guerra de los Mil Días.

Donato Barragán fue durante muchos años empleado de la Alcaldía Municipal; se caracterizó como un hombre cívico, respetuoso, franco e inteligente; trabajó en distintos cargos, pero lo que le hizo popular fue haber sido el eterno jardinero del parque central de Zipaquirá, que él mantenía como una obra de arte, y que engalanaba la Catedral Mayor y a los palacios Municipal y Diocesano. A veces se le veía corriendo a "chinos mal educados", que botaban papeles en el prado.

Donato, a pesar de haber cumplido 95 años, tenía una cabeza más lúcida que la de cualquier persona; a mi modo de ver fue uno de los mejores historiadores de Zipaquirá, porque todo lo recordaba, todo lo conocía y todo lo sabía; tenía una impresionante memoria, y recordaba, "al joven García, el costeño flaco y peludo, que decían que era poeta y quien se tomaba una cervecita de vez en cuando frente al parque, en el café, donde está hoy el Banco de Bogotá".

Y agrega: "Yo le oí un discurso antes de que fuera tan importante, cuando se murió un muchacho del Liceo y le hicieron un entierro muy concurrido, al que asistieron todos los colegios, padres de familia y muchas personas más. Eso causó una gran conmoción en Zipaquirá. El joven ese (Gabo), habló en la plaza, que estaba llena de gente. Cuando terminó la ceremonia, la gente decía que ese estudiante era muy inteligente".

El 9 de abril de 1948, saquearon y quemaron almacenes en Zipaquirá, y Donato que era liberal, escondió en su casa, debajo de su cama, al Alcalde de Nemocón, "para que los revoltosos no le hicieran daño".

La riqueza industrial, salinera, comercial y agropecuaria, y su boyante economía, derrotaban el desempleo en Zipaquirá, y le aseguraban a la gran mayoría de los ciudadanos, vivir holgadamente. La fertilidad de sus tierras era un atributo que enriquecía los cultivos de alimentos sanos, de los que nadie carecía en la ciudad, ni los más pobres, porque contaban con almas caritativas principalmente como las de Asdraldo y Matilde, los padres de Lolita, y de otras familias como las Gaitán Nieto, Huertas, Caycedo, Pombo, Santamaría, Quevedo, Zorro, Cárdenas, Talero, Camargo, Alvarado, Vargas; y de instituciones como la Sociedad de San Vicente de Paul, el Club Social y otras, que organizaban eventos para ayudar a los necesitados. Y también, con la solidaridad de los alumnos del Liceo, que participaban en bazares u organizaban distintos eventos para recoger fondos y ayudar a los menos favorecidos. Apoyo que se extendía hasta la alfabetización para los adultos mayores.

Lolita, una pianista que vivía entre flores y frutas

Volviendo al concejal Asdraldo Porras y a su esposa Matilde, dama que donó el terreno para una escuela y construyó un barrio residencial para pobres, en 1940, el cual fue modelo de urbanismo en esa época. En su casa vivió un tiempo el profesor Carlos Julio Calderón Hermida. Gabriel García Márquez, el joven de Aracataca entabló una bella amistad con Lolita, la hija de los Porras, a quien le escribió poemas, que según su cuñada, Graciela Loaiza, "se perdieron entre todos los papeles que mis suegros dejaron".

Vivían en una inmensa casa, que quedaba al lado del parque de La Floresta; Lolita hizo su primaria en el colegio del Buen Concejo, a media cuadra de la Catedral Mayor, dirigido por la matrona Cecilia Echavarría de Vargas, cuyo hijo, "Pipo", fue un buen amigo de García Márquez. Lolita estudió luego en el Liceo Nacional Femenino de la ciudad, donde sus mejores amigas eran: Teresa Posada, Anita y Blanca Gómez; Leonor González; Ana Melo, que era una prima suya apasionada por la poesía; Cecilia Álvarez, Beatriz Fajardo, amante de las flores; Inés Vélez y Lilia Nieto, quienes conocieron a Gabo.

Consuelo Quevedo, recuerda: "Lolita era una muchacha muy bella, educada y delicada, a quien sus padres consentían mucho. Era pianista y daba conciertos; a ella le enseñaron a tocar piano mis tías Conchita y Blanca, quienes se expresaban de ella en forma muy

Así lucía vestida de manola española, Lolita Porras, (un amor de García Márquez) en Zipaquirá, que murió de tifo.

especial, por su gran talento. Gabo se enamoró platónicamente de ella, desde cuando la conoció. Su muerte conmocionó a Zipaquirá".

Lolita se consagró como una gran pianista, ya daba conciertos cuando apenas tenía diez años de edad. Según Consuelo Quevedo, García Márquez "la conoció una tarde en su casa, cuando sus tías la educaban musicalmente y él nos hacía visita".

Graciela Loaiza, viuda del hermano de Lolita, quien se llamaba Asdraldo, también, dice refiriéndose a ella: "Era una niña muy admirada, no sólo por su talento artístico, que iba más allá de tocar el piano, pues hacía todo bien: interpretaba, bailaba y cantaba; sino también porque era muy bella".

Según Luis Ariza, "a la primera niña a quien Gabo amó en Zipaquirá, fue a Lolita Porras; le tenía una gran admiración; era muy linda y muy inteligente. Él la visitaba y según nos contaba, recorrían juntos los rosedales, los jardines y el huerto de frutales de La Lorena, y llegaba al Liceo con peras y duraznos que ella le regalaba".

Terminaba ya el año 1943 y Gabriel se aprestaba a viajar a Sucre, para pasar sus primeras vacaciones con su familia. Quince días antes, el cinco de noviembre de ese año, lo sorprendió una mala noticia: Lolita se había enfermado el día anterior, luego de llegar de un paseo que hizo a la finca de un familiar.

Le habían salido unas extrañas manchas en la piel y padecía de un fuerte dolor de cabeza, malestar y una fiebre muy alta. El primer médico que la vio fue el del Liceo y profesor de Fisiología de García Márquez, Álvaro Gaitán Nieto; su dictamen fue: "Tiene tifo exantemático".

Aunque el tifo no se transmite de persona a persona, el aislamiento de Lolita era fundamental para su bien y el de sus familiares. Por esa razón, Gabriel García Márquez tuvo que conformarse con saber de ella, no se pudo despedir, pero se fue a su tierra confiando en que a su regreso ella ya se habría mejorado.

Días después, como la enfermedad no cedía, los padres de Lolita llevaron a Zipaquirá, un médico especialista, de Bogotá. A ella le habían tenido que "rapar" la cabeza (quitarle todo el pelo); le habían puesto enfermeras permanentes, pero seguía aislada en su habitación; la fiebre la quemaba, no podía siquiera dormir; el drama era cada día mayor para ella y para su familia que la amaba mucho. Mientras eso pasaba, García Márquez seguía disfrutando de sus vacaciones, sin sospechar el drama de Lolita.

Según los científicos salubristas, el tifo exantemático, conocido en esa época también como fiebre lenticular, o fiebre maligna, una enfermedad epidémica; sus efectos eran devastadores. Hipócrates usó la palabra tifo para señalar al embotamiento característico de esa terrible enfermedad, que aún se presenta en algunas regiones del mundo.

El tifo exantemático, la peste bubónica, la fiebre amarilla, la viruela, y el cólera, llamadas enfermedades "pestilenciales", diezmaron al hombre en muchas regiones del mundo. Como se recordará, durante la Primera Guerra Mundial, el tifo causó más muertes de soldados que las mismas balas.

Precisamente en 1943, cuando se enfermó Lolita, en Europa acababan de descubrir la vacuna Cox, para evitar y enfrentar esa mortal enfermedad.

Las causas del tifo son variadas, se puede adquirir a través de personas o animales portadores de los parásitos. Las personas se contaminan por vía de las mucosas bucal, ocular, nasal. La vía digestiva es por donde más se transmite. La infección transportada por una rata, puede provenir de orines o materias fecales de pulgas o piojos.

Finalmente, ni los médicos, ni su enfermera ni las medicinas pudieron hacer nada para salvarle la vida a Lolita Porras. Tuvo un larga y desesperante agonía; murió más de un mes después de haberse enfermado, luego de ver por última vez a Gabriel García Márquez. Ella apenas había cumplido catorce años, Gabo tenía 16.

La muerte de Lolita impactó a la sociedad zipaquireña, y se constituyó en un drama para su familia. Aunque no pude establecer el día exacto de diciembre de 1943 en que murió, debió ser el 15 o 16, cuando comenzaban los aguinaldos.

Cuando Gabriel García Márquez supo sobre la muerte de Lolita, se derrumbó.

El libro de contabilidad que registró la desdicha

Tanto el día cuando se enfermó, como el drama de su familia durante su enfermedad, hasta mediados de diciembre, lo pude establecer gracias al impecable y completo libro de contabilidad que el contador de Asdraldo Porras llevaba meticulosamente. En él, los asientos contables tomaron un sentido dramático, pues figuraban las partidas día a día, por concepto de gastos médicos, de compra de drogas, de exámenes y otros, causados por la enfermedad de Lolita; y figuran también viajes a Bogotá, y viajes desde esa ciudad de un especialista, hasta Zipaquirá.

La partida donde aparece por primera vez el tema de la enfermedad de Lolita, fue sentada el día sábado 4 de noviembre; en la página correspondiente fueron registrados por primera vez los gastos de drogas y médico. La víspera, el 3, había sido registrado el pago de las clases de música de Lolita, correspondientes al período noviembre–diciembre, el último de su vida.

Este libro se humanizó 66 años después, para "contar a través de unos asientos contables débito y crédito", una historia que ni el mismo Gabriel García Márquez conoce hoy, en su verdadera dimensión: el drama de los Porras, que habla de compras de drogas, pagos médicos y elementos de salud, en un angustioso pero al final infructuoso esfuerzo para salvar la vida de Lolita, la misma niña linda y dulce que él se había llevado en su mente y en su corazón, junto con su soledad, para Sucre.

Ese fue el último mes y año con registros contables en el libro del acaudalado concejal zipaquireño, padre de Lolita Porras; en 1944, sus páginas quedaron en blanco, pues don Asdraldo se enfermó, se aisló, se anuló, y murió de pena moral, luego de que la niña de su alma, tras sufrir su penosa enfermedad, dejara este mundo, llevándose también su vida.

Graciela Loaiza, quien se casó años después con Asdraldo hijo, cuenta: "Supe que mi suegro murió de pena moral poco después de la muerte de ella, y mi suegra, (Matilde de Porras) después del entierro de la niña, nunca más se quitó el luto, vistió de negro estricto todo el resto de su vida".

En febrero de 1944, cuando Gabo regresó de sus vacaciones, se encontró con la terrible noticia de la muerte de Lolita Porras cuya habitación, tras su terrible agonía, fue sometida a cuarentena, y mientras pasaba esta, colmada de orquídeas cortadas del cultivo. La Lorena de los Porras; y también supo que un mes después, cuando abrieron ese cuarto, que olía a "edén", gran parte de esas flores estaba aún en buen estado.

También le dijeron que su entierro fue muy sentido. Según le contaron a Graciela Loaiza, a la Catedral de Zipaquirá, (hermana de la de Bogotá, porque la construyó el mismo arquitecto) no le cabía una alma más, el atrio estaba atestado de gente que no pudo entrar; la banda sinfónica del Maestro Quevedo, acompañó el funeral; las campanas doblaron todo el día; el párroco, Monseñor Joselyn Castillo, hizo una bella oración y muchos zipaquireños lloraron.

Supo que nunca se vieron tantas flores juntas en Zipaquirá, no sólo las enviadas por los amigos de Lolita y de su familia, sino también, porque en esa ocasión cortaron todas las que había en la Lorena, porque su niña mimada se había ido.

"Yo estaba con Gabito cuando se enteró de la muerte de Lolita, cuenta Álvaro Ruiz Torres, lo vi llorar como nunca antes lo había hecho; se le volvió un nudo la garganta; lloró discreta pero sentidamente, estaba muy golpeado, casi no hablaba, le dio muy duro. Pocos días después conocí el bello poema que hizo con motivo de la muerte de Lolita, nunca antes había escrito con tanto sentimiento, estaba derrumbado".

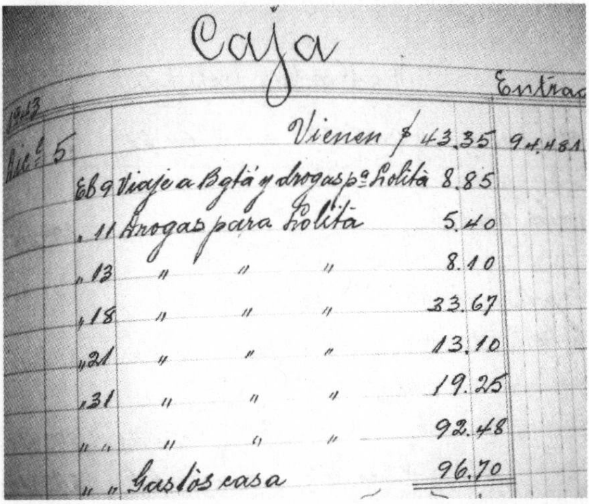

Caja

1913			Entras
Dic.e 5	Vienen $	43.35	94.481
9	Viaje a Bgtá y drogas p.a Lolita	8.85	
" 11	Drogas para Lolita	5.40	
" 13	" " "	8.10	
" 18	" " "	33.67	
" 21	" " "	13.10	
" 31	" " "	19.25	
" "	" " "	92.48	
" "	Gastos casa	96.70	

Una página del Libro de Contabilidad que "narró en cifras" la enfermedad de Lolita Porras.

La poesía a la que se refiere Álvaro, Gabo la tituló, "Canción" y la firmó con el seudónimo que adoptó en Zipaquirá: 'Javier Garcés'. Fue la primera de sus creaciones que le publicaron en un periódico importante; en el Suplemento Literario de El Tiempo de Bogotá, el domingo 31 de diciembre de 1944, el cual dirigía el poeta y escritor Eduardo Carranza.

Ese poema lo escribió Gabo en memoria de Lolita Porras, esa niña a la que amó, después de que muriera. La primera que lo leyó, después de Álvaro Ruiz Torres y Guillermo López-Guerra, fue Cecilia González Pizano, "La Manquita", quien lo elogió muchas veces. Se lo entregó a ella en un almuerzo con Carlos Martín, y este se lo entregó a Eduardo Carranza, una inolvidable tarde en que García Márquez alternó con Martín, "La Manca" y Héctor Rojas, cuando el rector calificó a su alumno frente a los intelectuales, como "un gran poeta".

El poema, "Canción", por su letra, es una clara despedida sentida y triste a Lolita. En él, Gabo expresa el dolor porque ya no está la bella niña a quien él quería; incluye unas palabras que tienen que ver con él y con Lolita: "Rosa"; "nunca como las frutas", "Niña como las frutas", "tu despedida triste", "los jazmines", "los rosales del huerto", que evocan los ratos que los dos pasaron juntos en ese inmenso huerto-jardín, La Lorena.

Eduardo Carranza, después del título, "Canción", escribió: "Llueve en este poema". Estos son algunos de sus versos:

La tarde está mojada
de tu misma tristeza.
A veces viene el aire
con su canción. A veces…
Siento el alma apretada
contra tu voz ausente.

Llueve. Y estoy pensando
en ti. Y estoy soñando.
Nadie vendrá esta tarde
a mi dolor cerrado.
Nadie. Solo tu ausencia
que me duele en las horas.

Luego de la muerte de Lolita, y de la de su padre Asdraldo Porras, de pena moral, Matilde, (madre y esposa), siguió manejando los negocios y la industria de la sal, hasta cuando por una ley que le había sido aprobada al general Gustavo Rojas Pinilla, el 31 de diciembre de 1959, la bonanza salinera se acabó; y cerraron los hornos de Zipaquirá.

Ella, al contrario de lo que hicieron los demás elaboradores de sal, no se llevó su dinero de la ciudad, lo dedicó a otras actividades, siempre con sentido social. Lo único cierto es que en ese año comenzó la decadencia de una ciudad acostumbrada a ser capital, culta, pujante.

Capítulo 10

Otros dramas que marcaron a Gabo en Zipa

Algunas de las desgracias que le fueron cercanas, sin duda debieron influir en los sentimientos de soledad y tristeza experimentados por Gabo en esa ciudad, y en el terror que sentía; y en las pesadillas que sufría en su internado, narrados por sus compañeros del Liceo, y que coinciden con el hecho tratado por varios escritores en el sentido de que en Aracataca, la oscuridad le producía miedo a Gabriel García Márquez.

Aparte de su niñez de historias fantásticas y de terror al lado de su abuela y de sus tías, a Gabriel García Márquez le "metieron" más sustos y miedos cuando llegó al Liceo de Zipaquirá, donde hablar de espantos era un pasatiempo diario; incluyendo los sustos de la casa donde yo me crié, que quedaba a cuadra y media del dormitorio de Gabo, la cual tenía siete habitaciones, dos salas, dos patios y no sé cuántos espíritus y duendes, que a veces, cuando uno de mis hermanos gritaba aterrado, nos obligaba, a refugiarnos a todos los siete en el cuarto de mi madre.

"Pues a Gabriel, (según Alberto Garzón), algunos compañeros externos, como él, le contaban que en el Liceo sucedían cosas sobrenaturales en las noches; que salía un monje sin cabeza, parecido al cochero que con una caleza deambulaba por las calles de 'Villa Ahumada' (Zipa), a la madrugada". Puras especulaciones, pero la tradición era hablar de sustos, guacas, espantos y cosas sobrenaturales. No podía haber un zipaquireño que se respetara que no tuviera duende o espanto propio en su casona.

Alguien se inventó que la casona del Liceo había sido un convento y que en él torturaban a "los impíos", o a los malos católicos, y que allí aparecía una niña con vestido azul claro, que levitaba en lugar de caminar. Decían que en esa casa estaban enterrados los cadáveres de unos curas, y no sé cuantas cosas más.

Según Luis Garavito, quien llegó a Zipaquirá con Gabo en 1943, a estudiar tercero de bachillerato, tenía comportamientos raros, se le notaba a veces muy inseguro, y mientras todos leíamos a Dumas, a Calderón de la Barca, a Emilio Salgari, Alejandro Dumas, Julio Verne, el leía a Kafka.

"Una noche de noviembre de 1946, (dice Garavito) invocamos el alma del 'Pastusito' Henríquez, el compañero que se murió ese año cuando hacía educación física; para ver si nos daba el temario del examen, y estábamos en el ritual, cuando cayó un terrible trueno, aunque no estaba lloviendo ni parecía que fuera a llover. Espantados, salimos corriendo como locos, fue un susto tremendo; 'castigo de mi Dios', dijo esa noche, Guillermo Granados".

Luis Garavito relata otra pilatuna: "Con Gabriel y otros amigos cogíamos a 'Bertha', el esqueleto de la clase de Fisiología y Anatomía, que nos dictaba el médico Álvaro Gaitán, le desprendíamos la cabeza y la montábamos en un palo, y cuando veíamos que venían unas señoras, la sacábamos por la ventana, y se espantaban, salían corriendo dando alaridos".

"En el Liceo se oían por la noche los aullidos de unos perros que eran verdaderamente asustadores, (cuenta Luis Ariza) y decían que era porque veían a un monje sin cabeza".

Y Garavito cuenta: "Una noche dejamos encerrado a Gabo en un salón, hasta tarde, y lo asustamos dándole 'batacazos' a la puerta, y casi no nos perdona la broma".

Así las cosas, es de suponer que además de los temores que arrastraba Gabriel García Márquez desde sus primeros años en Aracataca, sembrados por las historias y fantasías de su abuela y de sus tías, la imaginación zipaquireña acrecentó sus miedos que le generaron frecuentes pesadillas, con gritos de terror incluidos, que despertaban a todos los internos del Liceo, durante sus cuatro años de soledad allí, y que sin duda, sumadas a la influencia del profesor de Historia, Manuel Cuello Del Río, alimentaron aún más el "realismo mágico" de Gabo.

García Marquéz, elegido como orador cuatro veces

Mi investigación dio como resultado que Gabriel García Márquez pronunció por lo menos cinco discursos, durante el tiempo en que fue alumno del Liceo Nacional: el primero, durante el entierro de Alejandro Ramos, rector del Liceo y profesor suyo, quien se suicidó en marzo de 1944 una semana después de que Gabo cumpliera 17 años.

El segundo, fue el de despedida a los bachilleres de 1944, el viernes 17 de noviembre. El tercero lo pronunció desde el balcón del Club Social, en la Plaza Mayor de Zipaquirá, ante una multitud que celebró la paz, el día martes 8 de mayo de 1945, con motivo de la terminación de la Segunda Guerra Mundial.

El cuarto fue el discurso de despedida de los bachilleres de la promoción de 1945, en noviembre de ese año. Y el quinto, como se dijo, durante las honras fúnebres del "Pastusito" Henríquez, el jueves 28 de mayo de 1946.

Además de la muerte de su amiga Lolita Porras, sucedida en diciembre de 1943, y del suicidio del rector Alejandro Ramos, en marzo de ese mismo año, otro de los hechos que impactó a Gabriel García Márquez durante los años que vivió en Zipaquirá, fue el temprano deceso de Hernando Henríquez, que estudiaba en el Liceo, en tercero bachillerato, y quien tenía 16 años de edad; García Márquez iba en sexto y tenía 19.

Según Álvaro Ruiz: "Gabriel García Márquez también nació como orador en Zipaquirá, ciudad donde pronunció seis discursos oficiales. El primero de su vida, en marzo de 1944, durante las exequias del doctor Alejandro Ramos, su primer rector. El segundo, a propósito de la visita del ministro de Educación Antonio Rocha, al Liceo, encabezando una comitiva gubernamental; en mayo de ese mismo año, cuando era rector Carlos Martín".

"El siguiente lo pronunció el 19 de noviembre, con motivo de la despedida a los bachilleres de la promoción 1944; el quinto luego de la 'Marcha de la Victoria', el día cuando terminó la Segunda Guerra Mundial; el Sexto, para despedir a los bachilleres de la promoción de 1945, y el último, el 27 de mayo de 1946, cuando fue designado para hablar durante las honras fúnebres de Hernando Enríquez, nuestro compañero del Liceo, de 17 años, que cursaba tercero de bachillerato y cuyo deceso por 'muerte súbita, causó gran conmoción en el Liceo y en toda la ciudad".

El deceso de Henríquez se produjo el martes 26 de mayo de 1946, en la tarde; era día de mercado. Él regresaba de la clase de Educación Física; su profesor de gimnasia Alfredo Tovar Mozo, había llevado a los estudiantes de tercero, muy cerca del Río Susaguá. De regreso, de un momento a otro, a pocos metros del "Puesto de Monta", Hernando cayó sobre el pasto, víctima de "muerte súbita". Sobre ese suceso, Álvaro Ruiz Torres me contó una tarde: "Gabriel sufrió mucho esa tragedia que conmocionó al Liceo y a la sociedad zipaquireña. Fue una de las ocasiones en que más inquieto lo vi. Esa noche estuvo muy nervioso".

Cuando quien escribe este libro encontró el caso de la muerte de Enríquez, no entendía por qué a un muchacho que era de Pasto lo enterraron en Zipaquirá; ninguno de sus compañeros de colegio, a quienes entrevisté, supo darme razón. Pero luego, cuando encontré la hoja de su última matrícula, lo entendí: Hernando Henríquez era huérfano. Se matriculó el 19 de febrero de ese año para tercero de bachillerato. Según leí en el asiento de su última matrícula, su papá se llamó Julio Henríquez, su mamá, Pastora Paladines, y su acudiente fue el zipaquireño Luis E. Roa.

"Ese día, los estudiantes del curso y los de cuarto, salimos del campo de deportes del Liceo con el profesor Tovar Mozo, de Educa-

Marco F. Bulla y Jaime Amórtegui en el entierro de su compañero Hernando Henríquez, hecho que impactó mucho a Gabo.

ción Física", cuenta el compañero de curso del "Pastusito", médico, Germán Sarmiento Ozman, quien agrega: "habíamos ido trotando hasta el río Susaguá, por la carretera a Nemocón, y ya estábamos de regreso, cuando a la altura de un sitio que se llamaba, 'Puesto de Monta', a un kilómetro del campo de deportes del Liceo, Henríquez se puso pálido, cayó al pasto y nunca se volvió a levantar: murió de muerte súbita. Yo creo que con lo sucedido 15 días después, que ya le contaré, han sido dos de los momentos más dramáticos de mi vida".

La autopsia la realizó Álvaro Gaitán Nieto, profesor y médico de Gabo. Hernando Forero Caballero (hoy también médico y entonces compañero de curso de García Márquez), ayudó a Gaitán a realizar la autopsia en el Hospital de Zipaquirá.

La decisión de enterrar en Zipaquirá al "Pastusito" Henríquez, la tomó el rector Oscar Espitia, teniendo en cuenta que era huérfano y que la llegada de un familiar, desde Pasto, por la dificultad de las comunicaciones, se demoraría varios días. El rector encargó a Gabriel García Márquez de pronunciar unas palabras de despedida durante las exequias, celebradas al día siguiente en la Catedral parroquial, a dos cuadras del Liceo, palabras que, "resultaron un brillante discurso de Gabo", según Álvaro Ruiz Torres. Gabriel García Márquez habló ante una multitud de estudiantes y ciudadanos que colmaban La Plaza Mayor. A esa ceremonia asistieron, conmovidos, los estudiantes de todos los centros educativos de Zipaquirá, los miembros de las instituciones cívicas, las autoridades y la ciudadanía, en general.

Germán Sarmiento Ozman define a Hernando Henríquez, como "un compañero amable, inteligente y estudioso; un tanto tímido, a quien molestábamos tratando de imitar su acento. Sus mejores amigos zipaquireños, éramos: Paulino Nieto, Augusto Alvarado y yo".

"Como veinte días después del entierro, (prosigue Sarmiento) llegaron a Zipaquirá una hermana y otro familiar de Hernando Henríquez, aceptaron que su cuerpo se quedara en el cementerio de la ciudad, pero querían verlo, asunto que fue autorizado. El rector Espitia me comisionó para que, junto con Gabriel García Márquez, acompañara a los visitantes hasta el cementerio. Gabriel no fue, no recuerdo por qué, y entonces con mucha tristeza me tocó presenciar la exhumación de los restos de mi compañero. Fue una vivencia terrible e impresionante, que jamás podré olvidar".

Hernando Forero Caballero, cuenta: "No es raro que Gabo no hubiera acompañado a Sarmiento, es que él no participaba casi en nada que no fuera algo literario; no hacía ningún deporte, le daba mucha pereza hacer ejercicio. No practicaba nada que le hiciera gastar energía, excepto el baile; él siempre estaba ocupado leyendo, o en visitas donde Cecilia González o Berenice Martínez".

En el inventario de dramas vividos por Gabriel García Márquez, también cuenta la muerte del "Pecoso" Bernardo Ferreira, quien se salió del Liceo en cuarto de bachillerato para ingresar a la Fuerza Aérea Colombiana, y se mató poco después cuando su avión se estrelló cerca de Bahía Solano. Y la de su compañero Tulio Villafañe, quien murió en Santa Marta, luego de que un ciclista lo arrollara.

Aunque es cierto que a Gabo no le gustaba la Educación Física, tenía buena relación con el profesor Jorge Perry Villate, quien luego de que lo destituyeran del Liceo, en 1945, se mató al estrellarse en su moto, entre Ubaté y Chiquinquirá. Curiosamente su antecesor, "El Chisgo" Márquez, hijo del acudiente de Miguel Lozano, hermano de un compañero de García Márquez y de Rosita, la primera "Reina de la Sal", se suicidó en una Semana Santa.

Y las tragedias de personas que fueron muy cercanas a García Márquez en Zipaquirá, siguieron una tras otra en los años siguientes: su compañero de curso Marco Fidel Bulla, después de tomarse unos tragos, se estrelló y se mató, en Barrancabermeja. El bogotano Carlos Guevara ("El Pecoso") quien pertenecía a la banda de guerra del Liceo y se ponía el uniforme de esta cuando asistía a las retretas de la Plaza Mayor de Zipaquirá, entró a la Policía, y lo mataron el 9 de abril.

Su compañero Manuel de la Rosa, que fue piloto de Avianca, se estrelló en su avión despegando de Bogotá, para llevar los periódicos a Barranquilla. Otro compañero del Liceo, de apellido Cárdenas, nacido en Caparrapí, terminó siendo periodista y un día apareció muerto de un balazo.

El suicidio del rector Alejandro Ramos

"Detrás de las gafas de Alejandro Ramos se escondía un hombre rígido, disciplinado y estricto, con un carácter aparentemente fuerte; era una persona correcta", cuenta Alfredo García Romero, y anota: "Ramos era serio pero en el fondo amable; hablaba poco con los estudiantes, pero se preocupaba por ellos; era un magnífico educador".

Eduardo Angulo Flórez, cuenta: "Alejandro Ramos nos tenía en una especie de régimen militar, especialmente con sus meticulosas 'revisiones' en la fila, antes de entrar al desayuno, eso y el orden le aburría a Gabo. Algunos compañeros le tenían pavor a Ramos, aunque otros decían que era muy buena persona".

Ramos acumuló una serie de dramas personales, que terminaron acorralándolo. Era un solitario, vivía algo deprimido, sus alumnos sabían que tomaba trago y que tenía problemas personales.

Alejandro Ramos fue rector durante todo el año 1943, año en que García Márquez llegó al Liceo; y dejó de serlo el lunes 8 de febrero de 1944; luego de prestar sus servicios profesionales a ese plantel educativo durante un poco más de cinco años.

A García Márquez, a quien por su carácter independiente la disciplina no lo entusiasmaba mucho, tampoco lo animaba el "régimen" impuesto por Ramos; sin embargo, durante el año en que este fue rector, se ganó su aprecio. Ese hombre seco y serio fue amable con Gabo, y le celebraba su forma fiestera de ser, así como su talento como dibujante.

Ramos, quien nació en Guasca (Cundinamarca), le sirvió al Liceo eficientemente; pero eso no fue tenido en cuenta por el ministro de Educación Antonio Rocha, quien había sido nombrado por el Presidente Alfonso López Pumarejo. Aunque se sabe que Ramos cumplió bien con su deber, siempre, intempestivamente el ministro lo despidió de su cargo de manera fulminante, el viernes 5 de febrero de 1944 y nombró para sucederlo al intelectual Carlos Martín, el más joven de los poetas del grupo "Piedra y Cielo": cuando este llegó al Liceo, el lunes 8 de febrero, tenía treinta años de edad y dos libros publicados, que García Márquez ya había leído, porque lo admiraba, razón por la cual, la noticia de la llegada del nuevo rector lo entusiasmó mucho.

Ser despedido fue un golpe demoledor para ese hombre culto que, aparte de sus demás problemas, le habían diagnosticado principios de lepra, y además, parece que su drama se hizo mayor por esos días para él, por un duelo sentimental luego de una decepción amorosa, que fue la mayor de todas sus desgracias.

Entonces, todo se le juntó y se convirtió en angustia, que lo llevó, cuarenta días después de dejar su cargo en Zipaquirá, en marzo de 1944, a suicidarse disparándose un tiro en la cabeza, en el Parque Nacional de Bogotá, al pie del monumento al general Rafael Uribe Uribe.

Es preciso ponderar la excelente memoria de Miguel Ángel Lozano, quien sin titubear, contesta todo lo que se le pregunta; él aportó una cantidad de anécdotas y recuerdos del transcurso de la juventud de Gabriel García Márquez en el Liceo Nacional de Zipaquirá. Lozano, refiriéndose al sepelio de Alejandro Ramos, cuenta: "Ese día, Gabo se mostró apesadumbrado y nervioso; todos estábamos consternados; nos trasladamos de Zipaquirá a Bogotá, al Cementerio Central de la calle 26, en buses de la Flota Zipa, contratados por el Liceo".

Gabo y su primer discurso en el entierro de Ramos

Una delegación, encabezada por el nuevo rector, Carlos Martín, quien había reemplazado a Ramos, asistió a su entierro. Ese día, según cuentan varios de sus compañeros, Gabriel García Márquez pronunció el primer discurso de su vida, frente al hermano del difunto, el Maestro Luis Benito Ramos, quien fue pintor y pionero de la fotografía moderna en Colombia, luego de estudiar pintura mural en París.

Al rememorar las exequias de Alejandro Ramos, Héctor Cuéllar, compañero de García Márquez, habla del primer discurso que le escuchó a Gabo. "Ese día nos llevaron a Bogotá y Carlos Martín lo encargó de hablar en el cementerio, a nombre de los alumnos del Liceo Nacional, y a Gabriel lo encargaron de hacer un discurso improvisado, que resultó impecable. Yo no sé dónde averiguó tantas cosas de Ramos, lo dijo todo, como si lo hubiera conocido toda la vida; nos dejó aterrados. Luego, en el segundo semestre del mismo año 1944 en que terminé mi bachillerato, le oí otro discurso en la Plaza Mayor de Zipaquirá, igualmente exitoso, que fue muy aplaudido. Fue frente al Palacio Municipal (Alcaldía); hablaba sobre la juventud zipaquireña, frente a un enorme auditorio, compuesto por estudiantes y autoridades locales".

Cuéllar, agrega: "Primero habló un paisano o pariente de Ramos, llegado de Guasca, y cuando le tocó a Gabo, pronunció su discurso. Yo pienso que así Ramos tuviera problemas personales y fuera un hombre estricto, era muy buena gente, hasta en pequeños detalles. Mire, le doy un ejemplo: cuando hacía mucho frío, él ordenaba colocar las bancas largas del comedor alrededor de la estufa para que los internos nos calentáramos".

Según Cuéllar, "Ramos hacía que uno le cogiera cariño a la geometría, la trigonometría y el álgebra, por la manera como nos enseñaba. Sin embargo, Gabriel no encajó con esas materias, no eran su fuerte; pero Ramos le tuvo paciencia y aprecio. García Márquez fue una excepción lógica, a él no le gustaban las matemáticas, no podía con ellas, pero tenía un gran talento para las materias sociales. Ramos se portó muy bien con él, siempre".

Miguel Ángel Lozano, cuenta: "Precisamente Alejandro Ramos le puso otro apodo a Gabriel García Márquez, a mediados de 1943: 'Mico rumbero'. A Gabo le decían 'Peluca', pero así 'lo bautizó', luego de que el rector Ramos, quien a través de sus grandes anteojos, observaba desde el segundo piso, todo lo que hacía García Márquez en el patio del Liceo. Él lo miraba desde el balcón, frente a la rectoría; Gabriel saltaba, se reía, 'mamaba gallo', gritaba, cantaba, tocaba instrumentos y sobre todo, bailaba; porque era una sola fiesta. Por eso Ramos decidió un buen día decirle desde el balcón: 'siga, siga, Mico rumbero'. Pero la verdad es que nosotros seguimos diciéndole 'Peluca'; ese era su verdadero apodo".

A cambio de que le "soplaran", Gabriel les hacía tareas

Lozano y Alfredo García Romero eran "potencias" en matemáticas, eran quienes le soplaban a Gabo en los exámenes, y este, a cambio les hacía tareas de literatura, y les soplaba en las clases.

Alfredo recuerda:"Yo veía a veces al rector Alejandro Ramos, como un padre. Mire, él era una especie de banco, nos guardaba la platica como a 20 internos, a quienes nos mandaban giro desde la casa. Ramos llevaba la contabilidad de lo que nos iba entregando, en un cuadernito pequeño. Cuando él se fue, entonces la plata nos la guardó Rogelio Erazo, que era el Vice-rector, un excelente profesor nacido en Nariño, que además era poeta y escritor. Es que en Zipaquirá y en el Liceo, casi todo el mundo era escritor, poeta, declamaba, o por lo menos hacía coplas".

Un año antes de la muerte de Alejandro Ramos, su hermano Luis Benito, fue contratado por el periódico El Espectador como profesor de fotografía de José Salgar, quien pocos años después fue Jefe de Redacción de Gabriel García Márquez, en ese periódico.

Sobre Luis B. Ramos, Beatriz González escribió, para la Biblioteca Luis Ángel Arango: "Luis B. Ramos no era un fotógrafo más; era un pintor que había adquirido en Europa una cultura aceptable, la cual le permitía alternar con algunos intelectuales de la capital. Sus fotografías fueron publicadas en 1937 por la revista alemana Gebrauchsgraphik acompañadas de un artículo elogioso".

Salgar, es considerado como uno de los decanos del periodismo en Colombia, y uno de los mejores amigos de Gabriel García Márquez; en 1943, cuando aún no se conocían, posiblemente se cruzó con él en Zipaquirá, en una ocasión en que visitó esa ciudad, y al Liceo, cuando asistió a varios actos celebrados en la ciudad, invitado por el Gobernador Abelardo Forero Benavides. José Recuerda, "un balcón con personajes, un discurso y mucha gente abajo". Posteriormente él y García Márquez trabajaron juntos en El Espectador, periódico en el que García Márquez inició su carrera como periodista, bajo la orientación de Salgar.

Guillermo Granados, compañero de curso de Gabo, murió en noviembre de 2005. Fue tan buen estudiante que lo eximían del pago de las matrículas. Era hijo de Sara Quintero de Granados y de José Granados, fallecido ya cuando él se graduó de bachiller. Guillermo y Luz Marina Rojas, quien llegó a trabajar a su casa, cuidando a su mamá que estaba enferma, se enamoraron y tuvieron una hija, Sara Lucía, quien comenta que su papá admiró siempre a García Márquez y que siempre disfrutaba con sus triunfos.

"A Granados (cuenta Jaime Bravo) le dio muy duro el suicidio del rector Alfredo Ramos, lo impactó tanto su muerte, que lloró. Granados cantaba a toda hora, (anota Bravo), pero especialmente, en la mañana en el baño, mientras hacía cola para bañarse, y cuando lo estaba haciendo. Lo cierto es que durante varias semanas, 'su trino se silenció', por la muerte de Alejandro Ramos. A otro que afectó mucho el suicidio de Ramos fue a Gabo quien estuvo nervioso varios días; tal vez lo impresionó más haber sido orador durante la ceremonia funeraria; aunque al poco tiempo medio olvidamos ese capítulo triste, porque Carlos Martín, fue exitoso como rector, desde el principio".

Miguel Ángel Lozano, recuerda: "La disciplina drástica de Ramos, fue cambiada por las políticas de entendimiento, de Carlos

Martín, que era un joven intelectual serio, pero accesible. Él llegó cuando ya era un afamado intelectual; tenía 30 años de edad, era el más joven de los poetas del grupo Piedra y Cielo; amable, respetuoso y sencillo. Eso nos estimuló mucho a los estudiantes del Liceo, porque comenzó a dialogar con nosotros, especialmente en los descansos de la noche, antes de que se fuera para su casa que quedaba en la Plaza Mayor. Su política de puertas abiertas, se hizo famosa rápidamente, con tanta velocidad como el apreció y estimulo a García Márquez, al que adivinó un gran talento literario".

Jorge Fajardo, un liceísta zipaquireño a quien le decían "Fachardini", cuenta: "Lo que más nos impactó de Carlos Martín, en contraste con Alejandro Ramos, fue el ambiente informal que impuso; paralelo con su política que resumía en: educar dando libertad. Martín le tomó aprecio desde el comienzo a García Márquez, quien estaba metido en la poesía y sabía poemas de Umaña Bernal, de Jorge Rojas y del mismo Martín".

Las muertes de "El Chisgo" y "Míster Perry"

Según Miguel Angel Lozano, "a Míster Perry", lo sacaron de Zipaquirá porque hubo muchas quejas por la mala forma como trataba a los estudiantes; los ofendía, los ponía a trotar y él iba detrás en bicicleta; los hostigaba, como si fuera un sargento. Los hacía subir a las salinas, recorriendo primero un kilómetro de terreno plano y luego kilómetro y medio 'empinado', con una subida muy pendiente de casi dos kilómetros; era como dicen en el argot ciclístico, como 'coronar un puesto de montaña'. De eso se salvaba García Márquez".

Miguel recuerda: "Perry nos gritaba: 'Hágalo bien, parece desnutrido', y nos trataba de indios: 'Es que usted tiene nostalgia de su tribu', vociferaba. Eso nos ofendía. Además, era creído y se autoelogiaba mucho. Participó en las Olimpiadas de Los Ángeles, en 1932; corrió en los 5,000 metros fondo; y luego, en los juegos celebrados en Alemania, en Münich, 1936; presididas por Adolfo Hitler; Perry corrió allí en bicicleta".

La bandera de Colombia era izada en el edificio del Liceo; era una ceremonia tradicional y el alumno que se destacaba, tenía el honor de hacerlo. Se hacía al son del toque marcial de las cornetas y del repique emocionante de los tambores, que se escuchaban por toda la ciudad.

Lo que sí lamentaron Gabo y todos los estudiantes del Liceo, fue la forma trágica como terminó la vida de "Míster Perry": tras ser retirado de Zipaquirá y ser enviado al Liceo Nacional de Chiquinquirá, una tarde viajaba velozmente desde esa ciudad hacia Ubaté, en su motocicleta, y se estrelló muriendo en la carretera. Fue otra de las tragedias que rodearon a Gabriel García Márquez durante su estudio de bachillerato.

Aparte de la muerte de "Míster" Perry", Chiquinquirá tuvo mucho que ver con los estudiantes del Liceo Nacional de Zipaquirá; allá nació Carlos Martín, el rector que tanto estimuló a Gabriel García Márquez; a Chiquinquirá fue enviado por el Ministerio de Educación el profesor Carlos Julio Calderón Hermida, antes del grado de García Márquez; los exámenes finales de ese año, 1946, fueron enviados desde Chiquinquirá, cruzándose con los que desde Zipaquirá fueron enviados para examinar a los bachilleres de esa ciudad y allí nació don José Joaquín Casas quien también fue rector en la casa del Liceo Nacional de Varones.

"Míster Perry" fue reemplazado por el profesor Alfredo Tovar Mozo, un samario que impulsó el deporte e introdujo nuevas disciplinas, como el "Handing ball"; además intensificó el interés por el Jockey, que Perry había iniciado en el Liceo y que organizaba partidos con los equipos de categoría que había en Bogotá. En una ocasión, Tovar Mozo, hizo comprar palos de golf y armaron una especie de campo, con dos hoyos.

Humberto Guillén, compañero de García Márquez, dice: "Gabo, no distinguía entre una bola de tenis y una de béisbol. Y algún día que por milagro decidía jugar fútbol, cerraba los ojos y estiraba la mano, como si eso lo fuera a liberar de un buen balonazo".

Álvaro Ruiz comentaba: "Con Gabo íbamos todos los días al campo de deportes, en la tarde, pero no a jugar sino a leer y charlar, mientras todos nuestros compañeros se dedicaban a hacer algún deporte. A veces había partidas de básquet en la cancha del colegio, asistían invitados de la ciudadanía zipaquireña y deportistas de la ciudad. Héctor Kairus era uno de los más hábiles jugadores y capitán del equipo; que era reforzado a veces por Julio Múnera y Hernando Benavides; era un equipo con fama de bueno".

Al "Chisgo" Márquez, profesor de Educación Física del Liceo Nacional de Varones de Zipaquirá, cuyos hermanos estudiaron con Gabriel García Márquez, lo reemplazó "Míster Perry", que no tenía nada de extranjero, pues era un boyacense nacido en Samacá; su nombre completo era Jorge Perry Villate.

"El Chisgo", luego de salir del Liceo, como sucedió con el rector Alejandro Ramos, se suicidó, por una decepción amorosa.

Otros sucesos infortunados cercanos a García Márquez

Dos tragedias posteriores sucedidas en Nueva York tuvieron que ver con Gabo: primero la muerte de "La Manca" Cecilia González, quien vivía sola en esa metrópoli y trabajada con la NASA. Una tarde luego de terminar su labor cayó fulminada por un ataque al corazón, en la calle, en plena Quinta Avenida.

José Palencia, el entrañable amigo de Gabo en Zipaquirá y en Sucre, quien lo "financiaba" en sexto de bachillerato y con quien solía tomarse sus traguitos en su apartamento del Hotel Caribe, en la Plaza mayor de "La ciudad de la Sal", murió accidentalmente también en Nueva York, un 24 de diciembre.

Algunos de sus compañeros tenían la versión de que esa noche Palencia estaba en un bar y se "armó una pelea entre dos grupos de personas que se tomaban unos tragos allí", y que José trató de separarlos, con tan mala suerte que le dieron con una silla en la cabeza, y lo mataron. Pero según cuenta Miguel Lozano, compañero de colegio de García Márquez: "Yo investigué a fondo ese caso y sí, José había ido a Nueva York a pasar la Navidad en el apartamento de unos familiares, pero no murió en un bar. Estaba en el apartamento de sus parientes esa noche y se paró a mirar por la ventana los fuegos artificiales, y cuando regresó a sentarse en su silla, uno de esos bromistas que no faltan, se la retiró y Palencia cayó al piso golpeándose en la cabeza, y se desnucó".

Benjamín Anaya, otro compañero de curso de García Márquez, se mató en un accidente de tránsito; otro murió por causa de una tragedia pasional; y a su amigo Roberto Ramírez, ("Mogollita"), compañero de curso, que le fiaba los cigarrillos en el Liceo, se lo llevó la avalancha del Nevado del Ruiz, que destruyó a Armero, ciudad donde este había nacido.

Otro insuceso que el Nobel tal vez no conoce, es la muerte de la matrona Virginia Lora, (hermana de Sara, acudiente de Gabo en Zipaquirá), a la que en 1944, (cuando él tenía 17 años), le escribió un bello poema que tituló, "A la niña de los ojos azules", dos de cuyos versos, dicen:

"Mientras tú juegas, yo estoy triste, así te amo
con la melancolía de esta esperanza mía".

Virginia murió trágicamente; ella, su hijo y la novia de este, fueron asesinados de forma infame luego de ser secuestrados en una finca de "El Rosal", (Cundinamarca), donde fueron lanzados a un aljibe y tapados con toneladas de piedra por robarles algún dinero, en agosto de 2008.

Capítulo 11

Gabo, reacio a la gimnasia y a las tardes deportivas

Según Luis Ariza, "Gabo era reacio a la gimnasia, a los deportes y a las tardes deportivas; se ganó al profesor Perry a punta de caricaturas; era muy afable con él, lo trataba muy bien, y en cierta forma, era encubridor de su pereza con el ejercicio, pues le pasaba lo que a ningún otro estudiante le permitía. A este profesor le tenían antipatía porque era exagerado y vanidoso; pero le reconocían sus dotes como buen profesor de Educación Física, y el éxito de sus vistosas revistas de gimnasia, en las que el 'Paso de Ganso' de todos nosotros, sus alumnos, era muy aplaudido en Zipaquirá. Perry, además, era filántropo, pero en contraste, parecía un sargento; no hacía sino echarnos sátiras y tratarnos como si estuviéramos en un cuartel".

"Hacíamos la gimnasia por cursos, en el campo de deportes o en el 'patio de atrás' del Liceo, donde estaba la cancha de básquet y en el que también presentábamos las revistas de gimnasia", anota Ariza.

"Míster Perry", con fama de ser exageradamente 'templado' y mandón, fue el Iniciador del movimiento de los Boy-Scouts en Zipaquirá, con muchachos del Liceo Nacional. Este grupo en los desfiles y en las revistas, era preciso, y se caracterizaba por una presentación impecable".

Según José Fajardo: "Las revistas de gimnasia dirigidas por Perry eran muy vistosas, y los desfiles del Liceo por las calles de Zipaquirá, impecables. El Ministerio de Educación nos daba gratis los tenis, la camisa y el pantalón de gimnasia y una banda roja que se usaba en la cintura. Perry era dinámico, y siempre animado por sus empresas deportivas; así se tratara de alboradas con la banda de guerra del Liceo; desfiles, marcha de antorchas con faroles hechos de papel milano, que recorrían las calles zipaquireñas: de "Los Socorranos", "Del Relevo", "Del Sol", "Del Triunfo", "El Camellón Blanco", y los principales parques. En resumen, Perry vivía profundamente todo tipo de eventos, incluyendo las revistas de gimnasia, que se ocurrían por actos o fechas especiales, como la del 3 de agosto, día de los Mártires Zipaquireños".

Los estudiantes del Liceo presentan su saludo de honor a las autoridades civiles, eclesiásticas y militares en Zipaquirá; esta escena se repitió en Bogotá cuando García Márquez desfiló con su colegio frente a Jorge Eliécer Gaitán.

Perry Villate, quien prácticamente eximía de la Educación Física a García Márquez, instituyó la Banda de Guerra, de la que fueron 'Tambor Mayor', tres buenos amigos de García Márquez: Eduardo Angulo Flórez, Ricardo González Ripoll ("Míster Moto") y Luis Ariza Villate. El cabo de la Policía Jorge Enrique Corredor se ganó la estimación de Perry y de los integrantes de la banda, desde cuando se convirtió en su entrenador, ganándose muy pronto el cariño de todos los estudiantes del Liceo, por su liderazgo; según dos periódicos locales de la época, "por su elegancia, disciplina y habilidad".

Al son de las cornetas y tambores era izada la bandera en el Liceo y se realizaba luego, "un desfile marcial", en el que participaba Gabo, por obligación. El sonido militar de los tambores y el toque de las cornetas, se escuchaba en gran parte de la ciudad. A la cabeza la banda, los estudiantes recorrían las calles centrales y llegaban a la Plaza Mayor, donde saludaban olímpicamente a las autoridades, al pasar frente al Palacio Municipal. Contaba Álvaro Ruiz, que, "García Márquez 'mamaba gallo' hasta en los desfiles, haciendo ruidos y 'fregando' a los compañeros. A la banda llegaban los más destacados del Liceo, y aunque Gabriel era uno de ellos, y le gustaban las marchas, le daba mucha pereza tener que cargar un tambor".

Para mí el tema de la banda es especial pues catorce años después de que Gabo se graduara de bachiller en el Liceo, fui tambor Mayor de esa agrupación, que tenía 60 integrantes. Por entonces, la mayor aspiración de un liceísta era dirigir la banda, porque eso daba prestigio. Las gentes acudían a presenciar los desfiles por la marcha de los estudiantes, y claro, las jóvenes de los colegios femeninos se fijaban más en los integrantes de la banda y en el tambor mayor, que era una especie de director de orquesta, y eso claro está, lo llenaba a uno de orgullo.

Los desfiles estudiantiles en las fechas tradicionales o en las celebraciones especiales, eran encabezados por la banda, a la que seguían los estudiantes del Liceo. La tradición era llegar hasta el colegio de la Presentación para que las niñas que estudiaban allí salieran a desfilar detrás de los alumnos del Liceo; se recorrían las calles centrales y se llegaba a la Plaza Mayor, donde todos, muchachos y muchachas, hacían el saludo olímpico (extendiendo el brazo derecho) a las autoridades cuando se pasaba frente al Palacio Municipal. Terminadas la ceremonia, se regresaba hasta el colegio de la Presentación, donde se "dejaba" a las niñas y la meta final era el Liceo, donde los estudiantes se sentían orgullosos de haber recibido el aprecio de la gente.

Luis Ariza, anota: "En cuanto a los deportes, en el Liceo, se les consideraba exitosos; el campo deportivo era muy completo; tenía pista atlética, canchas de football, básquet, béisbol y jockey; estaba dotado con burros, colchonetas y todos los implementos de gimnasia, lo cual no tenía ninguna importancia para García Márquez, porque no eran actividades de su interés".

"Riveritos", el portero del Liceo, "un grandísimo alcahuete"

Guillermo Granados, cuenta: "A veces nos volábamos por la noche y nos íbamos a cine, al teatro Mac Douall, a jugar billar, o a algún baile, y cuando regresábamos, 'Riveritos' siempre estaba ahí, listo para alcahuetearnos. Era un portero muy buena gente. En otras ocasiones íbamos al teatro Mac Douall, o a vernos con las novias; a comidas, bailes, o simplemente a 'hacer pilatunas': Álvaro Ruiz a veces se iba a visitar a Lula Vega y Gabo a Berenice".

Hablando del portero del Liceo, Alfredo García Romero, cuenta: "Riveritos' era un hombre pequeño, flaco y desgarbado que vivía con una sinusitis permanente que lo hacía hablar medio gangoso; hacía de 'hombre orquesta' en el Liceo: tocaba la campana todo el día, desde temprano; era el almacenista de la tiza, los borradores, y de todo tipo de útiles; recibía la correspondencia y nos la entregaba al desayuno o al almuerzo. Además, nos conseguía a las señoras que lavaban y arreglaban la ropa sucia, la cual nos entregaban planchada".

"Los sábados él les entregaba la ropa a las lavanderas, en los talegos de tela marcados con nuestros nombres en tinta china, en los que la empacábamos. Casi todas vivían arriba de Terraplén; nos cobraban 60 centavos semanales, a cada interno. Nosotros lavábamos las pijamas, los calzoncillos, las medias, y los pañuelos. Algunas lavanderas nos invitaron un par de sábados a sus casas, a 'piquetear', con papas saladas, aguacate, carne y refajo; eran unas señoras humildes pero generosas y buenas personas".

Prosigue García Romero: "Es que 'Riveritos', quien siempre vestía de negro, también nos hacía mandados en sus horas libres; y lo más extraordinario es que era 'un grandísimo alcahuete' nuestro, pues cuando nos volábamos del colegio, por las noches a cine, a fiestas, o a visitar a alguna amiga, él nos abría la ventana bajita, cercana a su habitación. Nosotros le regalábamos bobadas para agradecerle su ayuda".

Al preguntarle a Alfredo si Gabo era de los que se volaba, responde con una exclamación: "¡Uf! claro que Gabriel también lo hacía. Él tenía varias características: le encantaba el baile, las muchachas bonitas; tomaba de todo; le hacía cartas a algunos compañeros para que se cuadraran o para que arreglaran su peleas con sus novias".

Gabriel José de la Concordia García Márquez había descubierto ya que la época colonial había dejado en Zipaquirá como testimonio, una bella arquitectura de grandes mansiones con gruesos muros, techos de armoniosas hileras de tejas de barro, prolongados balcones españoles con "coquetas" materas o ventanas arrodilladas. Las casonas de bella arquitectura colonial de los siglos XVII y XVIII, constaban de un patio principal, y otro, llamado "el patio de atrás", donde eran sembrados papayuelos, brevos, manzanos, duraznos, ciruelos, y plantas florales, aromáticas y medicinales.

Y se había familiarizado con las calles, los sitios y las personas de Zipaquirá, donde a pesar de su clima, encontraba gente que "menguaba" la incomodidad que le causaba el frío, al que definitivamente no se acomodaba.

En ese momento era Presidente de la República Alfonso López Pumarejo; y ministro de Educación, Rafael Parga Cortés. Gobernador de Cundinamarca Abelardo Forero Benavides; Alcalde de Zipaquirá, José Vicente Bernal Mesa; Párroco, Monseñor Joselyn Castillo; Administrador de Salinas, Ignacio Villaveces López; y Rosita Márquez Silva, hermana de un compañero de colegio de Gabo, se preparaba ya para ser la primera "Reina de la Sal" en 1943 y "Reina de los Carnavales" de 1944.

La matrícula del Liceo Nacional de Varones número 168, del 15 de febrero de ese año, consigna: "Becado por Resolución 309, para cuarto de bachillerato. Edad del estudiante, comprobada conforme a la ley, 17 años", aclara la confusión de algunos de sus biógrafos sobre el año de nacimiento de García Márquez, que es 1927 y no 1928.

En este registro se percibe un cambio sobre el del año anterior: no figura como acudiente Eliécer Torres, sino Sara Lora, jefe de Te-

Rosita Márquez, "Reina de la Sal" elegida en Zipaquirá en 1943.

légrafos, querida por todos en "La ciudad de La Sal". Torres Arango, quien vivía en Bogotá, se cansó muy pronto de ir a Zipaquirá; tal vez desde la matrícula de Gabo en 1943, nunca más regresó allí. De todas maneras, lo importante es que a García Márquez se le apareció un "hada madrina", Sara, la telegrafista que resolvió hacer las veces de acudiente suya, se casó después con otro telegrafista.

Ella apoyó a Gabo desinteresadamente, tal vez impulsada por una especie de "solidaridad gremial", cuando supo que el padre de este también había sido telegrafista, en Aracataca. Esa decisión la tomó en su oficina del telégrafo, a donde un día llegó García Márquez a averiguar por un giro de su padre; dice Sara: "Andaba ya sin cinco y esperaba una plata con urgencia, y yo le presté mientras le llegaba. Él terminó pidiéndome que me hiciera cargo suyo y lo hice con gusto".

En diciembre de 2002, unos meses antes de morir, Sara me dijo: "Cuando conocí a Gabriel, le tomé gran cariño; era un muchacho más bien callado, pero a la vez alegre, muy inteligente y de excelente trato".

Ella se radicó en Ibagué y siguió profesándole un gran cariño a García Márquez, tanto como el que sentía cuando Gabo iba a su casa los domingos a bailar al ritmo del programa dominical de radio, en vivo, "La hora costeña", en él que "La voz de la Víctor" transmitía música caribeña y especialmente porros y ritmos vallenatos. A esas fiestas dominicales García Márquez iba con otros costeños alegres, fiesteros, desenvueltos, y con algunos profesores del Liceo y con sus respectivas novias, o en plan de conocer alguna muchacha.

El repique de "Las Marías"

Para Gabo el repique sonoro de "Las Marías", (así se llaman las grandes campanas de la Catedral Mayor) se habían convertido en parte del ambiente. Eran: María Concepción, la más grande, al sur; María Dolores, al occidente; María del Carmen, al Oriente y María de La Luz, al Norte.

Sus sonidos característicos se grabaron en los oídos de los internos del Liceo, pues estaban muy cerca, a menos de dos cuadras de allí. El campanero de la parroquia, Carlos Zorro Triviño, quien por esa época tenía un poco más de 60 años, las tocaba para anunciar las misas de 6, 7, 9, y 11 de la mañana; o para las misas de duelo, cuando alguien moría, y entonces predominaba su tañido lúgubre, antes y durante los entierros.

La pasión de Zorro era prolongar los repiques de esas campanas, una de las cuales tenía una bala que la impactó en una de las guerras que afectaron a Zipaquirá.

"Álvaro Ruiz consideraba que, "después de dos años en el Liceo, la vida para Gabito era mejor; tenía amigos sólidos, lo invitaban a almuerzos, a bailes, a reuniones, a paseos, y aparte de eso, él ya era influyente en el Liceo; pero no dejaba de expresar una soledad interior, ni de despertarse de sus pesadillas con gritos de terror". Jaime Bravo Martínez comenta: "El martirio del baño no era solamente para él, todos tiritábamos, esos tubos parecía que botaran 'hielo líquido'; todos tratábamos de llegar primero a las duchas, pues los últimos tenían que hacer cola y esperar más tiempo, con el consiguiente enfriamiento".

En 1943, el año cuando García Márquez llegó a Zipaquirá, fue construido el Parque Villaveces; es la antesala de entrada a las Salinas, sitio al que Gabo solía ir a caminar con sus compañeros, algunos sábados, domingos o días de fiesta. Según Luis Ariza, "ese parque era uno de los sitios preferidos por Gabito, especialmente porque allí se veían muchas lindas jóvenes turistas que llegaban de paseo".

Diferentes fuentes establecen que en 1944 el progreso y los adelantos de Zipaquirá le fijaron una nueva "Época de Oro", que a Gabo le tocó vivir, pero de la cual no debió ser muy consciente, porque su interés no era la ciudad, sino sus poemas, sus novias, leer, y su preparación como escritor.

Sin embargo, el 1° de mayo de ese año, García Márquez y todos sus compañeros del Liceo, llegaron con corbata hasta el Parque Villaveces, (antesala de entrada a las salinas), encabezando con la banda de guerra un desfile que recorrió algunas de las principales calles, para participar en el gran homenaje que le rindió toda la sociedad zipaquireña al Administrador de Salina Ignacio Villaveces López, quien transformó y modernizó a la ciudad. Ese día fue descubierta una placa de mármol, en su honor por el progreso que le entregó a la ciudad.

Durante los cuatro años que Gabriel García Márquez estudió en el Liceo Nacional de Varones, recorrió con sus amigos muchas calles, parques y sitios populares que tal vez hoy se escapan a su memoria, pero que en su momento tuvieron significado para él.

Entre ellas, están: La calle "de La Ropa", a tres cuadras del Liceo, donde aún quedan muchos almacenes de vestidos, camisas, pantalones y toda clase de textiles: es la misma calle Quinta, anexa a la Plaza Mayor. La calle de "La Turronería", donde estaba la fábrica de los famosos turrones negros, de doña Natalia Triana, que se fue de este mundo sin dejar su fórmula o receta, pero que endulzó muchas veces el paladar del hoy Premio Nobel. La calle "Larga", (o calle Octava), que era la más extensa de Zipaquirá, cerca de la cual vivió Lolita Porras, uno de los amores de Gabo. También, la Calle "Del Infierno", llamada así porque allí se peleaban mucho los vecinos; la "Calle de la Sal", ubicada arriba de la plaza de mercado; el "Camellón Blanco", y el "Camellón Negro", llamado así porque se demoraron mucho tiempo en pavimentarlo.

La calle de "Los Socorranos", en homenaje a los Comuneros; la calle "Del Relevo" o "Del Sol", o la calle Quinta por la que subió con Isidro desde la estación del tren para ir al Liceo, y donde estaban "Las Onces", un famoso salón de toda clase de dulces y golosinas a donde García Márquez, según Berenice Martínez, Consuelo Quevedo y su amigo Álvaro Ruiz Torres, iban a comer "galguerías". Allí, los sábados y domingos llegaban centenares de bogotanos a comprar su famoso caramelo, panuchas, cocadas, bocadillos de frutas; arroz de leche, postre de natas, marquesitas, chicheros, mantecada, brevas rellenas, empanadas de guayaba, panelitas de leche, arequipe batido en paila de cobre, 'coquetas' y muchas otras dulces y postres zipaquireños.

La calle de "Campoalegre", llamada así por bulliciosa, pues allí estaba el gran mercado y más arriba, hacia la Capilla de los Dolores, las posadas de arrieros y los depósitos de miel. La calle "Del Corcho" y las calles "Real", "De la Sierra", "De las Cruces", "De las Hermosas", de "San Miguel y las Doncellas", de "Las Posadas y las Ánimas", del "Guarruz" y el Cementerio", completaban el abanico de vías recorridas por García Márquez.

Los parques que cruzaba con frecuencia, eran el de "La Floresta", donde vivían Lolita Porras y su profesor de literatura, allí estaba el monumento a los mártires zipaquireños; el parque de Terraplén, que quedaba al final de la "Calle Larga", la plaza de "La Leña", la plaza "de Zarache"; la del "Salitre", la "de Zapata"; y la plaza Mayor, o de "Los Comuneros", donde Gabo asistía a misa los domingos y luego a los conciertos de la banda sinfónica del Maestro Quevedo.

Humberto Guillén, cuenta: "Pasados los temores iniciales de Gabo, el ambiente literario del Liceo y la influencia del profesor Carlos Julio Calderón Hermida, nos llevaron a él y a nosotros muy pronto a interesarnos en las obras de Julio Verne, Emilio Salgari, Alejandro Dumas, Garcilazo de la Vega. Él ya se sabía muchos poemas de memoria. Pero no crea que todo era rigor académico para Gabriel, lo alternaba con una que otra volada del Liceo a cine, fiestas, a tomar en el hotel donde residía José Palencia o a hacer visitas de novio, o enamorado mejor, porque era la palabra que se usaba. En esa época la mayoría de los profesores socializaba con nosotros, guardando su sitio claro está; pero se podía decir que éramos amigos. Eran personas de avanzada, sin perjuicios, abiertos. Y también tomaban trago con nosotros; los solteros asistían a nuestros bailes; y algunos hasta encubrían las voladas. Así que Gabo, bien pronto sintió que el Liceo no era tan malo, como creía cuando llegó".

Gabo también pasó muchas veces frente a los puentes: de "Los Micos", de "Los Chulos", "Del Triunfo"; "Del Consuelo", "De la Turronería", "Del Codito", "Del Matadero", de "La Jabonería", y al de "La Envidia", bautizado así porque el dueño del área lo construyó sólo para acceder a su terreno, sin permitir el paso a nadie más. Todas esas calles, sitios, vías y rincones, guardan los pasos que el Nobel García Márquez dio durante los 1.375 días que vivió en Zipaquirá, entre el 8 de marzo de 1943 y el 6 de diciembre de 1946.

"En el Liceo éramos algo más de 100", cuenta Alfredo García Romero. Había tres dormitorios, que tenían baños aparte, eran: el de los menores, el de los grandes, por la calle Quinta, frente a "La Manca" González y otro especial, más pequeño. Cuando llegó García Márquez al de los grandes, le abrieron un espacio entre los catres de marcos de hierro con tabla, de Manuel de La Rosa y Miguel Ángel Lozano, Gabo quedó en la mitad de ellos. De La Rosa se salió al año siguiente; entró a la FAC y se hizo piloto, pero se mató en un accidente aéreo cerca al aeropuerto, en un avión que llevaba los periódicos para la Costa; su avión se estrelló contra unos árboles".

Álvaro Ruiz, comentó en una ocasión: "Hay varios hechos en los que percibí la gran sensibilidad humana de Gabito, que poca gente ha reconocido: en 1943 perdió el año nuestro compañero Marco Fidel Bulla, que iba un curso adelante, y él lo sintió como si hubiera sido su propio drama. Sufrió profundamente con la muerte de su amiga entrañable Lolita Porras y con la de nuestro compañero de colegio, el 'pastusito' Hernando Henríquez, quien murió estando en una clase de Educación Física, cerca de la carrilera del tren, abajo del campo de deportes del Liceo; Gabriel sufrió mucho esa tragedia y fue el elegido para hablar en la ceremonia fúnebre; hizo una oración muy sentida; ese día en Zipaquirá hicieron un acto en memoria de Alejandro Ramos, al que asistió muchísima gente, que copó la Plaza Mayor".

Jaime Amórtegui, Cuenta: "Yo tengo una anécdota con Gabriel, fue algo muy curioso que nunca logré aclarar. Presentamos el examen final de matemáticas y yo estaba seguro de que sacaría cinco, el máximo, porque había estudiado a conciencia, conocía el tema y estaba seguro de haber contestado todo, bien. Pero cuál no sería mi sorpresa al ver que me calificaron mal y a Gabo, que era flojo en esa materia le pusieron una nota excelente. Me quedó la idea de que posiblemente confundieron los exámenes al anotarlos. Claro que no me importó porque yo traía un buen promedio y gané el año sin una sola materia perdida. Pero también pudo ser que mi examen no fue tan bueno y que Gabo a veces se ganaba buenas notas en las materias para las que era flojo en matemáticas o gimnasia, a punta de dibujos que le hacía a los profesores".

Según Amórtegui: "Humberto Guillén, admirador y casi novio de Teresita, la enfermera del colegio, era un tanto tímido pero muy buen compañero. Con él, con Álvaro Ruiz Torres y con Gabo, nos entendíamos muy bien y nos ayudábamos, especialmente en la época de exámenes".

Gabriel García Márquez no tenía textos de estudio

Humberto Guillén, alaba a Álvaro Ruiz: "Era el mayor del curso, su memoria siempre fue excepcional, se acordaba de todo, de fechas, detalles y anécdotas. Era algo así como una Biblia; era el mayor del curso y se portaba con Gabo más que como su buen amigo, como si fuera su padre: Al poco tiempo de llegar Gabriel al colegio, Álvaro le regaló una camisa y un sweater de lana para que afrontara el frío; Gabo casi no se lo quitaba".

El médico Hernando Forero Caballero, recuerda: "Gabriel no tenía textos de estudio 'Forerito, préstame el libro', decía. Él ponía mucha atención en las clases y luego de leer el libro que le había prestado, sacaba las mejores notas", las cuales se comprueban viendo las calificaciones en los archivos del Liceo. Estas notas en su último año, fueron: literatura 5; Inglés 5; Religión 5; Filosofía 5; Historia 4.9; Física 4.9; Química 4:8, Francés 4:7 y, Educación Física 4, "es que como Gabriel era medio genio, leía mucho; pero era muy malito para el ejercicio", anota Alberto Garzón.

Álvaro Ruiz, recuerda: "Don Pachito García, un simpático y culto empleado de las Salinas, que fue amigo de todos los estudiantes, era quien nos dejaba entrar y ver a los mineros reducir la roca salada a trozos, que trasportaban en esas 'góndolas' o vagonetas sobre rieles, a los pozos de agua sal. Con Gabo nos acostumbramos en las tardes a ver pasar frente al Liceo a mineros que iban para sus hogares, llevando en una mano sus portacomidas, livianos porque ya iban vacíos, sin almuerzo, y en la otra una bolsa de pan fresco, recién horneado en la famosa panadería de las señoritas Algarra, a 30 metros de la casa de Berenice Martínez, donde nosotros comprábamos las mogollas para revenderlas y ganar plata para la excursión de sexto de bachillerato".

Según Miguel Lozano: "El internado para Gabriel fue muy duro, él de por sí era inseguro y tímido, se sentía muy lejos de su gente de la Costa experimentando costumbres tan distintas, en semejante frío y con la tortura de los sustos, las leyendas de muertos y de apariciones en el Liceo. Imagínese, nos levantábamos a las cinco y media, tendíamos la cama, teníamos un tiempo para ducharnos con agua helada, poner la ropa en orden, lustrar los zapatos y pasar a revisión antes de entrar al comedor; a veces más que un internado parecía un cuartel, pero por las buenas, claro está. De todas maneras, sus duras experiencias lo fueron madurando, ya al final era mucho más seguro y claro está, más 'mamagallista' que cualquiera de nosotros".

"Si no le quitamos al profesor Ocampo a Gabriel, lo ahorca"

Según Hernando Forero Caballero: "Desde cuando García Márquez llegó al internado en Zipaquirá, tenía pesadillas, y gritaba. Una noche el profesor Gonzalo Ocampo (quien dormía ahí), llegó tarde y quiso hablarle a Gabriel para pedirle una llave que le tenía; lo tocó para ver si estaba dormido y Gabito se asustó tanto que le dio pánico y como un ataque de histeria; pegó un alarido que nos hizo saltar de la cama. Nos despertó a todos, agarró como loco a Ocampo y si no se lo quitamos, lo ahorca; quién sabe qué se estaría soñando".

Cuenta Miguel Lozano: "Gabo era un tipo de grandes contrastes, a veces se le notaba como ido, divagante, desconectado, y triste, callado y taciturno y en otras ocasiones era dicharachero, 'mamagallista', alegre, cantaba, era entrador. Al llegar o terminar las vacaciones, vivíamos una sola parranda en el viaje de ida o de regreso a Zipaquirá. De regreso, él salía de Sucre, navegaba por el río San Jorge y luego por el Magdalena, hasta La Dorada; y desde allí pasábamos a Puerto Salgar, donde tomábamos el tren hasta Bogotá y después tomábamos otro tren que nos llevaba a la estación del ferrocarril en Zipaquirá, que quedaba como a mil kilómetros de la Costa. Decían que el Ferrocarril desarrolló a Zipaquirá; la verdad es que era el medio de transporte más apreciado por quienes vivíamos allí y por quienes visitaban la ciudad; nosotros viajábamos siempre en tren, no en bus.

"A mí me gustaba tanto esa estación y el tema del transporte, que hasta me aprendí la historia de la carrilera y de la carretera a Zipaquirá. Había un camino real que se llamaba 'La Alameda Vieja', de Santafé, que unía a Bogotá con 'La Calleja', abajo de Usaquén, y el teniente general y Caballero de la Orden de Santiago, Virrey Antonio Amar y Borbón, decidió extender la vía hasta Zipaquirá.

"A finales del siglo XIX, el tren comunicó a Bogotá y Zipaquirá; tenía seis locomotoras de 20 toneladas; 16 vagones de pasajeros y 50 para carga, en los que se transportaba la sal y el ganado".

Así como sucedió en Aracataca con el Gobernador de Bolívar; en abril de 1919, el de Cundinamarca ordenó establecer Colonias Penales; los presos fueron destinados a reparar y conservar los caminos y a la apertura de nuevas vías. A la Colonia Penal del Norte, compuesta por 100 prisioneros le encomendaron la reparación y construcción de los caminos de la provincia de Zipaquirá y el mantenimiento de la carrilera del tren.

Otro liceísta que se aprendió la historia de la Estación, fue Orlando Pió Noya, quien cuenta: "En 1927, trece años antes de que llegáramos allí, inauguraron la segunda estación, que nosotros frecuentábamos y que le gustaba mucho a Gabo, que también se volvió 'buen cliente de ella'. Tanto, que en lugar de irse a jugar billar a otro sitio, se metía al que había diagonal a esa estación, y como hacíamos todos los del Liceo, entraba a ella, porque era un punto alegre donde siempre había música y gente muy querida".

El pito de la locomotora y las campanadas de ese edificio, animaban la charla de quienes iban allí para hacer visita, tomarse un café, chismosear o pasar un rato agradable, disfrutando de la llegada de amigos o conocidos, o simplemente, porque la estación era un estupendo "tertuliadero", al que iban las niñas más bonitas de Zipaquirá con sus familiares.

Jorge Fajardo, "Fachardini", concluye: "Ya integrado con sus compañeros costeños, Gabo solía caminar las calles, iba a jugar billar, a bailes, a tertulias, a pasear o a hacer visitas a la gente que le brindó su amistad y su solidaridad; lo que en muchos casos generó un arraigo cariñoso a muchos internos venidos de todos los departamentos, que ciertamente disfrutaron del ambiente en el Liceo, de la tranquilidad y de la acogedora ciudad que fue Zipaquirá".

Con el paso de los días, aparte de "El Ciego" Isidro, que le cargó el baúl y el colchón desde la estación del tren hasta el Liceo, Gabriel García Márquez se fue familiarizando con los personajes típicos de Zipaquirá, pues tuvo trato directo con algunos de ellos.

Según Jaime Ariza, "con Gabo comprábamos los deliciosos turrones o melcochas, en 'La Turronería' de doña Natalia Triana, y nos turnábamos para venderlos, ganándonos unos centavos para ayudas de la excursión de sexto. Y montamos presentaciones en el teatro Mac Douall, que era muy bello, donde actuaban Gabo, Palencia, Anaya y Ruiz. Yo tocaba violín; nos dirigía el Maestro Guillermo Quevedo; allí el personaje famoso era 'Pachochuguas' un hombre bajito, rechoncho, con los ojos brotados, que era asistente del teatro".

Gabito y las golosinas de la tienda de doña Enriqueta

Álvaro Ruiz contaba: "A Gabito le encantaban las golosinas de la tienda de doña Enriqueta, quien nos fiaba panelitas, 'cocadas de coco', chulitos de chocolate, coquetas de panela, panochas de arequipe, y almojábanas. Mire, Zipaquirá era "La ciudad de la Sal", pero a la vez era la ciudad del dulce".

La tienda de Enriqueta quedaba frente a nuestra casa, en uno de los locales del primer piso de la inmensa casona de la bella Emita García, una mujer madura que era muy atractiva y que le gustaba tanto a los mayores, como a los estudiantes del Liceo, pero que prefirió quedarse solterona. A todos los zipaquireños nos gustaban los dulces y las golosinas que vendía Enriqueta, pero yo creo que el mejor cliente que tuvo ella, fue mi hermano Germán, a quien le encantaban las bolitas de guayaba y el arroz de leche que ella hacía.

Otros personajes típicos de Zipaquirá eran, doña Matilde Pinilla, la dueña de "Las Onces", el "templo del caramelo zipaquireño", donde los bogotanos y los locales, hacíamos cola los sábados y los domingos para comprar caramelo, postre de nata y cien dulces más. Según Consuelo Quevedo y Álvaro Ruiz, "ese era otro de los sitios preferidos por Gabo, cuando lo invitaban a 'galguear', especialmente los sábados".

"Misiá" Ana Francisca era otro personaje típico que vendía postres y dulces; ella tenía su dulcería frente al patio de atrás del Liceo; siempre vestía de negro; se peinaba haciéndose una carrera por la mitad y se templaba el pelo a los lados. "Ella también nos fiaba a Gabo, a Guillén, a Ariza y a mí (dice Ruiz), y anotaba las deudas en un cuaderno que tachaba cuando le pagábamos. Tenía dos perdices en su dulcería, donde las golosinas eran: coquetas, marquesitas de arequipe, roscones, turrones, bombones, barras de caramelo, obleas de arequipe y de mora, mantecadas, chulitos de chocolate, empacados en papel manila; bolas y panelitas de leche de cabra".

Ruiz Torres, agrega: "Otros personajes típicos zipaquireños que conocimos con Gabo, fueron: 'La Tuerta' Teresa, quien cargaba bultos en la plaza de mercado; 'La Coja Pacha', a quien le faltaba el pie derecho y tenía una prótesis de palo; 'Matachín', quien manejaba la 'vacaloca', en la plazuela de Zapata, durante la celebración de la fiesta del 3 de agosto, o de la Navidad; él impregnada de petróleo

Patio de "atrás" del Liceo; al fondo se ve la puerta por donde llegaban las dotaciones, los alimentos y el carbón; frente a ella estaba la tienda de "Misiá" Ana Francisca.

las estopas que le ponían a los cachos de ese animal, que era de 'pura candela' fiestera".

Y remata, diciendo: "Y también conocimos a 'Paulita', quien nos veía y se levantaba las naguas y nos decía que éramos sus novios; a ella, los chinos la molestaban gritándole, 'Vieja chuchumeca, cabeza de muñeca'. Y también recuerdo a Omaira, una joven política popular, liberal, que de vez en cuando iba a la puerta del Liceo a tratar de convencernos de que asistiéramos a sus manifestaciones".

Capítulo 12

Gabo por el río Magdalena a Zipaquirá, 406 años después de Jiménez de Quesada

Uno de los temas recurrentes de Gabriel García Márquez que se le volvió una obsesión ante sus compañeros de colegio, fue su gran primer viaje por vapor de la Costa a la Dorada y luego por tren a Bogotá. Historia que él repitió muchas veces a sus amigos, impactado por esa aventura. Su fiel compañero de juventud, Álvaro Ruiz Torres, aseguraba: "Gabito convirtió en un verdadero mito su navegación por el río Magdalena, y cada vez que podía nos repetía la historia".

Lo cierto del asunto es que Gabriel García Márquez, navegó por el Rio Grande de la Magdalena desde la Costa Caribe y luego "conquistó" a Zipaquirá, como lo hizo Gonzalo Jiménez de Quesada 406 años antes, sin que ninguno de los dos hubiera pensado siquiera arribar a ese destino. Los dos llegaron por casualidad a Zipaquirá, y se convirtieron en parte de su historia.

Gabo repitió ese trayecto, de ida y de de regreso, varias veces, años tras año, en época de vacaciones. Por eso no resulta raro que García Márquez nombre insistentemente en su obra literaria al "Río Grande de la Magdalena", cuyo caudal aumentan casi mil arroyos, quebradas, y otros muchos ríos durante su recorrido por más de media Colombia.

El "Río Grande de La Magdalena" al que los indígenas habían llamado "Guaca", "Guacahayo", "Arli" "Yuma" "Caricaña", "Karacalí"; fue descubierto y bautizado así por el conquistador español, Rodrigo de Bastidas, en honor a María Magdalena.

La reiterada evocación que Gabo hace del Magdalena, arteria fluvial que llegó a conocer como la palma de su mano tras contemplarlo durante muchos días, cada vez que lo recorrió rumbo a Zipaquirá, o de regreso a su tierra, en un vapor, en tren o viéndolo desde un avión; para García Márquez, el Magdalena ejercía un efecto casi mágico. Se convirtió en algo de su propiedad mental. Por este caudaloso y mítico río también navegaron indígenas, realistas, virreyes, científicos, patriotas e infinidad de personajes, pero muy pocos lo conocieron tanto como "El Adelantado" don Gonzalo Jiménez de Quesada, y "el señor de Aracataca", Gabriel García Márquez, quien casi se aprende de memoria los sitios del río por donde pasaba el vapor, y los del borde de la carrilera.

Él recorría el río arriba, por lo menos dos veces al año, para luego llegar en tren, desde Puerto Salgar a Bogotá y Zipaquirá; o en la vía contraria, para salir de ahí, en la época de vacaciones. Se conocía palmo a palmo los 88 kilómetros que separan a Salgar, de Barranquilla; y están impresos en sus pupilas los bellos ocasos, los amaneceres, o los atardeceres "con sol de los venados, incorporado"; los paisajes exóticos con árboles y flores irrepetibles por el hombre; y por cultivos de toda índole.

Cuando el barco se detenía en cada puerto a recibir y entregar correo, como el que su abuelo, el coronel Nicolás Ricardo Márquez Mejía esperaba cada semana, Gabo descendía para conocerlo, con sus "compañeros costeños de viaje", o mejor de fiesta, porque eso era lo que parecía. El ritual de bajar a cada destino de la carga o de las cartas, se repetía durante los ocho o más días de navegación, dependiendo del estado del río, y de las dificultades que se le presentaban al vapor.

Gabo ya sabía en su último viaje de 1946, los puertos que había sobre la ribera del "Río Grande de La Magdalena", que eran anunciados, en caso de dirigirse a la Costa, luego de embarcar en Puerto Salgar, así: "Remolino del Toro", "Caño de Sila", "Guacamayal", "Tacamocho", "Boca de Perico", "Tapoa", "Papayal", "Boca Simaña", "Gamarra", "Paña Paña", "La Sonsona", "Puerto Wilches", "Barrancabermeja", "Puerto Berrío", "Chorro Mico", "Piedra Linda", "Soplaviento", "Palagua", "Caimital", "La Dominga"... Hasta cuando el pito del vapor se volvía persistente, porque había llegado a su destino final: Barranquilla.

Álvaro Ruiz Torres, cuenta: "Recuerdo como si fuera ayer el revuelo que se armó en el Liceo por los dos primeros viajes de Gabito en avión, en marzo de 1946, cuando llegó a Zipaquirá con José Palencia, y luego en julio. Emocionado, nos contó con mucho entusiasmo sus viajes en avión. Y estuvo repitiéndonos sobre esa experiencia, por ahí unos dos meses más. Estaba impactado y lo que más repetía era sobre lo bello que se veía el río Magdalena que tanto lo cautivaba y sobre el que había leído mucho. Y con orgullo, decía que él ya lo había navegado tantas veces, que lo conocía mejor que nadie, que parte de la historia colombiana descansaba en él. Y cada vez que nos hablaba de sus vuelos en avión, repetía: "A mí me da 'culillo' montar en avión, me pongo muy nervioso".

El 6 de abril de 1536, 406 años antes de los viajes de Gabo por el río Magdalena, el Adelantado y Gobernador de Santa Marta, Pedro Fernández De Lugo, quien acababa de llegar a esa ciudad, nombró como teniente general al licenciado de 36 años, don Gonzalo Jiménez de Quesada y le encomendó dirigir una expedición para descubrir el nacimiento del "Río Grande de la Magdalena", pues se creía que era el camino al Mar del Sur, a Perú y al tesoro del Dorado. El conquistador español partió de Santa Marta con 850 soldados, en un viaje que terminó siendo una de las mayores aventuras en la historia de la conquista del Nuevo Mundo.

La expedición se dividió en dos contingentes: uno con 600 hombres, al mando de don Gonzalo, avanzaría por tierra, y el otro, dirigido por Diego de Urbino, con 250 soldados, navegaría por el río en cuatro embarcaciones. Se planeó que luego de las expediciones se encontrarían en el sitio "Tora de las Barrancas Bermejas". Quienes tomaron el río, naufragaron; y Jiménez de Quesada y sus hombres se extraviaron, pero luego de reorientarse, llegaron a Tamalameque.

García Márquez en su obra, *El amor en los tiempos del cólera*, publicada en 1985, cuenta que Dios escogió las orillas del Gran Río, precisamente en Tamalameque, para colocar allí el manatí que creó para que despertara de su sueño profundo a Fermina Daza, la esposa de Juvenal Urbino; tocayo de apellido de Diego de Urbino, quien dirigió la expedición de Jiménez de Quesada por el Magdalena. Gabo dice que cuando Fermina despertó, allí, junto al río, "descubrió que las rosas olían más que antes, que los pájaros cantaban al amanecer, mucho mejor que antes".

Tamalameque fue fundada por Lorenzo Martín, el 29 de septiembre de 1544; inicialmente fue un pueblo indígena donde reinaba el cacique Tamalaguataca, gobernante de la región Chimila. Está situado en el sur del departamento del Cesar, a un kilómetro de la margen derecha del río Magdalena; dista cuatro horas de Valledupar y cinco de Bucaramanga, por carretera y limita hoy con los municipios de Chimichagua, Pailitas, Pelaya, La Gloria, y con los departamentos de Bolívar y Magdalena.

Los indios chimilas, emparentados con los arahuacos y con fama de guerreros, fueron conquistados por los caribes, quienes les impusieron parte de su cultura. Ocuparon el valle del norte del departamento del Magdalena y las faldas suroeste de la Sierra Nevada y el río Magdalena.

Aracataca, patria chica de García Márquez, tiene origen como población en 1851, y fue elevada a municipio en 1915; su nombre viene de dos vocablos indígenas Chimilas, "ara" (río de agua clara) y "Cataca" (cacique de la tribu); su teritorio actual fue poblado por estos indios, cuyo remoto pasado inmortaliza García Márquez en sus memorias.

Cuando Jiménez de Quesada atravesó en abril de 1536 el territorio Chimila, aún no existía Aracataca, donde habría de nacer Gabriel García Márquez 391 años después.

Volviendo al tema, cuando "El Adelantado" don Gonzalo estaba en Tamalameque, supo de la ayuda que le estaba enviando el Gobernador de Santa Marta para reemplazar las naves y los hombres que había perdido. Fernández de Lugo murió allí, pocos días después.

De Tamalameque, Jiménez de Quesada y sus soldados fueron hasta Sompallón, (hoy El Banco), distante "cien leguas" de Santa Marta y de allí prosiguieron su rumbo a la Tora, por el río Opón. Don Gonzalo, como muchos de los sobrevivientes, estaba muy enfermo, pero por su valor logró superar su tragedia.

Víctimas de garrapatas, murciélagos y cocodrilos...

Don Gonzalo Jiménez de Quesada, teniente general del Adelantado de Santa Marta don Pedro Fernández de Lugo, quien había salido con 800 soldados de Santa Marta, llegó sólo con 168 al altiplano, los demás murieron. La tragedia española en nuestra tierra, fue grande.

Don Juan de Castellanos, soldado de caballería quien llegó a América con Jiménez de Quesada y terminó de escritor y sacerdote, fue testigo de primera mano de esta odisea plagada de peligros y tragedias, que narra en versos endecasílabos y octavas reales que conforman la obra poética en español con más versos hecho hasta hoy, titulado, *Elegías de Varones Ilustres de Indias,* (Alanis, España 1522-Tunja, Colombia 1607); escrito a finales del siglo XVI, y editado por Eduardo Rivas Moreno, Fundación para la Investigación y la Cultura, de Cali, en el que dice:

> *"Ciénagas, pantanos y lagunas,*
> *pasos inaccesibles y montañas,*
> *cansados de las plagas del camino,*
> *garrapatas, murciélagos, mosquitos,*
> *voraces sierpes, cocodrilos, tigres,*
> *hambres, calamidades y miserias*
> *con otros infortunios que no pueden*
> *bastantemente ser encarecidos".*

Don Gonzalo había dejado el curso del río de La Magdalena, internándose aguas arriba por el río Carare, hasta Torá, en Barrancas Bermejas, (hoy Barrancabermeja), cuando sorprendió a dos indios que venían en sentido opuesto. Estos al ver a los españoles, abandonaron despavoridos su canoa y nadaron hasta la orilla, perdiéndose entre la manigua. Al inspeccionar la embarcación, los conquistadores encontraron los famosos "panes de sal" (niguas), con los que restauraron sus energías.

Luego los volvieron a ver en depósitos que los indios tenían a orillas del río y fue cuando por boca del Indio Pericón, quien hacía de intérprete, don Gonzalo y sus soldados supieron, que la sal provenía de una gran planicie ubicada a gran altura, a la derecha del Río de La Magdalena, y que los indios muiscas (moscas) hacían trueque con esa sal, por oro, esmeraldas, algodón, alimentos y animales, lo que despertó su ambición. Por eso, decidió cambiar su rumbo. Según Fray Pedro de Aguado, "por un pan de sal de 2 o 3 libras, daban a los indios una `chaguala´ de oro, que pesaba seis pesos".

Luego de cambiar su ruta, don Gonzalo y sus hombres se encaminaron a la Serranía del Opón, para luego enrutarse hacia "el reino de la sal", a buscar el oro y las esmeraldas, producto del trueque indígena. La posesión de la sal les había permitido a los indios muiscas una ventaja comercial sobre las demás tribus. Sus minas constituían el tesoro del soberano muisca y su principal recurso fiscal.

García Márquez también cambió de ruta y llegó a La Dorada. Don Juan de Castellanos relató en su libro *Elegía de Varones Ilustres de Indias* lo sucedido, así:

"A tomar la canoa volvió presto
para ver lo que en ella se traía
y sacó todavía del rancheo
algo que respondió con su deseo,
porque llegada más a la barranca
y todas las valijas desplegadas,
hallaron grandes panes de sal blanca
y tres o cuatro mantas coloradas".

Para realizar las operaciones de trueque con sus "panes de sal" (oro blanco) los muiscas viajaban centenares de kilómetros para negociar con otras tribus, entre ellas las de los Panches, Pijaos, y Poínas.

Atraídos por la riqueza de las esmeraldas, el oro y la sal de sus minas, luego de atravesar el Opón desde Chipatá, al lado de Fúquene y penetrar a lo que bautizaron, "Valle de los Alcázares", (hoy Sabana de Bogotá), Jiménez de Quesada y sus tropas llegaron a

Suesca, Nemocón, y Chicaquicha, (nombre indígena de Zipaquirá), que significaba "al pie del cerro del Zipa", donde estos vivían, en el sitio llamado hoy, "Pueblo Viejo", ubicado sobre las minas de sal.

Cuando los españoles arribaban a Zipaquirá, los indios Bacataes y los Hunzanos, se preparaban para reanudar un capítulo más de la larga guerra indígena por el dominio del Imperio Muisca.

Don Gonzalo Jiménez de Quesada, teniente general del Adelantado de Santa Marta don Pedro Fernández de Lugo, llegó a Zipaquirá el miércoles 7 de marzo de 1537, el mismo mes en que, 406 años después, en 1943, llegó a esa tierra, Gabriel García Márquez. Dice don Juan de Castellanos:

"Con esto se partieron en demanda
de Cipaquira que goza de las fuentes
saladas, importante granjería
para los naturales deste pueblo
por acudir allí de todas partes
a comprarles la sal que hacen del agua,
en blancura y sabor aventajaba
a cuantas en la Indias he yo visto.

Ya por aquella parte descubrían
grandes y espaciosísimas planadas,
y en ellas grandiosas poblaciones;
soberbios y vistosos edificios,
mayormente las cercas de señores
con tanta majestad autorizadas,
que parecía, viéndolas de lejos,
todas inexpugnables fortalezas,
y por este respecto nuestra gente
Valle de los Alcázares le puso".

Así, quedan inscritos en la historia del Magdalena y de Zipaquirá, dos grandes que para llegar a Zipaquirá debieron navegar por el Río de La Magdalena; uno, don Gonzalo Jiménez de Quesada, teniente General del Adelantado de Santa Marta don Pedro Fernández de Lugo, a caballo, con un ejército diezmado, y Gabriel José de la Concordia García Márquez, "El señor de Aracataca", en tren, luego de dejar los majestuosos parajes del Magdalena.

"Gracias os doy Señor de los imperios"

El Adelantado don Gonzalo y sus hombres descendieron a la gran Sabana; él y sus soldados bajaron de sus caballos y se hincaron de rodillas sobre la bella y fértil tierra, alabando y dando gracias a Dios. Don Gonzalo se dio la bendición varias veces, y según don Juan de Castellanos, exclamó:

> *"Gracias os doy Señor de los imperios*
> *pues pasamos por aguas y por fuego*
> *para venir a tales refrigerios*
> *donde vulgo bestial, cruel y ciego*
> *oiga nuestros santísimos misterios*
> *y donde desterrada la malicia*
> *de vuestra Santa fe tenga noticia".*

Como Gabriel García Márquez, viajando en el tren, a medida que los conquistadores avanzaban hacia la gran planicie, disfrutaron un paisaje hermoso y una exuberante vegetación de mil verdes, conformada por bosques con infinidad de árboles, arbustos, y otras especies vegetales, como orquídeas sabaneras, quiches, los pinos romerón y monterrey, ají de páramo, alisos, rodamontes, sietecueros, tunas, cedrillos, arrayanes, chicalás, alcaparros, arrayanes, caucho sabanero y Tequendama, chusques, encenillos, laurel de cera, tunos, esmeraldas, tibares, granizos, chaquiros, hojarascos, canelos de páramo; nogal, que era un árbol sagrado para los muiscas y que trataron de exterminar los misioneros, porque "competía con la religión católica".

Desde lo más alto de las montañas que dominaban el panorama de la hoy Sabana de Bogotá, (llamada por el intrépido conquistador, "Valle de los Alcázares"), como Gabito, el Adelantado Jiménez de Quesada y sus hombres, admiraron el fantástico paisaje "regado" de campos cuyo paisaje alternaba con bellos y pintorescos caseríos muiscas y extensos y fértiles sembrados de maíz común (haba); maíz colorado (sasumui, sasami); maíz amarillo (atiba); maíz colorado blando (pochuba); maíz blanco (fuquiepquijiza); quiuna; cubios; ibias; chuguas; papa (iomyomi, iomza, iomi) y otras variedades, como: turma, papa larga (Quiomi); papa morada (Funzaiomi); papa morada por dentro (Boxioimi); papa amarilla (tibaiomi); papa ancha (gazaiomi); papa arenosa (quijisaiomi) y papa pequeña (riche).

Y encontraron animales como las tinguas, dantas, águilas de páramo, guaguas, cóndores, especies únicas de ranas cantarinas durante el día, en quebradas, cascadas y riachuelos; conejos, venados, curíes, varias clases desconocidas de peces, e infinidad de aves desconocidas.

Jiménez de Quesada debió saber, como posiblemente lo sabe hoy Gabriel García Márquez, que en esa tierra que tuvo que ver con sus vidas, (la del conquistador y la del escritor); los indios zipaquireños sobresalieron entre todas las tribus por su rebeldía contra la corona española, por su cultura, por el valor económico de sus minas de sal que fueron el gran tesoro muisca y su gran recurso fiscal que les daba mucho poder, y que además de explotar la sal, los indígenas fabricaban juiches para compactarla; ollas, chorotes, múcuras, tinajas, y otras vasijas de arcilla que canjeaban la sal por esmeraldas (chuecuta, chuecota, guacata); oro (nica, mia, nia, ni, nie); y algodón (quijisa).

Los indígenas muiscas zipaquireños, señores de las salinas, dominaban la economía por la ventaja comercial que esta les daba sobre las demás tribus. Ellos comerciaban los codiciados "panes de sal", responsables de la fundación de Santa Fe de Bogotá, los cuales servían de trueque por esmeraldas, oro, joyas, mantas, cerámicas, telas de algodón, guacamayas y loros (aso), de bellos plumajes a los que "enviaban como intérpretes y mensajeros, a sus dioses, en sus sacrificios religiosos, ya que aprendían a hablar su idioma". Hacían el trueque de productos, a través de caravanas por trochas, despeñaderos, puentes colgantes y caminos empedrados.

Los muiscas, indígenas que habitaron el Altiplano Cundiboyacense, por lo menos desde el siglo VI a.C., hasta la conquista española en el siglo XVI, poblaron Chicaquicha (Zipaquirá). Eran adelantados en medicina botánica. Usaban el azadón, la coa de macana y el sistema de roza; abrían una especie de canales de riego y terrazas en las laderas del Cerro del Zipa por detrás, a la izquierda de "Pueblo Viejo", (muy cerca de donde está hoy la Catedral de Sal), en bohíos o chozas de un gran cercado, en dirección a Pacho. Cuando Zipaquirá fue declarada, "ciudad de Blancos", el centro de la Villa fue cercado por una especie de "muro de Berlín", para que los indígenas muiscas no se mezclaran con los blancos.

Resulta claro que si don Gonzalo Jiménez de Quesada no hubiera descubierto la sal que le hizo cambiar el rumbo de su viaje aventurero por el Río Grande de La Magdalena, para dirigirse al cercado de Chicaquicha, (Zipaquirá), no existiría Bogotá y seguramente la distribución de las ciudades colombianas, sería muy distinta a la actual. Y también resulta claro que si Gabriel García Márquez hubiera recibido una beca para otro colegio y no para el Liceo Nacional de Varones, de Zipaquirá, hubiera seguido siendo poeta, dibujante y caricaturista, pero no escritor ni Nobel de literatura.

La sal continuó siendo un medio de canje durante la Colonia; su importancia era tan grande que durante el reinado de Felipe III, el Virreinato asumió su control a través de cédula Real, en mayo de 1603, con lo cual se creó el primer monopolio en las salinas, que despojó a los indios de sus minas.

Cuando García Márquez llegó a Zipaquirá, encontró cómo de esa misma riqueza que producía la explotación de la sal, tanto el Banco de la República como la Alcaldía de Zipaquirá, destinaban el mayor presupuesto para la cultura en general, y la literatura en particular, razón por la cual la ciudad y el Liceo de Varones eran de verdad centros literarios de magnitud, que llevaron a García Márquez a ser escritor. Es bueno recordar que desde 1950 se realizó en Zipaquirá, mucho antes que en las grandes ciudades colombianas, una Feria del Libro.

Capítulo 13

El Liceo, más que un colegio era una especie de "Universidad Literaria"

Este capítulo ilustra sobre la importancia que en Zipaquirá le daban a la cultura, y muy especialmente a la literatura, no solamente en la época cuando llegó allí el joven 'cataquero' (nacido en Aracataca), Gabriel García Márquez, sino durante toda la historia de la ciudad, en cuyo presupuesto municipal, las actividades intelectuales recibían las más importantes partidas. No en vano hoy se cuentan mucho más de 600 libros escritos por zipaquireños.

El nombre de Liceo, dado a algunos centros educativos a mediados del siglo pasado, entre ellos al de Zipaquirá, corresponde a una Escuela Matemática fundada por Aristóteles en el año 336 a. C. en unos terrenos cercanos al templo de Apolo Licio, por quien recibió el nombre de Liceo.

Como se verá, no es de extrañar la pasión literaria de Gabriel García Márquez, impulsada y estimulada en Zipaquirá por su profesor Carlos Julio Calderón Hermida, Cecilia González Pizano, Manuel Cuello del Río, Álvaro Ruiz Torres, Carlos Martín, Héctor Figueroa, y por el maestro Guilermo Quevedo Z, quien le prestaba libros de su inmensa biblioteca a Gabo. En esa vieja casona donde está hoy el Museo Quevedo Zornoza, de la Fundación Nacional Zipaquirá, FUNZIPA, se conserva la máquina de escribir con la que Gabo hizo sus primeros poemas y prosas.

Los eventos, obras, realizaciones y actos de índole intelectual, que eran de ocurrencia común en Zipaquirá, testimonian su vocación cultural. Allí, las academias de Música, Historia, Pintura, Letras y Artes; el teatro, las veladas y tertulias literarias; los conciertos y recitales; la Ópera y la Zarzuela, ocupaban parte del tiempo de la sociedad zipaquireña, y de los estudiantes.

El historiador Luis Orjuela transcribió en su libro, *Minuta Zipaquireña*, el siguiente texto: "En la villa de Zipaquirá a 14 de julio de 1826, ante mí el Escribano Público y Secretario de la M.I.M. (Muy Ilustre municipalidad) de este Cantón y testigos, parecieron presentes los señores que se suscribirán, vecinos de esta Villa, y dijeron: que deseosos de que en este lugar haya un profesor de música que enseñe a los individuos que a ella tienen afición, han solicitado para este fin al señor Mariano Hortúa, vecino de la capital de Bogotá, en quien concurren las circunstancias necesarias para tal objeto, con las demás que le caracterizan de ser un sujeto de notoria honradez.

Máquina del Maestro Guillermo Quevedo en la que Gabo aprendió a escribir prosa; está hoy en la Casa Museo Quevedo Zornoza.

Se obliga don Mariano a instruirlos indistintamente a cada uno de los discípulos en los instrumentos: violín, flauta, clarinete, piano u órgano".

Sobre el mismo tema, un manuscrito conservado por Consuelo Quevedo Navas, una gran amiga de Gabo con quien cantaba zarzuelas en Zipaquirá; el cual fue escrito por su padre, el Maestro Guillermo Quevedo, dice: "Desde el año de 1826 comenzó a florecer ya escolásticamente el arte musical en la ciudad. Varios vecinos adinerados y comprensivos se asociaron para pagar un profesor de música, el señor Mariano de la Hortúa, para la enseñanza a veinte discípulos".

"El lunes 17 de abril de 1826 llegó a "La ciudad de la Sal", el profesor Hortúa, convirtiéndose en el padre de la música de esta ciudad. En su contrato se establecía que él "podría ausentarse de la ciudad sólo en cuatro oportunidades, pero no pasando de seis días en cada ocasión". Por decreto del general Manuel de Brigard, Gobernador del departamento de Quesada, cuya capital era Zipaquirá, el miércoles 27 de mayo de 1908 se creó allí el Centro de Historia del departamento, correspondiente de la Academia Nacional. En 1938, aquel se transformó en Centro de Historia de Zipaquirá.

La segunda academia fundada en el país, después de la Academia Colombiana de Historia, fue la de Cundinamarca, también en Zipaquirá, la cual fue reconocida como Academia oficial del

Consuelo Quevedo, "La Bella", quien actuaba con Gabriel en obras de teatro y zarzuelas, aquí aparece en una presentación de "El Coro de Los martillos".

Departamento y declarada como "Entidad asesora del gobierno Departamental", atribuyéndosele facultades para la conservación del patrimonio histórico de Cundinamarca.

Zipaquirá también fue una ciudad de periodistas y de periodismo desde el siglo XVII. Allí fueron publicados siempre periódicos y revistas privadas, locales y regionales. Y también hubo publicaciones estudiantiles que eran enviadas a los centros educativos más importantes de Colombia.

Otra influencia importante en la formación intelectual de García Márquez en Zipaquirá, fue su iniciación periodística. El estudiantado del Liceo que solía tratar, tanto en sus tareas como en su exposiciones y ensayos, el estudio de los temas nacionales de importancia, tomaba con seriedad el periodismo.

En los anales zipaquireños de la época del Liceo Nacional de Varones, se quedaron publicaciones como Horizontes, Aires, Ideales, La Voz del Zipa, y otras, que indiscutiblemente fueron ejemplo de un desarrollo intelectual y periodístico que caló profundamente en Gabriel García Márquez. Este, según John Anderson, en "Refriegas Otoñales", dice: "Cuando salí de ahí (del Liceo) yo quería ser periodista, quería escribir novelas y quería hacer algo para lograr una sociedad más justa".

En junio de 1940, los alumnos del Liceo Nacional de Varones editaron la revista literaria, "Horizontes", cuya primera etapa fue hasta tres meses antes de que llegara García Márquez al Liceo, en noviembre de 1942, la cual reapareció en 1947, unos meses después de que él se graduara como bachiller.

En la época de Gabo, Horizontes fue remplazada por la Gaceta Literaria, de la cual él fue Jefe de Redacción. En 1943 circulaban también en "La ciudad de la Sal", los periódicos, La Patria Chica, El Miniatura y El Azote.

El ambiente literario y periodístico del colegio San Luis, que luego se llamó, Liceo Nacional de Varones, de Zipaquirá fue excepcional. En 1898, se publicó allí La Alondra, el primer periódico del colegio. Posteriormente, fue publicada la célebre revista Ideales, cuya última entrega apareció en 1935. Luego fue fundada Horizontes, entre cuyos colaboradores, figuraron nada menos que Rafael Maya, Octavio Amórtegui, Juan Lozano y Lozano, Andrés Pardo Tovar,

Carlos Martín, Eduardo Carranza, Óscar Salazar Chávez, Tomás Vargas Osorio, y Luis B. Ramos.

En el Liceo, claustro metido desde siempre en la cultura, no sólo fueron famosas sus revistas y periódicos, sino además, las veladas, tertulias y sesiones solemnes, a las que asistían Presidentes de la Republica, ministros y connotados intelectuales, lo cual es clara muestra de su importancia.

Como ejemplo, transcribo unas líneas editoriales de la revista Horizontes, editada en marzo de 1947, sobre un viaje de Germán Arciniegas al Liceo, a finales de 1946, poco antes de que se graduara Gabo: "A finales del año pasado visitó nuestro Liceo, el ministro de Educación Nacional, don Germán Arciniegas. Su visita no fue solamente la del alto funcionario que cumple un deber y que tiene en sus manos el poder de reformar y de innovar, sino también la del ágil periodista, la del fecundo escritor, la del profesor de Sociología Americana, la del hombre sencillo, autor de varios libros muy conocidos y justamente elogiados en toda Iberoamérica".

Como dije antes, al Liceo también llegaron varios presidentes de la República y otros personajes destacados, como: Eduardo Santos, Alberto Lleras Camargo, Jorge Eliécer Gaitán, Alfonso Araújo, Eduardo Carranza, Jorge Rojas, Fidel Cano, Abelardo Forero Benavides, y varios ministros de Educación, lo cual resultó estimulante para los estudiantes y los profesores.

Según Miguel Lozano, "Manuel Mejía, creador y director de la revista Horizonte, supo ganarse el aprecio de la ciudadanía zipaquireña; de los alumnos y de los profesores del Liceo, hasta el punto de que recibió autorización para tener unos pequeños terneros en el campo de deportes; los animalitos se convirtieron en mascotas de los estudiantes. Al graduarse, Manuel, ofreció un almuerzo con la carne de su ternero más robusto".

Gabo vecino de la mansión del Presidente Santiago Pérez

Gabo vivió en Zipaquirá un "exilio" voluntario, precisamente en la casa diagonal a la mansión que habitó el Presidente zipaquireño Santiago Pérez, quien en 1885 no apoyó la revolución de los radicales contra la Regeneración, prefiriendo salir del país con su esposa, (también zipaquireña) doña Tadea Triana, y sus hijos Santiago, Paulina, Eduardo y Amelia, asilándose en Nueva York. Allí ejerció como abogado y periodista. En 1888 la Sociedad Literaria Hispanoamericana le rindió un homenaje, ofrecido por el cubano José Martí, quien destacó la obra de este insigne político y humanista, a quien señaló como un "gran Maestro, que es ejemplo para el magisterio hispanoamericano".

Santiago Pérez Manosalbas, tenía 39 años de edad cuando fue elegido Presidente de los Estados Unidos de Colombia, en 1874. El basó su programa presidencial en "la instrucción, la moralidad y la riqueza como factores de la República". Su principal obra de gobierno fue la educación: fortaleció las escuelas normales para la formación de maestros, construyó numerosas escuelas primarias y consolidó la Universidad Nacional.

Es posible que Gabriel García Márquez, vecino de la casa de Santiago Pérez, no haya sabido mucho sobre ese ilustre vecino de casa, de otro tiempo sobre quien dijo el Presidente Carlos Lleras Restrepo: "En la galería ilustre de los próceres, se destaca inconfundible la figura noble de Santiago Pérez. Ni la inteligencia política de algunos de sus contemporáneos, ni la gloria militar que acompañó a otros, pueden disputar la primacía a este varón que fue, ante todo, la conciencia moral y la personificación de una doctrina". Y Fidel Cano, director de El Espectador escribió en 1905: "Santiago Pérez ha sido respetado por sus virtudes intelectuales y morales. Poeta lírico, dramaturgo, escritor didáctico, narrador, autor de novelas cortas, periodista, excelso educador, legislador, diplomático, ministro de Estado, líder de partido, jefe de la Nación: todo esto ha sido Santiago Pérez, y todo con lustre propio y con gloria para la Patria".

Pérez, otro ejemplo de esa rebeldía zipaquireña que influyó mucho en la formación de izquierda de Gabriel García Márquez, combatió los gobiernos de Rafael Núñez y del vicepresidente Miguel Antonio Caro, quien lo desterró del país en agosto de 1893 al considerar, "muy peligrosa su oposición para la seguridad del Estado".

El presidente Santiago Pérez murió en París el 5 de agosto de 1900. Su vida fue ejemplarmente honesta y él considerado como uno de los grandes estadistas colombianos del "Olimpo Radical";

Desde el balcón del Liceo, al fondo a la izquierda, la que fue residencia del Presidente Santiago Pérez.

lo llamaron "El Presidente educador"; "el humanista de la colombianidad" y el "Estadista de la paz y de la conciliación".

Volviendo a Gabo y al Liceo, Álvaro Ruiz Torres, cuenta: "Todos los exalumnos recordamos con profundo sentimiento los momentos difíciles y también las horas agradables que disfrutamos allí en el Liceo durante los años que convivimos alegremente con Gabriel García Márquez. Zipaquirá era una ciudad de gente culta donde lo normal era que los habitantes respondieran con particular gentileza y espíritu ciudadano a cualquier pregunta que uno les hacía".

Era un centro de investigación, se caracterizaba porque en él, se realizaban tareas, con base en dibujos, libros, plantas, minerales, mapas, etc. El Liceo mantuvo el ideal de la Academia: la vida en común para cultivar el conocimiento. Alcanzó a tener dos mil alumnos que se preocupaban de la política, pero como tema de investigación.

El Liceo terminó en 529 de la era cristiana, cuando el emperador Justiniano de Bizancio, ordenó cerrar todas las escuelas filosóficas de Atenas.

La casona colonial española del Liceo Nacional de Varones fue construida en 1782. Como propietario de ella figura en 1802 el acaudalado Alcalde y Alférez Real de Zipaquirá, Juan Salvador Algarra. La casa ha sido casi siempre sede de centros educativos. No fue nunca un convento como a veces se dijo, pero sí un cuartel de milicias, y tiene una importante historia, por albergar al mejor colegio de Colombia, reconocido históricamente.

La casona es una inmensa construcción que ocupa media manzana, situada en la esquina de la calle Séptima con carrera Octava, donde estudió García Márquez, había unos 260 alumnos, de los cuales aproximadamente 100 eran internos, venidos de regiones de Colombia, como: Boyacá, Santander, Nariño, San Andrés, Valle, Cundinamarca, Chocó, Magdalena, Bolívar, Antioquia; la mayoría provenía de la Costa Caribe; entre estos y los externos había una especie de rivalidad pacífica, algo así como una competencia regional entre costeños y cachacos.

En el Liceo había estudiantes de Zipaquirá, y otros que procedían de Bogotá, Chaparral, Sesquilé, Aracataca, Caparrapí, Pasca, Facatativá, Albán, Cisneros, Sucre (Bolívar), El Banco, Sincelejo, Santa Marta, Quibdó, Fresno, Valle de Tensa, Armero, Pasto, Condoto, Guapí, Cali, Quetame, Barranquila, Sampués, Cartagena, El Banco... Y también uno de la Isla de San Andrés, llamado Manuel Palacios, quien no asistía a las clases de inglés, porque era su lengua materna, y tampoco a las de religión, pues no era católico. En el Liceo estudiaban también, unos jóvenes venezolanos.

En 1943, estando Gabo en tercero de bachillerato, eran 28 alumnos; al año siguiente, en cuarto, hubo 26, dos estudiantes menos, y en 1946, año en que se graduó, fueron con él 25 bachilleres. Desde cuando García Márquez entró a tercero, hasta cuando terminó Sexto, fue siempre en orden alfabético, el alumno número doce de la lista.

En ese claustro, siendo colegio o Liceo hubo siempre connotados educadores y pedagogos, como: don José Joaquín Casas; don Lorenzo María Lleras, el poeta Carlos Martín; don Carlos Julio Calderón Hermida, los Maestros Rogelio Erazo, Guillermo Quevedo Zornoza; el zipaquireño Belisario Peña, catalogado como el máximo poeta místico de Colombia; los intelectuales Luis Tomás, Luis J. Fallon y otros más.

En la casona donde estuvo el Liceo Nacional de Varones de Zipaquirá, estudiaron antes, en, y después de Gabriel García Márquez, una serie de alumnos que con el tiempo han sido personalidades en sus distintas profesiones; entre ellos: Daniel Arango Jaramillo, (ex-ministro de Educación); los brillantes juristas Fernando Hinestrosa Daza y Eduardo Umaña Luna; los poetas Jorge Bustamante García, Carlos Cortés Lee; los escritores Belisario Peña, Manuel José Cárdenas, Carlos Medellín Forero, Germán Castro Caycedo; el Superintendente Nacional de Cooperativas Mario Ortiz De la Roche; el compositor y escritor Guillermo Quevedo Zornoza; el médico Édgar Rey Sanabria (creador del método Madre Canguro); el decano del periodismo deportivo, Humberto Jaimes; los exministros de Defensa, Comunicaciones y Trabajo, general Miguel Vega Uribe, Edmundo López Gómez y Óscar Salazar Chávez; el médico Armando López; los congresistas Gustavo Petro, Alfonso Angarita Baracaldo, José Fernando Castro Caycedo y Everth Bustamante García; el ex-gobernador de Cundinamarca, Francisco Plata Bermúdez; el ex-gobernador del Chocó Miguel Lozano, y claro, el Premio Nobel Gabriel García Márquez.

El senador Gustavo Petro, le contó a la periodista de El Espectador, Cecilia Orozco Tascón: "Yo estudiaba en el Liceo Nacional donde también lo hizo, Gabriel García Márquez; y precisamente, leyéndolo a él, reconocí mi propio pueblo, mis raíces costeñas, y también encontré las ideas de izquierda".

La historia del Liceo Nacional de Varones, el mejor de Colombia

Este centro educativo se caracterizó, desde su creación, porque allí se le daba preponderancia a la literatura. La casona colonial española está ubicada diagonal a la casa donde vivieron, el presidente Santiago Pérez y el ex-ministro, don Jorge Holguín, y donde solía pasar temporadas el general Rafael Reyes.

Era tal la importancia del colegio que el Presidente Santiago Pérez solía asistir con algunos de sus ministros y altos funcionarios a los actos de graduación de los bachilleres de ese colegio; costumbre que retomó algún tiempo después el Presidente Alberto Lleras Camargo, que tenía familia allí.

La casa pasó en 1887 a manos del párroco de Zipaquirá, Presbítero Uldarico Camacho, el primer rector del colegio San Luis, fundado el 23 de enero de ese año, y permaneció como tal, hasta 1895.

En enero de 1890, el gobierno dictó un decreto que le dio al colegio carácter de oficial, y desde entonces se le llamó Nacional. En 1895 a causa de la guerra civil, el colegio fue clausurado y sus aulas convertidas en cuarteles del ejército. En abril de 1896 fue reabierto y nombraron rector a don José Joaquín Casas.

El 11 de mayo de ese año fueron reanudadas las clases con una sesión solemne a la que concurrieron entre otras personalidades: Monseñor Rafael María Carrasquilla, ministro de Instrucción Pública; Monseñor Enrique Sibilia, encargado de negocios del Papa León XXIII, y el famoso hombre público, don Jorge Holguín, quien durante muchos años vivió frente a esa institución educativa zipaquireña. El doctor Casas fue rector hasta 1899, cuando por la Guerra de los Mil Días muchos estudiantes empuñaron las armas, por lo que el colegio fue cerrado y convertido en cuartel de milicias y en caballeriza.

Tras ser sede de los colegios San Luis Gonzaga, Lorenzo María Lleras y León XIII, y de nuevo San Luis Gonzaga, en 1936 el gobierno lo llamó Liceo Nacional de Varones. Felipe Ruán, doctor en Filosofía y Letras fue nombrado rector; a él le correspondió la organización de este plantel. Finalmente, el Liceo se trasladó al edificio construido en su antiguo campo de deportes, y entonces se le llamó, Liceo Nacional de la Salle.

La antigua casona del Liceo fue luego sede del Liceo Nacional Femenino, y últimamente de los centros educativos Antonio Santos, Santiago Pérez y Gabriela Mistral. Finalmente, en agosto de 2009, fue instalado allí el Centro Cultural de Zipaquirá.

Miguel Ángel Lozano, compañero de estudio de Gabo, anota que, "ningún colegio en Colombia tenía en esa época un nivel pedagógico y cultural tan elevado como el del Liceo Nacional de Zipaquirá, por lo cual los profesores que se trasladaban allí sentían como un reconocimiento, casi un premio, ser destinados al Liceo. La cultura general, la música, la literatura, eran las materias consentidas allí".

Según el escritor Carlos Arroyo, "García Márquez se veía obligado a sacar buenas notas en Zipaquirá, para poder conservar su beca, ya que no quería volver a su casa, pues se sentía muy bien por fuera de ella". Hay que recordar que García Márquez tenía muchos hermanos y una débil relación con su padre, y fue entonces cuando entendió que la solución de irse de su casa era doble: para él mismo y para su familia.

Hernando Forero Caballero, expresa: "Cuando llegaban los exámenes, iban a Zipaquirá algunos profesores del ministerio de Educación a cuidarlos. Gabo en esa época solía decirme, "Forerito, présteme el libro de historia, (o de la materia que fuera); y entonces lo leía en el patio, y siempre lograba buenos exámenes. Por otra parte, Gabo se destacaba por pintar monos, con el lápiz, sin levantar la mano; pintaba parecido a los dibujos de la serie 'Pobre Diablo', que en esa época publicaba la Editorial Zigzag. Él demostraba mucho talento como dibujante y caricaturista".

Según Álvaro Ruiz Torres, "el frío no sólo ponía a leer a Gabito sino que también hacía que tuviera que ir seguido al baño, porque le producía ganas de orinar. Gabo era serio en clase, atendía, preguntaba frecuentemente; era un interno 'con vía libre'. Todos teníamos una disciplina fija, pero él hacía casi lo que quería; los profesores lo apreciaban mucho. El encierro propio de un internado, le sirvió mucho; en su enclaustramiento prefirió la biblioteca que hacer ejercicios, para eso era 'muy gallina'. Y además, el ambiente cultural y literario de Zipaquirá invitaba a leer, a escribir, al teatro, a la poesía".

En el segundo piso del Liceo, había un balcón largo que daba a la calle, diagonal a la cárcel, engalanado con materas de geranios, orquídeas, y begonias. En ese piso, por dentro de la casona, estaban las habitaciones del rector y el vice-rector; la enfermería, la peluquería, los laboratorios de física y química, unos salones, los dormitorios de los menores, los mayores y otro para pocos estudiantes especiales, y la biblioteca, que quedaba sobre el comedor, donde había dos mesas grandes, y desde donde, levantando un listón del tablado, quedaba un hueco por el cual algunos estudiantes, incluyendo a Gabriel, bajaban con un cable un canasto pequeño que era recibido abajo por un mesero que era afeminado pero respetuoso con los estudiantes, quien lo llenaba de panes, bocadillos y otra cosas. Y entonces, luego de una señal de este empleado, desde la biblioteca elevaban la cuerda con el canasto rebosante de alimentos y galguerías.

Los salones del Liceo tenían gruesas paredes pintadas de blanco, con cal, y ventanas verde esmeralda (colonial), desde las cuales se apreciaban otras construcciones de estilo español, con vistosos zócalos. Y, al frente la casa de "la Manquita" Cecilia González y desde donde también, desde dos distintos ángulos, se veían las cúpulas del Palacio de Salinas, la Catedral Mayor, y el Cerro del Zipa.

Miguel Ángel Lozano, cuenta: "Una característica fundamental del Liceo fue la alta calidad profesoral del cuerpo docente. Varios de sus educadores eran marxistas o de izquierda, bien formados en la Normal Superior. El Ministerio de Educación los 'desterraba' a Zipaquirá o a Chiquinquirá, para que no 'contaminaran' a los jóvenes de la capital. Cada profesor era un excelente pedagogo y una autoridad profesional en la materia que dictaba".

Alfredo García Romero, a quien llamaban, "El camarada" (porque él le decía a todos sus compañeros así), nació en Sampués. García Romero cuenta: "Yo estuve enamorado de una bella niña parecida a Shakira, que se llamaba Alix Afanador; su padre trabajaba

Torres de la Catedral Mayor donde repicaban las campanas llamadas "Las Marías", vistas desde el dormitorio pequeño. A fondo, el Cerro del Zipa, que alberga en sus entrañas la mina y la Catedral subterránea de sal, a 180 metros de profundidad.

en las Salinas. Tenía unos ojos lindos; fue novia de Rafael Arnedo (quien era mucho mayor que ella), a quien Gabriel García Márquez acompañaba a las visitas que le hacía en su casa, que quedaba junto al 'Puente de La Leña'. Así mismo, Arnedo acompañaba a Gabo y amenizaba sus visitas a Berenice Martínez, en la ventana".

Según Eduardo Angulo Flórez, "el profesor de Historia de América, Manuel Cuello del Río, le prestaba a escondidas libros de marxismo a sus alumnos. Él influenció mucho a Gabriel en materia política, como lo hizo en los alumnos el ambiente general del Liceo. Allí vivimos unos aires de pensamiento renovador, dado el alto nivel intelectual de los profesores".

Miguel Ángel Lozano cuenta: "César Morales y Daniel Rozo Jaramillo, ("Pagosio") fueron, con Gabo y Mario Convers, los intelectuales más destacados que yo conocí en el Liceo. Pero el caso de Gabo era especial: llegó a tener tanto peso, que desde 1945, fue encargado por el profesor Calderón Hermida en varias ocasiones, de corregir las tareas de literatura, materia en la que Gabo tuvo una gran influencia del poeta nicaragüense, Rubén Darío".

Y Lozano pregunta: "¿Usted sabía que en el Liceo, había dos bandos? Claro que sí, existía cierta rivalidad social entre los externos y los internos, especialmente con los costeños; no eran enemigos, pero poco se metían unos con otros, claro, había excepciones. ¿Y sabe otra cosa? En cada curso había un Alvarado zipaquireño... Carlos, Augusto, Jorge, Silvano, etc. Todos eran muy amigables; a uno de ellos, a Manuel, le decían cariñosamente 'Mano Negra', apodo que le pusieron porque usaba mucho esas palabras para 'mamarnos gallo' a los estudiantes".

Eduardo Angulo, anota: "Tal vez lo que más le disgustaba a García Márquez en Zipaquirá, era la levantada a las seis menos cuarto de la mañana y tener que bañarse con agua helada y tender la cama, antes de desayunarse".

Cómo era un día normal para García Márquez y los internos

La excelente memoria de Miguel Lozano, sin un solo segundo de titubeo, recuerda cómo era un día en el Liceo: "Como me imagino que el mayor interés de mi relato es que sus lectores sepan lo que pasaba cada día con Gabriel García Márquez, objeto de su libro, pues empecemos: Todos los días 'Riveritos' tocaba por primera vez la campana a las cinco y media de la mañana; y ahí se iniciaba el desfile al baño; los que primero ponían la toalla en el medio muro de las duchas, aseguraba su turno; lo peor era llegar allí tarde, porque la cola hacía que uno prolongara su espera congelada. Hasta que se bañaba el último. Sobra decir que los únicos que gozaban de agua caliente, eran los profesores. Y eso sí le aseguro que el que más protestaba hablando del 'h. p... frío', era Gabo; nadie le ganaba".

Y prosigue: "A las 6 y 30, después de tender las camas, ya estábamos haciendo fila para entrar al comedor a desayunar; sometiéndonos antes a la estricta revisión del rector Alejandro Ramos, que parecía la de un cuartel: zapatos, medias, uñas, pies, peinado, oídos... 'Usted está tostao', decía Ramos y eso quería decir que estaba sucio o no se había bañado bien, o que definitivamente no había ido a las duchas. Si uno estaba 'tostao', debía regresar al dormitorio, desvestirse e ir a bañarse. Cuando él tenía sospechas de que alguien no se había lavado, nos hacía quitar los zapatos, y el que fallara en algo, sólo hasta que estuviera pulcro podía entrar a desayunarse".

"Los que pasábamos la 'revisión', íbamos directo al comedor a desayunar, para lo cual teníamos media hora. El comedor tenía unas mesas largas, como para 30 internos, 15 a cada lado en unas butacas sin espaldar, tal vez para que no nos amañáramos. Los profesores tenían una mesa especial en el comedor; pero afuera, éramos iguales alumnos y profesores: tomábamos juntos y asistíamos los sábados a los mismos bailes. Con ellos también nos comunicábamos en el patio de recreo, después de la comida, cantaban con nosotros, pero siempre, a pesar de esa camaradería, les guardábamos el debido respeto".

Lozano describe la alimentación del colegio, y advierte que, "era muy bien preparada, de muy buena sazón y era abundante. El desayuno era 'Changua' (sopa mitad agua y mitad leche, con un huevo, cebolla, pan, cilantro y queso); otras veces hacían caldo de papa con carne, y siempre una bandeja con un trozo de carne asada o con huevos, una taza con chocolate y dos panes o mogollas. Al entrar al comedor, los puestos estaban listos, las servilletas y los cubiertos colocados. Nos servían la 'changua' o el caldo con un cucharón, de una olla grande que pasaban en un carrito. El rector se paseaba para ver que todo estuviera bien:'joven, tómese eso que lo alimenta bien', le decía al que veía con el plato lleno".

Y continúa recordando: "A las siete y media de la mañana, repicaba de nuevo la campana; y entonces entrábamos a los salones de clase. Gabo a veces se retardaba porque entraba a la biblioteca, o porque estaba escribiendo algo. A las diez y media salíamos de clase, íbamos a los sanitarios y regresábamos al comedor a tomar las "medias nueves", que consistían en una fruta, (mandarina, mango, o banano); un pan, un vaso de leche, café con leche, chocolate o peto (maíz blanco) con panela raspada".

"Regresábamos a clases hasta las doce y cuarto del día, cuando de nuevo repicaba la campana; y entonces salíamos a almorzar. Los almuerzos también eran muy buenos: constaban de distintas sopas; bandeja con carne, pollo o pescado; papa, fríjoles, pasta o arveja; un pedazo de auyama, tajadas de plátano maduro, un vaso de leche, y de postre, bocadillo con queso, panelita de leche, dulce de mora o de breva. En el comedor hacíamos entre nosotros 'intercambio alimenticio': pan, por panela, bocadillos por fruta, etc; o cogíamos lo que dejaban en la mesa algunos compañeros, o los profesores. El más avispado era Roberto Ramírez, 'Mogollita', quien luego revendía lo que tomaba de allí. Los demás lo que hacíamos con frecuencia era intercambiar las frutas y los postres".

Según Miguel Ángel, él le ayudaba a Gabo a corregir la ortografía de sus poemas y sus cuentos, porque, "a pesar de ser un excelente escritor, la ortografía le fallaba. Al terminar el almuerzo teníamos tiempo para ir al dormitorio a descansar unos minutos, o a dejar unos libros y sacar los de la tarde; a caminar en el patio, bañarse los dientes, arreglarse, o a la biblioteca. Y 'Riveritos' como un relojito volvía a tocar la campana a las dos menos cuarto, la cual nos avisaba que ya casi era hora de volver a los salones. Y a las dos en punto entrábamos a clase, de la cual salíamos al nuevo toque de campana, a las cuatro de la tarde. Y entonces tomábamos las onces, que era el refrigerio entre el almuerzo y la comida; constaba de una fruta, un vaso de leche, bocadillo veleño, (que es un postre de guayaba hecho en la ciudad de Vélez) y una mogolla. Y de ahí, directo al campo de deportes que quedaba a seis cuadras del Liceo; íbamos en fila, por cursos, y a veces con la banda de guerra".

"García Márquez, Álvaro Ruiz y Guillermo López Guerra iban allí pero a leer, a hablar de libros, literatura, y poemas, porque eran unos 'troncos' (muy malitos) nulos, para el deporte o la gimnasia; aunque Gabriel jugaba algo de fútbol, pero con pavor porque creía que el balón le iba a pegar muy duro. Ellos se sentaban en el pasto a dialogar hasta las cinco y media de la tarde, cuando 'Míster Perry' el profesor de deportes pitaba y anunciaba el regreso al Liceo, a donde llegábamos e íbamos al baño, caminábamos; hablábamos en el patio, subíamos al dormitorio y hacíamos alguna gestión pendiente", agrega Lozano.

"A las 6 y 30, la campana 'lloraba' de nuevo, para avisar que era la hora de la comida; copiosa por cierto. Entrábamos al comedor donde ya en las mesas estaban puestas los cubiertos, la servilleta, la sopa y un banano. Cuando terminábamos, recogían los platos en un carrito y llegaba otro con el seco: carne o pollo, que en esa época era casi un lujo; arroz, maduro frito y alguna verdura, pasta, torta de mojicón, y al final, dulce de mora, breva, durazno, o arroz de leche. Había un mesero alto, delgado, huesudo, le decíamos 'Maquiavelo'; él nos regalaba panes adicionales, era un buen tipo".

Jaime Bravo cuenta: "A las siete de la noche se iniciaba el descanso en el patio. Prendían el radio con el equipo de sonido, o si no, los del conjunto musical se dedicaban a tocar porros y música costeña; unos se ponían a bailar solos, otros a charlar en los rincones o en la biblioteca; y Gabo, a tocar, cantar; a 'mamarnos gallo' o a darle vueltas al patio 'vueltas conversaditas' con Álvaro Ruiz, conmigo o con cualquier otro, y comentábamos las noticias del día, ya fuera de la Segunda Guerra Mundial, o de política".

Cuenta Miguel Lozano: "Pero antes los internos teníamos que dedicarnos a 'comer galleta', es decir, a deshacer con los dientes los nudos que nuestros compañeros bromistas les habían hecho (al medio día o en los descansos) a las piyamas, en los brazos o en las piernas.

A los pies de la cama cada uno teníamos un baúl donde guardábamos libros, y 'comiso', como arequipe, quesito, almojábanas, o salchichón. O los panes que a veces, a través de una ventana del comedor, sacábamos con palos, como pescando; cuando hacíamos la famosa 'pesca milagrosa' Gabo y otros estudiantes, a veces nos metíamos a la despensa a coger pan de los canastos, alfandoques, bananos o bocadillos".

Según Hernando Forero Caballero, 'los chistosos' de las piyamas, atacaban al medio día, en los descansos, o antes de la comida, y las anudaban de manera 'inmisericorde'. A veces nos demorábamos hasta un cuarto de hora en deshacer los amarradijos. Otras veces, cuando no estaba por ahí el prefecto de Disciplina, hacíamos "guerra" de zapatos y de almohadas. En eso, Gabo era un experto. Una vez le rompieron una ceja a un compañero de un zapatazo, pero cuando el prefecto le preguntó qué le había pasado, el respondió que se había caído".

Jaime Bravo: "El dormitorio del Liceo, blanco, como de hospital"

Jaime Bravo cuenta: "En el Liceo había tres dormitorios en los que todo era blanco; las sábanas, las colchas y las fundas eran igualmente blancas, las paredes, el techo, todo era blanco, mejor dicho, el dormitorio parecía como el de una clínica. Había dos dormitorios, el de los estudiantes menores, o 'el cajón de los pequeños', tenía un largo balcón que daba a la carrera Octava. Al que le decían 'el cajón de los grandes', quedaba después de un corredor, al fondo del segundo piso, a la derecha de unos salones y daba al patio de atrás, donde estaba la cancha de básquet".

Y anota: "El dormitorio pequeño, era destinado a algunos estudiantes especiales, allí fue a dar Gabito cuando lo trasladaron por un tiempo, debido a sus pesadillas que nos mortificaban a todos porque nos despertaba con ellas y con sus gritos lastimeros a todos sus compañeros. Cuando él estaba en el dormitorio grande, su catre de hierro resortado, quedaba al lado del de Mario Charry Solano, novio de Berenice Martínez hasta 1944, año en que este abandonó el Liceo; posteriormente ella 'se ennovió' con Gabo y tuvieron un romance muy bonito, plasmado románticamente en unos bellos poemas que él le hizo".

Según Hernando Forero Caballero, "los dormitorios eran salones largos con dos hileras de camas enfrentadas, que tenían baúles frente a los pies, en los que guardábamos ropa, libros, las cartas de la novia, o "comiso", especialmente los estudiantes de Cundinamarca, Boyacá y Bogotá".

Los dormitorios quedaban sobre la despensa, "a la que algunos estudiantes internos se colaban por el ducto del carbón, para sacar bocadillos, panela, pan, alfandoques y otros alimentos, para calmar el hambre producida por el frío, aunque salían todos tiznados".

En vacaciones de Semana Santa y de mitad de año, a algunos internos que por falta de dinero o por lejanía no iban a sus casas, entre ellos Gabriel García Márquez, les permitían permanecer en el colegio, con una disciplina más suave, menos estricta. Había programas especiales, que casi siempre terminaban en paseos. Iban, por ejemplo, a Pacho; a Talautá, Nemocón, Ubaté, Chiquinquirá o al Líbano, Tolima, donde don Alejandro Ramos había sido rector del colegio nacional.

El ecónomo, Ignacio García, que según Jorge Fajardo, "era gordito, de mejillas coloradas, bajito, de anteojos y de pelo claro", les contrataba un camión que pagaba con el dinero que se ahorraban de las comidas de esos días, y en él llevaban los colchones. Los estudiantes se quedaban en una escuela, o en sitios como la sede del Concejo Municipal, del sitio a donde llegaban, o donde fuera; eran unas agradables aventuras a las que los acompañaba algún profesor.

Alejandro Ramos, quien era estricto, pero amigo de los internos, secundado por Ignacio García, hacían intercambio o canje con otros colegios para el alojamiento de los liceístas durante los paseos. Por eso la tragedia del rector Ramos, conmovió a todos los estudiantes del Liceo y a los zipaquireños.

Luis Ariza relata: "Los sábados o los domingos, cuando no teníamos qué hacer, nos inventábamos algo y hasta terminábamos sobrados de distracciones. Recuerdo que una vez por sugerencia de Álvaro Pachón Rojas, nos fuimos casi todos los internos a conocer "Las Rocas del Abra", a ver las pinturas rupestres de los indios muiscas, primitivos pobladores de la región; fue una experiencia excelente y tuvimos mucho de qué hablar. Gabo, riéndose, y 'mamando gallo', decía que allí los que habían estado pintando, eran los abuelos de los alumnos externos de Zipaquirá".

Según Luis Garabito, "otra costumbre era ir de paseo a Pacho, 'a pata'; caminábamos más de 40 kilómetros, a veces entre barrizales que nos hacían resbalar; esos paseos, los hacíamos sin profesores".

Jaime Bravo, anota: "A don Ignacio, el ecónomo, a quien le decían 'El Viejo', se preocupaba por comprarnos cosas que de verdad nos alimentaran, y que nos gustaban a los internos. Él nos adelantaba la alimentación de los días que duraba el paseo; ese era nuestro fiambre".

"Creyendo que la finca de los abuelos de Álvaro Ruiz era cerca, (cuenta Bravo), una vez decidimos irnos hasta allá, pero nos arrepentimos, porque en realidad era muy lejos, cerca de San Cayetano. Resulta que a mitad de camino, ante la protesta de algunos compañeros, especialmente de García Márquez a quien escuchamos después de que pronunció como mil veces su típico, 'no jodaaa', con tono de protesta, por una excursión que le pareció entonces como un castigo. A Gabo lo vimos calmado, solamente cuando decidieron lanzarse a las aguas del 'Ríonegro'; dado que como buen costeño demostró que era un experto nadador".

Capítulo 14

Los bellos poemas de amor de Gabo en Zipaquirá

Gabriel José de la Concordia García Márquez, Gabo, alternaba la composición de coplas "mamagallistas" con sus dibujos en la revista Juventud, en el colegio San José, de Barranquilla. Pero fue en Zipaquirá, (entre 1943 y 1946), cuando comenzó a escribir bellos poemas "piedracielistas". Allí hizo un mosaico con las excelentes caricaturas que pintó de sus profesores y compañeros de sexto de bachillerato, el cual fue muy bien recibido por todos ellos.

Los poemas "piedracielistas" que compuso durante esos años eran de gran calidad, tanto o mejores que los de sus profesores Carlos Julio Calderón Hermida y Carlos Martín. Entre los poemas de García Márquez que yo logré rescatar, están: "A la niña de los ojos azules", "Llueve", "La muerte de la rosa", "Tercera presencia del amor", "Si alguien llama a tu puerta", "Poema con dos recuerdos", "Soneto matinal a una colegiala ingrávida", "Soneto casi insistente en una noche de serenata", "Drama en tres actos", "Poema desde un caracol", "Elegía a la Marisela-Geografía celeste", "La espiga"... Muchos otros se perdieron, unos que quemó Álvaro Ruiz y otros que también quemó la hermana de Berenice Martínez, una de los jóvenes que más amó García Márquez.

Todo hacía pensar por entonces que Gabriel García Márquez iba a ser un excelente caricaturista, cultor de coplas con humor, o un importante poeta. Pero Carlos Julio Calderón Hermida y "La Manca" Cecilia González Pizano, pensaban diferente, y estaban en lo cierto: el gran futuro de su protegido estaba en la prosa, como se demostró desde cuando antes de estar en cuarto de bachillerato, (en 1944), escribiera y publicara "El instante de un río", en la Gaceta Literaria del "Grupo de los Trece", en el Liceo de Zipaquirá.

Hasta que un día su profesor Carlos Julio Calderón Hermida, (como él mismo declaró a Germán Santamaría en una entrevista para El Tiempo), "le dijo que no, que lo suyo era la prosa, que tenía dormido en su sensibilidad literaria. Que haciendo versos románticos desperdiciaría su inmenso talento para escribir en prosa. Afortunadamente Gabo entendió lo que tenía que hacer, de la mano de Calderón y atento a sus enseñanzas, y estimulado por "La Manquita", Carlos Martín, Álvaro Ruiz Torres y otros personajes alimentados con literatura", que lo ayudaron a madurar literariamente y a cambiar sus bellos y románticos poemas, por su prosa extraordinaria.

Ruiz comenta: "Y así, un buen día escribió su primer cuento que leyó durante la clase de Literatura, sorprendiéndonos a todos. Y luego llegó al calor de la Gaceta Literaria de nuestro Liceo. Fue en 1944 cuando Gabriel escribió su primer trabajo periodístico, y su primera prosa lírica que tituló: "El instante de un río".

Ese año fue cuando realmente surgió el joven escritor, que hasta entonces había sido poeta, con la característica clara de escribir con estilo "piedracielista" y de comenzar a firmar como 'Javier Garcés'.

Conseguí 14 poemas de Gabo, pero no los pude publicar

Por delicadeza y respeto a Gabriel García Márquez el 23 de julio de 2009 hice una solicitud oficial de autorización para proceder a editar esta publicación sobre su vida en Zipaquirá; la cual envié a su agente Literaria, Carmen Balcells, acompañada del resumen del libro.

Bogotá, 23 de julio de 2009

Señora
Carmen Balcells
Barcelona

Admirada Señora Balcells:

Luego de llamarla por recomendación de Margarita Márquez, y de hablar con su asistente, doña Ana Paz, le escribo para informar a Usted mi interés de publicar un libro sobre la vida del Maestro Gabriel García Márquez en Zipaquirá, entre 1943 y 1946, para lo cual atentamente solicito su visto bueno.

Pasaron casi 40 años desde cuando oí hablar por primera vez a mi madre sobre la vida de Gabriel García Márquez en Zipaquirá, donde ella lo conoció. Y durante ese tiempo, mis nexos con la historia de Gabo, fueron un tema recurrente en mi vida. Yo soy periodista, nací en Zipaquirá 50 días antes de que Gabo llegara a esa ciudad; y viví mi infancia a doscientos cincuenta metros del colegio donde él vivió y se educó literariamente durante los cuatro años que él permaneció allí. Y como mis dos hermanos, estudié posteriormente y me gradué de bachiller en el mismo colegio donde Gabo estudió.

Ya desde cuatro décadas atrás, amigos zipaquireños de mi familia, y otros personales míos, quienes estudiaron o se conocieron con Gabriel García Márquez, me hablaron mucho de él. Y la primera entrevista extensa para la TV colombiana, él se la concedió a mi hermano Germán, en marzo de 1977, en la cual le expresó, entre muchas cosas: "Los de mi internado en Zipaquirá son años de mi vida que recuerdo poco".

Eso aumentó mi interés sobre esos años de su historia. En febrero de 1978, Heriberto Fiorillo, un periodista amigo mío y cercano a Gabo, escribió una serie que tituló: "Así vivió García Márquez en Zipaquirá", y en ella expresó tres frases que convirtieron mi interés en este tema, en un verdadero reto. Fiorillo, dijo: "En Zipaquirá nadie sabe qué ocurrió", "hay un inmenso y profundo desconocimiento de todo sobre él". "El plantel de Zipaquirá no contiene de él en sus armarios, más que unos papeles amarillentos y una memoria miope". Y reiteró: "García Márquez casi no recuerda sobre su vida de bachiller".

Entonces me pareció válido dedicarme con algo de "autoridad moral", si se le puede llamar así, a dedicar casi tres años de mi vida a investigar, por cada uno de los cuatro años que Gabriel García Márquez vivió en Zipaquirá.

La investigación abarca desde su llegada allí el 8 de marzo de 1943, y al Liceo Nacional de Varones, (donde había músicos, poetas y escritores, profesores intelectuales y amantes de la literatura), hasta el 12 de diciembre de 1946, cuando se graduó de bachiller. Como usted leerá, yo tuve muy especiales motivos para interesarme en investigar este tema. Ha sido un trabajo extenso, persistente e incansable; con rigor profesional, para redescubrir y rescatar una importante historia casi olvidada. Durante 10 años, viajé más de 150 veces a Zipaquirá, para investigar y obtener información sobre el tema.

La base del libro, que no tiene pretensiones literarias, son testimonios, recopilación de documentos oficiales, consulta a bibliotecas, archivos privados y públicos, y otros documentos; pretende contribuir al rescate de parte de una historia muy importante que estaba refundida, que hacía falta sobre la vida del Nobel, que estaba por ahí, dispersa en muchas memorias y vivencias.

Otra motivación para escribir el libro ha sido recordar a Gabriel García Márquez, para que él y los lectores disfruten las historias amables que cuentan quienes vivieron junto a Gabo años agradables e inolvidables y que lo recuerdan con cariño. Es la historia de un inmortal caminando por las calles de Zipaquirá, donde se enamoró del amor, de la poesía y de la literatura.

El tema García Márquez en Zipaquirá siempre me "persiguió". Sobre él se han escrito algunas cosas; Dasso Saldívar, su mejor biógrafo lo tocó, y el propio Maestro lo recuerda en *Vivir para contarla*, pero aún faltaba mucho. ¿A quién en esas condiciones no le iba a interesar ahondar en esa historia vivida donde nací?

Cuando me casé, residimos con mi esposa en Bogotá, en un edificio donde me convertí en amigo de un médico bonachón: Humberto Guillén Lara, que resultó ser uno de los mejores compañeros de curso de Gabriel García Márquez en Zipaquirá, quien como es de deducir, enriqueció la historia que finalmente se me convirtió en una especie de obligación moral, la cual me llevó a contactar a 83 testigos de la vida de Gabriel García Márquez en el Liceo.

La información obtenida de sus compañeros de curso o de colegio y de amigos, amigas, profesores y familiares de estos, representaron extensos diálogos durante más de 10 años, lo que me permiten pensar que soy la persona que mejor conoce la apasionante vida del Nobel Gabriel García Márquez, entre 1943 y 1946.

El 10 de diciembre de 1982, cuando le fue entregado el Premio Nobel a García Márquez, yo ejercía como director del Instituto Nacional de Radio y Televisión de Colombia, y me correspondió la transmisión de la entrega de ese Premio, lo cual se convirtió en, "mi noche amarga cuando sacaron a Gabo de la TV", como lo tituló el periódico El Tiempo, nota de la que entre otras, envío a Usted en archivo adjunto.

Apasionado por el tema de los años de Gabriel García Márquez en Zipaquirá, el 10 de diciembre de 2002, cuando se cumplieron los 20 años de la entrega del Nobel, siendo asesor del canal de televisión "Cadena 3, Señal Colombia", realicé y dirigí el programa de televisión, "12 Horas Con Gabo", calificado por la prensa como el "Especial cultural de Televisión más extenso en la historia de la televisión colombiana", del cual le envío una copia. Esta inmensa emisión que se ocupó exclusivamente sobre la historia de Gabriel García Márquez, se inició a las 12 del día y terminó a las 12 de la noche. Tuvo varias transmisiones remotas en directo, entre ellas, una desde el Museo Quevedo Zornoza de Zipaquirá, y otra desde el patio del colegio Nacional de Varones, donde Gabriel estudió y donde la Orquesta Sinfónica Juvenil de Cundinamarca ofreció un gran concierto en su honor.

Desde hace mucho más de diez años, cuando decidí investigar y reconstruir esta historia, he dedicado días normales, de fiesta, sábados y domingos: 3.650 días de mi vida a rescatar la memoria de los cuatro años de Gabriel García Márquez en Zipaquirá. A buscar su rastro literario; a redescubrir a un Gabo muy humano, enamorado, alegre y sobresaliente. A recorrer los espacios y momentos del joven estudiante; a la búsqueda, no del Gabriel García Márquez celebridad, sino la del ser humano elemental, inteligente, de hace más de 65 años.

Mi primer trabajo sobre el tema fue una extensa crónica para la revista Diners, en 2002, titulada "El amor que García Márquez olvidó", el cual fue leído por él, y le sirvió para tomar contacto con personajes de su época en Zipaquirá.

A medida que avanzaba mi investigación, escribí más sobre el tema: en diciembre de 2002, "Sueño con ver de nuevo a Gabo", para una revista que publicó la Alcaldía de Zipaquirá, la cual el Alcalde zipaquireño Everth Bustamante entregó personalmente al Maestro, en Panamá. Posteriormente, el 9 de abril de 2007, escribí, "Zipaquirá y el Nobel de Gabo", para "Ver Bien Magazín". Y después varios otros artículos sobre el estudiante García Márquez en Zipaquirá. Hoy, con más conocimiento sobre el tema, he aclarado dudas, desestimado cosas que eran confusas o inciertas; hice una depuración de la información y estoy en etapa de revisión y complementación del material.

Olga Martínez Dasi en su, "Breve reseña biográfica de García Márquez", dice: "Seguramente, esos años de soledad, reclusión y lectura fueron decisivos para su futura vocación de escritor". Y tiene mucha razón, esa ciudad fría y desconocida, distante 50 kilómetros de Bogotá y 950 de Aracataca; de la que nunca había oído hablar, en Zipaquirá, Gabriel García Márquez le tomó cariño a la literatura, y allí formaron su disciplina intelectual, 'lo graduaron' de poeta, declamador y sobre todo, lo valoraron como ser humano.

Cantú dijo: "No morirá una nación que recuerda a sus héroes y busca en su pasado glorioso fuerzas para resistir al envilecimiento actual".

Gabo llegó a Zipaquirá de tierra caliente con ambiente alegre, con el sabor de la Costa y debió cambiarlos por los de una tierra que lo impactó negativamente; por el frío, luego de dejar su familia a 950 kilómetros de distancia, al nivel del mar, y subir a 2.652 metros de altitud. Cambió el sancocho de bocachico por el ajiaco; su mundo de vegetación exótica por un paisaje menos alegre y de tardes grises; su comunidad descomplicada por una de gente más formal; canjeó una regadera cálida, por un baño de baldosas yertas, que a las 6 de la mañana surtía agua ofensivamente helada. Cambió forzosamente vallenatos y porros por los conciertos dominicales de música clásica, bambucos y pasillos. En resumen, Zipaquirá y a quienes conoció allí, le cambiaron la vida.

Doña Carmen, de eso trata este libro que he trabajado con mucho agrado y calidez, durante tantos años, y para el cual, solicito amablemente su visto bueno.

Cordialmente,

Gustavo Castro Caycedo

Anexo documentos

Esta carta fue amablemente respondida ocho días después, el 31 de ese mes por doña Carmen Balcells, representante Literaria de Gabriel García Márquez, ella, en resumen, dijo:

"Autorizaciones Agencia Literaria Carmen Balcells
Asunto: consulta sobre libro Gabriel García Márquez.

Gustavo, le informo que para escribir un libro sobre Gabriel García Márquez, no necesita ningún permiso suyo".

Atentamente,
Carmen Balsells CB/ap

Libro Gabo en Zipaquirá

Miércoles, 25 de noviembre de 2009, 07:04 am

De: "Carmen Balcells" …
Añadir remitente a Contactos

Estimado Gustavo:

Le estoy muy agradecida por su oferta y puede mandar a mi correo electrónico… su colección de fotografías, que son un regalo fantástico para mis archivos.

Con mucho gusto le autorizaremos a utilizar poemas de García Márquez cuando usted me envíe la selección que quiere publicar; quiero pasarlos por los ojos de García Márquez para que él vea cuáles son los que autoriza. Muchísimo cuidado con Internet, donde no corren más que versiones apócrifas.

Cordialmente,
Carmen Balcells CB/ap

Envié los poemas explicando su origen, ¡pero nada!

"A la niña de los ojos azules", "La muerte de la Rosa"; "Acróstico a Álvaro Ruiz Torres". "Canción", "Poema con dos recuerdos", "Si alguien llama a tu Puerta", "Drama en tres actos", "Tercera presencia del amor", "Soneto inexistente en una noche de serenatas", "Tercera presencia del amor", "Poema desde un caracol", "Elegía a la Marisela", "Niña" o "Soneto matinal a una colegiala ingrávida", "La espiga", y copia de la caricatura del profesor Jorge Perry Villate.

10/12/09

Estimado Gustavo:

Gabriel García Márquez no está seguro que esos poemas escritos por él en el colegio de Zipaquirá sean todos ellos de su autoría, y me pide que le digamos con toda exactitud de qué forma obtuvo usted esas copias, dónde estaban y cómo estaba identificada la autoría.

Por otra parte le doy las gracias por el CD con las fotografías que tan amablemente me envió.

Quedo a la espera de sus noticias y le saludo muy cordialmente.

Carmen Balcells
CB/ap

Ese mismo día respondí a doña Carmen Balcells:

10/12/09

Apreciada doña Carmen:

Un atento saludo. Quiero expresarle que soy correcto en mi proceder, le aseguro que el origen de los poemas de Gabriel García Márquez que le envié, tiene plena credibilidad.

Provienen de personas en las que se puede confiar; varios poemas han sido publicados (desde 1944) por periódicos serios como el Tiempo, El Espectador, El Colombiano y por la revista Diners.

"Canción", por ejemplo, fue suministrado por el mismo Gabriel García Márquez a El Tiempo, y otros me fueron entregados por leales compañeros suyos de colegio, y por la señora Sara Lora Amaya que fue su tutora en Zipaquirá, las mismas personas que me cedieron las fotos de la época. Hubo otros poemas de los que ciertamente no logré confirmar su origen, pero esos no se los envié.

Me parece apenas natural su observación que como se ha abusado mucho del nombre de García Márquez, ustedes deban tomar precauciones claras; pero créame, los poemas que le envié son de su autoría. Me consta que todos reposan en los archivos de las personas que le relaciono detalladamente en archivo adjunto.

Reciba mi saludo cordial, le reitero los mejores deseos por su bienestar en esta época tradicional y en el año que se acerca.

Un abrazo,
Gustavo Castro Caycedo

Último mensaje con la esperanza de un sí

De: Gustavo Castro Caycedo
A: Carmen Balcells

lunes, mayo 30, 2011, 4:23 am

Apreciada doña Carmen:

Un saludo cordial. Soy Gustavo Castro Caycedo; la última vez que nos comunicamos fue el 10 de diciembre de 2009; desde entonces, como una especie de "Coronel que no tiene quien le escriba", espero su amable respuesta. Soy consciente de que su importante colaboración para poder publicar mi libro sobre la vida de Gabriel García Márquez en Zipaquirá, fruto de mi persistente investigación durante más de 12 años ya, ello depende de su amable ayuda. Hago a Usted un recuento de nuestras comunicaciones y de mi respetuosa solicitud de autorización para poder incluir algunos de los poemas de la historia amable vivida por Gabo en Zipaquirá entre 1943 y 1946.

Cuando hice la petición de poder incluir unos poemas de Gabo en mi libro, usted me contestó: "Con mucho gusto le autorizaremos a utilizar poemas de García Márquez cuando usted me envíe la selección que quiere publicar; quiero pasarlos por los ojos de García Márquez para que él vea cuáles son los que autoriza". Como muestra de mi agradecimiento, envié a usted copia de unas 100 fotos, que hoy son legalmente de mi propiedad, constituida por cesión de derechos por sus dueños originales, o por haber sido tomadas por mí.

Luego de enviarle los poemas, usted me respondió: "Gabriel García Márquez no está seguro que esos poemas escritos por él en el colegio de Zipaquirá sean todos de su autoría, y me pide que le digamos con exactitud de qué forma obtuvo usted las copias, dónde estaban y cómo estaba identificada la autoría".

Yo le envié un completo informe sobre ellas. Por su consejo, "muchísimo cuidado con Internet, donde no corren más que versiones apócrifas", no tuve en cuenta otros poemas, pues no logré confirmar su procedencia.

Doña Carmen: muy respetuosamente insisto en su amable autorización; y si es que persiste la duda de Gabriel García Márquez sobre su autoría de los poemas, quisiera saber si yo puedo incluirlos en el libro, haciendo claridad sobre ello.

Reciba mi saludo cordial y mi agradecimiento por su amable respuesta.

Gustavo Castro Caycedo

Y ha llegado diciembre de 2012 sin respuesta a mis respetuosas peticiones, luego de la promesa de autorización de unos seis de los poemas que envié. He terminado la investigación y el libro está listo para ser editado, no puedo darle más espera al asunto. Quedan atrás mis cartas, la entrega a doña Carmen de un buen número de poesías de Gabo, conseguidas por mí en el transcurso de la prolongada investigación para este libro, y de más de 100 fotografías cuyos derechos me fueron cedidos por sus poseedores. Estas exclusivas, históricas y valiosas fotos las envié a doña Carmen como detalle de gratitud por su anunciada autorización de los poemas, que sin embargo, nunca me llegó.

Desafortunadamente las páginas de este libro se privan de incluir los bellos poemas piedracielistas localizados en archivos privados de Zipaquirá y Bogotá, según sus poseedores, escritos por Gabriel García Márquez. Siento pesadumbre de tener que reducirme a transcribir algunos pocos versos y no las poesías completas, respetando y dejando el derecho que tiene Gabo a expresar que, "no recuerda que todos los poemas que le mandé hubieran sido escritos por él".

Los poemas que guardaron siempre Álvaro Ruiz Torres, y otros...

Gabriel García Márquez escribió muchos poemas, desafortunadamente la mayoría se perdieron, entre ellos los que tenían, "La Manca" González, Sara Lora Amaya, Berenice Martínez, Matilde de Porras y claro, los que Gabo hizo por pedido de sus amigos, para sus novias.

El domingo 31 de diciembre de 1944, luego de que Gabo terminara su cuarto año de bachillerato y cuando se encontraba de vacaciones de final de año en Sucre, Eduardo Carranza, director del Suplemento Literario del periódico El Tiempo, publicó el poema de García Márquez, titulado "Canción", que recibió de manos de Carlos Martín y de "La Manca" González y explicó: "Su autor no ha cumplido 18 años". Se refería a Gabriel, quien firmó desde entonces con el seudónimo de 'Javier Garcés'.

Gabo escribió esa poesía con ocasión de la muerte de su bella amiga, Lolita Porras; cuya cuñada Graciela Loaysa viuda de Porras nos entregó, y el cual incluyo en otro capítulo de este libro.

En otras páginas menciono otros poemas escritos por Gabriel García Márquez, los cuales fueron obtenidos con dos amigas suyas, y con tres de sus compañeros de curso en Zipaquirá. Álvaro Ruiz Torres, el más leal compañero de estudio de Gabo, fue la persona que más recuerdos suyos guardó: poemas, textos, coplas y fotografías que hoy conservan sus hijos, Álvaro y Juan Manuel.

Sin embargo, a pesar de considerar la gran calidad integral de esos poemas, a continuación sólo transcribo unos versos de esas poesías entregadas por Álvaro Ruiz Torres, por algunos compañeros suyos y por mi amiga Luz Virginia Lora Amaya para este libro. La razón es que a pesar de que doña Carmen Balcells, representante literaria de Gabriel García Márquez prometió autorizarme para publicar algunos de los poemas, perdí la comunicación con ella luego de que le envié como muestra de mi agradecimiento por dicha deferencia, más de 100 fotografías sobre la historia de Gabo en Zipaquirá.

En mi investigación encontré que algunos protagonistas de esta historia, aseguran que sí, que son de García Márquez, y yo le creo a Luz Virginia Lora, a Álvaro Ruiz y Guillermo López Guerra, quienes me las entregaron. Son poemas inspirados por Luz Virginia, Berenice Martínez, y Álvaro Ruiz y también por Lolita Porras. Gabo era un enamorado del amor, de la poesía y de las mujeres. Estos versos "respiran" soledad, término y estado de ánimo que es una constante en los sentimientos juveniles de García Márquez, la cual reitera él, que experimentó durante sus cuatro años de soledad y de añoranza vividos en el Liceo Nacional de Varones, de Zipaquirá.

Los siguientes son algunos versos del poema "La muerte de la rosa", escrito por Gabo con motivo de la muerte de Lolita Porras, cuya familia tenía un inmenso cultivo de flores. Fue publicado por el periódico El Tiempo, más de un año después.

Murió de mal de aroma.
rosa idéntica, exacta.

Dios la guarde en su reino
a la diestra del alba.

En, "Si alguien llama a tu puerta", dedicado a ella según Berenice Martínez, en 1945, reitera en un verso este título y también:

Si aún la vida es verdad y el verso existe.
si alguien llama a tu puerta y estás triste,
abre, que es el amor, amiga mía.

En la "Tercera presencia del amor", escrito en 1945, según Álvaro Ruiz Torres, Gabo dice:

Este amor que ha venido de repente
y sabe la razón de la hermosura…
Tan eterno este amor tan resistible,
que comparado al tiempo es imposible
saber donde limita con la muerte.

Estos pocos versos fueron tomados del extenso "Drama en tres actos", también escrito en 1945, según cuenta Álvaro Ruiz:

..Sonrió, bajó la testa,
se aflojó la corbata,
hizo un gesto a la reina…

Dijo... Dijo...(no dijo):
Y estornudó un poema!

Versos del "Poema desde un caracol", escrito el último año que vivió en Zipaquirá, 1946, y que Ruiz Torres cuenta que se lo escribió a Mercedes Barcha, quien luego fue su esposa, dicen:

El mar azul que nos miraba,
cuando era nuestra edad tan frágil...
Y era el mar del primer amor
en unos ojos otoñales.
Un día quise ver el mar
-mar de la infancia- y ya era tarde.

El poema, "Niña", o "Soneto matinal a una colegiala ingrávida", que me fue entregado por Guillermo López Guerra, dice:

Si se viste de azul y va a la escuela
no se distingue si camina o vuela,
porque es como la brisa tan liviana...

El poema, "La espiga", que me entregó también Álvaro Ruiz Torres, escrito como los anteriores, según Álvaro, cuando Gabo estudiaba en Zipaquirá, incluye los siguientes versos.

Novia de mi canción, la espiga ignora
que su debilidad es la más fuerte
y que sólo el amor tiene la suerte
de inclinarla en el hombro de la aurora.

Luego de leer completos todos los poemas de Gabriel García Márquez, en Zipaquirá; que fueron los primeros y los últimos, ya que desde cuando se dedicó a la prosa no volvió a escribir versos, no queda ninguna duda de su romanticismo y de la soledad que se refleja en ellos.

De verdad, me hubiera gustado mucho haberlos podido incluir en este libro, pero las circunstancias ya anotadas, me lo impidieron. Se pierden los lectores de unos bellos poemas impregnados de ternura y amor.

Durante el tiempo que tuve el privilegio de ser amigo del gran humanista Álvaro Ruiz Torres, a quien conocí porque llegué a él para obtener su testimonio sobre la vida de Gabriel García Márquez en Zipaquirá, me reiteró que este a veces escribía poemas que le encargaban sus amigos del colegio, para sus novias. Y me dijo: "Una vez una amiga nuestra le mostró una poesía que su enamorado, compañero nuestro, le había hecho, y claro está, era uno de los poemas escritos por Gabo. Había que ver la cara de felicidad de esa china, por saber que su amado escribía tan lindo".

Aunque el joven García Márquez escribía bellos versos, su profesor, Carlos Julio Calderón Hermida, intuyó que el futuro de Gabo estaba más que en la poesía, en la prosa, y sí que tenía razón. Lo indujo a ello, para bien de la Literatura universal; Gabo acogió con pasión el consejo de su profesor, y fue entonces cuando incursionó con firmeza en la creación artística literaria, cuyo contenido ciertamente no ha sido tan romántica como el de sus poemas.

Según cuenta Cecilia Calderón de Yamure, una de las hijas del profesor Calderón Hermida, "un día, recién editada su primara novela, (*La hojarasca*), García Márquez visitó en la Secretaría de Educación en el edificio de la Gobernación de Cundinamarca, en la Avenida Jiménez con la carrera Séptima (frente al cual él había llorado de coraje recién llegado a Bogotá), donde trabajaba mi padre, y le llevó una copia de *La hojarasca*, libro al que le estampó una dedicatoria que lo llenó de orgullo a él, a mi madre y a toda la familia: 'A mi profesor Carlos Julio Calderón Hermida, a quien que se le metió en la cabeza esa vaina de que yo escribiera' . Y estampó su firma: Gabriel García Márquez. Esa frase nos la aprendimos de memoria con mis hermanas y mi hermano".

Precisamente uno de los dolores más grandes de Calderón Hermida fue que un tiempo después, alguien le robó ese libro que era el más importante de cuantos había tenido, desde cuando muchos años atrás decidió meterse en los temas de la literatura, el castellano, y la Preceptiva Literaria. Dice Cecilia: "Mi padre era tan respetuoso con las personas y lo fue con Gabo, que no se atrevió ni siquiera a llamarlo para contarle su tristeza por la pérdida del ejemplar de *La hojarasca*, ni trató de conseguir con él una nueva dedicatoria u otro autógrafo".

Capítulo 15

Sara, la acudiente y Minina, "la niña de los ojos azules"

La matrícula 168, del martes 15 de febrero de 1944, consigna: "Becado por Resolución 309, para cuarto de bachillerato. Edad del estudiante, comprobada conforme a la ley, 17 años". En este registro se percibe un cambio sobre el del año anterior: no figura como acudiente de Gabriel García Márquez, Eliécer Torres Arango, (conocido del papá de Gabo) sino una mujer que resultó muy solidaria con García Márquez, a quien no conocía pero de quien comprendió que la necesitaba; ella era la jefe de Telégrafos de Zipaquirá, era una persona muy querida por todos allí, y a quien, como a su hermana Virginia, yo quise mucho.

Tres telegrafistas se cruzan en esta historia de Gabriel García Márquez: Sara, su esposo, y el famoso telegrafista de Aracataca, Gabriel Eligio García, quien tal vez no llegó a saber que logró el favor de su "colega" zipaquireña, quien de buena voluntad lo representó haciendo de acudiente de su hijo Gabo.

Sara Lora Amaya, (hermana de Luz Virginia), una generosa zipaquireña que le sirvió de acudiente entre 1944 y 1946.

Sara Lora, nació el 6 de diciembre de 1920 y tenía 23 años cuando conoció a Gabo, era una mujer bella, de cabello negro, ojos grandes y expresivos, y estaba conectada con los costeños del Liceo Nacional de Varones, debido a su trabajo como telegrafista en Zipaquirá, pues era testigo de primera mano de los afanes y sufrimientos de los "desplatados" muchachos que sufrían esperando los giros que les anunciaban a la telegrafía, por medio de telegramas, desde sus hogares lejanos.

"La platica" era esperada con urgencia, siempre, para poder pagar los servicios, los útiles, el lavado de su ropa, para cepillos de dientes y pasta dental, jabones, papel higiénico, tintas, cuadernos, lavado y planchado de ropa, golosinas, y todos los elementos vitales en su vida de estudiantes internos.

"Espera giro", era el mensaje que renovaba las esperanzas; mientras ello, Gabo y sus compañeros fiaban en la tienda de "misiá" Ana Francisca: tostadas, melcochas, bocadillos veleños, (pero hechos en Moniquirá); roscones, panelitas de leche, mogollas, bolitas de guayaba y otras golosinas.

Era una tienda diagonal de la puerta de atrás del Liceo, ubicada en la carrera Novena entre calles Sexta y Séptima, donde estaba la cancha de básquet. Allí había un aviso que decía: "Hoy no fío, mañana sí", pero Ana Francisca lo "violaba" todos los días, porque sí les fiaba. Cuando llegaba el carbón o algún pedido de panadería o de mercado al Liceo, los internos se volaban hasta esa tienda y pedían algo antes de que terminaran de descargar el carbón o las provisiones.

Según Hernando Forero Caballero, "todos gozábamos de buen apetito e intercambiábamos en el comedor las frutas y los postres, según el gusto, y en las horas de las onces comprábamos golosinas muy ricas. Y claro, era tal el hambre que hasta fiábamos en dos o tres sitios donde vendían manjares. Lo que más fiaban Gabo y Álvaro Ruiz eran sus cigarrillos; les decían 'los buitrones' porque todo el día echaban humo".

Sara, quien le servía de acudiente a varios muchachos de la Costa Caribe, una tarde recibió la visita de Gabo. "Ese día terminó pidiéndome, que me hiciera cargo suyo, que no me iba a hacer quedar mal".

Desde entonces, su acudido más especial fue el 'cataquero' Gabriel García Márquez, en consideración a que "le caía muy bien desde cuando lo conoció; a que su familia vivía a 1.000 kilómetros de Zipaquirá; a que el primer acudiente de Gabo, Eliécer Torres Arango, como dicen hoy los muchachos resultó "calceto" (es decir, se aburrió pronto de ser acudiente) y especialmente, a que Gabriel Eligio García, el padre de aquel muchacho, había sido como ella, telegrafista.

Es de anotar que los estudiantes zipaquireños externos, no necesitaban acudiente, encargo que implicaba presentarse en el colegio en caso de necesidad, para responder por o los alumnos acudidos.

De manera pues que Sara, quien "ejercía" desde años atrás el "apostolado" voluntario de acudiente, terminó apoyando también a Gabo en 1944, convirtiéndose en una especie de tutora suya. Gabriel solía ir ansioso a su oficina ubicada en el bello Palacio de Salinas, (construido en un imponente estilo francés republicano) a averiguar "por el giro de su padre, el cual estaba muy demorado y no llegaba", y él (Gabo), -cuenta Sara- "estaba sin cinco y me decía que estaba quebrado".

Allí, en la oficina de Telégrafos, parecía repetirse un ritual similar al que narra el mismo García Márquez en su novela, *El coronel no tiene quién le escriba*, cuando el viejo oficial retirado iba anhelante al puerto donde arribaba el correo, los viernes, en un pequeño barco, a esperar la pensión que le fue prometida, pero que nunca llegaba. Con la diferencia de que, aunque demorado y precario, el giro para Gabo llegaba a Zipaquirá, de cuando en cuando.

Palacio de Salinas y en la esquina, puerta de la oficina de Telégrafos donde despachaba Sara Lora Amaya, la acudiente de Gabo en Zipaquirá.

Los giros con las mesadas para los afortunados internos, a quienes sus familias les mandaban "platica" regular y cumplidamente, llegaban a las oficinas de Telégrafos, pero cuando a ellos (como a Gabo) se les retardaban los envíos, Sara o "Saruca", como él le decía, les ayudaba con un telegrama que tenía el siguiente texto. Para: Fulano de tal (nombre del joven) "reclama Giro". Ellos le cambiaban la fecha y mostraban el telegrama cada vez que necesitaban comprar algo, y lograban así que les fiaran.

El aprecio de Sara por Gabriel fue más allá, según cuenta ella, "hasta el punto de que le fiaba los telegramas y le prestaba dinero cuando se retardaba el ansiado giro. Yo, además, solía organizar bailes en mi casa, o en la de mis amigas, los fines de semana, especialmente los domingos, para que los costeños no se aburrieran, y además, para que nos enseñaran a bailar los nuevos ritmos de la música 'caliente', que comenzaba a imperar por entonces, y de la que ellos eran los mejores bailarines".

Luego de graduarse e irse para Bogotá, un día Gabo regresó a Zipaquirá y visitó a "Saruca", y la invitó a almorzar en la Hospedería El Libertador, arriba de las salinas.

Un noviazgo en 1949 por telégrafo, como hoy por Internet o celular

Sara se enamoró de Liborio Botia Ruiz, cuya profesión también era la de telegrafista. Ellos, adelantándose más de cuarenta años al Internet, se conocieron por telégrafo, se enamoraron por telégrafo y después Liborio fue a conocerla personalmente a Zipaquirá; y el amor que había sido al primer "telegrafazo", se ratificó luego, "a primera vista".

Sara Lucía Botia Lora, hija de los dos telegrafistas que se anticiparon al "chateo" por Internet y se enamoraron por telégrafo, cuenta que ellos se casaron, y que guarda como si fuera un tesoro el telégrafo que usaba su padre, y que propició su matrimonio.

Ya casada, "Saruca" se fue a vivir a Bucaramanga con su esposo, y allí vio por última vez a "Peluca" (como le decían a Gabo en Zipaquirá). Después, se trasladaron a Ibagué donde enviudó. Ella siempre tuvo la ilusión de poder volver a ver a Gabriel García Márquez, el muchacho al cual le tendió la mano antes de que se inmortalizara; ella murió el 8 de mayo de 2003 sin poder cumplir su sueño del reencuentro con Gabriel García Márquez.

Algunos meses antes, una de las tardes en que hablé con Sara, me dijo: "Desde cuando conocí a Gabito, le tomé cariño; era un muchacho flaco, desgarbado, un poco taciturno y tímido, pero en contraste, alegre y simpático; se reía mucho. Tenía una cabellera abundante y un bigote 'de juguete' (poco poblado). El nos sorprendió cuando le escribió y entregó los poemas a mi hermana, pues se tenía bien guardado que ella le gustaba. Y él a ella también. Luz Virginia a quien le decían "Minina", estaba presente en los bailes, pero era un poco menor que Gabriel, él tenía 17 y ella unos catorce, era muy niña; por eso nunca llegaron a nada".

Sara Lucía Botia, dice: "Mi mamá decía que Gabo era un muchacho algo diferente a los otros costeños; que leía mucho y que era tímido, pero luego de que yo leí sus 'aventuras con sus putas tristes', no se ni qué pensar sobre su doble personalidad", expresa Sara Lucía, y suelta una sonora carcajada.

Sara Lucía, "con una picardía que ella se goza", agrega: "Aunque García Márquez figuraba como novio oficial de Berenice Martínez, mi mamá me contaba que también amó a otra mujer, cuyo nombre no me atrevo a revelar, como jamás lo hizo ella, pues se trataba de la vida privada de una mujer que no autorizó a nadie contar su historia".

Según Sara Lora: "Gabriel era muy inteligente y de un excelente trato. De ahí en adelante estuve pendiente de él, hasta le fiaba los telegramas que le enviaba a su padre. Hace unos años no lo veo, pero desde que dejó Zipaquirá, en las dos o tres ocasiones en que nos encontramos, fue el mismo: amable, risueño y cariñoso.
Hoy, me precio de haber sido cercana a él en una etapa muy importante de su vida, en que lo forjaron como escritor; de verdad es un orgullo", concluye Sarita, insistiendo en que ella para García Márquez nunca fue Sara sino, "Saruca".

"La Nena" Tovar recuerda: "Sara tenía una hermana menor llamada Virginia, le decían 'Minina', era una joven muy linda; tenía ojos verdes, muy bellos. Las Lora participaban en comedias y en obras de teatro, y el 3 de agosto que es el día más importante de

Virginia Lora Amaya, "La niña de los ojos azules" a quien Gabo hizo poemas.

Zipaquirá, porque se celebraba el aniversario de los mártires patriotas zipaquireños nos disfrazábamos con ellas de manolas para participar en los desfiles de los carnavales".

A Gabriel García Márquez le gustaba la hermana de Sara y le escribió tres poemas, dos de los cuales según Virginia, se perdieron en un trasteo. Yo tuve, sin embargo, el privilegio de rescatar el tercero; ella me lo entregó, y me dio una copia de la fotografía suya que más le gustaba a Gabo. Ese día prolongué la entrevista para escucharle muchas anécdotas sobre esa etapa de su juventud, en la que por cosas del destino compartió familiarmente con quien después habría de ser Premio Nobel de Literatura.

La hija de Virginia Lora tiene su mismo nombre; ella, recordando a su mamá dice que, como Sara, "siempre tuvo un gran deseo de volver a ver a Gabo. Muchas veces nos contó sobre las reuniones bailables de los domingos y guardaba con orgullo el único poema de Gabo que le quedó."

Un poema que refleja melancolía, tristeza y soledad

"Mi mamá me contaba (dice Luz Virginia) que García Márquez le vivía diciendo que estaba enamorado de sus ojos, que eran muy bellos; hasta que un domingo le llegó al baile organizado para ese día por mi tía Sara, con el primer poema". Luego, en otra ocasión, fue a hacer visita adonde las Lora y le entregó el segundo poema, y como dos meses después, el tercero, un domingo que había baile en su casa.

Cuando Sara me entregó la copia de este poema, qué iba yo a sospechar que poco después ella y su hermana Virginia morirían, antes de la salida de este libro que tanto las entusiasmó.

Los siguientes son unos versos de esa poesía inédita, escrita por Gabriel García Márquez a Virginia Lora, ("Minina"), en 1945, titulado "A la niña de los Ojos Azules". En ella, como en la mayoría de sus poemas escritos en Zipaquirá, Gabo refleja romanticismo, melancolía, tristeza y soledad.

Contéstame, Minina: ¿Qué es el amor?
Dirás que juego, juego es todo, ¡nada más!
Pero es también crepúsculo y es campo y es sueño.
Este sueño tuyo no se parece a la palabra melancolía
Porque la tristeza es compañera mía.

Mientras tú juegas yo estoy triste, así te amo
con la melancolía de esta esperanza mía!

– A la niña de los ojos azules –

Ojos tuyos, Mimina, ojos de ausencia juguetona
alegría de tu juventud, lejanía de tu presencia
Porqué tú, Mimina, niña lejana de ojos azules
no crees en la verdad de la espera y crees solo
en tu presencia el presentimiento de la lejanía?

Contéstame, Mimina: qué es el amor?
Dirás que juego, juego es todo, nada más!
Pero es también crepúsculo y es campo y es sueño
Este sueño tuyo no se parece a la palabra melancolía
Porque la tristeza es compañera mía.

Bella es la tristeza cuando amamos con melancolía
cuando el dolor empieza a la orilla de nuestros
ojos juguetones, azules, lejanos, soñadores.

Mientras tú juegas, yo estoy triste, así te amo
con la melancolía de esta esperanza mía!

Poema, "La niña de los ojos azules", escrito a Virginia Lora. Archivo particular de su hija, Luz Virginia Laverde de Múnera.

Capítulo 16

Álvaro Ruíz, el mayor del curso, era como un padre con Gabo

Álvaro era hermano del afamado médico Manuel Ruiz Torres, y sobrino de Laura Victoria, destacada poetisa y diplomática, amiga del Presidente Alberto Lleras Camargo: ella fue un importante apoyo para Gabriel García Márquez y su esposa, cuando llegaron a México.

Yo entrevisté por primera vez a Álvaro Ruiz Torres a comienzos del año 2001, y de ahí nació entre los dos una gran amistad; con él, con su esposa Rosita, y con sus hijos Álvaro y Juan Manuel.

Con Álvaro Ruiz hablamos durante casi dos años sobre Gabriel García Márquez, antes de que se editara su libro *Vivir para contarla*: el Nobel, se interesó en comunicarse con él a raíz de un artículo que publiqué en la revista Diners, en el que figuraban Álvaro y Berenice Martínez, (la primera novia de García Márquez) en Zipaquirá, y de una llamada de su hijo. Él tenía recuerdos limitados y confusos de su vida en esta ciudad.

Por conducto de Álvaro, Hernando Forero Caballero, Humberto Guillén y Jaime Bravo, contacté a la mayoría de compañeros de Gabo; para ello la ayuda de Juan Manuel Ruiz, hijo de Álvaro, fue vital.

Ruiz Torres me contó muchas historias y anécdotas que hacen parte de este libro; él fue uno de los seres humanos que más estimularon e impulsaron a García Márquez a la literatura, y de alguna manera, a forjar éxito literario. Álvaro y Gabo fueron grandes amigos en el Liceo y excelentes compañeros de estudio en los salones de clase con ventanas verde botella o colonial, desde las que se veían otras construcciones de estilo español, con vistosos zócalos entre ellas, la casa de "La Manquita" Cecilia González, una verdadera mecenas del joven estudiante nacido en Aracataca y llegado a Zipaquirá por mandato de la fortuna.

Entre los compañeros más constantes de Gabo en los recreos, estaban: Jaime Bravo, Humberto Guillén, Ricardo González Ripoll, Álvaro Vidales Barón y Álvaro Ruiz.

Álvaro recordaba: "Por una ventana nos volábamos con Gabito, descendiendo por un par de sábanas amarradas a manera de cuerda, que un amigo recogía desde cuando salíamos corriendo por la carrera Octava. Volvíamos a la madrugada y entrábamos por la ventana que daba a la pieza de 'Riveritos', el portero del Liceo, que era un hombre bueno, simpático y alcahuete que nos ayudaba en nuestras aventuras".

Y Guillermo Granados, agrega: "A veces nos volábamos por la noche y nos íbamos a cine, al teatro Mac Douall, a jugar billar, o a algún baile, y cuando regresábamos, 'Riveritos' siempre estaba ahí, listo para encubrirnos; era muy buena gente. En otras ocasiones íbamos al teatro, o a vernos con las novias; a comidas, bailes, o simplemente a 'hacer pilatunas". Y anota Álvaro Ruiz: "A veces yo me iba a visitar a Lula Vega y Gabo a Berenice".

García Márquez compartía mucho tiempo con Álvaro, con quien caminaba dándole vueltas al patio del Liceo, o por los corredores, hablando de novias, tareas, poesía e ilusiones. A él le confiaba sus temores, sus dudas, sus tristezas y los secretos de esa soledad acompañada, que tanto lo marcó.

Según Jaime Bravo: "Gabriel casi no estudiaba, le ponía mucha atención a las clases para evitar trasnochadas y sustos en los pavorosos exámenes finales, y porque a veces ni tenía libros de estudio; nosotros se los prestábamos, los leía una vez y era suficiente".

¿Por qué no nos volvemos famosos, como Cervantes?

Álvaro Ruiz Torres me contó, con especial énfasis: "Con Gabriel hablábamos mucho de literatura, de justicia social, de poesía, de marxismo, de la Segunda Guerra Mundial, de las novias y las amigas y de las 'pilatunas de amor', cuando caminábamos en el patio, o en el comedor, o en el campo de fútbol a donde íbamos a leer o a dialogar todos los días, cuando caminábamos dándole muchas vueltas al patio principal del Liceo, donde estaba el comedor; cambiábamos ideas especialmente en los recreos, o en los descansos de las noches, mejor dicho, a todas horas".

En relación con el nombre que Gabo adoptó para firmar sus poemas y sus escritos hechos en Zipaquirá, Álvaro me contó: "Gabriel firmaba con el seudónimo de 'Javier Garcés', leía sus versos y yo hacía lo mismo. Acogió ese seudónimo un día cuando me dijo que no sólo se parecía a su nombre original sino que además, él creía y le parecía que tenía más interés.

Una cosa que no olvido nunca (anota Álvaro) es que una vez, "después de que 'La Manquita' González elogió uno de sus poemas, escrito sin que le contara a nadie que era para Berenice Martínez, -a quien definitivamente quiso mucho, tal vez platónicamente-, varias veces me repitió: 'Álvaro Ruiz: ¿Por qué no escribimos un libro y nos volvemos famosos, como Cervantes?". Y mire cómo es la vida, hasta hoy, de *Cien años de soledad*, su gran obra, se han vendido casi 30 millones de libros y lo han publicado en 35 idiomas".

Y agrega: "En esa época Gabito leía sus versos en voz alta, y yo hacía lo mismo con los míos, que no eran tan brillantes. Él era un 'mamagallista' revoltoso, tuvo una época de gran indisciplina, pero de cualquier forma lo que admiraba más, era su gran imaginación".

Una de las tardes en que fui a casa de Álvaro Ruiz a visitarlo y a hablar de Gabriel García Márquez, él me contó: "En muchas ocasiones Gabito se sentía melancólico y desolado; en su rostro se insinuaban la soledad y la tristeza, aun a pesar de todo lo que lo rodeaba. Pasaba de la euforia y la alegría a unos estados de melancolía:

añoraba a su tierra, especialmente el calor y la efusividad propia de sus gentes. Y eso que hasta música 'caliente' había en nuestro internado, que de cachaco, de santandereano, o de pastusos, tenía poco y sí mucho de costeño, pues los internos de otras regiones estábamos en minoría frente a la gran colonia costeña".

Álvaro Ruiz fue realmente una especie de personaje del "realismo mágico", y sin duda uno de los seres humanos que estimularon y ayudaron a que Gabriel García Márquez se dedicara a la literatura; en otras palabras uno de quienes influyeron en él y le ayudaron a forjar su Nobel. Fue su amigo más leal no sólo durante los cuatro años de internado en Zipaquirá, sino hasta cuando murió en 2004, a pesar de que nunca pudo volverlo a ver.

La familia de Ruiz Torres vivió en Guatemala durante 12 años, tuvo dos hermanos, los dos bautizados con el nombre de Manuel, el primero murió en ese país, víctima de la "enfermedad azul", cuando tenía siete días de nacido.

Álvaro nació en Bogotá, era dos años mayor que Gabo además, cargaba en su conciencia con el "pecado" de haber sido el muchacho que lo enseñó a fumar, a los 16 años, "sin imaginarme que Gabito terminaría siendo algo así como una chimenea ambulante. En el Liceo podíamos fumar en los recreos, pero él se inventaba la forma de salir de clase a prender otro de mis cigarrillos, pues yo era uno de sus más fervientes proveedores de este vicio".

Álvaro Ruiz Torres, era hijo de Luisa María Torres de Ruiz y de Sergio Ruiz, nacido en Pacho, (Cundinamarca), ciudad famosa por la costumbre de algunos de sus habitantes que hicieron célebres las muchas veces pesadas, "chanzas pachunas".

El médico Álvaro Ruiz Morales, hijo de Ruiz Torres cuenta más historias y anécdotas, de esas que le escuchó a su padre toda la vida.

Según él, su padre decía: "A mí no me queda ninguna duda que si Gabriel hubiera estudiado bachillerato en Ibagué, Santa Marta, Manizales, Cali, Bogotá, Pereira, o en cualquier otra ciudad, no habría sido Nobel; es que la cultura y la Literatura en Zipaquirá y en el Liceo, tenían un sitial privilegiado, y que la calidad del profesorado y el ambiente literario en que todos crecimos intelectualmente, eran verdaderamente excepcionales".

En una ocasión, con prudencia, Álvaro Ruiz me confesó: "Bueno, una de las cosas que a mí más me admiraba de Gabo era, cómo una persona que tenía fallas de ortografía, escribiera tan lindo. Gabito me pedía que le revisara sus poemas y sus escritos y yo que tenía cierta habilidad observadora, lo hacía con mucho gusto. Le aclaro, no es que él tuviera muy mala ortografía, pero se le metía una que otra fallita".

Detrás de la barba de Ruiz vivía un hombre amable y bueno, que tenía un hogar envidiable, donde el amor se respiraba a toda hora, era su esencia. A él, la calidad humana se le notaba fácilmente. Era un hombre que se emocionaba cuando hablaba de Gabito, y eso lo fatigaba; pero contrariaba las órdenes de su médico porque la emoción de recordar al Nobel, le salía del alma. "Se trata de mi gran amigo, al que he añorado siempre, después de nuestra bella época en esa ciudad que tanto quiero", anotaba. Álvaro guardaba como si fuera un tesoro, postales, fotografías, recortes de periódico, colecciones de revistas, excelentes amistades y los mejores recuerdos de Zipaquirá.

Álvaro, quien estuvo enamorado de una bella zipaquireña, llamada Lula Vega, aprendió a querer a la ciudad a través del cariño que su padre, Sergio Antonio, le profesaba a la ciudad, desde cuando llegó a ella como Administrador de Rentas. Él, junto con el Maestro Guillermo Quevedo Z, se fue a la Guerra de los Mil Días; por eso, cuando Álvaro inició su internado en el Liceo, se sentía de Zipaquirá, de corazón. La quería por ser la ciudad donde se hizo bachiller y repetía que fue, "un privilegiado por haber estudiado allí, donde se respiraba cultura en cada actividad y donde sin duda, Gabriel aprendió lo que lo convirtió en un escritor inmortal".

Y a Gabo lo encañonaron con una escopeta, por robar naranjas

A Álvaro Ruiz le brotan muchas anécdotas, pero calla otras que nunca sabrá nadie, porque le pertenecen a Gabriel. Él cuenta: "Un día fuimos a Talauta, cerca de Pacho, con Gabo y José Palencia. Cuando bajábamos unas naranjas de un árbol, nos pescó un vigilante que nos apuntó con su escopeta. Gabriel, del susto se hizo detrás de mí; pero finalmente no pasó nada".

Humberto Guillén alaba a Ruiz, diciendo: "Su memoria siempre fue privilegiada, excepcional, se acordaba de fechas, detalles y anécdotas. Hasta de frases pronunciadas hace muchos años".

Guillermo Granados recuerda: "Una vez con Ruiz Torres, le escondimos la libreta de apuntes a 'Hipito' Ramírez, Roberto Ramírez, o 'Mogollita', como mejor le suene, y le cogimos todos sus secretos: lo que se ganaba vendiendo cigarrillos y golosinas. Gabo le debía trece centavos, y yo nueve. Una vez nos metimos a la despensa con 'Mogollita' y Álvaro, y Gabriel quien se asustaba mucho, nos ayudaba desde afuera haciendo de 'campanero', cuidando que no viniera nadie mientras saqueábamos provisiones...".

Alfredo García Romero, recordaba que, "en una ocasión a 'Mogollita' Ramírez se le quedó un pan entre un saco negro, y los ratones le rompieron el bolsillo".

"En las incursiones a la despensa a robarse las mogollas, (agrega García) los bocadillos y lo que fuera, eran protagonistas-cómplices, Manuel Arenas Barón, ("El Mago Arenas") y Álvaro Ruiz Torres; Gabo y Teresita la enfermera, eran medio cómplices pues vigilaban que no llegara nadie".

Héctor Cuéllar, amigo de Gabriel en el Liceo, y nacido en Tunja, comenta: "No me olvido de una vez en que Gabo, Ruiz, Guillermo Granados y otros compañeros, se colaron en la despensa y salieron 'totiados' de la risa, con unos cuantos 'mojicones' que se robaron allí". Y sobre las voladas de los internos en la noche, sólo recuerda de una en que, "casi nos pesca el profesor Giraldo, que nos dictaba matemáticas".

Miguel Lozano, quien se autodenomina "rolo a la brava", (rolos les dicen a los habitantes de Bogotá), rememora: "Todos en la tarde, en la noche, o a la madrugada, asaltamos el economato, la despensa, o la cocina algún buen día. El frío que nos calaba por detrás de las orejas y se nos metía por allá en el cerebro, nos producía mucha hambre, siempre nos moríamos del hambre. En una Semana Santa sacamos unos tarros grandes donde supuestamente guardaban el pan, pero resulta que eran de pintura, y nos 'pescó' el ecónomo, "El Viejo" Ignacio García, pero no nos acusó".

Luis Ariza, habla sobre los asaltos a la despensa: "Nos metíamos a la despensa por el ducto de la carbonera, a robar mogollas, panela, dulce de mora, que era muy rico; lo que fuera para quitarnos el hambre que nos generaba el frío".

Según Jaime Bravo, en el Liceo había especialistas en entrarse por el ducto de la carbonera a la despensa y a la cocina, y salían tiznados por la misma vía, pero con los bolsillos llenos de mogollas, panela, alfandoques y bocadillos. Esa acción tuvo a varios compañeros a punto de expulsión del colegio, porque una vez los pescaron. Gabo ayudaba desde afuera, 'campaneaba', pero no se metía a robar comida".

"Anoche se perdió comida en el economato", fue la queja del vice-rector, el cultísimo nariñense, Rogelio Erazo"; cuenta Ruiz. Y agrega: "A Humberto Guillén, quien le ayudó a subir el baúl y el colchón a Gabo al segundo piso, cuando este llegó al Liceo, lo molestaban con Teresita González, la enfermera, y decía que a veces en las onces, les daban agua de panela con mojicón o mogollas, que algunos dejaban y Guillén le ayudaba a Ramírez a recogerlas, para revenderlas luego".

Jaime Bravo, recuerda que, "Gabo pintaba muy bien; hizo un mosaico alterno al del grado, con excelentes caricaturas de alumnos y profesores; el que más lo animaba a pintar era Álvaro Ruiz, quien siempre fue 'su mancorna'. Si Gabo hubiera seguido dibujando, hoy sería un famoso pintor y caricaturista y no el Nobel que formó nuestro profesor Calderón Hermida".

Según Guillermo Granados: "Algunos internos se 'volaban' del Liceo, por una ventana, a cine, a bailes, a hacer visitas, tomar trago y a cumplir 'citas de amor'; pasaban la noche afuera y regresaban a la madrugada, entrando al Liceo con la complicidad de 'Riveritos', que dormía en un cuarto ubicado a la derecha del portón principal del Liceo, y que les abría la puerta. Y entre ellos, claro, estaba Gabriel García Márquez.

Álvaro Ruiz Torres fue un excelente esposo y padre; siempre cercano a sus hijos, dialogaba con ellos, les contaba todo lo que había vivido y lo que pensaba; entre ellos existía una confianza que envidiaría cualquier familia

Por eso, Álvaro y Juan Manuel oyeron una y mil veces la historia que les contaba su padre sobre todo lo que representó su entrañable amistad con Gabriel García Márquez, y a ellos les quedó como herencia invaluable, lo que su padre guardaba de Gabo, como reliquia: poemas, cartas, fotografías y hasta un acróstico que le compuso.

Álvaro botó una valiosa cantidad de poemas y escritos de Gabo

Álvaro Ruiz murió el viernes 9 de agosto de 2004. Su esposa Rosita, Juan Manuel y Álvaro, toda su familia, coincide en que a él lo marcó muy positivamente haber estudiado en el Liceo Nacional de Varones, su colegio; y haber sido amigo de García Márquez. "Mi padre amó al Liceo, nos llevaba a Zipaquirá, entrábamos a ese colegio y nos mostraba los sitios de sus recuerdos cuando estudiaba allá", comenta Juan Manuel.

En el campo de deportes, al que iban a hablar y leer poemas o comentar asuntos literarios, Ruiz Torres se sentaba con Gabriel a veces espalda con espalda a leer o lo hacían recortados sobre un árbol. A veces uno leía y el otro oía, y comentaban sobre el tema de turno.

Álvaro hijo, cuenta: "Mi padre quiso y admiró a Gabriel García Márquez como a un amigo verdadero, fue una amistad sincera, profunda, leal. Los unía mucho su pereza por el deporte, el amor a la literatura y su pasión por el baile".

Ruiz Torres, a quien le decían "El Viejo" por ser el mayor del curso, se escapaba con Gabriel a bailar, hablaban mucho, eran amigos de verdad.

Su hijo Juan Manuel, anota: "Mi padre nos contó que alguna vez tuvo su pupitre al lado del de Gabo y que cuando este escribía, abría la tapa del pupitre y le pasaba lo que había escrito, y él lo guardaba. Llegó a tener la mayoría de los poemas y escritos de Gabo, y los quemó un día que estaba muy triste. García Márquez no había respondido a una invitación que le hicieron sus compañeros de colegio, y mi padre no quería saber nada de él. Sufrió mucho, y como queriendo cortar con el pasado, porque creía que Gabriel los había abandonado, botó una valiosa cantidad de poemas y escritos originales de los cuales García Márquez había escrito en Zipaquirá. Sólo se salvaron unos pocos poemas, una caricatura de un profesor y un acróstico que García Márquez le hizo a papá. Después, su remordimiento fue grande".

Álvaro hijo, expresa: "Gabriel no se comunicaba con sus compañeros y ellos se sintieron con él. En casa de papá se reunieron Humberto Guillén, Jaime Bravo, y otros amigos, a ver si lo llamaban, y decidieron no hacerlo. Él estaba en Colombia y lo invitaron a algunas celebraciones, pero él no fue. Cuando ganó el Nobel no lo invitaron para que no fuera a quedar como algo oportunista por sus triunfos. Pero mi padre siempre tuvo la ilusión de volver a verlo, a abrazarlo; le tenía un gran cariño".

"Viendo que mi papá sentía tanto el silencio de García Márquez, decidí escribirle a él, a Cartagena, contándole que mi padre llevaba seis años en una silla y que le haría bien poder hablar con él: soy el hijo de Álvaro Ruiz Torres, decía. Le mandó fotocopia de los poemas que él tenía. Le conté de su aprecio y de su enfermedad. Le decía que no le quedaba mucho tiempo, que mi papá soñaba con hablar con él. Y agregué: usted le daría una felicidad enorme, cumpliendo con su anhelo de muchos años; él lo quiere como a su amigo, no por su fama. Pero García Márquez no respondió, tal vez no debió recibir mi carta".

Posteriormente se presentaron dos hechos casi simultáneos que abrieron las puertas al contacto de García Márquez con Álvaro Ruiz Torres. Su hijo, Álvaro, le escribió a Gabo nuevamente; en esta ocasión a través de Diana, la hija de José Joaquín Matallana, general del ejército Colombiano, quien viajaba a México; envió con ella un sobre para que se lo entregara a un amigo común de ella y de García Márquez, en él iba copia de la primera carta.

A mediados del año 2002, unos meses antes de que se editara el libro *Vivir para contarla*, yo publiqué el artículo "El amor que García Márquez olvidó", en la revista Diners, en el cual develé a la primera novia de Gabo, y entrevisté algunos compañeros suyos transcribiendo parte de mis diálogos con Álvaro, y ese artículo lo leyó el Nobel.

"Mi papá se convirtió en la memoria de García Márquez"

Un mes después de la carta de Álvaro Ruiz hijo y de mi publicación, una tarde, sonó el teléfono de Álvaro, era la llamada que casi no se produce; desde México hablaba Gabriel García Márquez. "Papá lloró, dice Álvaro hijo, hablaron dos horas... Te acuerdas de tal y de tal, decía mi padre y hablaba y hablaba. Gabo se actualizó sobre muchas cosas que había olvidado de lo sucedido en el Liceo, de muchas historias y detalles. Luego llamó a mi padre una o dos veces por semana para que le contara detalles sobre lo sucedido mientras fueron internos. Mi papá se convirtió entonces en la memoria de García Márquez".

De pie, Jaime Bravo y Humberto Guillén, compañeros de curso de Gabriel; sentados, Margarita Márquez, sobrina de Gabo y Álvaro Ruiz Torres.

De izquierda a derecha: Hernando Forero Caballero, Jaime Bravo y Alfredo García Romero, compañeros de estudio de García Márquez.

Ruiz Torres le devolvió la memoria a su amigo Gabito que tanto quería, hablándole sobre muchas de las cosas que me había contado a mí durante los dos años que lo visité en su casa, las cuales le sirvieron a Gabo para hablar de de sus años en Zipaquirá, en su libro, *Vivir para contarla*, en el que le da amablemente amplio crédito a Álvaro Ruiz Torres.

La última llamada de Gabo la recibió Álvaro, cinco meses antes de su muerte, que fue el 9 de agosto de 2004. Margarita Márquez, sobrina del Nobel, iba a casa de Ruiz Torres a visitarlo. Las llamadas se distanciaron cuando Gabriel García Márquez estuvo enfermo y en controles médicos en Los Ángeles.

"Mi papá, que tenía pasión por los colombianismos y por la redacción, leía mucho a don Andrés Bello, y nos contaba que le gustaba como Gabo leía; decía que tenía buena entonación, inflexiones y acento", anota su hijo Álvaro, y comenta, "una de las pasiones del Nobel, según mi padre, era el libro *Platero y Yo*, que García Márquez leyó muchas veces, era como una reliquia para él.

Precisamente, Eduardo Angulo Gómez cuenta que Gabriel, "no se desprendía de su estilógrafo Pelikán, de cargar, con el que dibujaba, mujeres esbeltas, con piernas grandes y tacones altos, y dibujos de un burro tomando agua en un plato con estrellas, inspirado por el libro *Platero y Yo*, de Juan Ramón Jiménez, que marcó a Gabo, razón por la que escribió un poema que entre otras cosas, decía: "Ya se ha tomado platero cuatro cubos de agua con estrellas".

Platero y Yo, el libro de Jiménez que impactó a Gabriel García Márquez, narra la vida del burrito 'Platero', que era muy peludo y suave. Es un libro sencillo, para niños y también para mayores, poblado de imaginación. Algunos capítulos contienen la crítica social que influyó en García Márquez. Ello sugiere, además, una sensibilidad especial en el interior del Nobel, como lo muestran sus poemas de amor y sus diálogos cargados de romanticismo y sentimiento.

Capítulo 17

Carlos Julio Calderón Hermida "fabricó" así al escritor

El profesor Carlos Julio Calderón Hermida tuvo el gran mérito y privilegio de haber logrado inculcar a Gabriel García Márquez la lectura de las obras y de los poetas y escritores más importantes de la literatura, y de haberlo convencido y llevado a escribir en prosa, en lugar de que siguiera dibujando y escribiendo coplas, acrósticos y poemas, que era lo que le gustaba a Gabo. Calderón lo fue convenciendo racionalmente, hasta que lo convirtió en escritor.

Cecilia Calderón, una de sus hijas, cuenta: "Mi padre era poeta de la línea 'piedracielista'; se ganó un concurso de literatura con 'Canto al amor'; era un ser romántico y sentimental; amable; exigente, pero muy humano. Nació en El Naranjal, Huila, el 16 de marzo 1907, y murió en octubre de 1981, a la edad de 84 años. Fue el mayor de 14 hermanos, y se casó con mi madre, Carmen Lozada, quien murió después que él, en 2006, a la edad de 99 años. Para mi papá, mi mamá y nosotros sus hijos, siempre fuimos lo primero".

Calderón Hermida fue profesor de Español y Preceptiva Literaria de Gabo en tercero de bachillerato, en 1943, materia que le dio elementos básicos para escribir bien; de Historia de la Literatura Universal, en 1944; de Historia de la Literatura Española, en 1945, y de Literatura Colombiana, en 1946, año en que se graduó de bachiller.

Le enseñó lo referente a la Preceptiva Literaria, es decir, las reglas y técnicas para escribir en prosa, y también poemas; le hizo énfasis en retórica y poética; en estética, métrica, géneros literarios. Los dos hablaban con mucha frecuencia fuera de la clase, especialmente en los descansos a donde Calderón extendía sus enseñanzas literarias a García Márquez".

Carlos Julio Calderón Hermida, el profesor que convirtió a Gabo en escritor.

La poesía "piedracielista" romántica de Gabo, reemplazó en Zipaquirá, con madurez literaria, a las coplas "mamagallistas" que había escrito en el colegio San José, en Barranquilla, en 1941 y 1942. El 13 de julio de 1944, publicó en el Liceo Nacional de Varones, su primera prosa lírica, que tituló: "El instante de un río".

Esta apareció en la edición inaugural de Gaceta Literaria, órgano de comunicación del "Grupo de los Trece", conformado por igual número de estudiantes del Liceo Nacional de Varones de Zipaquirá, periódico orientado por Mario Convers y García Márquez, respaldados decididamente por Carlos Martín.

Gabriel García Márquez escribió en Zipaquirá su primer cuento, "Psicosis Obsesiva", en 1943; sus primeros cinco discursos, entre 1944 y 1946; sus primeros poemas entre 1943 y 1946, dos de los cuales fueron acogidos por los periódicos El Tiempo y El Espectador, en sus suplementos literarios, en 1944 y 1946.

José Salgar, el eterno Jefe de Redacción de El Espectador, ha sido desde esa época uno de sus mejores amigos: en 1943, cuando aún no se conocían, se cruzaron en Zipaquirá con ocasión de una visita que José hizo a esa ciudad y al Liceo, a propósito de una serie de actos culturales a los que lo había invitado el Gobernador de Cundinamarca, Abelardo Forero Benavides. Salgar recuerda, "un balcón con personajes, un discurso y mucha gente abajo". Posteriormente él y García Márquez trabajaron juntos en El Espectador, periódico en el que García Márquez inició su carrera como periodista, bajo la orientación de Salgar.

Un año antes de la muerte trágica de Alejandro Ramos, quien fuera rector de Gabo en el Liceo Nacional de Varones, su hermano Luis Benito fue contratado por el periódico El Espectador como profesor de fotografía precisamente de José Salgar, quien poco tiempo después y por muchos años fue Jefe de Redacción de ese periódico donde Gabriel García Márquez se reportó a él como redactor.

A propósito de José, considerado hoy como el decano del periodismo colombiano, sostuvo por esos tiempos una cordial discusión con Eduardo Zalamea Borda, quien creía que Gabo debía destinar su talento al periodismo, mientras Zalamea pensaba que no, que García Márquez debía entrar de lleno a escribir libros.

Eduardo Zalamea Borda, conocido también con el seudónimo de Ulises, escribía en El Espectador su columna: "La ciudad y el mundo" todos los días, y otra llamada "Fin de semana".

Zalamea murió en 1963; no alcanzó a disfrutar el gusto de tener un Premio Nobel de Literatura entre sus amigos, pues no hay que olvidar que él estimuló tempranamente a Gabriel García Márquez cuando era todavía un estudiante en Zipaquirá y que después, fue compañero y amigo suyo, como lo fue José Salgar, en ese diario.

José, como muchos de quienes estuvieron cerca de García Márquez al comienzo de su estelar carrera, también considera que, "en Zipaquirá fue donde Gabriel 'se graduó' de escritor y en efecto, él le debe buena parte del Nobel a su colegio, y a esa ciudad".

"El Mono" Salgar, como le han dicho siempre con cariño a José, está en la lista exclusiva de los mejores amigos de Gabo; él recuerda la dedicatoria del primer libro que este le regaló, la cual dice: "Al gran José Salgar que me ordenó 'torcerle el cuello al cisne", reconociendo el estímulo recibido de él en sus inicios como periodista.

José anota: "El libro tenía la firma: Gabo, pero no la fecha, la cual le colocó 10 años más tarde, adicionándole otra firma, la cual había evolucionado respecto de la primera. Yo no tenía ni idea de cisnes, ni de torcerle el cuello a nadie. Una vez en México comentamos este asunto y le dije eso; y entonces entendí que era simplemente una metáfora suya".

Según Eduardo Angulo Flórez: "Calderón Hermida era sencillamente un excelente profesor de técnicas literarias y 'Gabo", tenía talento y ganas. Mejor combinación no se podía dar".

Rolando Gabrielli, periodista chileno, analista internacional y escritor, en "Ciudad Letralia", dice: "Su profesor de literatura, Carlos Julio Calderón Hermida, a juicio de García Márquez, "fue a quien se le metió en la cabeza esa vaina de que yo escribiera".

Según el compañero de curso de Gabo, Hernando Forero Caballero: "Lo que era un hecho es que Gabriel no podía con las matemáticas, no le gustaban, como tampoco física, la química o la trigonometría, materia que le dictaba el rector Alejandro Ramos, a quien los estudiantes le tenían el apodo de, 'Degollina', y quien a pesar de que a Gabo no le gustaban las matemáticas, lo trataba amablemente".

"Mientras nosotros nos trasnochábamos estudiando, (dice Hernando), Gabito leía, se la pasaba sentado frente a una de las dos mesas que había en la modesta, biblioteca". No "magnífica", como la califica Gerald Martin.

Hernando, anota, "allí 'Gabo leyó todo lo que había, hasta las revistas. Era un tipo inteligente y de buena memoria, atendía a las clases y con eso le bastaba; se aprendía lo que fuera".

Jaime Bravo, recuerda que, "el profesor Calderón Hermida solía decir: "Para mañana por favor, me traen un cuento sobre tal o cual tema. Y entonces yo lo primero que hacía era mirar a Gabito, él ya sabía que me tenía que ayudar, lo mismo que a Guillermo Granados. Y se desquitaba cuando había tareas o exámenes de matemáticas, pues él era pésimo para esas materias; ahí es cuando nosotros teníamos que ayudarle o pasarle las fórmulas en papelitos para que aprobara los exámenes. Claro que los profesores que le dictaron matemáticas fueron magnánimos con Gabriel y le facilitaron las cosas".

Forero Caballero, cuenta también: "Carlos Julio Calderón, era muy puntual en sus clases, enfatizaba; nos corregía la forma de hablar cuando no lo hacíamos correctamente. Por ejemplo, si decíamos de acuerdo a. él nos rectificaba: se dice, de acuerdo con... Y repetía: a ver, joven amigo ¿Cómo se dice?".

Y agrega: "¿Quiere saber cómo nos formó y cómo puso énfasis en la estructuración literaria de Gabo? Mire: ante todo, sus clases eran muy agradables e interesantes; él se paseaba de lado a lado del salón, no dejaba que nos distrajéramos, era una clase muy activa. Nos corregía las tareas y era el único profesor que nos anotaba las razones de por qué hacía las correcciones, y luego dialogaba personalmente con nosotros; pero mucho más con Gabriel; llegaría a compenetrarse tanto con él, que terminó dándole en muchas ocasiones, la responsabilidad de revisar las tareas de Literatura de todos nosotros".

Álvaro Ruiz Torres, me repitió varias veces: "Para el profesor Calderón Hermida, era como una fijación insistirle y aconsejarle a Gabito leer mucho; le marcaba los mejores autores, a los que a él y a nosotros nos explicaba su obra en clase, y sobre todo, le recalcaba a Gabo que no pensara en nada más que en la prosa, para la que descubrió su gran talento. Solía repetirle que si lo hacía, iba a ser un gran escritor. Y miren lo que logró, nada menos que un genio literario".

Carlos Julio Calderón Hermida, que según Gabo, "fue a quien se le metió en la cabeza esa vaina de que yo escribiera".

García Márquez, relata en *Vivir para contarla*, que don Carlos Julio Calderón:"No me ordenaba una tarea, sino que me aconsejaba una lectura que no podía faltar en alguien que quisiera ser escritor". Según Jaime Bravo,"los estudiantes, por respeto, le decíamos, señor Calderón, fue al único profesor que le dimos ese trato. Él a veces se comportaba como un papá, y eso fue con Gabriel. Él se vestía muy bien, era pulcro, un verdadero dandy".

Según Eduardo Angulo Flórez, "el profesor Calderón, nos ponía a leer obras de teatro; insistía en Cervantes, le encantaba la poesía, especialmente la de Rubén Darío y la de Guillermo Valencia... Todos tuvimos que aprender de él, 'Los Camellos' ¿Recuerda?":

Dos lánguidos camellos, de elásticas cervices,
de verdes ojos claros y piel sedosa y rubia,
los cuellos recogidos, hinchadas las narices,
a grandes pasos miden un arenal de Nubia....

Según José Fajardo, ("Fachardini), "el profesor Calderón compraba sus vestidos en la elegante sastrería de Luis Malagón, en Zipaquirá. Se vestía siempre de negro, con camisa blanca almidonada y pulcros corbatines. Cuando él dejó de ser profesor, siguió visitando la sastrería, incluso cuando fue Secretario de Educación de Cundinamarca. Lo que no deja ninguna duda es que, en el Liceo, Gabriel se estimuló y pulió con el ejemplo del rector Carlos Martín a quien admiraba, y con las enseñanzas y orientación literaria del profesor Carlos Julio Calderón, las tertulias con los estudiantes y con Cecilia González, la novia con quien García Márquez compartía la poesía, los boleros, la cultura y la literatura; y el ambiente propicio de la biblioteca en la época del apogeo de los poetas de Piedra y Cielo".

Si Gabo hubiera estudiado en otro sitio, seguramente no habría sido escritor

La apreciación de Álvaro Ruiz Torres es que, "el señor Calderón le vio 'madera' a Gabo desde el primer día; le exigía más que a cualquiera de nosotros y se dedicó a enseñarle, a interesarlo en las mejores obras literarias y en las más depuradas técnicas. Si Gabo se hubiera ido a estudiar bachillerato a Neiva, Cartagena, Bucaramanga, Cali o Bogotá, no hubiera sido escritor, eso se le debe a Zipaquirá, a Calderón, a Martín, a 'La Manquita', y al Liceo. Mejor dicho, si Gabo hubiera estudiado en otro sitio, distinto a Zipaquirá, no habría sido Nobel. Es que las condiciones culturales y literarias allí eran excepcionales; como lo reconoce el mismo Gabito".

Carlos Julio Calderón Hermida, fue profesor de García Márquez desde el 9 de marzo de de 1943 hasta mediados de septiembre de 1946, cuando tuvo que dejar intempestivamente a Gabo y a sus alumnos del Liceo Nacional, porque como profesional de confianza del Ministerio de Educación, lo enviaron a cumplir el encargo especial de solucionar un problema en el colegio Nacional de Chiquinquirá, la ciudad donde nacieron los rectores del Liceo zipaquireño, José Joaquín Casas y Carlos Martín, lo mismo que "Mister" Perry, el profesor de Educación Física...

Me contó Álvaro Ruiz Torres, que: "Al señor Calderón le dio mucha tristeza no terminar el año con nosotros, especialmente con Gabo, hecho literariamente a imagen y semejanza suya. La triste despedida casi tres meses antes de que nos graduáramos, fue muy emotiva; se despidió de todos nosotros, nos abrazó y nos deseó mucha suerte. Recuerdo que ese fue otro de los momentos tristes de Gabito; es que se alejaba para siempre de su gran maestro".

Héctor Calderón Lozada, hijo del profesor Calderón, cuenta: "Él nos repetía la historia de una ocasión en que un inspector del Ministerio de Educación creyó que papá favorecía a García Márquez con las notas de la materia que le dictaba, pero cuando él le hizo ver la calidad de esos trabajos, tuvo que arrepentirse de su equivocación y se declaró admirador tanto de García Márquez como de mi papá. A él lo querían mucho, porque más que un profesor, era como un verdadero padre. Ya grandecito, yo iba a Zipaquirá a acompañarlo, y recuerdo que Gabo me llevaba de la mano a casa de '"La Manca" González, donde hacían un dulce de moras muy rico".

Héctor anota: "Mi padre quiso ser médico, pero su sueño se truncó por la muerte de mi abuelo, ya que él tuvo que meterse de profesor a ayudar a mi abuela a sostener a mis trece tíos y tías".

Pero como compensación, tres de sus cuatro hijos resultaron médicos: Zunny, Gladys y Héctor, y este, además, se casó con una médica. La otra hija del profesor Calderón, Cecilia Calderón de Yamure, es arquitecta. Ella, cuenta: "Luego de salir de Zipaquirá, mi padre se encontró con García Márquez solamente unas tres o cuatro veces. Hubo un encuentro muy especial cuando le llevó uno de sus libros a su oficina, en la Gobernación de Cundinamarca".

José Fajardo, "Fachardini", me comentó que, "una vez el profesor Carlos Julio Calderón Hermida, le dijo: "Soy un médico frustrado, pero tengo cuatro grandes orgullos: Un hijo y dos hijas médicas y un Premio Nobel, que es como otro hijo sumamente especial".

Uno de los elementos para lograr que los estudiantes del Liceo amaran la literatura, fue la costumbre implementada por Calderón Hermida de que todas las noches, un profesor les leyera a los internos, al acostarse y antes de que se durmieran, las obras literarias más importantes. Y ciertamente, el alumno más aventajado en esta especie de clase nocturna de Literatura, fue Gabriel García Márquez.

Según Miguel Lozano, Carlos Julio Calderón Hermida ideó dicha lectura, a raíz de la anunciada visita al Liceo de un delegado del Ministerio de Educación que examinaría a los estudiantes sobre la obra del estadounidense Samuel Langhorne Clemens, conocido por su seudónimo de Mark Twain. "Entonces, (dice Lozano), el profesor Calderón inició las lecturas nocturnas en el dormitorio".

Alfredo García Romero, recuerda: "La lectura en el dormitorio la hacía especialmente el profesor Manuel Cuello Del Río, a veces otro profesor de turno, y una que otra, alguno de los mejores alumnos de Literatura. Calderón Hermida y 'El Chulo' Jesús María Rojas, (profesor de Botánica y Zoología), escogían a Gabo, Álvaro Ruiz, Silvio Luna Prado, Eduardo Angulo, Daniel Rozo Jaramillo, 'Pagosio', o Mario Convers. A todos ellos les gustaba y les interesaba esa lectura que además nos aplacaba los ánimos, y finalmente nos hacía dormir. El profesor que más nos leía y el que mejor lo hacía, era Manuel Cuello Del Río, hasta las 9 y media y a veces hasta las diez de la noche".

Luis Ariza, anota: "Había un profesor 'godo' que no nos dejaba leer todo, ejercía una especie de censura, pero no me acuerdo de su nombre; Álvaro y Gabo seleccionaban los libros más 'legibles'; la amistad de ellos dos la selló la lectura".

Según Álvaro Ruiz, "en el dormitorio de los menores, leía casi siempre, el profesor Jesús María Rojas, a quien hicieron famoso con el apodo de 'El Chulo' Rojas".

En Zipaquirá, Gabo, impulsado por el profesor Calderón invirtió gran parte de su tiempo en leer todo tipo de libros, novelas y obras de los poetas más connotados de la época; los sábados asistía voluntariamente a las conferencias sobre "Historia de la Música", que dictaba el Maestro Andrés Pardo Tovar en el Liceo, de 10 a 12, después de que los alumnos tomaban las "nueves". No es preciso asegurar que el sábado había clases en el Liceo, como Gerald Martin dice.

Muchos sábados en las tardes García Márquez participaba en las tertulias que organizaba en su casa, "La Manca" Cecilia González. Los clásicos de la literatura calmaban la soledad que le producía ese frío, que para él era dramático.

Según Jaime Bravo, "Gabriel leía libros de poemas, clásicos, de aventuras, de lo que fuera, y especialmente las obras de: Emilio Salgari, Alejandro Dumas, Julio Verne, Adeline Virginia Stephen, Virginia Woolf; Garcilaso de la Vega. Lope de Vega, Gustavo Adolfo Bécquer, Pedro Calderón de la Barca, Francisco de Quevedo, Aldoux Huxley, Frank Kafka, William Faulkner, Homero, Sófocles, Virgilio, Dante, Shakespeare, Tolstoi y, lógicamente los de los "piedracielistas": Carlos Martín, Jorge Rojas Ramírez, Tomás Vargas Osorio, Gerardo Valencia, Darío Samper, Eduardo Carranza y claro, la obra de Rubén Darío. El Quijote fue otra de sus primeras lecturas, pero decía que no le gustó".

Información entregada por sus compañeros, establece que Gabriel leyó con especial agrado, obras como: *La montaña mágica*, *El conde de Montecristo*, *Los tres mosqueteros*, *Madame Bovary*, *Las profecías de Nostradamus*, *Los relatos* de Perrault, *Las mil y una noches*, *Los hermanos Grimm*... Además, la poesía 'piedracielista' se convirtió para él en una pasión, por lo que la llegada a Zipaquirá del poeta Carlos Martín, como rector del Liceo, resultó providencial para Gabo.

Cuenta Álvaro Ruiz, que, "aunque Gabito nunca había leído a Frank Kafka, nos tocó hacer un trabajo basado en su obra; y entonces él escribió uno al que tituló, "Psicosis obsesiva", en el que contaba sobre una joven que se transformó en mariposa, historia que tenía algún parecido a la de *La metamorfosis*, de Kafka, a quien Gabo nunca había leído, en la cual un joven se convierte en cucarrón".

Eduardo Angulo Gómez, arquitecto amante de la cultura y la literatura, y quien ha escrito varios libros, recuerda: "Aparte de las grandes novelas y obras literarias en la biblioteca del Liceo, Gabo consultaba, 'El Tesoro de la Juventud'; una enciclopedia que contenía las mejores 100 obras de la literatura colombiana, que mandó editar Daniel Samper Mendoza cuando fue director de la Biblioteca Nacional; y otra que resumía la Literatura Universal".

El día de la entrega del Nobel, "mi padre y todos en mi casa nos sentimos felices y orgullosos, pues era un nuevo homenaje de García Márquez para él", cuenta su hija Cecilia Calderón de Yamure.

Cecilia, cuenta que su padre, forjador de intelectuales, le contaba que, "apreció siempre a Gabriel García Márquez porque era un muchacho respetuoso, muy inteligente y buen estudiante, a quien sólo tuvo que corregir un par de veces, poniéndole 'como castigo' a desarrollar temas literarios en prosa, lo cual era en realidad un estímulo. Y además, decía que era un alumno atento; que hacía preguntas inteligentes y que quería saber y aprenderlo todo".

Cecilia de Yamure, cuenta: "Hasta cuando se murió mi padre, cada vez que salía un libro de García Márquez lo leía, y le dio muy duro cuando le robaron el ejemplar autografiado de la primera edición de *La hojarasca* que García Márquez le llevó en 1955 a su oficina de la Secretaría de Educación en la Gobernación de Cundinamarca". Edificio donde 12 años antes, Gabriel que era aún un adolescente tímido y silencioso, recién llegado a Bogotá, lloró de soledad, medio desorientado, acorralado por el frío y extrañando a su tierra.

El primer texto lírico de Gabriel García Márquez

El primer texto lírico de Gabo, fue "El instante de un río", escrito para la Gaceta Literaria del "Grupo de los Trece", para la que también hizo su primer reportaje; aunque ya había escrito como tarea, su primer cuento; "psicosis obsesiva", que aunque reflejaba una posible influencia de Freud, no podía serlo, dado que García Márquez nunca había leído nada del médico y neurólogo austriaco Sigismund Schlomo Freud, más conocido como Sigmund Freud.

Aunque se realizó más de dos años después de que Gabo terminara su bachillerato, la "Feria del Libro", reafirma la importancia de la literatura en el ambiente cultural de Zipaquirá, que el 21 de julio de 1948 organizó, por decreto, una de las mejores conmemoraciones del día de los Mártires zipaquireños. El comité organizador decidió realizar el 3 de agosto de ese año, una novedosa y espectacular "Feria del Libro", que incluyó un siglo de lecturas de poemas y obras literarias. A ella asistieron intelectuales y escritores de Bogotá. La víspera, con apoyo del comercio, se realizó exitosamente el "Concurso de Vitrinas" con temas relativos al sacrificio de los Mártires.

Zipaquirá fue una de las ciudades más cultas de Colombia, desde el siglo XVI; allí se fundó el segundo Centro de Historia en el país, y hubo ópera, zarzuela y obras de teatro, desde finales del Siglo XIX. Luego de inaugurado el Teatro Mac Douall, en 1927, se incrementó la contratación de instituciones como la Compañía Nacional de Ópera, género musical que se escenificaba allí antes de 1900, como también tertulias literarias, festivales de teatro y de comedia, fiestas a la usanza tradicional española, con corridas de toros, carreras de caballos; y carnavales con disfraces, máscaras, música, pólvora, "vacaloca", y desfiles.

En 1944 surgió en el Liceo un movimiento literario, bautizado "El Grupo de los Trece", porque estaba conformado por trece jóvenes de ese centro educativo. El rector era el poeta "piedracielista" Carlos Martín, quien impulsó la edición de la Gaceta Literaria, medio de comunicación del Grupo, cuya misión fundamental era la divulgación y la extensión de la literatura entre los alumnos del Liceo; impulsar tertulias y realizar sesiones literarias y editar la revista. En la primera edición de esa "Gaceta", Gabriel García Márquez escribió y firmó con su seudónimo de 'Javier Garcés', el cual utilizó para firmar sus poemas y sus prosas.

Detalle de la celebración de Carnavales en Zipaquirá hacia los años treintas.

Ideales, Horizontes y la Gaceta Literaria, tenían como finalidad, "por una parte, procurar un mayor desarrollo de la cultura entre los estudiantes, estimulando el estudio, avivando la investigación y afirmando el aprendizaje, y complementar nuestros afanes puramente culturales e intelectuales".

En Horizontes, los estudiantes colocaron como principio: "Nosotros aspiramos a que este órgano lleve impulso a nuestros compañeros de todo el país, y a que se mire en él el fondo verdadero, que es el de la lucha intelectual".

"Saludamos, pues, de manera efusiva, al estudiantado de Colombia, le ofrecemos las páginas de esta revista y esperamos gustosos su colaboración. Para los estudiantes del Liceo Nacional de Varones de Zipaquirá será motivo de orgullo el ser comprendidos y atendidos por sus compañeros". La dirección.

En el último número de Horizontes, publicado a finales de 1942, se registró una carta del Alcalde, titulada, "Voz de aplauso", la cual decía: "Zipaquirá es una ciudad acogedora, de alta cultura, legado de sus preclaros hijos, que son bien conocidos en los campos de las ciencias, la oratoria, las artes, la poesía, etc.".

"Si los estudiantes del Liceo Nacional tienen deferencia por esta Zipaquirá y su culta sociedad, también esta tierra amante de las letras los acoge con cariño y se hace partícipe de sus glorias y triunfos, así como de sus fatigas y desvelos".

Y el editorial, decía: "Zipaquirá es, en efecto, una ciudad en la cual se entremezclan el embrujo legendario de la Colonia y el pujante desarrollo de los tiempos modernos; en donde la radio, el mobiliario de última moda y los moradores ponen una nota sutil y delicada de antítesis. La sociedad misma está colocada en el justo medio entre lo antiguo y lo reciente, entre las ideas de ayer y las de hoy y mañana, como pocas, lo ranciamente tradicional pero también lo deliciosamente nuevo".

Unos comentarios publicados el 9 de julio de 1899, poco antes de que fuera cerrado el colegio Nacional San Luis Gonzaga, debido a la Guerra de los Mil Días, en el periódico zipaquireño, La Alondra, dirigido por Pedro María Ortega, sirve como testimonio de la vocación intelectual que, como desde muchos años antes se vivía en Zipaquirá. Ese medio de comunicación habla sobre ese colegio, que antecedió al Liceo Nacional de Varones, donde estudió Gabo, y en relación con la "Legión de honor" creada por ese centro educativo, dice: "Se estableció para estimular y premiar la virtud y las letras, la conforma un grupo de los alumnos más distinguidos por su conducta y aplicación, y tiene el carácter y funciones de sociedad literaria. Centro donde se fomenten los buenos estudios y se cultiva la literatura".

Sirva la anterior mención, como los demás argumentos de este capítulo, para documentar la clara vocación literaria que se vivió en Zipaquirá desde el siglo XVIII, la cual, sin duda, fue definitiva para la formación de Gabriel García Márquez como escritor.

La Alondra, dice además: "En las sesiones de 'La Legión de Honor', algunos miembros leen composiciones originales o trozos de autores escogidos, todo lo cual va amenizado con una sabrosa tertulia en que se comenta lo leído".

"Fuera de estas sesiones ordinarias, la 'Legión de Honor' tiene reuniones extraordinarias, anualmente: la principal se verifica el día de San Luis, y tiene carácter de literaria; en ella, además de los discursos acostumbrados, se leen los trabajos más notables que tanto en prosa como en verso, haya producido el ingenio de algunos legionarios".

Y el ejemplar de *La hojarasca* se le perdió a Calderón

Héctor Calderón Lozada, hijo del profesor Calderón, cuenta: "La Gobernación de Cundinamarca quedaba en la Avenida Jiménez con carrera Séptima, y allí mi padre era Jefe de la División de Secundaria y Normales. En un ejemplar de *La hojarasca,* García Márquez le había escrito esta dedicatoria: 'Para mi profesor Carlos Julio Calderón Hermida, a quien se le metió en la cabeza esa vaina de que yo escribiera'. Cuando le robaron esa joya, mi padre estuvo tentado a llamar a García Márquez para contarle su tristeza por la pérdida del libro, y a pedirle otro, pero no fue capaz, era una persona muy prudente, y prefirió quedarse con su pena".

El profesor Carlos Julio Calderón Hermida, bachiller del colegio de Santa Librada, de Neiva, fue condecorado como el primer educador del departamento del Huila; era un hombre muy inteligente, "echa'o pa'lante", elegante y de carácter. El mayor logro de su vida fue haber descubierto en García Márquez un talento excepcional, que estaba desperdiciado.

Según cuenta Cecilia Calderón, "mi papá nos contaba cómo después de una ardua, sistemática y persistente campaña que se impuso, logró convencer a García Márquez de que lo suyo era la prosa; él logró infundirle amor por la literatura".

Los siguientes dos poemas entregados por los hijos del profesor Calderón Hermida, demuestran que él era un gran poeta "piedracielista".

Azul de azules

Azul la melodía en las auroras
por la flauta de Euterpe detenida,
y azul de los ensueños, de la vida
en las diafanidades soñadoras.

Un azul de canciones vibradoras
en las arpas del agua sorprendidas
y en pétalos y estrellas, suspendidas
de un azul de esperanzas, nuestras horas.

Azul en vaguedades del aliento,
encerrado en azul el pensamiento
y arroyuelos de azul en las miradas.

Azul el horizonte, (tierra y cielo),
azules los caminos para el vuelo
y azules las montañas extasiadas.

El peregrino de los días

Por las blancas veredas de los días
viajó mi corazón atormentado
y halló sobre el camino torturado
la harina de pasadas alegrías.

Al gritar, las azules lejanías
le volvieron el eco destrozado

que él oyó cual la voz de su pasado
molido en el camino de los días.

Oteando por todos los senderos
agotó la piedad de los oteros
con su voz de angustiado peregrino.

Y al mirarse, en lugar de su ventura,
empolvada encontró su vestidura
con el llanto molido del camino.

Héctor Calderón Lozada, cuenta: "Mi padre intuyó que Gabo tendría un gran futuro escribiendo. Pero nunca se imaginó que llegaría tan alto como para ganarse el Premio Nobel de Literatura, y menos que se convertiría en el escritor vivo más importante del mundo".

Cuando Calderón Hermida leía los escritos de Gabo, fortalecía su convicción de que tenía una gran imaginación, talento literario y ganas, y que era muy original. Por eso siempre le recalcaba sobre la importancia de la retórica, la construcción, el tratamiento de las metáforas, y en fin, de todo el conocimiento literario. Gabo, siempre tuvo una excelente relación con el profesor Calderón Hermida, y reconoció: "Todo lo que le debía como escritor".

La periodista Cecilia Santos de El Espectador, quien entrevistó a fondo a Carlos Julio Calderón Hermida hace más de 20 años, cuenta: "Estaba preparado para transmitir conocimientos, pero también de estar en disposición de establecer una franca y afectuosa comunicación, que fue constante entre el maestro y el educando. Carlos Julio Calderón Hermida dejó huella a su paso por planteles de educación de diferentes lugares del país, donde, sin ninguna duda, quien tuvo el privilegio de contar con él, bien como profesor, bien como prefecto de disciplina, o como rector, no lo ha olvidado".

Luego de convencerlo que su futuro estaba en la literatura, Calderón Hermida se encargó de encaminar a Gabriel García Márquez por el rumbo de la prosa.

Miguel Lozano cuenta: "Gabo era narrador, cuando comenzó a escribir era como musical, empezó a escribir sonoro. Algún compañero le decía, escríbete una carta como si fuera para tu novia; entonces él sacaba del bolsillo un lápiz y al rato, preguntaba: ¿Cómo te parece esta carta? Nosotros le alimentábamos el 'ego' porque en verdad era un verraco para escribir". Y agrega: "Yo le llevo un año a Gabo, y no se me olvidan la cosas que viví junto a él. Recitaba de memoria los sonetos de Carranza. Influyó tanto en nosotros los estudiantes, que casi todos le pedimos alguna vez que escribiera y nos regalara un poema".

"Un día, (dice Miguel), Alfredo Aguirre, quien luego estudiaría Medicina, le pidió un poema a Gabo para llevárselo a su enamorada, Teresita Patiño; quien fuera después novia de Gustavo Pedraza. Gabo estaba estudiando para un examen, y no pudo complacerlo, entonces Alfredo copió el 'Soneto A Teresa' de Eduardo Carranza, y después se lo recitaba a ella cada rato. ¿Lo recuerda? Estos son unos de sus versos:

Teresa, en cuya frente el cielo empieza,
como el aroma en la sien de la flor.
Teresa, la del suave desamor
y el arroyuelo azul en la cabeza.

Teresa, en fin, por quien ausente vivo,
por quien con mano enamorada escribo,
por quien de nuevo existe el corazón.

Luis Ariza, compañero de curso de Gabriel, cuenta: "A Gabo no le gustaban las matemáticas, la física, la química, ni la educación física, en cambio le encantaba la historia, la geografía y las clases del profesor Calderón Hermida. Los de Gabriel García Márquez eran en su mayoría poemas románticos que le inspiraron algunas jóvenes zipaquireñas que hicieron aflorar en él los sentimientos del amor. Entregaba por primera vez sus sentimientos soñadores y románticos, que había estrenado, en silencio, en un temprano amor platónico por la profesora Rosa Helena Ferguson, quien le enseñó a leer y escribir".

Y concluye: "Gabriel le dedicaba sus poemas a jóvenes zipaquireñas, como: Virginia Lora, Lolita Porras, Cecilia González Pizano o Berenice Martínez. Pero aparte de eso, también hacía acrósticos y versos 'pedidos por nosotros; y a sus mejores amigos les hacía versos 'mamagallistas', para sobarles la vida".

Alfredo García Romero dice, "sobre la capacidad de recordar las cosas, 'Gabo, nos repetía: 'la memoria no es patrimonio de los inteligentes'. Y él calificaba como los más inteligentes de nuestro curso, a Eduardo Angulo Flórez y Sergio Castro Castro".

Según Jaime Bravo, "a García Márquez, algunas veces en que se indisciplinó, le pusieron como castigo escribir, lo que en realidad era para él como un premio; si no estoy mal, de allí salió su primer cuento: "Psicosis obsesiva". Finalizando casi cuarto de bachillerato, Gabriel leyó en clase ese cuento.

Sobre este tema, contaba Álvaro Ruiz: "El brillante poeta y escritor, Rogerio Erazo, vice-rector del Liceo, leyó "Psicosis obsesiva" y fue el primero que le encontró algún parecido con *La metamorfosis* de Kafka, libro que según aseguraba por entonces Carlos Julio Calderón Hermida, Gabito no había leído".

La metamorfosis, fue un libro publicado en 1915, cuenta la historia del comerciante Gregorio Samsa, quien un día aparece sobre su cama convertido en un insecto monstruoso, patas arriba, sobre su espalda, que era un caparazón rígido.

Franz Kafka nació en Praga, Bohemia, Austria-Hungría (hoy República Checa). Fue doctor en leyes y autor de novelas, relatos y cuentos fantásticos. Su obra es una de las más influyentes de la literatura universal.

Los estudiosos de Kafka resaltan que en sus escritos se repiten palabras como: "Soledad", "desamparo", "derrumbamiento" y otras que sugieren un mundo triste; lo que tiene cierta similitud con los textos y poemas iniciales de Gabo, en los que él insiste también en las palabras, soledad y tristeza.

Capítulo 18

"La Manca" González, Daniel Arango y los intelectuales

La intelectual, Cecilia González Pizano, a quien le faltaba una mano y le decían "La Manquita" o "La Manca" González, formaba parte de una familia tradicional y aristocrática zipaquireña; vivía al frente al Liceo Nacional de Varones, en una vieja casa colonial situada en la acera norte de la calle Séptima, abajo de la carrera Octava. Ella fue una formidable mujer, especie de "hada madrina" y protectora de Gabriel García Márquez, cuando él era apenas un adolescente inexperto. Ella lo ayudó durante el tiempo que vivió en Zipaquirá, entre 1943 y 1946; una de las épocas más difíciles de la vida de Gabo.

Emilia Ramírez, amiga de Cecilia, dice: "Ella era una mujer de avanzada, integrante de una familia muy culta, y apoyó a García Márquez, como nadie más lo hizo. Era de una gran inteligencia, muy simpática, tenía un fino humor, era muy femenina y gozaba de una memoria prodigiosa. Alternaba las tertulias literarias y políticas en su casa de Zipaquirá, con los escenarios culturales más exclusivos de Bogotá; quienes la conocimos, coincidimos en que ella nació 'en la época equivocada', pues el país era aún demasiado conservador y ella, una mujer verdaderamente liberal".

La pintora Lucía Caycedo Caycedo, anota: "Sin duda alguna 'La Manca' González, por su cultura y su relación con los intelectuales bogotanos, influyó positivamente en la formación literaria de Gabriel García Márquez".

Según "La Nena" Tovar, amiga zipaquireña de "La Manca" y de García Márquez: "Ella me repetía: Gabriel va a ser una persona muy importante. El sufre mucho por el frío, por sus carencias económicas

Foto tomada desde el balcón del dormitorio, al fondo el balcón de la habitación del rector y al frente, abajo, casa de "La Manca" Cecilia González.

y porque se siente inseguro a pesar de los amigos que ha hecho en los meses que lleva aquí, y de quienes lo queremos".

Ella lo apoyó a él siempre, como lo hicieron Carlos Julio Calderón Hermida, Álvaro Ruiz Torres, Carlos Martín, Eduardo Angulo Flórez, Guillermo López Guerra y otros compañeros que se preocuparon por Gabriel García Márquez. Como Carlos Martín, Cecilia alentó la "operación contacto" que relacionó a Gabo con la intelectualidad bogotana, la más destacada e importante de Colombia, entre ellos estaba Daniel Arango Jaramillo, quien años antes había tenido una relación sentimental con ella.

Lucía Caycedo Caycedo, cuenta: "Cecilia tenía gran personalidad, inteligencia y talento artístico; fue una intelectual integral y casi todo el mundo la quería en Zipaquirá".

Cecilia nació el jueves 31 de marzo de 1921; Gabriel García Márquez el domingo 6 de marzo de 1927 y Daniel Arango, el lunes 25 de abril de 1921; ella le llevaba 26 días a Arango y 6 años a Gabo, y fue la primera persona que en esa ciudad comprendió y estimuló la energía creadora de Gabo, y también una de las personas que, junto con Carlos Martín lo vinculó a la élite intelectual de Bogotá, con la que ellos dos interactuaban.

Arango nació en Villavicencio en 1921, el mismo año en que nació Cecilia. Fue poeta, catedrático del tema "Los grandes pensadores y escritores", historiador, político y humanista. Tuvo una gran relación con su profesor de Derecho Penal, Jorge Eliécer Gaitán. Fue encargado de la Presidencia, por el doctor Carlos Lleras Restrepo; embajador ante la Unesco, Gobernador del Meta y asesor cultural del Banco de la República, ministro de Educación del gobierno del Presidente Guillermo León Valencia, que lo galardonó con la Cruz de Boyacá, la Orden Andrés Bello de Venezuela y declarado Ciudadano Honorario de Bolivia.

"Vivimos en una finca muy cercana al centro de Zipaquirá, donde está hoy la Urbanización Algarra. La casa estaba años antes de que en la misma casona colonial funcionara el Liceo Nacional de Varones. Y aprendí con algunos de los profesores que continuaron allí, hasta la época de Gabriel García Márquez. Gabriel y yo coincidimos en tres asuntos, o mejor, tuvimos tres causas comunes: una amiga a la que quisimos en épocas distintas. Los dos recibimos la influencia del movimiento literario 'Piedra y Cielo', especialmente a través de la obra, y después, de la propia amistad de Eduardo Carranza. Y también en momentos distintos, estudiamos en los mismos salones de la casona donde estuvo, primero el colegio San Luis y luego, el Liceo Nacional de Varones, donde Gabriel se graduó como bachiller. Por otra parte, como Gabriel, yo fui siempre buen lector allí".

Mientras García Márquez estudiaba en Zipaquirá, y demostraba un gran talento como dibujante y caricaturista, Daniel Arango Jaramillo, fue Secretario de la Oficina de Control de Noticias en Bogotá, en 1945; director de la revista de la Policía, en 1946; jefe de la sección de Bellas Artes del Ministerio de Educación, entre 1945 y 1946. Sus principales ensayos fueron publicados por el Instituto Caro y Cuervo en 1996, con el título de *La ciudad*.

Yo lo entrevisté tres años antes de que muriera y me contó que fue novio de "La Manca" Cecilia González Pizano, con quien consolidó su amistad porque coincidían en el gusto por la poesía y la literatura. Su padre fue amigo del papá de Cecilia. "Todos vivíamos enamorados de ella; era una mujer extraordinaria que no le temía a nada, ni sentía complejo porque le faltara una mano. 'Chila', como yo le decía, tenía una gran personalidad; era una mujer muy culta y moderna", dice Arango.

Y Arango, prosigue: "Bueno, mejor que moderna, digamos que Cecilia era una mujer de avanzada. Luego de habernos conocido y de sostener una bella relación en Zipaquirá, nos veíamos en Bogotá pues ella estudiaba Bellas Artes, en la Universidad Nacional, donde yo estudié. Y terminamos siendo excelentes compañeros. Yo la presenté a mis mejores amigos, con quienes conformábamos un grupo de jóvenes intelectuales en Bogotá y ellos la acogieron con entusiasmo desde el primer momento. Y ella comenzó a asistir regularmente a las tertulias que solíamos realizar en los cafés más famosos de la capital, especialmente en El Automático, que quedaba muy cerca de El Tiempo y El Espectador, en la emblemática Avenida Jiménez con carrera Séptima que inicialmente se llamó, "La Fortaleza", pero que cuando lo compró Fernando Jaramillo, lo rebautizó".

Arango entusiasmado con el tema, me dijo: "La historia de las tertulias literarias y de la bohemia del siglo es la misma historia de los más famosos cafés de Bogotá que eran sitio de encuentro de poetas, escritores, pintores, políticos, periodistas, artistas, y otros intelectuales. Los más tradicionales eran: La Gran Vía, el Windsor, el Riviere, (donde se reunían piedracielistas como Jorge Rojas, Carlos Martín, Arturo Camacho Ramírez, Eduardo Carranza, Darío Samper y otros. En el Automático 'se matricularon' en la bohemia literaria, personajes como Jorge Zalamea, Luis Vidales, Hernando Téllez, Juan Lozano y Lozano, Alberto Galindo, Juan Roca Lemos y muchos periodistas de diarios como El Tiempo y El Espectador. Pintores como Omar Rayo y otros intelectuales. Y allí, con ellos, casi siempre estaba la bella y cautivadora zipaquireña Cecilia González Pizano, una intelectual pura y de avanzada, miembro de una culta y exquisita familia, en cuya mansión pasamos muchas horas con todos ellos compartiendo el placer de la literatura. En los cafés solíamos reunirnos con otras mujeres cultas, como: Marujita Vieira y Emilia Pardo Umaña. Tiempo después, Gabriel García Márquez hizo amistad con los escritores e intelectuales de la mano de Cecilia González, quien ciertamente fue quien lo relacionó con ellos, como lo hizo Carlos Martín".

"Cecilia (continúa Arango) se reunía con nosotros en el transcurrir cultural de los 'cafés literarios' del centro de Bogotá, a donde ella había sido presentada a sus compañeros de tertulia como, 'La Poetisa zipaquireña'. Rompiendo todas las costumbres, los contertulios de los cafés 'se acostumbraron a verla, a escuchar sus voz cálida y sus apuntes repentistas, que arrancaban admiración. Ella compartió entonces poemas, risas, alegrías, con León de Greiff, Aurelio Arturo, Jorge Gaitán Durán, Germán Espinosa, Arturo Camacho Ramírez, Jorge y Eduardo Zalamea, Luis Vidales, Javier Arias Ramírez, Fernando Charry Lara y otros, que descubrieron en ella una gran mujer a la que también aprendieron a querer".

Daniel Arango, que era un hombre "gocetas", amable, cálido, sencillo y excelente conversador, anota: "Era tanta su carisma, que decidió iniciar una serie de tertulias literarias algunos sábados en su casa de Zipaquirá, a comienzos de 1942, y logró interesarlos a ellos por asistir. Eran unas veladas formidables frente al ya por entonces famoso Liceo Nacional de Varones, al que por cosas del destino llegó dos años después uno de los líderes del 'piedracielismo' Carlos Martín, ferviente amigo de Cecilia, que asistió conmigo a un par de reuniones literarias en su casa".

"Precisamente yo conocí a Gabriel García Márquez una tarde de tertulia literaria en casa de Cecilia por allá en 1943 o 1944, no puedo precisarlo. Ese día habíamos ido con Jorge Rojas, Otto de Greiff, Fernando Charry Lara, Hernando Téllez Blanco y uno de los Zalameas. Fue una reunión espléndida. Compartimos con unos jóvenes intelectuales y con unos estudiantes entre quienes estaba García Márquez; me acuerdo de "El Vate" Saavedra y de su hermana Aura, excelentes poetas a quienes conocí cuando estudié allí. Y recuerdo que era Gabo, porque Cecilia no hacía más que hablar maravillas de él. Ese sábado, por fin conocí a quien ella calificaba como un excelente poeta, pero me pareció un muchacho tímido, que nos escuchaba con atención".

"Cecilia me habló de nuevo sobre García Marquéz, su amigo costeño"

"En esa época yo era profesor de Literatura colombiana en la Escuela Normal Superior, y fui invitado por el rector José Francisco Socarrás, a un acto cultural que se realizaba en el Liceo de Zipaquirá, donde casi todos los profesores habían salido de la Normal. 'La Manquita' estaba allí, y de nuevo me volvió a hablar de su amigo costeño que 'escribía como los dioses', y me pidió que lo ayudara en Bogotá con El Tiempo y El Espectador, donde yo tenía buenos amigos. Pero la verdad es que nunca se concretó nada".

"Cuando yo era director de Museos y Exposiciones del Ministerio de Educación Nacional, en marzo de 1946, (cuenta Arango Jaramillo), volvimos a reunirnos donde Cecilia y allá llegaron unos muchachos del Liceo, entre ellos el sobrino de una gran amiga mía, la poetisa y declamadora 'Laura Victoria' (Álvaro Ruiz) y Gabriel García Márquez, a quien Cecilia alababa y nombraba, como si fuera un gran personaje. Decía que le veía mucha madera. No había duda que estaba enamorada de él, pero a decir verdad tenía toda la razón, porque descubrió tempranamente su gran talento. Fue otra tarde de poemas, política y temas de literatura, en Zipaquirá".

Daniel Arango prosigue: "Y volví a saber de Gabriel un tiempo después, porque yo era jurado en un concurso de cuento, organizado por la Universidad Javeriana y él participó; creo que era uno de sus primeros trabajos. Pero figúrese lo que pasó: el padre Giraldo me llamó y me dijo: 'Daniel quiero que me haga el favor de decirle a este señor, que cambie estos vocablos por otros más delicados, que cambie su lenguaje. Cuando leí lo qué escribió Gabriel, vi que había puesto la palabra 'hijuep...', y claro, no ganó".

"Pero, (prosigue Arango) fui jurado de otro concurso literario, patrocinado por la Gobernación de Cundinamarca, y tuve la satisfacción de otorgarle dos premios a García Márquez. Otro de los jurados fue Hernando Téllez Blanco, con quien coincidimos en que lo único que valía la pena era lo que él había presentado. Ese día, con unas frases no más, me di cuenta de la calidad del trabajo de Gabriel, y recordé: "Sólo basta con beber una gota de vino, para saber de su calidad. En el acto de premiación, lo felicité con mucha sinceridad, hablamos sobre Cecilia, y un par de frases sobre nuestras vidas en Zipaquirá. Yo viví orgulloso de haber premiado y estimulado tempranamente a un grande, desconocido hasta entonces, quien llegaría a la cima de la Literatura".

"Lo volví a ver en París, antes de que se ganara el Nobel; nos habíamos encontrado en el avión y nos pusimos de acuerdo en almorzar. Yo estaba de vice-rector de la Universidad de Los Andes y había viajado por una gestión académica. Nos reunimos en un restaurante elegante y recuerdo que me contó una anécdota que escribieron en el periódico El Tiempo escribieron: "Daniel Arango no pudo resistir el deseo de contar un cuento que Gabriel García Márquez le refirió en un restaurante de París, porque le hizo mucha gracia. Se trataba de un niño que estaba con su mamá y en un descuido se perdió; el menor, muy asustado, vio a un policía, acudió a él y casi llorando le dijo: "Señor Policía, ¿usted no ha visto pasar por aquí a una señora de negro sin un niño como yo?".

Arango termina diciendo: "Yo tengo un ejemplar de la primera edición de *La hojarasca*, con dedicatoria de Gabriel...Fue a la universidad y le di $5.000 por ese ejemplar. Y él escribió: "Para Daniel Arango que dio cinco mil pesos para poder hacer este libro".

"Luego hubo personas que quisieron comprarme ese libro, en lo que yo pidiera, pero no se me pasó por la mente hacerlo. Un día que nos reunimos en Bogotá, Gabriel le escribió una segunda dedicatoria: 'A Daniel Arango no le da pena hacer esa bestialidad de mantener este libro', y le puso nuevamente su firma".

García Márquez, en su libro, *Vivir para contarla,* dice: "Cecilia González fue una verdadera camarada de la vida".Y sobre ella, Dasso Saldívar, el excelente biógrafo de García Márquez, en su libro, *El viaje a la semilla,* (Alfaguara 1997), al referirse a los versos que escribía Gabo, dice: "Unos inspirados en Mercedes, (su esposa hoy) quien lo esperaba durante las vacaciones en Sucre, y en dos amigas que tuvo en Zipaquirá: Lolita Porras y Cecilia González".

Pero hubo otras tres jóvenes a quienes García Márquez escribió poemas de amor: Berenice Martínez, su primera novia en Zipaquirá; Virginia Lora, hermana de la telegrafista que era su acudiente en el Liceo, y una tercera persona sobre quien, Álvaro Ruiz Torres nunca quiso descubrir su nombre, según me decía cuando le insistí, porque, "es un secreto que le prometí guardar a Gabito. Y lo cumplió, porque como hombre de palabra se llevó el secreto a su tumba.

Álvaro contaba que Gabo fue un excelente dibujante desde muy niño, y que se distinguió en Zipaquirá por hacer caricaturas de muy buena factura a sus compañeros y a sus profesores, y también por pintar flores, animales y otras cosas. Estábamos en cuarto de bachillerato cuando le dio porque quería estudiar Bellas Artes, y estuvo averiguando con Cecilia sobre la Escuela de la Universidad Nacional, donde ella estudió; pero una vez que el profesor Calderón Hermida lo metió en la literatura, se olvidó del tema. Ya no tenía tiempo para nada que no fuera leer, hasta el cansancio, escribir y soñar despierto".

"Ella, (dice Guillermo López Guerra refiriéndose a Cecilia), fue el centro de la intelectualidad en Zipaquirá, porque era una mujer muy culta, exitosa, simpática, graciosa e influyente; amiga de los más destacados poetas y escritores bogotanos, quienes solían visitarla. "La Manca" organizaba tertulias literarias los sábados luego de las conferencias de Andrés Pardo Tovar en el Liceo. Para los internos, el otro plan fijo de los sábados, menos trascendental, claro, era meter la ropa sucia en las bolsas de tela que se usaban, para entregárselas a las lavanderas en la puerta del Liceo".

Alfredo García Romero, uno de los compañeros de colegio de Gabo, dice: "El si tuvo una relación sentimental con Cecilia, pero creo que a él no le gustaba que eso se supiera porque ella le llevaba cinco o seis años de edad, no porque fuera manca".

La prima de Cecilia, Adelita González me dijo una tarde en que la entrevisté: "A Cecilia, quien siempre vivía sonriente y muerta de risa, la persiguió el número 1: Vino al mundo el jueves 31 de marzo de 1921; fue la única mujer en su hogar y nació con una sola mano". Ella se mofaba de su defecto físico cuando se quitaba la prótesis y el guante que la cubría.

Cuenta Hernando Benavides: "Cecilia era una mujer muy inteligente y despierta, a mí me hizo una pilatuna. Yo jugaba ajedrez y una tarde decidimos jugar juntos, ella repetía exactamente las jugadas que yo iba haciendo y casi no le puedo ganar. Luego me enteré de que ella prácticamente no había jugado ajedrez antes".

Y agrega: "Algunos años después ella fue novia del doctor Daniel Arango, a quien yo serví de correo con las cartas que le enviaba a Cecilia; él me postuló como Secretario del Liceo Nacional de Varones, pero no pude aceptar porque entonces yo ya estaba trabajando como directivo sindical, y lo que hacía, me gustaba mucho".

Entrevista a Cecilia González Pizano en 1941

Lucía Caycedo Caycedo, me entregó copia de una entrevista que le hicieron a Cecilia González Pizano en abril de 1941, en la revista Horizontes, del Liceo Nacional de Varones de Zipaquirá; algunas de sus líneas sirven para conocerla un poco. Dice esa publicación:

"Es, realmente una verdadera personalidad de mujer. Dotada de una inteligencia fina y sensitiva, de excelentes capacidades para el arte; ha tenido el feliz acierto de cultivar su espíritu con esmero y distinción.

Ex-alumna de la Facultad de Bellas Artes, versada en literatura y en pintura, carece completamente de "pose", de afectación, es abnegada, cariñosa, de un inalterable buen humor y la apasionan las travesuras estudiantiles.

Su burlona y traviesa ironía hace las delicias de cuantos tienen el placer de hablar con ella, y nos recibe en la puerta de su mansión con una de sus singulares bienvenidas. Instalados cómodamente en el vestíbulo, responde al tema: ¿Qué piensan las muchachas zipaquireñas?

¿Entiende la misión de la mujer como un apostolado o como una obligación?

-Aborrezco lo que tenga carácter de obligatorio; por eso la entiendo como un apostolado.

¿Qué costumbres le gustan más: Las de nuestras abuelas o las de nuestros días?

-A pesar de mi modernismo, amo sinceramente las costumbres antiguas.

¿Qué oiría con mayor placer: El discurso de un famoso orador o una audición de música bailable?

-Claro que la música bailable

¿Qué visitaría con más agrado: una exposición de pintura o una de vestidos?

-Visitar una exposición de pintura es el mejor placer que puedo proporcionarme.

¿Qué baile le gusta más?

-El bolero y el fox, son mis ritmos favoritos.

¿Prefiere un amor novelesco y romántico o un amor apacible y burgués?

-Un amor novelesco y romántico, capaz de hacer sufrir y gozar intensamente, constituye la ilusión de mi vida.

¿Cuál le gustaría más para novio, un hombre de negocios o un hombre de estudios?

-Es indudable que un hombre de estudios, tendría más tiempo y más amor para mí".

Adelita, su prima cuenta que "Cecilia le presentó en su casa a los más destacados intelectuales bogotanos que solían visitarla y hacer animadas tertulias, que muchas veces terminaban a media noche, y a esa hora partían para Bogotá".

Según Álvaro Ruiz Torres, "Cecilia era encantadora; no había tertulia o fiesta completas sin ella. Su papá se llamaba Isaac González Gaitán; ella vivía con una tía y en la casa siguiente, también frente al Liceo, habitaba su tío Vicentico González, padre de Adelita y 'eterno' tesorero de Zipaquirá. Eran dos casas antiguas convertidas hoy en cuatro".

Yo recuerdo que Cecilia González hablaba muy bien francés e inglés, usaba un guante de piel que cubría la prótesis de su mano y según me contaba un tío, a mi mamá casi no la dejaban tratarse con ella porque decían que era una muchacha demasiado avanzada.

Con una sola mano bordaba, pintaba y tocaba piano... Y declamaba

El ingeniero Jaime Bravo, otro de los compañeros cercanos de García Márquez en el Liceo, anota: "Cecilia le llevaba como cinco o seis años a Gabriel, era una excelente pintora, poeta y declamadora; y tocaba muy bien el piano. Pero lo más importante es que fue una de las personas que más apoyó y estimuló a Gabo en su formación literaria".

Según Elvia Pedraza de González: "Dos de los mejores amigos del Liceo, de Cecilia, eran Ricardo González Ripoll y Benjamín Anaya, quienes andaban mucho con García Márquez y lo llevaban a los bailes que organizábamos con 'La Nena' Tovar, con 'la Mona' Peralta, cuya hermana era una joven exótica, con aire de Sofía Loren; con Elvira Aráoz y Rosita Márquez, (la primera reina que tuvo Zipaquirá), y Berenice Martínez".

Cuenta Elvia: "Gabo tal vez no se había fijado aún en Berenice Martínez, una niña muy linda que era novia de Mario Charry; pero un tiempo después cuando Mario ya no vivía en Zipaquirá, Gabriel se 'cuadró' con Berenice, que era hija del Maestro Alberto Martínez. Marina, la hermana de Berenice, terminó saliendo con Benjamín, 'Mincho' Anaya; muy buen amigo de Gabo. Es decir que Benjamín y Gabriel fueron algo así como una especie de concuñados".

"Nuestros bailes, (continúa Elvia) que a veces eran 'melcochas', otra con 'empanadas', y otras, 'ron con Coca Cola", las llamábamos: 'melcochas bailables', 'empanadas bailables', o 'Coca Colas bailables'. Nos divertíamos mucho, pocos fumaban pero Álvaro Ruiz y Gabo, parecía que lo hacían por todos; eran unas chimeneas ambulantes. Una de las características de Cecilia es que a pesar de que sólo tenía una mano, ella bordaba, tejía, cosía y solía clavar las agujas en su prótesis.

Nos sentábamos sobre cojines puestos en el piso y hacíamos una rueda de cuentos, en las que García Márquez sobresalía. Bailábamos, nos actualizábamos y nos reíamos mucho. Y a veces salían a flote versos que escribían algunos estudiantes del Liceo, como Samuel Huertas, pero especialmente García Márquez".

"A veces hacíamos recolecta entre todos y le encargábamos a Ricardo y a sus amigos ir a la 'Pastelería Ritz' a comprar bizcochos, para que los asistentes a la fiesta acompañaran con Coca Cola", añade Elvia Pedraza.

Elvira, agrega: "A pesar de la época tan conservadora, Cecilia entraba en Bogotá a los Cafés, a departir con los intelectuales. Tenía grandes amigos como los Zalameas, en especial Eduardo Carranza, Andrés Pardo Tovar, Daniel Arango, quien fue su novio, y a la postre ministro de Educación".

Germán Sarmiento Ozman, compañero de colegio de Gabo, cuenta que lo veía a él con Cecilia constantemente, "caminando en la cuadra del Liceo, donde ella vivía. Muy animados en su charla, subían hasta la esquina y luego bajaban con papeles en la mano, que entiendo, contenían los poemas que Gabriel escribía y le leía a ella. Les encantaba caminar".

Alfredo García Romero, rememora: "Yo recuerdo una tertulia en la casa de "La Manca", a comienzos de 1944; asistimos, Gabo, quien nos llevó, Mario Convers, Álvaro Ruiz y yo; esa tarde en que por cierto, llovió todo el tiempo, llegaron adonde Cecilia: Daniel Arango, Eduardo Carranza, Aurelio Arturo, Andrés Pardo Tovar, uno de los Zalameas, Carlos Martín y Carlos Julio Calderón Hermida, entre otros, y lo recuerdo bien por mi emoción de estar con esos intelectuales. Yo conocía a Carlos Martín, porque era rector del Liceo, y a Pardo Tovar y el profesor Carlos Julio Calderón, pero a los otros no". Y agrega: "Uno de los visitantes, creo que Eduardo Carranza o Daniel Arango, no puedo precisarlo, le llevó un libro a 'La Manquita', el cual circuló entre todos los que estábamos allí, y yo, impactado, me aprendí de memoria la dedicatoria que aún no olvido, la cual decía: "Para Cecilia González Pizano esta apretada síntesis de emociones humanas, en cuyas páginas encontramos la ricura de nuestro propio corazón".

"Esa tarde hubo discusión política, poemas, vino y ron. Nosotros tuvimos que salir 'disparados' a las seis de la tarde para el Liceo, porque era la hora de regresar y los visitantes siguieron la tertulia hasta por lo menos las diez de la noche, hora en que nos dormimos; nosotros veíamos sus carros por la ventana del dormitorio. Ese día el joven de mostrar fue Gabo, quien era más que amigo de 'La Manquita' Cecilia".

Álvaro Ruiz Torres, dijo: "El primer poema que yo supe escribió Gabriel en Zipaquirá, fue uno que hizo para la hermana de su acudiente Sarita Lora; era una muchacha muy linda y Gabito estaba muy entusiasmado con esos versos. Era sábado y Cecilia venía de Bogotá, llegó a su casa y él la esperaba con el poema escrito, como casi todos los suyos, a mano. Ella lo leyó, le gustó mucho, y le expresó: 'Gabriel, está estupendo' ¿Pero quién me lo va a publicar?, dijo él. Y Cecilia, como adivinándolo, respondió: 'Ya verás cómo te van a publicar con éxito todo lo que escribas".

Según "La Nena" Tovar, una de las mejores amigas de Cecilia González Pizano, de quien decía, "su razón de vivir era gozar cada momento que transcurría; llevaba la alegría a flor de piel, y uno de los motivos por las que se entendió con García Márquez, fue porque a pesar de su aparente timidez, él era a la vez un muchacho cerebral pero alegre, apasionado, y 'gocetas', como 'La Manquita', en quien encontraba apertura, comprensión, alegría y estímulo".

Y "La Nena", agrega: "Un tiempo después de sus primeras impresiones, creo que cuando ya Gabriel iba a terminar su bachillerato, Cecilia creía que sus temores e inseguridad inicial, habían mermado mucho. Ella vivía orgullosa de Gabo porque con el tiempo se había convertido en líder de los muchachos en el Liceo y por otra parte, líder de quienes hacían versos, escribían en prosa, o eran fiesteros. Poco a poco se fue destapando, y su carácter reservado fue cambiando por el de un muchacho extrovertido".

Por otra parte, "La Nena" Tovar, me contó: "Esa relación que fue mayor que una amistad entre Gabo y Cecilia, hizo que ella se convirtiera en su confidente. A Gabriel lo ponía triste saber que su familia se preocupaba poco por él, a pesar de los éxitos académicos que iba obteniendo con el tiempo y de la notoriedad que fue ganando en el Liceo como dibujante, como poeta y como escritor, pero un total fracaso en deportes, pues odiaba cualquier ejercicio que fuera diferente a bailar. Solo le gustaba eso, leer y abrigarse para sacarle el cuerpo al frío. A veces le decía a Cecilia que le hacía falta su tierra, pero que estando lejos de su familia y cerca de sus mejores compañeros de estudio, tenía menos sinsabores".

Carmenza Caycedo Caycedo, recuerda: "Cecilia, quien dominaba el inglés y el francés, por la sólida educación recibida de un institutor exclusivo que tuvo en su casa, antes de irse a estudiar Bellas Artes a Bogotá, donde hizo amistad con sus profesores, y a través de ellos y de su primer novio Daniel Arango Jaramillo, accedió a los más importantes intelectuales de Bogotá".

Hoy casi nadie sabe en Zipaquirá sobre la importancia que tuvo esa muchacha amiga, leal y grata del "cataquero" Gabriel García Márquez, quien por cosas del destino viajó más de mil kilómetros desde su tierra hasta Zipaquirá, donde terminó viviendo cuatro años, frente a la casona de "La Manca", la cual luego de que Cecilia y su tía murieron, se vino a menos y fue dividida en tres pequeñas viviendas.

Elvia Pedraza de González, cuenta que influenciada por una amiga que vivía en los Estados Unidos, un buen día Cecilia se fue sin despedirse, lo cual nos extrañó mucho. Después supimos que trabajaba con la NASA y que la habían asignado a una oficina que quedaba en Nueva York. Y finalmente, por ahí en los años sesenta, nos impactó la noticia de su muerte".

Jorge, un sobrino de Adelita González, prima de Cecilia, me dijo que su trabajo en la NASA consistía en manejar un departamento de planos.

Álvaro Ruiz Torres y Sara Lora, expresaron un mismo deseo: "Antes de morir, quiero volver a ver a Gabo, sueño que no se les cumplió. Ese mismo anhelo lo tuvo "La Manca", y se lo confesó a su prima Adelita en una oportunidad que vino a Colombia; pero se le agotó el tiempo, pues esa formidable mujer que se burlaba de su prótesis y de la vida, una tarde, después de salir de su oficina, a pocas cuadras, cuando caminaba por la Quinta Avenida de Nueva York, un ataque fulminante al corazón, acabó con su vida. "Ella siempre tuvo un anhelo, (cuenta Jorge), volver a ver algún día a Gabriel García Márquez, pero la vida no le duró para poder cumplir ese sueño".

Capítulo 19

Carlos Martín, los profesores y los compañeros de Gabo

Cuando Gabriel García Márquez estudió en Zipaquirá, el Liceo Nacional de Varones tenía una nómina de profesores jóvenes, con mentalidad de avanzada; la mayoría se había preparado en la Escuela Normal Superior, en Bogotá; entre ellos los siguientes fueron algunos de los educadores que formaron a Gabo:

- Alejandro Ramos, fue rector del Liceo hasta el lunes 6 de febrero de 1944.
- Carlos Martín, poeta de renombre, fue rector del Liceo y profesor de García Márquez, desde el 8 de febrero hasta mediados de julio de 1944.
- Carlos Julio Calderón Hermida, el profesor que descubrió el potencial del Gabo escritor, le enseñó Preceptiva, Español, Literatura, Historia de la Literatura y materias afines.

- Óscar Espitia, reemplazó a Carlos Martín y fue rector del Liceo desde Julio de 1944 y hasta diciembre de 1946; le dictaba Química a García Márquez.
- Rogelio Erazo, fue vice-rector cuando Gabo estudió en el Liceo, y rector desde 1947.
- Gonzalo Ocampo, era el prefecto de Disciplina, y profesor de Filosofía.
- Guillermo Quevedo Zornoza, su profesor de Música y Canto.
- Álvaro Gaitán Nieto, médico y profesor de Fisiología y Anatomía de Gabo.
- Manuel Cuello Del Río, profesor de Historia de América y su orientador político.
- Héctor Figueroa, su profesor de inglés.
- Jorge Perry Villate, instructor de Educación Física.
- Alfredo Tovar Mozo, reemplazó a Jorge Perry.
- Antonio Yela Albán, le dio clases de latín y francés.
- Eufrasio Páramo C; era profesor de Historia y Geografía en el Liceo.
- Jesús María Rojas ("El Chulo"), le enseñó Botánica, Biología y Zoología.
- El Padre Juan de Las Heras, era capellán del Liceo y profesor de Religión.
- Joaquín Giraldo Santa, que también era poeta, fue profesor de Matemáticas de Gabo, materia para la cual este era "negado".

Entre los maestros de Piedra y Cielo más destacados, estaban: Arturo Camacho Ramírez, Jorge Rojas, Eduardo Carranza, Darío Samper, Tomás Vargas Osorio y Gerardo Valencia., y Carlos Martín que fue el más joven de los poetas del grupo. Nacido en Chiquinquirá en 1914, era un hombre serio, pero alegre, amable, de buen humor y de gran simpatía; él hacía agradables las tertulias. Fue considerado como "el último eslabón creador del famoso grupo Piedra y Cielo", movimiento de la generación más importante de la literatura colombiana, de gran impacto entre los años 1935 y 1952.

Hablando del libro, *Epitafio de Piedra y Cielo*, de Carlos Martín, "Darío Jaramillo, dice: "El piedracielismo marca en Colombia el tránsito del reino de Rubén Darío al reino de Neruda" (Boletín Cultural y Bibliográfico, N° 2, 1984).

En 1939 aparecieron los libros de Piedra y Cielo editados por el poeta Jorge Rojas, quien inspirado en un verso de Juan Ramón Jiménez creó el movimiento Piedra y Cielo. Entre septiembre de 1939 y marzo de 1940, editó siete cuadernillos llamados, de Piedra y Cielo. El invitó a participar en dicha colección a los poetas con los que inició ese movimiento literario, los cuales se reunieron en tertulia permanente en los cafés más tradicionales de Bogotá.

Según el escritor e historiador zipaquireño, Rafael María González Rosas, quien murió el 2 de febrero de 2011 y siguió de cerca el movimiento cultural que hizo sus sedes naturales con los del centro de Bogotá, los asistentes más fieles a las disquisiciones literarias en los cafés "As de Copas", "Automático" y "La Victoria", donde con el poeta y rector del Liceo Nacional de Varones, de Zipaquirá, (y orientador literario de Gabriel García Márquez), se reunían Aurelio Arturo, Jorge Zalamea, Jorge Gaitán Durán, León de Greiff, su hermano Otto, Eduardo Zalamea Borda, Luis Cano, Daniel Arango Jaramillo, y a su cuidado, "La Manca" Cecilia González Pizano, y los Maestros de Piedra y Cielo: Arturo Camacho Ramírez, Jorge Rojas, Eduardo Carranza, Carlos Martín, Darío Samper, Tomás Vargas Osorio y Gerardo Valencia; y posteriormente se integró Gabriel García Márquez.

Martín, un rector "fuera de serie"

En tan sólo seis meses de 1944, Carlos Martín revolucionó y renovó al Liceo Nacional de Varones de Zipaquirá, y fortaleció allí el más alto sitial de la literatura que tenía ese plantel educativo y que ocupaba desde muchos años atrás, lo cual marcó a Gabriel García Márquez y a su generación del Liceo.

Leonor Ferro y Carlos Martín vivían en Bogotá y se conocieron porque en una ocasión que la familia de este se mudó de residencia, quedó de vecino de Leonor y "se ennoviaron". Ella estudiaba interna en el colegio de La Presentación, y se veían los fines de semana. "En esa época Carlos ya escribía y recitaba lindo", cuenta ella, con una simpatía que lucía a toda hora.

"Sólo cuando Carlos terminó su carrera, mis padres lo aceptaron como novio oficial mío, ¡Por fin! Y la historia tuvo final feliz porque nos casamos el 23 de enero de 1943; casi un mes después de que el ministro de Educación lo mandó a Tunja; un año después lo nombraron rector del Liceo Nacional de Zipaquirá, ciudad donde nos instalamos en una inmensa casa colonial situada en la Plaza Mayor, muy cerca de la Catedral; allí era frecuentado por los intelectuales zipaquireños y los que todas las semanas iban desde Bogotá".

"Carlos me contó entonces sobre un muchacho costeño que tenía mucho talento y que con el profesor Calderón Hermida lo estaban estimulando para que se dedicara a escribir. Claro, se trataba de Gabriel García Márquez. El creía que ese joven que tenía una gran disposición como dibujante, se estaba desperdiciando en eso pues tenía madera de escritor. Predijo que iba a ser una lumbrera; que el futuro de ese tal García Márquez era como escritor; pero como le pasó casi a todos los que conocieron a García Márquez en esa época, no se imaginó que llegaría a ser Nobel".

Cuenta Leonor de Martín, que los mejores amigos de su esposo eran: Aurelio Arturo, Arturo Camacho Ramírez, Eduardo Carranza, Gerardo Valencia, Plinio Mendoza, Jaime Posada, Germán Arciniegas, Clemente Airó, y Jorge Rojas y en Zipaquirá, aunque por corto tiempo, Carlos Julio Calderón Hermida y Cecilia González Pizano.

Carlos Martín Fajardo, fue rector del Liceo, desde el 8 de febrero de 1944, hasta mediados de julio, en tan corto tiempo se hizo amigo de los estudiantes, jugaba fútbol con sus alumnos y se entendía muy bien con ellos; entre otras cosas, porque era un joven muy liberal, y porque tenía apenas 30 años. Él en sólo seis meses renovó las políticas del Liceo, y aunque la Literatura era allí muy importante desde siempre, él le dio mayor preponderancia.

Todos los compañeros de García Márquez aceptan la gran influencia ideológica de Carlos Martín y su revolución realizada en tan sólo medio año, pero cuyos frutos parecieron de muchos. Martín quien tenía colgada una fotografía de Stalin en su habitación, era un hombre de izquierda, y estaba al frente de varios profesores marxistas, rebeldes o liberales, y de unos pocos conservadores.

Martín impulsó en el Liceo, aún más de lo que se acostumbraba, que ya era de gran importancia allí, la lectura de las grandes novelas. Propuso un debate entre los estudiantes del Liceo con los profesores. En tan corto tiempo como rector, marcó e influyó tanto en Gabo y en sus compañeros, como ningún otro rector lo había logrado hacer en el Liceo.

Desde el mismo día en que llegó a "La ciudad de la Sal", Carlos Martín fortaleció la relación de sus amigos intelectuales de Bogotá, con Zipaquirá, y con el Liceo; abrió las aulas de este para que las mujeres zipaquireñas ampliaran sus conocimientos culturales; autorizó a los alumnos escuchar los noticieros de la radio en el Liceo, y sobre todo, en lo relativo a su relación con Gabriel García Márquez, lo estimuló en literatura y apoyó decididamente la creación del "Grupo de los Trece" y su revista Gaceta Literaria, por cuya primera edición, precisamente, le exigieron la renuncia como rector de ese claustro.

Su esposa, Leonor Ferro de Martín, una dama amable y cálida, recuerda: "Llegamos a vivir en una casa colonial muy grande y muy bella, situada en una esquina de la Plaza principal de Zipaquirá, en la que Carlos instaló su inmensa biblioteca; lo único que le preocupaba cuando nos fuimos para allá, era tener espacio para sus libros".

Leonor viuda de Martín; al lado izquierdo su hija Patricia; al derecho su hijo Ernesto y a la derecha de este, su esposa y dos de sus nietas.

Y anota: "Cuando Carlos llegaba del Liceo hablábamos mucho, y luego se ponía a leer y a escribir; a veces recibía la visita de algunos amigos que hizo en Zipaquirá; pero especialmente llegaban a nuestra casa de visita, cuatro intelectuales zipaquireños: Cecilia González, una niña que era "Manquita", Luis Moreno, Alberto Huertas y Alberto Caycedo Caycedo, a quien él conocía porque era asesor del Ministerio de Educación. Además, allá llegaban también sus amigos literarios de Bogotá, que iban a participar en las tertulias literarias, que organizaba Cecilia González los sábados, en su casa".

Carlos Martín, quien influyó enormemente en García Márquez, como buen 'piedracielista' amaba la música. Él además, fortaleció y apoyó decididamente la lectura nocturna de las grandes obras de la literatura, que había sido institucionalizada por Carlos Julio Calderón Hermida, y estimuló la lectura de algunas obras de escritores latinoamericanos. Álvaro Ruiz, comenta: "Martín y Calderón hicieron mucho énfasis en las obras colombianas, latinoamericanas y rusas, aunque la verdad es que allí había cabida para todos los autores y claro está, para los poemas de los 'piedracielistas' colombianos. Nosotros con Gabito, con Guillermo López Guerra, y con Eduardo Angulo, comentábamos y discutíamos siempre sobre lo que nos habían leído la noche anterior".

Leonor de Martín, quien adelantó cursos de cultura con algunas damas zipaquireñas, en el Liceo regentado por su esposo, recuerda: "Él me contaba que García Márquez se inspiraba especialmente en su amores platónicos, escribiendo unos poemas muy románticos; me decía que también tenía mucho talento como dibujante, pero que definitivamente lo suyo era escribir en prosa. Que presentó alguna resistencia, porque quería era escribir versos, pero que por fin el profesor Calderón lo había encarrilado a dejar casi del todo los poemas y a meterse del todo en la prosa".

Gabo en calzoncillos al patio, por la noche; y la policía allanó el Liceo

Una noche en el Liceo, se produjo una especie de "batalla" de almohadas, zapatos y otros objetos personales entre algunos internos del Liceo, y decidieron llamar a Carlos Martín, con urgencia. Según

Álvaro Ruiz Torres: "Él llegó a eso de las diez de la noche al Liceo, creyendo que había pasado algo terrible, y cuando lo enteraron de lo que había sucedido, sin darnos tiempo de nada, nos ordenó salir inmediatamente de los dormitorios y formar en el patio. El frío era espantoso, nosotros estábamos en "piyama" y uno que otro, en calzoncillos, entre ellos Gabito. Con voz enérgica y con palabras convincentes, Martín nos reprendió y censuró enérgicamente la trifulca que habíamos protagonizado. Luego, nos hizo subir en fila a acostarnos, no sin antes decir perentoriamente que si se presentaba un nuevo capítulo de indisciplina tomaría muy drásticas medidas".

Gabriel García Márquez y su compañero de estudio, Mario Convers, decidieron crear a comienzos de 1944, un grupo literario en el Liceo Nacional, y publicar un periódico, para lo cual recibieron pleno apoyo de Carlos Julio Calderón Hermida y del poeta Carlos Martín, quien había sido nombrado por el ministro de Educación, Antonio Rocha, como rector del Liceo.

La primera dificultad para Gabo, Convers y sus compañeros, amantes de la literatura, fue ponerle nombre al Grupo. "Barajaron" muchos, hicieron varias votaciones, pero no lograron ponerse de acuerdo, hasta cuando apareció la solución; como eran trece sus integrantes, pues lo bautizaron: "El Grupo de los Trece"; todos estuvieron de acuerdo. En realidad debió llamarse "de los Quince", ya que Carlos Martín y "La Manca" Cecilia González, también asistían a sus reuniones y tertulias, realizadas regularmente en la biblioteca del Liceo.

Entre los compañeros de Gabo en el Liceo de Zipaquirá, Alfredo García Romero goza de una memoria precisa, recuerda todo sin ninguna dificultad: "Con Gabriel García Márquez, Integramos el 'Grupo de los Trece'; Mario Convers, Humberto Jaimes Cañarete, Ricardo González Ripoll, Guillermo López Guerra, Álvaro Ruiz Torres, Antonio Martínez Sierra, Henry Sánchez, Tulio Villafañe, Manuel Arenas Barón, Guillermo Sánchez Dugarte y Julio César Morales, y yo".

Al superado capítulo del "bautismo" del Centro, le siguió el nombramiento de dignatarios y de quienes serían los responsables de su medio impreso. Mario Convers fue nombrado presidente del grupo y director del periódico, en cuyo cabezote, decía: "Gaceta

Gaceta Literaria

Organo del Centro Literario "De los Trece", del Liceo Nacional

Ante la Nueva Voz

POR CARLOS MARTIN

Destinos de América

por GUILLERMO SANCHEZ D.

Primera página de "Gaceta Literaria, del Grupo de los 13", que fue decomisada por la policía.

Literaria, Órgano del Centro Literario de Los Trece, del Liceo Nacional". Gabo se hizo cargo de la jefatura de redacción; Carlos Martín y Carlos Julio Calderón Hermida, se declararon desde ese momento asesores permanentes del Centro y de la Gaceta, que tenía formato de periódico a cinco columnas.

Aparte de ejercer como jefe de Redacción de la Gaceta Literaria, Gabriel García Márquez manejó la sección, 'Nuestros Poetas', y estrenó públicamente su seudónimo: 'Javier Garcés', que usaba ya desde cuando llegó al Liceo. También publicó en la edición inaugural, un relato lírico que tituló, "El instante de un río", en la sección "Prosas".

Para cumplir con Nuestros Poetas, Gabo se propuso con Mario Convers, entrevistar a Jorge Rojas y Eduardo Carranza, fundadores del "Piedracielismo", con Carlos Martín y amigos comunes de "La Manca" González, aprovechando que estarían de visita en Zipaquirá.

Y allí, en la casa colonial de la carrera Séptima, entre las calles Cuarta y Quinta, diagonal de la Catedral Mayor de Zipaquirá, donde vivía Martín, este propició la entrevista de García Márquez y Convers con sus dos colegas.

La puesta en circulación del primer número de la Gaceta Literaria se esperaba con ansiedad; para que saliera, había sido importante la ayuda del 'revolucionario' fotógrafo zipaquireño, Juan B. Rozo. Por fin se imprimió el primer número de la Gaceta, después de vencer muchas dificultades de tipo editorial y económico, como fue la laboriosa consecución de anunciantes emprendida por el joven "Peluca", como le decían a Gabo allí, se obró el milagro. La mayor ayuda la dio un aviso conseguido por Gabriel García Márquez, de la papelería, "La Voz del Zipa".

La dedicatoria de la publicación, escrita por García Márquez, decía: "Al doctor Carlos Martín, rector del Liceo Nacional y Presidente Honorario del 'Centro Literario de los Trece', a quien dedicamos la primera entrega de Gaceta Literaria, como tributo de agradecimiento, por el gran apoyo que nos brindó para llevar a cabo esta publicación".

Carlos Martín había activado literariamente al estudiantado del Liceo, aún más y los organizó, evolucionando contundentemente. Un documento creado por él, habla del "Comité Estudiantil del Liceo Nacional", en el que, "habrá dos representantes de cada curso, los cuales serán elegidos por los estudiantes y tendrán los respectivos suplentes. Asimismo, en torno de esta asociación, se formarán, por ahora, dos comités: uno que atienda al mayor acopio de colaboración para la Gaceta Literaria, y otro que propenda por un mejor encauzamiento de las actividades deportivas".

El 13 de julio de 1944, fue la fecha oficial definida para el lanzamiento de ese periódico liceísta. La calidad de la publicación fue impecable, el artículo central estuvo a cargo de Carlos Martín, quien lo tituló, "Ante la Nueva Voz"; en el centro de la Gaceta, una foto suya ocupaba gran espacio. Aparte de "los 13", quienes más se emocionaron al ver el ejemplar de prueba, fueron, Martín, los profesores Del Río, Calderón Hermida, el padre de las Heras y el Maestro Quevedo.

Arresto del Presidente López Pumarejo. Ministro destituye a Carlos Martín

Según el historiador zipaquireño, Rafael María González Rosas: "En ese momento, el ambiente político del país era de conspiración; tres días antes, el 10 julio de 1944, un grupo rebelde de militares había protagonizado 'el golpe de Pasto', que concluyó con el arresto del Presidente Alfonso López Pumarejo, quien había llegado el día 9 al departamento de Nariño, para presidir unas maniobras militares; existía el temor de que algo malo sucedería".

Dos coroneles golpistas lo arrestaron en el Hotel Niza; uno de ellos se llamaba Diógenes Gil. Llevaron al Presidente a una finca del municipio de Consacá y lo retuvieron durante dos días. El ministro de gobierno, Alberto Lleras Camargo, y el Primer Designado, Darío Echandía, (quien asumió la Presidencia), declararon turbado el orden público e hicieron abortar el golpe militar.

Mario Charry Solano, recuerda: "Coincidiendo con esos hechos, alguien de forma malintencionada propaló la versión de que en el Liceo Nacional de Varones de Zipaquirá se estaba haciendo propaganda subversiva, y que su Gaceta Literaria había publicado un artículo ciertamente subversivo, violando la censura impuesta por el gobierno, luego de haber declarado el Estado de Sitio".

Según Hernando Benavides, quien fue alumno del Liceo y luego líder sindical zipaquireño, recuerda el suceso, y dice: "El Alcalde de Zipaquirá, Carlos E. Acosta, (posiblemente por orden del ministro de Educación), allanó el Liceo con un grupo de policías, para incautar 'propaganda subversiva que tenían escondida allí, lo cual no pudieron hacer, simplemente porque eso era una mentira´".

Mario Charry, anota: "La otra misión del Alcalde fue cumplida a cabalidad: decomisar la edición de la Gaceta Literaria, que estaba lista para ser distribuida; acto seguido, la Policía, la quemó". Que se sepa, sólo se salvaron dos ejemplares, uno que había conservado Carlos Martín, y otro que supo tomar a tiempo Álvaro Ruiz Torres, caracterizado en el Liceo por guardar todo lo que tuviera que ver con su compañero de curso, Gabriel García Márquez.

Miguel Lozano, cuenta: "El comandante de la Policía de Zipaquirá, quien encabezó el asalto al Liceo con el Alcalde, fue el tristemente célebre mayor, Luis Carlos Hernández Soler, acusado de ser autor intelectual del asesinato del boxeador 'Mamatoco', ocurrida el año anterior, el 15 de julio de 1943; a él le decían 'Carepuño', en Zipaquirá".

Luego de la confiscación y quema de la Gaceta Literaria, el ministro de Educación, Antonio Rocha, nombrado por el Presidente Alfonso López Pumarejo el 19 de noviembre de 1943, y ratificado el 6 de marzo de 1944, (día cuando Gabo cumplió sus 17 años), citó a Carlos Martín a su despacho y le exigió la renuncia.

Cuando Martín llegó allí, lo encontró con un ejemplar de La Gaceta y según cuenta doña Leonor, su viuda: "Estuvo muy sentido durante varios días, porque era una infamia lo que nos habían hecho, y digo nos, porque eso perjudicó a nuestra familia.

Aunque fue nombrado luego como director de la revista Sábado, en mejores condiciones, a él le quedó de todas maneras 'un mal sabor', pues se cometió una tremenda injusticia, con fondo político".

Sobre esta historia se había dicho hasta ahora que a Carlos Martín lo sacaron del Liceo por su artículo revolucionario en la Gaceta Literaria.

Pero la realidad, contada por tres de sus compañeros, Miguel Lozano, Eduardo Angulo Flórez y Alfredo García Romero, es que el lío no se generó por el artículo "Ante la Nueva Voz", de Carlos Martín, sino por el que escribió Mario Convers, titulado: "Nova sit Omnia" ("Sea todo nuevo"), en el que este criticaba algunas acciones y decisiones del gobierno y hablaba del abuso de algunos políticos.

Por ello, el ansiado lanzamiento del periódico que tantas ilusiones generó a Gabriel García Márquez y a su "Grupo de los Trece", terminó convirtiéndose en una inmensa frustración para ellos, para los estudiantes y profesores del Liceo, y para muchos zipaquireños, quienes lamentaron ese suceso que malogró el esfuerzo de muchos meses. El despropósito oficial fue respondido por los liceístas con su unánime expresión de respaldo a Carlos Martín, y con una protesta pública en la Plaza Mayor de Zipaquirá, donde se gritaron "abajos" al Alcalde y a la Policía, y vivas al rector.

Doña Leonor de Martín, dice: "Carlos no entendía por qué ese día el Alcalde de Zipaquirá llegó al Liceo levantando la voz, imponente, irrespetuoso y muy duro, seguido por un montón de policías a quemar los periódicos. La prematura salida de Zipaquirá, cambió nuestros planes y fue, ciertamente, un momento traumático, ya que tuvimos que entregar la casa, volver a trastear, y organizarnos de nuevo".

Ernesto Martín Ferro, su hijo, recuerda lo que su padre le contaba a doña Leonor, a él y a Patricia, su hermana, sobre ese capítulo famoso: "Muy a su pesar, tuvo que actuar con contundencia la noche cuando se produjo la batalla campal entre los internos del Liceo. Mi padre ordenó formar filas, sin dar tiempo a nada. ¿Quién iba a pensar en un premio Nobel bajando y subiendo escaleras en paños menores? En otra ocasión nos contó que, unos estudiantes lo 'pescaron', cuando una vez escuchaba desde la puerta del dormitorio, una discusión política de algunos internos".

"Mi padre era un hombre serio, pero respetaba a todas las personas, por sencillas que fueran, (dice Ernesto); sabía decir las cosas de manera franca pero amable, sin agredir a nadie con sus palabras. Conservando esa forma de ser, esa noche tuvo que actuar con energía, según nos contó, pero sin ofender a nadie".

Leonor Ferro de Martín, comenta delante de sus hijos: "Cuando Carlos llegó, luego de salir casi corriendo porque creyó que se había presentado una tragedia en el Liceo, me contó todo, y me dijo que no hubiera querido ser tan franco con los internos, pero que resultó necesario, pues no podía dejar que se dañara la disciplina y se perdiera la autoridad en el Liceo, y creo que así lo entendieron sus alumnos.

Según me contó, García Márquez fue uno de los estudiantes más apenados cuando se presentó ese incidente. Él era muy amplio con los estudiantes, los comprendía y estaba siempre dispuesto a oírlos, pero era franco con ellos, era su política. Y de eso sí que debe ser consciente Gabriel García Márquez".

"Y Gabito dijo: Alcalde hijueputa; estaba muy indignado"

Intempestivamente, a mediados de julio de 1944, en vísperas de salir a vacaciones de mediados de año, Carlos Martín fue desvinculado del Liceo por orden del ministro de Educación Antonio Rocha, quien lo había nombrado, y quien había sido ratificado como ministro ocho días antes. El despido de Martín fue fruto de una verdadera injusticia, como se explica en el capítulo del libro que trata sobre, "El grupo Literario de los Quince" y la Gaceta Literaria.

El concepto de Jaime Amórtegui es que, "la estadía de Carlos Martín en Zipaquirá fue muy corta, pero su permanencia allí pareció como si hubieran sido años, porque su acción y ejecutorias progresistas y de desarrollo cultural, educativo y estudiantil, fueron tan importantes que marcaron profundamente a sus alumnos.

Y también a la sociedad zipaquireña, y muy especialmente al joven estudiante Gabriel García Márquez, quien desde antes de que Martín llegara al Liceo, sabía de él, porque había seguido su obra literaria, como lo hizo con los demás líderes y fundadores del movimiento Piedra y Cielo".

Leonor Ferro de Martín, compartió con su esposo el tremendo impacto y la pena que le causó la injusta decisión del ministro Rocha, que lo sacó del Liceo. Ella cuenta: "Carlos no durmió durante varias noches, le daba rabia y se sentía impotente ante semejante acto de deslealtad, ya que él lo único que había hecho era trabajar más allá de su responsabilidad.

Y prosigue: "Esas noches no pudo conciliar el sueño. Pasaron unos tres o cuatro días, y otro de los problemas que se nos presentó, fue tener que hacer otro trasteo de regreso a Bogotá, ciudad de la que habíamos salido muy ilusionados para Zipaquirá. Aunque poco tiempo después, quienes se portaron tan mal con Carlos, entendieron el gran error que habían cometido, y lo nombraron como abogado del ministerio, y poco después, como director de una importante revista que se publicaba en Bogotá".

Álvaro Ruiz Torres, cuenta: "Gabito estuvo indignado durante muchos días por las arbitrariedades cometidas por quienes obedecieron órdenes superiores venidas del Ministerio de Educación. Ese día del allanamiento, Gabriel se refirió al mandatario, "y dijo: Alcalde hijueputa", perdone la palabrota. Yo lo entendí, estaba muy disgustado por la pérdida de todo el trabajo que había desarrollado, y frustrado, como lo estuvimos todos en el Liceo; incluidos Martín, Calderón Hermida, el Maestro Quevedo, y también "La Manca" González".

La vocación literaria y cultural del Liceo estaba presente en muchos detalles, y también "colgada" en las paredes del segundo piso de la casona colonial de la calle Séptima, donde funcionaba el colegio.

El profesor Héctor Figueroa, cuenta con precisión, porque se lo aprendió de memoria: "Allí había una serie de cuadros, con reproducciones enmarcadas de obras célebres, de famosos pintores, y unas bellas fotografías de paisajes y rostros, del maestro Luis Benito Ramos Ramos.

Frente a la escalera central que conducía al segundo piso, estaba la famosa pintura, *La creación del hombre*, de Miguel Ángel. A la izquierda de este, lucía, *La víctima de la fiesta*, un tema taurino de Zuluaga. Había también una imagen de Goethe; y estaba colgada, *La rendición de Breda*, de Velázquez. Un poco más allá, en la pared norte del segundo piso, estaba la obra de Hanz Holbeing, *Erasmo de Rotterdam, escribiendo*.

Otra obra era, *La coronación de la Virgen*, de Botticelli. Junto a la habitación del rector, estaba colgada *La ronda de noche*, de Rembrandt, también enmarcaban el paso de los estudiantes por los balcones internos del segundo piso: *El descendimiento de la Cruz*, de Fray Bartolomé; *La Gioconda*, de Da Vinci; *San Juan Bautista*, de Tiziano, y un cuadro de Fra Angélico, completaba la que, sin duda, era una buena exposición de arte, a la altura cultural del Liceo Nacional de Varones", comenta Figueroa.

En otro costado del segundo piso, cerca de la biblioteca, había unas bellas fotografías con paisajes colombianos, donadas por el Maestro pintor y "pionero de la fotografía moderna", Luis Benito

Ramos, hermano del rector del Liceo, don Alejandro Ramos, a quien Gabriel García Márquez conoció el día del entierro de don Alejandro, cuando lo encargaron de decir su primer discurso, en representación de sus compañeros del Liceo.

Sus compañeros del Liceo: José Argemiro Torres, "El Opita" Portilla y Gabriel García Márquez, en 1943.

Capítulo 20

"Todas las noches, ya acostados, nos leían obras literarias"

Uno de los espectáculos culturales que más gozaron Gabriel García Márquez, Álvaro Ruiz Torres, Alberto Garzón y Luis E. Lizarazo, en Zipaquirá, fue el recital de la famosa declamadora argentina, Berta Síngerman, el lunes 8 de julio de 1946, en el Teatro MacDouall. Ese día al poeta, Álvaro Gaitán, profesor de Gabo, lo encargaron de hacer la presentación de la declamadora.

Desde antes de 1900, había ópera en Zipaquirá. Un ejemplar del periódico, El Miniatura, informó a comienzos del siglo pasado: "El Concejo y la Junta de Ferias, muy acertadamente, han dispuesto un auxilio a la Compañía Nacional de Ópera, que dirige el Maestro Adolfo Bracale, con el fin de que en los días 29 y 30 del presente, se den en esta ciudad, en el Teatro Municipal, dos funciones de gala. La compañía debutará con la inmortal ópera de Verdi, *Rigoletto*. Es de esperarse que la sociedad zipaquireña, tan amante de los cultos espectáculos, se deleitará con estas representaciones".

La lectura de obras todas las noches, antes de que se durmieran los internos, y las tertulias literarias después de la cena, o los sábados donde "La Manca" González: o cada vez que a alguien se le ocurría, fueron otros elementos que consolidaron la inducción literaria intensiva que recibió Gabriel García Márquez en Zipaquirá. Los lectores designados semanalmente para los dormitorios, eran fundamentalmente profesores.Y en algunas ocasiones, estudiantes.

Luis Lizarazo, cuenta: "El lector de turno lo hacía en voz alta. Era tanto el interés generado por la lectura que todas las noches antes de dormir nos leían obras literarias, ritual implementado por el profesor Calderón Hermida, que Gabo me decía:'es como si cada noche proyectaran una película de los libros que más me gustan', y se frotaba las manos".

Hernando Forero Caballero, anota:"Después de la cena, un profesor leía en el dormitorio a los internos, capítulos enteros de las obras más importantes de la literatura colombiana y universal, y ese factor fortaleció la afición que se convirtió luego en pasión literaria para Gabito y de muchos de nosotros".

El 7 de agosto de 1934, se iniciaron en el colegio San Luis (que antecedió al Liceo), las Conferencias públicas dominicales, con la del poeta y pensador, Diego Fallon. Fue una lujosa inauguración y muchos expositores siguieron disertando los domingos.

Desde 1942, en el Liceo Nacional de Varones decidieron contribuir socialmente con muchos zipaquireños, iniciando allí una campaña de alfabetización; el rector Alejandro Ramos fundó una escuela nocturna en la que decenas de obreros aprendían a leer y a escribir, y recibían clases de cultura popular.

Desde 1947, al año siguiente de salir Gabo del Liceo, nombraron allí a la poetisa y declamadora, Aura María Saavedra, amiga de "La Manca" González, como bibliotecaria. Según la pintora, Lucía Caycedo Caycedo,"Aura se hizo famosa localmente, con el poema, "Muchachas de mi pueblo". Fue una mujer de cultura refinada, que hablaba de manera "gongorista". Lucía conserva algunos poemas inéditos suyos y de su hermano, un personaje popular llamado Francisco, "El Vate" Saavedra, quien era bohemio, sencillo, culto, amable y sobre todo, romántico. Este compartió tertulias con Gabo, lo mismo que eventos culturales en el Teatro Mac Douall, y los conciertos dominicales a los que ni él ni García Márquez faltaban.

En 1961, luego de ganar un concurso de la Universidad de Utrecht (Holanda) para catedráticos de Literatura Hispanoamericana, Martín se radicó en España, donde pasó los últimos días de su vida. "Fue tal su desempeño como profesor (recuerda Otto Morales), que la reina Juliana de Holanda lo designó por decreto como profesor vitalicio de esa institución".

Carlos Martín Fajardo, se retiró de toda actividad para vivir con sus hijos Patricia y Ernesto, en Cambrils, municipio situado en la costa catalana, perteneciente a la provincia de Tarragona, que es un gran centro turístico, con bellas playas, y al que se accede por las carreteras que llegan desde Barcelona o Valencia. Allí murió el poeta, el sábado 13 diciembre 2008, a la edad de 94 años, rodeado del amor de sus hijos, de recuerdos y de centenares de libros, que Patricia ha pensado donar a una biblioteca colombiana.

Él también le contó a sus hijos que recordaba con agrado cuando le enseñó literatura a Gabo, en el Liceo Nacional de Zipaquirá, y les decía: "García Márquez tenía talento de escritor, pero nunca me imaginé que fuera a tener una carrera tan descollante; y creo que nadie lo sospechó". García Márquez en su libro, *Vivir para contarla*, hace un elogioso reconocimiento a su rector, Carlos Martín, a quien visitaban los intelectuales.

Un párrafo del artículo que Alberto Velásquez Martínez escribió en el periódico El Colombiano, de Medellín, el 24 de diciembre de 2008, a raíz de la muerte de Carlos Martín, dice: "Martín describía a García Márquez como un joven inquieto, interesado más por la poética que por la prosa. Rebelde, organizador de fugas nocturnas de los internos para irse a disfrutar de las pocas obras de teatro que se presentaban en la entonces apacible tierra de la Catedral de Sal".

Patricia Martín, en Bogotá, luego de la muerte de su padre, relata:" García Márquez llamó varias veces a mi papá a España, cuando estaba escribiendo su libro, *Vivir para contarla*; se comunicaba con él para que le contara cosas sobre su época de rector del Liceo. Y nos contaba que Gabriel era un estudiante serio y a la vez alegre, que en algunas ocasiones expresaba buen humor; que le encantaba la música y la política, y que era un típico costeño. Recordaba mucho un día en que en Zipaquirá, recomendó a Gabo como poeta, a Eduardo

Carranza y a Jorge Rojas, que habían ido a visitarlo. Él lo apreciaba y decía que era un muchacho inteligente".

En la revista Horizontes del Liceo Nacional, orientada por antiguos compañeros de Gabo, fue publicado un poema de Carlos Martín, en agosto de 1948, cuyo título coincide con el del primer poema que le publicaron a Gabriel García Márquez, en el periódico El Tiempo, titulado "Canción". Su presentación fue: "El doctor Carlos Martín, ex-rector de este Liceo y poeta del grupo que hizo marchar nuestra poesía a la vanguardia de las corrientes contemporáneas (el "piedracielista"), cede para nuestras páginas un poema de su joven mensaje, que va navegando ya hacia la plena conquista de un asentado y definitivo universo poético".

Canción

Como si fuera flor con alas
O como el alma de una flor
Vuela tu corazón de espuma
Al árbol de mi corazón.

Y en noche de altos luceros
Te sueño a la orilla del mar
Que lleva lamentos y barcos
De vela con rumbo al azar.

Muchacha con piel de violetas
Con uvas oscuras y sal
De oceánica pasión,
Tierra de musgo y tempestad,
Amiga del mar y del sol,
De arena morena y frutal
Con cabellera que solía
De vez en cuando fulgurar.

Tu sangre de música y llanto
Entrega al viento su cantar
Que rompe como una bandera
Sobre el más alto de los foques
La bruma de la soledad.

No hay árbol, camino ni arroyo
Sin tu fragancia y tu canción
Porque la rosa de los vientos
Se ha deshojado entre tu voz.

Cerca del malecón y el faro
Tu grito abre por mitad
La densa fruta del silencio
Como el fulgor de tu recuerdo
Divide en dos la oscuridad.

Tú cantas y el árbol de oro
Del nuevo día, sobre el mar
Descubre entre las altas nubes
Dorados gajos de cristal.

Carlos Martín se ausentó de Colombia durante más de 15 años, se fue a vivir en Holanda, siendo profesor de español y divulgador de la literatura latinoamericana. Se vinculó a Radio Nederland; periódicamente visitaba a Colombia. Durante sus últimos años vivió en España, donde murió, luego de haberse dedicado a la cátedra universitaria y al ejercicio poético.

Patricia Martín, explica: "En los primeros años de este siglo XXI, García Márquez que era muy gentil con mi papá, y solidario con él cuando se enfermó, lo llamaba por teléfono desde México a Cambrils, donde vivimos. Mi padre, que era ordenado, tenía una serie de apuntes escritos hace mucho sobre su corta estancia en Zipaquirá, y le dio varios datos a Gabriel, quien estaba preparando sus memorias".

Eduardo Angulo, autor del libro, *Cincuenta años de arquitectura*, comenta: "No se me olvidará nunca, la primera clase que nos dictó Carlos Martín, sobre 'Análisis del Ritmo', y el tema de estudio, 'La Marcha Triunfal', de Rubén Darío. Le dio en el gusto a Gabo y se lo ganó desde ese momento, porque este era admirador 'furibundo' de ese genial nicaragüense, que escribió:

"¡Ya viene el cortejo!
¡Ya viene el cortejo! Ya se oyen los claros clarines.
¡La espada se anuncia con vivo reflejo;
ya viene, oro y hierro, el cortejo de los paladines...".

Gabo y el Liceo, según Hernando Forero Caballero

"Los tímidos jovencitos que proveníamos de otras latitudes y a quienes nos acogió el Liceo en su internado, no olvidaremos la melancolía que nos conmovió, cuando nos desprendimos de la mano materna y penetramos en ese pequeño mundo de muros, de gentes y ambiente desconocido, para someternos a una vida y disciplina un tanto rigurosa, y completamente diferente a la transcurrida en nuestros hogares y pequeños pueblos", dice Hernando Forero Caballero.

Y anota: "Recordamos con especial gratitud la amabilidad de las niñas y la nobleza de las familias zipaquireñas, que sin ningún reparo nos abrieron las puertas de sus hogares y nos permitieron disfrutar del calor familiar y compartir gentilmente sus sanas costumbres; eso lo experimentamos, Gabo y todos nosotros. Son tan fuertes los vínculos que nos ligan al Liceo y a la señorial Zipaquirá; tan afectivas las impresiones que nos inculcaron allí en la juventud, que nuestros sentimientos se volvieron zipaquireños que, siempre y donde quiera que nos hallemos, llevamos con orgullo y con honor su nombre, y nuestra eterna gratitud. El Liceo y la ciudad fueron la fuente de nuestros sueños y de nuestra formación, el fundamento de nuestros éxito profesional, desde el inmenso y glorioso de Gabriel García Márquez, hasta el más modesto de nosotros, que nacieron de las vivencias culturales e intelectuales del Liceo, inolvidable en nuestras vidas".

"Así, (prosigue Forero) en medio de las noticias que oíamos por radio, la tranquilidad de la ciudad y del Liceo, o de las ocasionales aventuras y también de la ansiedad que nos causaba el internado, transcurrieron veloces los años, hasta culminar en el soñado día que recibimos el premio de nuestros esfuerzos y, como bachilleres, nos invadió la ilusión de sentirnos sabios, dispuestos a conquistar el mundo; y Gabo decidido a alcanzar la gloria literaria".

Hernando Forero Caballero, hoy médico, historiador, y escritor, llegó al Liceo en 1945, pero muy pronto se puso al día; él dice: "El Liceo constituyó el crisol donde se refinó la inteligencia de Gabriel García Márquez, con la ayuda de las tertulias del centro literario, una biblioteca aceptable para la época, la publicación de la Gaceta

Literaria, los profesores poetas y escritores, y de otras actividades intelectuales. Allá volvieron marxista a Gabo, entre ellos Carlos Martín, el 'cienaguero' Manuel Cuello del Río, y Héctor Figueroa, un 'camarada' que decía: 'El hombre nace bueno y la sociedad lo corrompe', con mucha razón".

Hernando Forero Caballero, (nacido en Pasca, Cundinamarca), uno de los mejores amigos de García Márquez en Zipaquirá; tuvo que hacer un alto en sus estudios por la muerte de su padre, y como el rector del Liceo era Óscar Espitia, quien había sido profesor suyo en el colegio Nicolás Esguerra, en Bogotá, le pidió un cupo que le fue concedido, y así, en febrero de 1945 fue aceptado. Llegó al tiempo con Fernando Acosta, a hacer su quinto de bachillerato en el Liceo, convirtiéndose en compañeros de curso de Gabo, que pronto fue amigo suyo. Hernando asegura: "Allí encontró, 'una rara mezcla de muchachos', y entre ellos a Gabo, genio, serio, pero a la vez 'mamagallista'. Si hubiera sospechado siquiera quién llegaría a ser Gabriel, seguramente yo hubiera escrito todo, cada minuto, cada día de mi vida cerca de él".

Este médico, que como Gabo también se convirtió en escritor en Zipaquirá, es profesor Emérito, miembro de las academias de Historia y de la de Medicina, y es autor de los Libros: *Indígenas de la Nueva Granada, El suplicio de un héroe, Enfermedades del general*; *Crisis social y medicina*; *Momentos históricos de la medicina colombiana*; *Patología quirúrgica neonatal de alto riesgo* y *Fundamentos sociológicos de la medicina primitiva.*

Según Forero Caballero, "García Márquez sacaba muy buenas notas en ese maravilloso Liceo que fue nuestro segundo hogar, que moldeó nuestros instintos, inspiró nuestros sentimientos, estimuló nuestro espíritu, reformó nuestras costumbres, catalizó nuestra personalidad y nos trazó el camino hasta el primer peldaño de nuestro destino".

Lo anterior lo comprueban las calificaciones de Gabriel García Márquez en sexto de bachillerato, que reposan en los archivos del Liceo. Fueron: Literatura 5; Inglés 5; Religión 5; Filosofía 5; Historia 4.9; Física 4.9; Química 4.8; Francés 4.7 y Educación Física 4. "Es que como Gabriel era un genio literario, leía mucho pero era, malito, malito, para el ejercicio", anota Alberto Garzón.

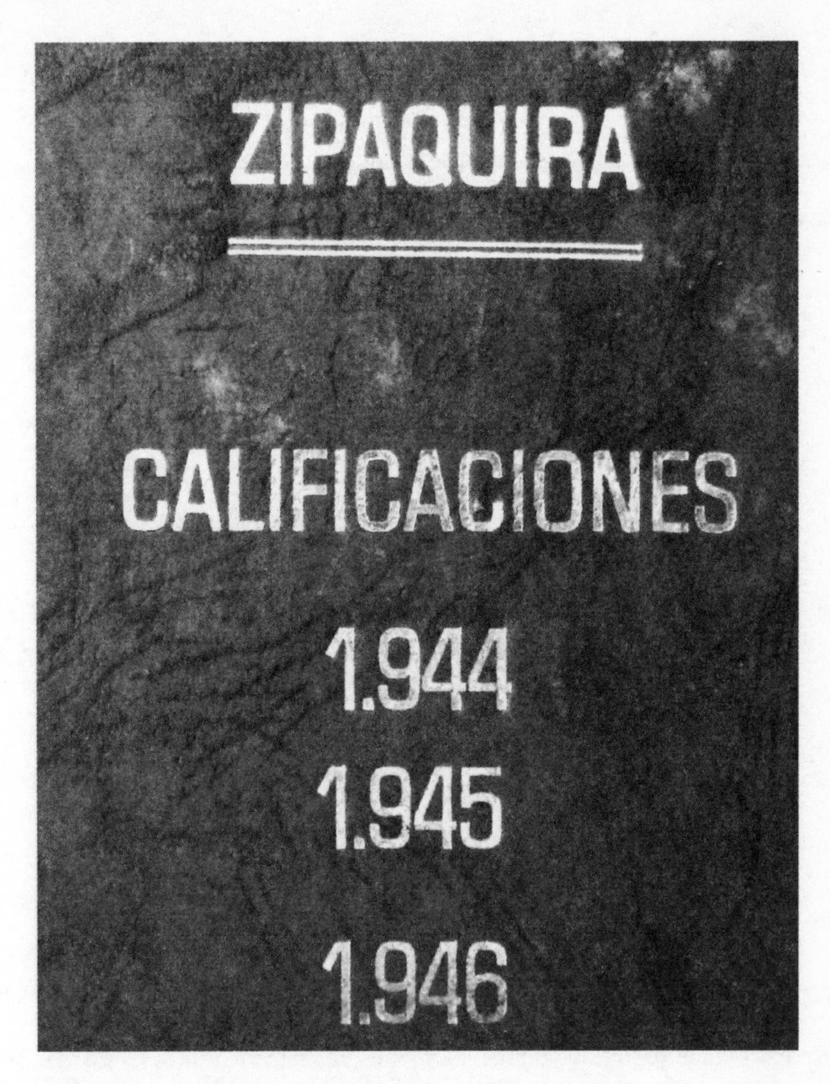

Libro de calificaciones del Liceo 1944, 1945, 1946.

Forero Caballero cuenta: "En Zipaquirá, donde Gabo también emprendió su carrera periodística, Juan Hernández en el periódico local, Juventud, no hacía sino 'tirarle al Liceo', le tenía inquina, pero no se supo por qué razón. Hernández era juez y parte, porque era periodista y a la vez concejal. Tenía fama de meterse en la vida privada de las personas, y de ser atrevido y amarillista".

"Testigos silenciosos de nuestros primeros suspiros amorosos"

Forero describe su colegio, con añoranza, dice: "El impacto emocional del Liceo fue indescriptible, allí compartíamos diariamente los mismos patios, aulas, dormitorios, comedor, donde nos comunicábamos con los compañeros, que eran de las mismas edades y condiciones.

"Los rincones del colegio fueron testigos silenciosos de nuestros primeros suspiros amorosos, los primeros indescifrables guayabos, los profundos pensamientos sobre nuestras ilusiones y planteamientos del futuro, y especialmente, la añoranza de que llegara pronto el día de la salida.

"Cómo olvidar la ducha fría de las 6 de la mañana, el insaciable apetito del crecimiento, el miedo al castigo sin salida, el profundo respeto y hasta temor a los profesores; pero también compensadas por la inmensa alegría que nos proporcionaban los agradables ratos del compartir con los amigos en las charlas, los chistes, los cuentos, las burlas de los otros, los juegos, los paseos por el campo y a Pacho, y hasta aceptar complacientes, el apodo, fruto del agudo ingenio juvenil y de alguna característica personal, y en fin la emoción de las ingenuas picardías propias de la edad.

"Compartíamos jovialmente con los compañeros externos, que mañana y tarde nos traían noticias del exterior de los muros, y con amable fraternidad participaban en nuestros problemas y nos invitaban con cierta frecuencia a sus hogares.

"Todos comentábamos los defectos y cualidades de los profesores, el rigor de su disciplina y hasta el disgusto de algunas clases; lo malo era el tormento de los exámenes y la frustración de la rajada, al contrario la enorme satisfacción al lograr una buena calificación y superación de una materia".

Hernando recuerda, como si fuera ayer, algo que le pasó hace 66 años: "Un domingo llegamos retardados a Zipaquirá con un compañero de apellido Coronado, que iba en tercero, porque se varó el tren, y no nos abrieron en el Liceo. Nos angustiamos pensando dónde íbamos a dormir; y cuando ya estábamos resignados a hacerlo en el parque de la Plaza Mayor, que quedaba a dos cuadras del Liceo, nos encontramos con un señor que iba "copetón" (con unos traguitos encima) quien nos preguntó ¿Qué hacen a estas horas por aquí? Le contamos lo que nos había pasado y él nos dijo: 'tranquilos, yo les doy posada en mi casa', y nos salvó".

"Era don Silvano Alvarado, quien tenía hornos de sal, un restaurante famoso allí, el Windsor, y quien estaba relacionado con las salinas. Su hijo Manuel, estudiaba en el Liceo. Su esposa, doña Edelmira de Alvarado, ya estaba acostada cuando llegamos, pero se levantó, nos dio de comer, y nos armó una cama; colocó unos colchones en la sala. Esa noche casi no nos podemos dormir, y ya en la mañana, nos quedamos dormidos. No nos despertaron, aunque los jóvenes de la casa, que estudiaban también en el Liceo, salieron temprano, como de costumbre.

Doña Edelmira nos hizo preparar un suculento desayuno y cuando volvimos al Liceo, no nos recibieron. Entonces, para no tener que regresar a Bogotá y llevar a mi mamá, nos dio por regresar a donde la señora de Alvarado y le dijimos: ¿Nos quiere servir de mamá?... Ella aceptó a ir de madrina al Liceo; nos regañaron y listos; gracias a su testimonio y su buena relación con el Liceo, porque sus hijos estudiaban allí".

Según Alfredo García Romero, "hubo dos 'voladas' famosas de Gabo durante su paso por el liceo; una noche protagonizó la aventura de fugarse y amanecer en un horno o fábrica elaboradora de sal. Ahí trabajaban 24 horas y Gabriel emprendió esa aventura con sentido periodístico, para saber cómo era la vida en los hornos. La otra escapada la emprendió con dos compañeros, para ir a una fiesta donde "La Nena" Tovar y se encontró allí con los profesores Héctor Figueroa y Joaquín Giraldo", quienes, sin embargo, no lo denunciaron".

Hernando Forero, anota: "El alumno preferido del curso por los profesores, era Gabriel, por su simpatía verbal, por su particular habilidad para la pintura y por su calidad para escribir cuentos y poesía. Gabo prefería tener amistad con los internos costeños; poco trataba a los del interior y menos a los zipaquireños. En el Liceo no tomaba apuntes, ni leía sus notas; pedía prestados los libros correspondientes, los leía una sola vez y sacaba buenas notas y se caracterizaba por llegar tarde a clase porque el tiempo en la biblioteca se le pasaba volando, y se despistaba".

Y cuenta: "Los domingos íbamos a misa de 9 de la mañana en la Catedral Mayor, muy ordenados en fila, de uniforme de paño y corbata, nos poníamos 'el dominguero', y al final, cuando llegó el rector Espitia, nos poníamos pantalón gris y saco azul. Al salir de misa, se rompía la fila en el atrio; de ahí íbamos a hacer algo para matar el tiempo, y ya al medio día, concurríamos a escuchar la retreta de la banda del Maestro Guillermo Quevedo Z. en la Plaza Mayor, allí intercambiábamos miradas con las niñas y les echábamos piropos; los enamorados lo hacían con sus novias y al final conversábamos animadamente. Gabo no se perdía un solo concierto, a él le gustaba mucho la música".

García Márquez aglutinó a la "colonia más alegre" del Liceo, la de los costeños. Uno de sus compañeros de colegio, Gustavo Pedraza, anota: "Casi todos los internos eran costeños y muy unidos. Había como una especie de antagonismo cultural que los separaba un poco de nosotros los externos, aunque había excepciones, como la de la amistad de Gabo con mi hermano Alfonso".

"En su pupitre no había libros ni cuadernos sino bocadillos, galletas, mogollas, turrones, colaciones y otros dulces", cuenta Alberto Garzón, vecino de Roberto en el salón. Y recuerda: "Gabriel era un poeta y escritor muy alegre, y además, cantaba bien y era músico; tocaba maracas, guacharaca, timbales y lo que le pusieran. Claro está, esas actividades las desarrollaba sólo con sus compañeros costeños"

Según lo expresado por la mayoría de testigos de esta historia, los mejores amigos internos, no costeños, de Gabriel García Márquez en el Liceo, fueron: Álvaro Ruiz Torres, Eduardo Angulo Flórez, Héctor Cuéllar; Guillermo López Guerra, Jaime Bravo, Álvaro Vidales, Hernando Forero Caballero, "El Negro" Humberto Guillén Lara.

Y los más fieles compañeros de Gabriel García Márquez, varios costeños que venían de La Guajira, Atlántico, Bolívar, Chocó y Magdalena, fueron entre otros: Orlando Pión Noya, José Palencia, Luis Ariza, Miguel Ángel Lozano, Benjamín "Mincho" Anaya, Alfredo García Romero, Antonio Martínez Sierra, los hermanos Ricardo y Carlos González Ripoll; "El Loco" Rubio, Silvio Luna, Daniel Rozo (Pagocio); Humberto Jaimes Cañarete; quien fue a la vez estudiante y bibliotecario del Liceo, y Tulio Villafañe.

Entre las personas que no estudiaban en el Liceo pero que quisieron o estimaron a Gabo en Zipaquirá, estaban: Carlos Martín; Cecilia González Pizano; el profesor Carlos Julio Calderón Hermida, Berenice Martínez, su madre, su padre y sus hermanas; Sara y Minina Lora; el Maestro Guillermo Quevedo Zornoza y su hija Consuelo; "La Nena" Tovar; Elvira Aráoz; "Chepe" Vargas; Álvaro Gaitán Nieto, Gustavo Medina Nivia, Hernando Benavides, Alfonso Pedraza, el ingeniero Julio Múner, Donato Barragán, el jardinero de la Plaza Mayor, y otras personas más...

El rector Héctor Espitia, "llegó como si fuera un sargento"

Según Miguel Lozano, el rector Óscar Espitia, quien usaba grandes anteojos, recibió la rectoría del Liceo a mediados de julio de 1944; le correspondió un período difícil que se convirtió en un reto prácticamente no superado, dado el acierto en todos los aspectos que había tenido su antecesor Carlos Martín, en el manejo del Liceo, dejando una huella imborrable y difícil, ni siquiera de igualar. "Este rector, de 'metiche', quiso ponerle Alberto Lleras Camargo al Liceo pero nadie le paró bolas", anota Miguel.

Y agrega: "Había prevención contra él por haber reemplazado a un rector tan amplio, comprensivo y educador en la libertad, como Carlos Martín, y sobre todo, porque llegó como un sargento a imponerse, contrastando con la política de puertas abiertas de su antecesor. Él era 'ficha' de José Francisco Socarrás, director izquierdista de la Normal Superior. Para mí, tanto Ramos como Martín eran buenos pedagogos, en cambio Espitia, era pésimo".

Héctor Figueroa, dice: "El rector Espitia le dictó Química a Gabo e impuso el uniforme del Liceo, con saco azul, camisa blanca, pantalón gris y zapatos negros Él había sido rector del colegio Nicolás Esguerra, en Bogotá, del que salieron eminentes profesores que fueron enviados a los colegios nacionales".

Luis Ariza cuenta: "El primer uniforme impuesto por Espitia, le fue prestado a Gabo por Álvaro Ruiz, quien compartía su ropa con él; días después, José Palencia, le regaló un uniforme nuevo".

Figueroa recuerda también, que, "a Espitia le gustaba lo que escribía García Márquez; él le decía a Giraldo, al Maestro Quevedo y a mí: Calderón Hermida está logrando un gran éxito en la formación literaria de ese muchacho, es que tiene mucha madera y que va a llegar muy lejos; yo leo sus trabajos porque Calderón me los muestra, y de verdad, da gusto leerlo".

Guido Colmenares quien estudiaba en un grado distinto al de Gabo, señala: "La mayoría de los profesores del Liceo venían de la Escuela Normal Superior, donde los preparaban de forma brillante como docentes. Los estudiantes del Liceo tuvimos el privilegio de contar con profesores muy profesionales y cultos. Además, nos ofrecían solidaridad y amistad. Muchos profesores provenían de otras regiones, eran de la misma clase social de los estudiantes y compartían con los internos, comedor, techo, salones, biblioteca, enfermería, peluquería y hasta fiestas".

Según Alberto Garzón, "el padre Juan de Las Heras, un sacerdote español medio calvo y de anteojos, que quiso mucho a Zipaquirá y quien le dictaba Religión y Filosofía a los estudiantes del Liceo, también admiró a Gabo y le dio apoyo ante algunos momentos tristes suyos, él era consciente de que Gabo era un católico frío, pero lo apreciaba. Ese curita, vivía allí, en el convento de El Cedro, de los padres Claretianos".

Hernando Benavides Nivia, nacido en mayo de 1920, amigo del profesor Manuel Cuello del Río, quien le prestaba libros marxistas a Gabo, fue un bachiller del Liceo Nacional que desde muy joven, se destacó como líder cívico y sindical de Zipaquirá; apunta: "Admiré a Gabriel García Márquez desde el mismo día cuando lo conocí pues me pareció un muchacho con mucho futuro. Yo, sin que él supiera, lo apadriné, en varias ocasiones". Hernando ayudó a consolidar la bien ganada reputación del Liceo como un centro educativo de marxistas.

Inició su vida política a los 12 años, en 1932, cuando organizó el Comité pro candidatura presidencial del Alfonso López Pumarejo. A los 20 años organizó la Federación de Carbón del Norte; en 1942 (un año antes de la llegada de Gabo a Zipaquirá), presentó un pliego de peticiones que resultó exitoso. Consiguió que la gente de los hornos de sal, no trabajara 18 sino 12 horas diarias, y que recibieran prestaciones legales.

En 1934 organizó el sindicato de albañiles y similares. Fundó el Sindicato de la Elaboración de Sal de Zipaquirá y Nemocón;

organizó el Sindicato de la Federación Norte de Cundinamarca, en 1939 y 1945, fundó y fue gerente en 1944 y 1951, de la Caja de Previsión Social de Zipaquirá y profesor de ciencias sociales; tenía una biblioteca especialmente de contenidos políticos, cuyos libros prestaba a los estudiantes del Liceo.

Los discursos de García Márquez en Zipaquirá

Gabriel García Márquez fue elegido como orador para varios discursos, por el antecedente de los anteriores que había pronunciado con éxito en 1944, uno durante el entierro del rector del Liceo, Alejando Ramos; otro en la Plaza Mayor de Zipaquirá y el tercero, al final del año, para despedir a los bachilleres de la promoción de 1944 del Liceo. Pero su elección también obedeció a que era un joven "de avanzada".

Dos destacados hombres de izquierda lo postulaban, apoyaban y decidían sus intervenciones para que fuera él quien hablara. Eran ellos, el profesor de Literatura, Carlos Julio Calderón Hermida; su profesor de Historia de América, Manuel Cuello del Río; y el culto e influyente dirigente sindical y cívico, Hernando Benavides, quien se convirtió ese día en líder de la espontánea concentración, y quien era un caso atípico, pues siendo concejal de Zipaquirá y dirigente sindical, al mismo tiempo había estudiado bachillerato en el Liceo.

A Miguel Ángel Lozano,el abogado nacido en Guapi el 15 de marzo de 1925, quien llegó al Liceo Nacional a la edad de 13 años, lo eligieron como Gobernador de su departamento, Chocó, entre 1988 y 1990. Él fue uno de los buenos amigos de García Márquez y se caracteriza por tener una memoria privilegiada, fuera de lo común.

Se graduó de bachiller en Zipaquirá en noviembre de 1944, y cuenta: "Tengo claro que Gabo era al que más le daban permiso de salir entre semana, algo se inventaba, iba a hacer diligencias, a visitar , a "La Manca", a Sara Lora, a jugar billar con Alfonso Pedraza y otros externos. Y fuera de eso, a veces se volaba a bailes, a dar serenatas o a cine, aunque a veces íbamos a cine en grupo, con permiso, acompañados por un profesor. ¿Sabe una cosa? Una vez Gabriel, se escapó del Liceo y pasó la noche en un horno de sal, con uno o dos amigos, para saber cómo era la vida de los horneros elaboradores de la sal".

En el discurso de graduación de bachilleres para el que escogieron a García Márquez, porque ya sabían que se expresaba muy bien, pronunciado por Gabo en noviembre de 1944, se refirió a su amigo Miguel Ángel Lozano y a Guillermo Rubio, diciendo que eran unos "apóstoles de la exactitud", y tenía razón, comenta Jaime Bravo, eran muy puntuales.

Según Lozano, Gabo hacía música con todo, vivía convirtiendo en timbales todo: cajas, mesas, asientos, lo que sonara. Le gustaba tomar cerveza cerca de la estación del tren; cantaba bien, y alternaba dedicándole tiempo a la biblioteca del Liceo. Como testigos de su dedicación a las letras, cuando publicaron sus cuentos y poesías en El Tiempo y en El Espectador, los compañeros nos sentíamos contentos, y desde entonces lo admiramos".

"Mire (continúa Miguel), Gabriel era un tipo muy divertido, y 'echó bueno', era de suerte, porque en Zipaquirá lo tuvo todo gratis, hasta la peluqueada; médico, odontólogo, pensión, alojamiento y alimentación; y también lo que le financiaba José Palencia; la "Manca' González también le ayudaba, y los profesores hasta lo consentían, mejor dicho le alcahueteaban".

Y concluye: "Cuando viajábamos a Bogotá, lo hacíamos en tren, pues salía más barato que en flota. Gabo se divertía mucho en el tren, 'mamando gallo'; él y nosotros, le aprendimos a Carlos Aguirre a pegar pedazos de tiquetes que recogíamos en el tren, o en la estación; él los unía tan bien que parecían tiquetes nuevos, no se notaba y con eso nos colábamos y viajábamos sin pagar, de vez en cuando".

El primer piso de la casa de Aurora, Tonsa y Cecilia Robayo tenía una gran puerta, hacia la calle, de un local que fue arrendado para poner allí un salón de billar, en el que no se vendía licor. Doña Rosa de Robayo y sus tres hijas vivían en el segundo piso donde, algunas veces hacían fiestas con los estudiantes del Liceo.

Según Alfredo Rivera, "Una de ellas, Cecilia, fue una gran basquetbolista de la selección Colombia; era tal su calidad deportiva que entrenaba con los estudiantes del Liceo. A su hermano, "El Perico" Robayo, le pusieron ese apodo porque aceptando administrar el billar que instalaron en el primer piso de su casa, donde solía jugar García Márquez, y donde sólo vendían tinto y 'perico'. Él contaba siempre con gracia que dormía y vivía en la misma casa donde trabajaba".

Según cuenta Jaime Ariza, "en el Liceo molestaban con el cuento de que un alumno rompió el paño de una de las mesas de billar, el cual pagó a plazos, y entonces a "El Perico" lo mandaron a Bogotá a comprarlo y regresó sin nada, con la disculpa de que, 'no lo cortaron porque estaba muy verde'.

Miguel Lozano, cuenta que, "en Zipaquirá había una chichería llamada 'La Bastilla', y "Sa sa sa" Sánchez, un amigo de García Márquez que escribía coplas, vio entrar allí al 'Filósofo' Julio César Morales, su compañero de Liceo, y le hizo esta copla:

Envuelto en su pantanilla (pantaloneta)
y leyendo los anales,
vi salir de 'la Bastilla'
al filósofo Morales.

Jaime Bravo, recuerda: "Salíamos a trotar en las mañanas con Rocha Alvira, pero Gabo no le gastaba energías a eso, todas se las ahorraba para bailar como un trompo; ¡ah!, y también corría... pero para donde '"La Manca"'. Subíamos a las Salinas con Gabriel, "El Loco" Guillermo Rubio, (nacido en El Banco, Magdalena), Alfredo García, "Memuerde", y otros amigos, a ver turistas y a jugar, montándonos irresponsablemente en las góndolas donde transportaban las rocas de sal, sin ser conscientes de que afrontábamos serios peligros". Rubio fue un gran amigo de Gabo, llegó al Liceo a quinto de bachillerato, con Tulio Villafañe".

Marco Fidel Bulla, nacido en el Valle de Tenza, quien se hacía atrás en el salón, junto a García Márquez, se graduó como médico y fue protagonista de otra tragedia cercana a Gabo, pues se mató en un accidente.

Otro compañero de colegio de Gabriel García Márquez, que se retiró del Liceo para ingresar a la Escuela Militar, caracterizado por una marcada diferencia ideológica con el marxista de Aracataca, fue el general del ejército Miguel Vega Uribe quien como ministro de Defensa Nacional, entre 1985 y 1986, tuvo que enfrentar la toma del Palacio de Justicia en noviembre de 1985, durante la cual se hizo famoso con el nombre de "Coraje 6".

Según Jaime Bravo, "Vega era un buen deportista, pero lejano a la literatura y a las materias sociales".

Octavio Amórtegui Ordóñez, nacido en Bogotá, pertenecía al coro del Liceo, era un gran aficionado a las zarzuelas, y repetía una frase de la obra, 'Marina', que decía: 'A beber, a beber y ahogar el grito del dolor'. Él, cuenta: "El día del grado, mi madrina fue Cecilia de Trujillo, la esposa de Antonio Trujillo, dueño de la 'Botica' (droguería) de la que Gabo era cliente porque allí compraba los artículos de aseo y uno que otro remedio; era una de las dos boticas más importantes de Zipaquirá", situada cerca de la catedral, en la Plaza Mayor".

Y dice también: "A Gabo le parecía que la misa de 9 de la mañana de los domingos en ese templo, era muy larga. Nosotros llegábamos a la Catedral, en formación con la banda del Liceo; al salir de ella, nos formábamos en el atrio y después 'rompíamos fila' y entonces cada cual se iba a hacer algo mientras comenzaba el concierto que dirigía nuestro profesor, el Maestro Guillermo Quevedo. A Gabriel, como a mí, nos gustaba mucho la revista Billiken, y a veces la comprábamos en la plaza. Después de la retreta a veces subíamos a las salinas. Teníamos un grupo excelente de amigos, nunca hubo una pelea entre nosotros, durante los seis años brilló el compañerismo".

Sin embargo, Alfredo Rivera me contó: "Una tarde pasaba "La Nena" Patiño, y Gabriel dijo algo de ella que me pareció irrespetuoso, yo reaccioné y le pegué una trompada, pero no muy dura, pero eso no pasó a mayores".

Amórtegui, agrega: "A Gabo y a otros alumnos, casi los expulsan porque los pescaron robándose una comida que era de los profesores, un pollo, más exactamente, y cuando 'casi los pescan con la manos en la masa' votaron los huesos por la ventana para que no les encontraran nada, con tan mala suerte que el paquete lo habían envuelto en unos papeles que tenían el nombre de Gabo y cayó en una casa vecina, de donde furiosos fueron al colegio a dar las quejas, y estuvieron a punto de salir del Liceo, echados":

Según Mery, la esposa de Álvaro Pachón Rojas, "mi marido reconocía la inteligencia de García Márquez, pero a él le parecía que en vez de escritor iba a ser pintor por la gran facilidad que tenía para dibujar. Y por otra parte, le veía talento para actuar en las obras de teatro y las zarzuelas; pero lo que sí nunca le pasó por la cabeza fue que su compañero de curso llegara a ser Nobel".

Según Alfredo García Romero, "una característica de Álvaro Pachón era que cuando montaba en bus, se mareaba, y nosotros lo molestábamos por eso".

Lilia, la hermana de Álvaro Pachón hace memoria: "Él siempre fue un buen estudiante, y se parecía a Gabriel García Márquez en que le gustaba mucho la política, aunque eran de tendencias distintas: Álvaro, conservador, y García Márquez, liberal, o mejor, comunista".

Alfredo García Romero, cuenta: "En quinto y sexto de bachillerato, la política partidista 'corría' ya por los salones de clase. Por ejemplo, en sexto, Álvaro Pachón, (quien luego se graduó de médico y fue director de la Caja Nacional de Previsión), era ya un conservador consentido de doña Bertha Hernández de Ospina Pérez. Al terminar bachillerato, él ya estaba listo para lanzarse al concejo de Zipaquirá. Era muy inteligente; cuando le ayudábamos a hacer las tareas, nos invitaba a tomar onces en su casa, que quedaba una cuadra y media debajo de la Catedral, y media cuadra abajo del famoso salón de dulces, 'Las Onces', de doña Matilde, y a tres cuadras del Liceo".

"El Negro" Humberto Guillén, reitera: "El internado para Gabo fue duro; era tímido, vivía lleno de temores y sustos; estaba lejos de su familia, tenía costumbres tan distintas y en semejante frío. Imagínese que nos levantábamos antes de las seis de la mañana, tendíamos la cama; a las 6 nos duchábamos, con agua helada. Cuando era rector Alejandro Ramos, quien además fue profesor de Matemáticas, la cosa era muy estricta; él nos revisaba las uñas, las manos, el pelo las orejas y el calzado. Por eso es que Gabriel decía que se sentía solo".

Jaime Bravo, recuerda: "Los alumnos y los profesores manejábamos un excelente ambiente de camaradería. En las noches, antes de ir a dormir armábamos grupos para tertuliar. Nosotros cometíamos picardías, como volarnos por la noche del colegio, cuando teníamos un baile, una cita amorosa, o para ir a cine. Otra pilatuna nuestra era ir a la cocina a altas horas de la noche a 'galguear' cosas que habían sobrado de la comida de los profesores. Es que el frío nos abría el apetito; a las onces, comprábamos golosinas deliciosas, pero en la noche el único recurso era 'tomar prestadas' algunas viandas de la despensa".

"Y sobre Zipaquirá Gabo dijo: yo no me voy pa'llá ni puel carajo"

Luis E. Garavito se precia de haber sido el primer estudiante que conoció a Gabriel García Márquez, en Bogotá, unos días antes de que viajaran a Zipaquirá: "Yo fui a presentar mi examen porque había pedido una beca para estudiar en San Bartolomé, para tercero, lo mismo que Gabo. Se presentaron muchísimos aspirantes, desplatados y acomodados, venían de todo el país".

Garavito continúa: "Cuando llegué a ver la lista, un muchacho estaba buscando también su nombre, era Gabriel García Márquez; estaba despistado, repasaba el mismo listado y terminamos los dos leyendo en la cartelera lo correspondiente al Liceo Nacional de Varones de Zipaquirá; íbamos para el mismo colegio. Él se extrañó; aunque ya lo sabía, le había quedado la esperanza de que le dieran la beca para San Bartolomé".

"Yo le hice la charla y le dije: ¡Vamos para el mismo colegio!".

Él exclamó: 'Erda, y esa vaina dónde es que queda'. Le expliqué lo importante que era y lo cerca que quedaba esa ciudad, y él lo único que dijo fue, 'No joda, yo quiero irme para Santa Marta'. Y sobre Zipaquirá Gabo me dijo: 'yo no me voy pa'llá ni p'uel carajo'. Y agregó, 'yo tengo amigos y voy a hacer que me cambien la beca'. Yo pensé que realmente él no se iría para Zipaquirá".

La narración de Luis Garavito continúa: "Cuando fui a esa ciudad, acompañado por mi mamá y dos hermanas, volví a ver a García Márquez en el Liceo. Yo era el menor del curso, tenía 13 años; el mayor era Álvaro Ruiz Torres, y por eso le decíamos, 'El Abuelo'. Entonces yo le dije a Gabriel: ¿Y no que dizque se volvía para la Costa? No me dio razones, se rió y dijo: 'Pues aquí estoy'. Con él coincidimos en que éramos enemigos de la educación física, la gimnasia y los deportes, contrastábamos con tipos como Jaime Bravo, que era portero del equipo de fútbol; de Castro, que jugaba jockey, Rocha Alvira que trotaba o Vega Uribe que era también atleta".

Según Jaime Bravo, "a Gabito le encantaba charlar con los amigos, especialmente con sus condiscípulos costeños; él poco trataba a los estudiantes de Zipaquirá o del interior, excepto a López Guerra, Álvaro Ruiz, Humberto Guillén, a mí, y a otros pocos; aunque gastaba la mayoría de su tiempo haciendo caso a los dictados del profesor Calderón Hermida, es decir, leyendo literatura o poesía de la pequeña biblioteca del Liceo, o prestados por los profesores. Desde cuando le publicaron poesías en El Tiempo y en El Espectador los compañeros lo admirábamos, aunque antes de eso lo apreciamos y siempre estuvimos dispuestos a colaborarle".

García Márquez casi no tomaba apuntes en clase

Y Bravo concluye: "García Márquez a veces llegaba tarde al salón, porque lo cogía el tiempo en la biblioteca; pero claro que no era muy grave ya que él casi no tomaba apuntes en clase, porque tenía buena memoria y tal vez también porque su mente estaba ocupada pensando en el último libro leído. Antes de exámenes se valía de un compañero para que le prestara el libro correspondiente, lo leía paseando por el patio y sin más ni más se presentaba al examen, y siempre sacaba buenas notas, menos en álgebra, geometría y trigonometría, pues era negado para ellas".

Luis Garavito era huérfano, su padre fue rector en el colegio de Líbano (Tolima), precisamente había reemplazado allí a Eufrasio Páramo, quien ahora era profesor de Historia y de Geografía de Gabo, en Zipaquirá. Luis, explica: "Cuando yo llegué a Zipa en 1943 y me enteré que Páramo estaba allí, me cuidé mucho de que no supiera quién era yo, pues él vivía resentido con mi padre por haber sido quien lo sucedió en el colegio del Líbano... ¿Y acaso qué culpa tenía mi papá de que lo hubieran nombrado como rector?".

'El Chino' Garavito, estudió Contaduría. Era un estudiante muy inteligente y exitoso en matemáticas. Cuando terminó bachillerato apenas iba a cumplir 17 años. Una de sus características es que repite la muletilla: "Resulta y sale". El recuerda que, "en el dormitorio cada interno teníamos un catre y un baúl, y nada más". Y cuenta: "A los 12 años mi padre me enseñó a escribir en una máquina portátil, que después me dejó cuando murió. Y me la llevé para Zipaquirá; como yo no tenía para comprar libros, copiaba los de mis compañeros en hojas, a máquina. Cuando me sacaban del salón por el ruido de la maquinita, me iba a escribir al patio, con mucho frío, pero al fin y al cabo yo había ido al colegio a estudiar. Uno de los que usó esa maquinita fue Gabriel García Márquez, él escribió en ella unos poemas; yo se la prestaba cuando me la pedía".

Luis narra, también: "A veces varios compañeros competían tratando de enamorar a una misma niña, pero no reñían, alguno ganaba y el otro o los otros, tenían que conformarse. Pero hubo un caso único y dramático, todos amaban a Consuelito Quevedo y ella, nada; se tenían que conformar con las 'barcarolas' italianas que él papá de ella nos enseñaba, como 'O sole mío', porque él era nuestro profesor de música y canto".

El 18 diciembre de 1946, doce días después de salir de Bachiller, Garavito entró a trabajar al Banco de Colombia, tenía 17 años, pero necesitaba ayudar a su mamá, a sus hermanos y a su hermana. 25 años después, cuando apenas tenía 41 años, ocupaba un buen cargo y se pensionó así de joven; desde entonces, sus amigos y conocidos lo envidiaban por su edad de jubilación.

Jaime Bravo Martínez vuelve al diálogo: Nunca volví a ver a Gabo, el rey de la literatura y el malo para las matemáticas y la gimnasia. A mí, por el contrario no me gustaban las sociales, ni la preceptiva, ni nada de eso; me encantaban las materias que tenían que ver con fórmulas, números y cálculos". Y de pronto se acuerda del discurso de Gabriel García Márquez, con motivo de las honras fúnebres del 'Pastusito' Henríquez. "Ese día lloraron hasta las piedras; allí en la Plaza Mayor, en la que se concentraron los estudiantes de las escuelas y colegios, y toda la ciudadanía, fue una ceremonia muy emotiva".

Y anota: "Un día que el profesor Calderón Hermida nos puso un trabajo de literatura, yo escribí sobre las minas de sal, y García Márquez presentó su texto, "Un caso de psicosis obsesiva", que se hizo famoso en el Liceo. Eso fue hace más de 60 años. Yo me acuerdo que era un escrito todo raro, hablaba de aquelarres, brujas, sustos y misterio, temas esos con los que especulábamos en el Liceo y que le causaban miedo a Gabo, pero que de manera masoquista, tal vez, él manejaba cada día con más propiedad. Era un contrasentido: se asustaba mucho pero era parte de su bien conocido realismo mágico".

Jaime prosigue: "En esos temas estaba presente el miedo que acumuló en Zipaquirá al que ya traía de Aracataca. Se decía que en la casa del Liceo, espantaban. Por eso mismo Gabriel se tiraba nuestro sueño a punta de gritos lastimeros a los que parecían hacerle coro los ladridos tristes de los perros de los inmensos solares de antiguas casonas coloniales de estilo español, vecinas del Liceo. Ya en la mañana, nos despertaba el trinar de los pajaritos que se posaban en el patio, en los balcones y en los solares vecinos, luego de que Gabriel nos había hecho pasar una noche de pesadilla".

Una de las cosas que más recuerda Garavito, es que, "para la excursión de sexto creamos una cooperativa y vendíamos pan, mogollas, dulces o galletas, que comprábamos en la panadería de Las Algarra, y a veces, cuando sacaban el pan de los hornos a los canastos y se descuidaban las señoras que vendían allí, cogíamos unos más y los metíamos entre las bolsas del pan que habíamos comprado; eran cinco o seis mogollas extras que vendidas a 3 o 5 centavos nos ayudaban a acumular para la excursión".

"Otra cosa que hicimos para recoger plata para esa excursión (relata Garavito), fue contratar unos tipos para hacer lucha libre en el patio del Liceo, donde montamos un cuadrilátero con asientos de los salones alrededor. El espectáculo fue un éxito porque el patio se llenó de gente de Zipaquirá y de estudiantes que pagaron y nos dejaron unos buenos pesos. Los de sexto, también contratamos a Campitos y lo presentamos en el teatro Mac Douall1; y además, hicimos bailes y bazares".

También rememora: "En una ocasión se presentó en Zipaquirá la Orquesta Sinfónica, en el teatro, y tuvimos la suerte de ir con Gabo, y Álvaro Ruiz, nosotros estábamos como hipnotizados esa noche, o mejor, extasiados. Como yo era 'el cuba' (el menor), excepto en la música y en otros temas, no coincidía por la edad con los gustos y costumbres de la mayoría, o no me tenían en cuenta para algunas cosas, por ser muy pequeño".

Capítulo 21

¿Se robaron los mosaicos de grado de Gabo?

De los archivos del Liceo, desaparecieron misteriosamente, las calificaciones de tercer año de bachillerato; las actas de las matrículas de quinto y sexto, y los dos mosaicos de los bachilleres de 1946. Es posible que algún coleccionista o hincha de Gabriel García Márquez se haya "apropiado" –robado– esos elementos del archivo del Liceo. Las notas que sacó el hoy Nobel en 1944, 1945 y 1946, fueron:

1944 Cuarto año

Álgebra	2.0 y en la habilitación 4.0
Literatura	4.8
Geometría	3.8
Inglés	3.9
Francés	3.7

Fisiología	4.3
Geografía	4.0
Historia	4.0
Cívica	4.2
Religión	3.7
Conducta	4.0
Trabajos manuales	4.9
Educación Física	4.3

1945 Quinto año

Geometría	4.4
Literatura	4.9
Inglés	3.7
Francés	4.4
Latín	4.2
Física	3.5
Química	3.2
Filosofía	5.0
Historia de América	4.3
Música y canto	4.0
Conducta	4.0
Educación física	3.0

1946 Sexto año

Francés	4.7
Inglés	4.4
Literatura	5.0
Física	3.8
Química	4.8
Historia	4.9
Filosofía	5.0
Geografía	4.4
Religión	5.0
Educación Física	4.4

"García Márquez sacaba siempre 5 en dibujo, pintaba muy bien; hizo un mosaico alterno al del grado, con caricaturas estupendas de

Detalle del mosaico de grado de Gabriel García Márquez.

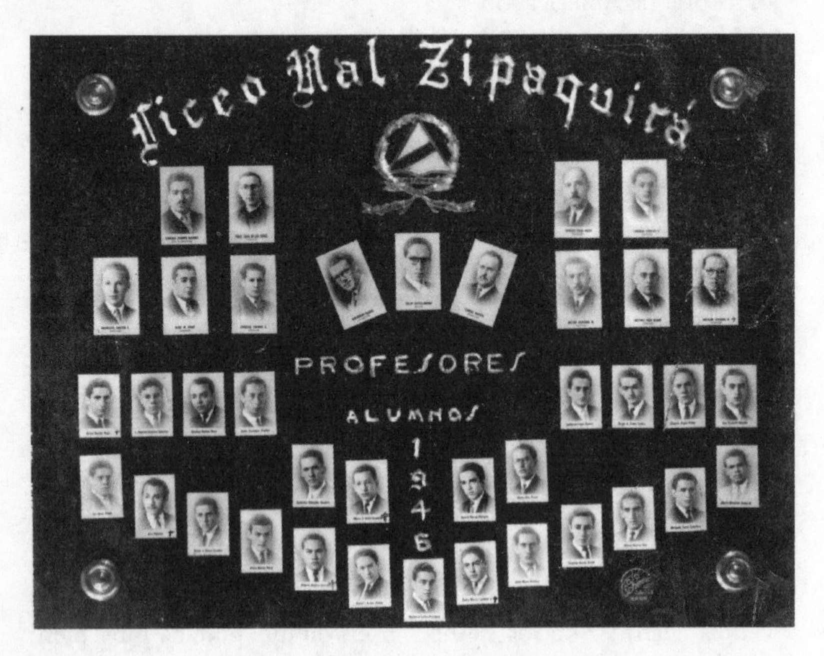

Mosaico de grado, completo.

los alumnos y los profesores. Si él hubiera seguido dibujando, hoy sería un famoso caricaturista", asegura Jaime Bravo, el paisa nacido en Cisneros que tenía la misma edad de Gabo y cuyo padre, José Bravo, era un alto funcionario de la Contraloría General, en Bogotá. Jaime tuvo en Zipaquirá como acudiente, a un señor llamado Armando Chávez.

El mosaico oficial había sido hecho por la famosa Foto Shimmerde Bogotá; tuvo una característica poco usual en los mosaicos de bachillerato: incluía la fotografía de los tres rectores que tuvieron Gabo y sus compañeros durante los años de su bachillerato, o sea: Alejandro Ramos, Carlos Martín y Óscar Espitia. Dos compañeros de García Márquez aseguran que cuando llegaron los Hermanos de La Salle al Liceo de Zipaquirá, lo hicieron quemar o desaparecer, porque "en él figuraban muchos comunistas".

El otro mosaico fue montado con base en las caricaturas de profesores y alumnos hechas por Gabo, con sus correspondientes sobrenombres, pero también se perdieron; un buen día que nadie sabe cuándo, desaparecieron.

Algunos compañeros de García Márquez, entre ellos Luis Ariza, creen la teoría de que, "cuando los Hermanos de La Salle se hicieron cargo del Liceo, 'mandaron desaparecer' los dos mosaicos porque, en ellos figuraban muchos comunistas". Otra versión es que en una obra de mantenimiento, se cayeron y se volvieron pedazos. Hay otra teoría, con más fuerza, según la cual, "los mosaicos se los robó un fanático de Gabo, o un coleccionista, con complicidad de alguien del Liceo, cuando García Márquez comenzó a ser famoso".

"Mire esta historia sencilla, (dice Álvaro Ruiz), unos días antes de la ceremonia de grado que ese año tenía la característica de que asistiría a entregarnos los cartones de graduados el Presidente Lleras Camargo, muy afecto a nuestro Liceo, Gabo estaba muy inquieto y de verdad triste porque no tenía a nadie, aparte de su acudiente Sara Lora, que lo representara en la ceremonia. Al principio dio algún rodeo, hasta que decidió expresármelo, con algo de dificultad; parece que no sabía cómo encarar el tema. Pero de pronto, 'se soltó,' y me dijo: "Álvaro Ruiz, ¿Será mucho abuso pedirle a tu mamá que por favor me acompañe y reciba mi diploma?'... Y yo un poco emocionado por haber vivido este momento un tanto dramático, le dije: Es un honor". Así, ese día, Gabriel tuvo algo así como dos madrinas: mi madre y la bella Berenice Martínez, quien por insinuación mía, acudió al evento y acompañó también al muchacho costeño, cuyos padres estaban a mil kilómetros de la fría Zipaquirá".

Guillermo Granados recuerda que, "García Márquez compartía mucho con "El Negro" José Palencia; a veces se tomaban sus tragos en una 'suite' que este tenía alquilada en el 'Hotel Caribe', de las Peralta, una de las cuales tocaba piano y cuyo novio era nuestro compañero Gerardo Mahecha".

Según Miguel Ángel Lozano, "el hotel quedaba en la Plaza Mayor de Zipaquirá, diagonal del palacio Municipal, en la calle Cuarta con carrera Séptima, donde quedaba la fotografía Rozo, frente a la Catedral. En ese hotel vivía otro estudiante del Liceo, Julio Hernández Villalba. Allí, una de las Peralta, 'La Mona', tocaba piano. Gabo se quedaba en el hotel cuando a veces se tomaba allí sus tragos con Palencia, y con otros amigos".

Lozano relata: "El 'Mincho' Anaya, que era pianista, fue uno de los compañeros más folclóricos de Gabo; los dos y José Palencia, fundaron el conjunto del Liceo. Anaya fue luego pianista de la Orquesta del Country Club de Barranquilla. Tenía una característica especial que disfrutaron mucho sus amigos: era un verdadero profesor de música, y les enseñaba no sólo los instrumentos que José Palencia regaló para el conjunto del colegio, sino además otros, que por una razón u otra, llegaban al Liceo".

Guillermo Granados, compañero de curso suyo, definía a Gabo como, 'un joven rebelde, con mentalidad de izquierda, que adquirió en el ambiente político del Liceo, donde había profesores marxistas que influyeron en él".

Sobre Granados, cuenta Lozano: "Él cantaba tangos, como Gardel, y su mayor éxito era: 'Mi Buenos Aires querido'; su más firme admirador era Gabito. Una vez el rector dormía en su habitación del Liceo y Granados, que estaba cantando muy alto, lo despertó, entonces Ramos salió al balcón y le dijo: ¿Y el joven se la sabe toda'? En otra canción Granados dijo: Voy a cantar 'Mi último bolero', y el profesor Ocampo, (prefecto de Disciplina), que estaba cerca, le dijo de manera cortante: 'Pues qué bueno que sea el último, con la mitad nos contentamos'. Nosotros no sabíamos si reírnos o quitarnos de allí".

Guillermo Granados, era tan buen estudiante, que lo eximían del pago de la matrícula. Su madre se llamaba Sara Quintero y su padre, José Granados, quien murió antes de que Guillermo se graduara.

A Granados le dio muy duro el suicidio del rector Alfredo Ramos, explica Álvaro Ruiz: "A Guillermo lo impactó tanto su muerte, que lloró mucho. Él cantaba a toda hora, pero especialmente en la mañana, mientras hacía cola para bañarse y bajo la ducha, cuando se estaba bañando".

Y agrega: "Hernando Benavides, acudiente de Guillermo Granados, quien estudió antes que nosotros en el Liceo y murió en noviembre de 2005, fue un líder cívico y sindical zipaquireño, de izquierda". Además, uno de los mejores basquetbolistas que tuvo el Liceo y quien después de graduarse seguía entrenando con los alumnos. Benavides sostenía una buena amistad con los profesores y alumnos más izquierdistas del Liceo.

Prosigue Ruiz: "Cuando lo conocí, Guillermo Granados me dijo: 'En otras materias en las que nos entendíamos mucho con él, era en inglés, francés y latín, pues nos gustaban los idiomas'. Y riéndose, anotó: "Sabe que cuando yo entendí el verdadero valor de Gabo, es decir, cuando comenzó a triunfar internacionalmente, yo me decía a mí mismo: una partecita de su éxito, una gota de arena nos la debe a Álvaro Ruiz, a Miguel Lozano, a Eduardo Angulo Flórez y a mí, porque nosotros le ayudamos a ser un mejor estudiante".

Su hija Sara Lucía Granados, dice que Guillermo se especializó en cantar y bailar tangos, "siempre fue excelente para las matemáticas y tenía muy buena ortografía. Cuando vio triunfar a Gabo mundialmente, se sintió orgulloso de ser su amigo. Él me contaba que muchas veces le ayudó a García Márquez en el Liceo, en las tareas y exámenes de matemáticas, y también corrigiéndole la ortografía, como lo hacía Álvaro Ruiz, y decía que aunque escribía perfecto, le fallaba un poco en ortografía".

Marina de Rojas, cuenta que Guillermo, quien murió el 20 de noviembre de 2005, "después de pensionarse, vivió los últimos años casi sin salir de su casa, disfrutando de su gran hobby: oír y cantar tangos, especialmente los que interpretaba Carlos Gardel, cantante que fue siempre un ídolo suyo".

El ingeniero Jaime Bravo, que también era excelente estudiante de matemáticas y que ayudaba a Gabo, dice: "Guillermo Granados era el mejor de todos en Geometría, Trigonometría, Física y Química, y por eso le ayudaba en los exámenes a García Márquez y a otros estudiantes 'soplándoles' las respuestas en las previas y en los exámenes". Y cuenta que, "en una ocasión, cuando el profesor Joaquín Giraldo Santa, botó a la caneca el papel carbón con el que hizo el cuestionario de un examen, uno de sus compañeros tomó ese borrador, reprodujo el cuestionario, lo repartió; y entonces, hasta Gabo para quien las matemáticas eran 'el coco', aprobó la materia".

Gabo lanzando granizo como si estuviera en un país con invierno

Luis Ariza, nacido en Quibdó a quien su compañero de curso, Gabriel García Márquez, bautizó "Amo y señor de Riosucio y Acandí, rey del Chocó y emperador de Urabá", tenía un año más que Gabo. Era hijo de Luis Ariza Echeverry y Ana de Ariza, fue "Tambor mayor de la Banda de Guerra" del Liceo, él me relató un día: "Como Gabo, yo le tenía bronca al frío y al humo de los hornos, pero no a las granizadas. Esa fue una experiencia increíble para él y para mí; la primera vez que Gabriel vio ese fenómeno en tierra fría, armamos una guerra disparándonos granizo en bolas: la verdad es que él se volvió medio loco. Lo disfrutamos tremendamente. ¿Se imagina usted a Gabito lanzando granizo como si estuviera en un país con estaciones de invierno?".

Ariza recuerda: "García Márquez pintaba corazones en los cuadernos; yo le vi grabar el nombre de Berenice con navaja en el tronco de un árbol, en el parque de las salinas. Con el íbamos a la Plaza de Ferias a 'cacharriar'; a ver espectáculos, conciertos, y juegos pirotécnicos; era un verdadero carnaval. Otro sitio donde siempre había un espectáculo era en el kiosko central de la Plaza de Ferias, junto a la estación del ferrocarril".

Sobre los viajes a Bogotá, anota Luis Ariza: "Había dos empresas de buses, la 'Flota Zipa' y la 'Flota Alianza', el pasaje valía como cuarenta centavos, era más caro que viajar en tren. A Gabo le gustaba el tren, yo no recuerdo haberlo visto nunca viajar en flota. En tren salía como en quince o veinte centavos la ida a Bogotá, en Tercera categoría. La Primera, era muy confortable, pero valía mucho, casi cuarenta centavos. La segunda tenía bancas separadas, cómodas, y el pasaje era más barato que en Primera; en Tercera las bancas de madera eran un poco duras, pero el viaje era muy divertido. Asomábamos la cabeza y nos caía 'tizne' de la locomotora en los ojos, y se nos ponían rojos. Otra cosa que recuerdo mucho de Gabriel es que le gustaba ir a jugar billar frente a la Estación, a un Café que vivía lleno de estudiantes".

"Sueños y recuerdos", de Gustavo Pedraza

El novio de Teresita Patiño, una de la niñas más bellas de Zipaquirá, hermana de "La Nena" (que por su belleza "enloquecía a los internos y a los externos"), se llama Gustavo Pedraza, era compañero de colegio de Gabo, iba un año atrás de él. En su libro *Sueños y recuerdos*, publicado en 2008, escribió: "Pretendiendo un cordial homenaje a quien fuera el más sobresaliente alumno del Liceo, me atreveré a narrar. En 1943 percibí la presencia en el patio del colegio de un pintoresco costeño despelucado, de pantalón y camisa blancos; que dejaban adivinar el frío sabanero.

"Su especial locuacidad y la de algunos de sus más cercanos contertulios, como 'El loco' Guillermo Rubio, le facilitaron su integración a los grupos de muchachas, que con el irresistible deseo de poner en práctica los bailes de moda, le proporcionaron la oportunidad de lucir sus habilidades".

Y cuenta Pedraza que alguna vez su padre, Celestino Pedraza, lo envió a buscar a su hermano Alfonso, a quien encontró en el concurrido Café Lurroma, ubicado en la plazoleta de la estación del ferrocarril. Estaba jugando un partido o chico de billar con Gabo, El Loco Guillermo Rubio y otro amigo. Al decirle a qué iba, "recibí de Gabriel una andanada de improperios (en broma) con el adobo de una sarta de groserías de su bien conocido repertorio; me reclamó el imperdonable sabotaje que al transmitir el mandato de mi padre producía en el juego, y lanzando rabiosamente el taco sobre la mesa y adoptando la pose de gran actor, lanzó al aire lo que para mí fue la más espontánea y objetiva descripción de la escena, diciendo: 'Sobre una verde llanura cuadrúpeda, azotados por un látigo de madera, corren raudos tres potros de marfil'. Es por demás justo reconocer que la importancia que yo di a aquel brote literario, colmó mi admiración y olvidé el objeto de mi presencia en ese lugar".

"Muchos años después, en la sala para personajes especiales del muelle internacional de El Dorado, con motivo de su salida con destino a Caracas, en compañía de cinco presidentes, pretendí esculcar su memoria, recordándole aquel pasaje. Con la natural dificultad de acercarme a él, lo cual sólo fue posible cuando le grité su nombre y pidió ayuda para facilitar un corto saludo. Al recordarle aquella frase la clasificó como 'piedracielista' y de autoría de Carlos Martín".

Continúa el ingeniero Pedraza: "Años después en la plaza principal de Zipaquirá la banda municipal presentaba, uno de sus admirables conciertos. Pasaba yo absorto contemplando el grupo musical y el imponente accionar de su director, cuando encontré sentado en el prado vecino, en posición de Buda, al inolvidable Gabo después de larga ausencia, extasiado y sumido en trance de rígida entrega, admirando la actuación del maestro.

"Fue para mí grato encuentro y me aproximé a saludarlo sin percatarme de la especial reverencia y abstracción por la suave interpretación de la banda. Me lanzó un furioso ¡Chito! Al darle mi saludo, y tuve que sentarme callado a su lado, hasta terminar la pieza musical que en el momento se ejecutaba.

"Prevalido del gran cariño que siempre disfruté del Maestro Quevedo por su especial amistad con mi padre, invité a Gabo a saludarle, seguro de que nos acogería con su característica bondad -como realmente lo experimentamos-. Después de recibir su cariñoso golpe en el hombro, como era la introducción a su cordial conversación, saludó con efusivo abrazo a Gabriel, de quien tenía especial recuerdo".

En su discurso para despedir a los estudiantes de sexto, cuya copia me entregó José Fajardo, "Fachardini", quien se graduó ese noviembre de 1944, Gabo dijo: "Aquí están Jaime Fonseca, Héctor Cuéllar y Alfredo Aguirre, tres personas distintas y un solo ideal verdadero: el triunfo". Uno de ellos, Héctor, nacido en Tunja, fue otro buen amigo de Gabo, -y quien curiosamente tuvo más cercana relación con García Márquez, después de terminar el bachillerato-que en el colegio.

Y agrega Cuellar: "Me parece estar viendo a Gabriel, a Charry, a Ruiz, a Bravo y a otros muy juiciosos, lustrando sus zapatos sentados en el catre que producía chirridos por el movimiento acompasado de esos ilustres lustrabotas".

"El Chino" Cuéllar sigue su descripción: "Una vez, caminando de regreso del campo de deportes, un poco tarde ya, Gabo me dijo: "Héctor ¿No te das cuenta de que la noche entristece de pájaros? Mucho tiempo después vi esa frase en uno de sus escritos. En cierta forma yo he entendido esa sensación de soledad que Gabo dice haber experimentado en Zipaquirá. Lo que sucede es que una cosa era mi internado -porque yo salía todos los fines de semana- y otra distinta la suya, pues tenía que quedarse en el Liceo porque no tenía adónde ir. No estaba interno, sino requinterno".

Y dice: "Aunque por lo que me contaban otros compañeros, la pasaban muy bien porque iban a fiestas, se veían con las novias, y tenían una buena cantidad de cosas para hacer. Distintas a las que acostumbraban los externos, pues existían acentuadas diferencias de estos con los internos, la mayoría costeños, pero había una tranquila rivalidad y cada uno andaba por su lado. Tal vez donde había total unión era en la banda de guerra, a la que yo pertenecí como tambor; todos la queríamos y nos esmerábamos por que quedara bien, fuéramos de Tunja, de la Costa o de Zipaquirá".

Cuéllar anota: "A Gabriel lo acompañé un par de veces a la casa de 'La Manca' González, donde él se la pasaba.

"El (Gabriel) era un burlón 'de siete suelas' (dice Héctor); cuando salíamos en fila y con la banda de guerra al campo de deportes, 'mamaba gallo', término que él introdujo entre los internos y que luego fue acogido por los externos".

"Y García Márquez gritaba: Dale duro Alfonso, dale duro"

Otro buen amigo de Gabriel García Márquez en Zipaquirá, fue el senador Alfonso Angarita Baracaldo, quien desde niño supo que iba a ser político; él iba en segundo cuando Gabriel llegó al Liceo a cursar tercero de bachillerato. Gabo se identificaba más con los costeños internos que con los externos. Angarita y José Argemiro Torres eran de los pocos externos cercanos a García Márquez, junto con Alberto Garzón Díaz, quien iba en el mismo curso del 'cataquero'. Angarita integraba con él la misma escuadra de formación de los estudiantes en el Liceo que era de cuatro en fondo (cuatro por fila) y los dos formaban en la misma.

Recordando, "como si fuera ayer", Alfonso Angarita, cuenta: "Gabriel me decía a mí, 'Cacha', cuyo significado para él era, "Cachaco"; yo le decía 'Curramba' que para mí era algo así como 'Costeño', pero nos respetábamos mucho. Los dos éramos muy francos".

Y prosigue: "Entre las cosas que más recuerdo de Gabo es un viaje que hicimos juntos a Bogotá, el 20 de julio de 1944. Días antes el Liceo nos había entregado a todos los alumnos, sin costo, el uniforme de gimnasia que consistía en camisa, pantalón, media y tenis, todo de color blanco y un 'chacó' (gorra) con las letras LNZ, que quería decir, Liceo Nacional de Zipaquirá.

Ese uniforme lo estrenamos viajando todos los estudiantes del colegio a un inmenso desfile en el que marchamos por las calles capitalinas. Gabriel y yo, uno junto a otro coordinados y en perfecta fila salimos de la Estación de la Sabana, donde nos bajamos del tren, y fuimos hasta el Capitolio Nacional, y al pasar frente a la tribuna de honor instalada a unos metros, vimos ahí cerca a Jorge Eliécer Gaitán, que era entonces, ministro de Trabajo y que había estado en el Liceo visitando a los estudiantes unos meses atrás, y quien en su discurso allí, dijo: "La tempestad es dura pero ustedes, jóvenes, son más duros que la tempestad".

Me acuerdo de Gabo estirando y abriendo el brazo conmigo y con todos los estudiantes, al más puro estilo nazi, (coordinados por Jorge Perry Villate, el profesor de Gimnasia) para saludar marcialmente a los personajes que estaban en ese palco de honor.

Ese día estuvimos felices porque el Liceo se lució entre los que mejor desfilaron, y García Márquez lo hizo bien a pesar de que todas esas cosas de disciplina física a él no le gustaban", anota Alfonso Angarita Baracaldo.

Uno de sus mejores recuerdos de Gabriel García Márquez, "fue una tarde en que por una rivalidad tonta, nos dimos puños con un compañero de apellido Contreras. Entonces Gabo me hizo barra, era el que más gritaba, diciendo: 'Dale duro Alfonso, Dale duro Alfonso'. En ese momento llegó el profesor Perry Villate a ver qué era lo que pasaba, Gabriel dijo: 'Es que este señor estaba molestando a Alfonso'; dijo eso y me abrazó y felicitó porque según él, 'peleaste a lo campeón'. Otro signo de su amistad me lo brindaba Gabriel cuando yo jugaba básquet, que era mi deporte preferido. Él también me hacía barra. En esa época fuimos campeones intercolegiados con el equipo del Liceo, entrenado por el magnífico básquetbolista colombiano Julio Múnera; algunos de los compañeros del equipo eran, Gabriel Nieto, Guillermo 'Mogollita' Ramírez, y Héctor Kairuz Gordillo, 'El Turco' y Marco Alvira".

Angarita Baracaldo, que también la iba muy bien con un amigo del alma de Gabo, Ricardo González Ripoll, asegura, que "admiraba en García Márquez su dedicación a leer que creció en 1944, por el estímulo que le dio el profesor Calderón Hermida. Cuanto libro le prestaba aquel, u otro profesor, Gabriel se lo 'devoraba'.

Según Hernando Forero Caballero: "Entre los internos y para los externos fue tradicional comentar que desde cuando García Márquez llegó al internado tenía pesadillas nocturnas, gritaba como loco y despertaba a todo el mundo, y que sólo hasta cuando encendían la luz, se despertaba y por fin se calmaba.

Casi todos los compañeros de García Márquez, me contaron sobre sus famosas pesadillas. Forero Caballero, dice, "sufríamos las pesadillas de García Márquez y sus gritos terribles que nos despertaba a todos los del gran dormitorio, y también gritábamos para que se calmara, o le lanzábamos almohadas, o lo que fuera".

"Yo sí vivía al tanto de sus sentimientos, porque los dos éramos confidentes; yo lo aconsejaba y trataba de subirle el ánimo cuando estaba triste. Él me comentaba que cuando se iba de vacaciones a Sucre, allá desaparecían las pesadillas nocturnas, la nostalgia y la sensación de soledad que le producían la tranquilidad y frío zipaquireño".

García Márquez con "apartamento de soltero" en Zipaquirá

Julio Múnera Duque, catalogado como uno de los mejores basquetbolistas que ha tenido Colombia, era ingeniero de las Salinas de Zipaquirá y entrenaba a los jugadores del Liceo; y a pesar de que Gabo era un mal deportista, hizo amistad con él.

Julio fue elegido por el periódico El Espectador como uno de los personajes del Siglo XX en Colombia, también fue poeta, escritor, periodista, líder cívico y buen futbolista.

Según la prensa, Múnera se cubrió de gloria el 6 de agosto de 1948, pues cumplió un acto heroico como capitán del equipo colombiano de básquet que se coronó campeón en los IV Juegos Bolivarianos, al derrotar en la final al equipo del Perú que era el mejor de Suramérica.

Los peruanos le ganaban a Colombia hasta 3 minutos antes de terminar el partido, "y entonces (contaba Julio) vi un hueco y me colé por entre la defensa peruana, rompí el empate y quedamos 45-43. Los incas se ofuscaron y perdieron la pelota. El negro Forero me hizo el pase, convertí dos puntos más y Colombia ganó 47- 43". Julio, viajaba de Zipaquirá a Bogotá los fines de semana, y regresaba los lunes. Cuentan su esposa y sus hijos Julio Ernesto y Adriana, que su padre sabiendo que Gabo salía del Liceo los fines de semana pero que tenía que regresar al internado en la noche, decidió prestarle algunas veces el apartamento de Salinas que compartía con Joaquín Peña, otro ingeniero que también se iba a Bogotá los viernes. Según eso, Gabo gozó de una especie de "apartamento de soltero" en Zipaquirá.

José Palencia Castro, hijo de José Domingo Palencia y de María Isabel Castro, había nacido en Sucre, (Bolívar), donde vivía la familia García Márquez. El padre de José era ganadero, pero antes fue también telegrafista, como el papá de Gabo, su eterno amigo, y como Sara Lora la acudiente de Gabo en Zipaquirá. José era dos años mayor que Gabriel, tenía ya 21 años cuando el sábado 2 de marzo de 1946, llegó a Zipaquirá, precisamente cuatro días antes de que García Márquez cumpliera 19 años de edad. Era tarde, ya se habían iniciado las clases en el Liceo. Sucede que los dos jóvenes se demoraron porque como hacían todos los internos del Liceo, se quedaron a participar en la celebración de los carnavales de su tierra.

Palencia tuvo que pagar veinte pesos por su matrícula extraordinaria; su acudiente fue Manuel Vega, un amigo de su padre que vivía en Bogotá, en la calle 15 N° 10 – 96, según figura en la matrícula N° 261 del Liceo Nacional de Varones.

Cuenta Jaime Bravo que, "Palencia y García Márquez fueron muy buenos compañeros, viajaban juntos a pasar vacaciones en Sucre; y luego de salir del Liceo, vivieron juntos en una pensión de Bogotá, y siempre, donde había parranda, ahí estaban los dos".

Álvaro Ruiz Torres, se lamenta: "Hoy me da tristeza haber perdido dos poemas que él hizo sobre sus viajes por el río Magdalena, pero desafortunadamente como le había contado, un mal día perdí muchos versos y textos que Gabo me regaló y que yo había guardado con gran cariño, aunque por fortuna conservo estos poemas de los que le voy a dar copia hoy, incluyendo el acróstico que él me hizo a mí".

Y recuerda: "Con motivo de la excursión de los alumnos de sexto año, Gabito no hizo más que hablar sobre su segundo viaje en un avion DC-3 de Avianca, que realizaría en ese julio de 1946, volando a Barranquilla (destino final de la excursión), con su amigo José Palencia, quien le volvería a pagar el tiquete. Eso sólo podía hacerlo un 'ricachón' pues era un verdadero privilegio si se tiene en cuenta el alto costo de los pasajes, nada menos que 120 pesos por persona. Por eso, los muchachos con menores recursos económicos que Palencia, viajamos en excursión usando inicialmente el tren, luego el vapor por el río Magdalena y desde Medellín, ahí sí en avión".

El transporte aéreo en Colombia lo inició la Sociedad Colombo Alemana de Transporte Aéreo (SCADTA), que tenía orígenes y aportes económicos de ciudadanos germanos; esta, convirtió a nuestro país en pionero de la aviación comercial. El 5 de diciembre de 1919, tres alemanes y cinco colombianos la fundaron, en Barranquilla. Luego, un acaudalado científico alemán, ingresó a ella, aportando "conocimientos, recursos económicos, y un avión".

Al llegar la Segunda Guerra Mundial, los norteamericanos veían riesgo en que una empresa de aviación con raíces alemanas volara sobre el Canal de Panamá, perteneciente a esa República que se independizó de Colombia, el 3 de noviembre de 1903. Por ello, el gobierno obligó a Scadta, en junio de 1940, a salir de sus empleados de origen alemán, y a unificarse con SACO, (la otra empresa aérea colombiana), en Aerovías Nacionales de Colombia, Avianca, que fue la primera aerolínea comercial fundada en América y la segunda en el mundo, dos meses después de que naciera la aerolínea holandesa, KLM.

Precisamente a finales de 1946, año de la graduación de Gabo como bachiller en Zipaquirá, Avianca estableció las rutas hacia Quito, Lima, Ciudad de Panamá, Miami, Nueva York y algunas ciudades de Europa, estrenando sus nuevas aeronaves DC-4.

Los viajes de Gabo en avión, hacia y desde Barranquilla, fueron pagados en efectivo por José Palencia, quien además, le "financiaba" lo que quería, especialmente cigarrillos.

Esa inversión estaba plenamente justificada pues los buenos oficios y gestiones, Gabito, (quien ya 'pesaba' en el Liceo) consiguieron que el rector Óscar Espitia aceptara a Palencia en el curso sexto del Liceo, para que lograra terminar su bachillerato, dado que había reprobado el año anterior en la Costa. Mejor dicho, le concedió una beca para estudiar sexto, con la particularidad de que no lo hizo como alumno interno, sino externo. A Espitia, (rector y profesor de Química), Gabo le caía bien; era un señor muy serio, pero muy amable con García Márquez.

Ruiz Torres, anota: "A su llegada a Zipaquirá, José Palencia, quien 'gozaba de una envidiada bonanza económica', lo cual era excep-

Compañeros de curso de Gabo en la excursión a Barranquilla.

cional en un joven de nuestra edad, (lo que lo hacía un verdadero potentado), alquiló la mejor 'suite' del Hotel Caribe, que quedaba en la Plaza Mayor, frente a la Catedral, y a pocos pasos del Club Social, la Alcaldía, el Palacio de Salinas; a la Casa que fue sede del Banco de Cipaquirá (con C), la mansión donde residieron en Zipaquirá, el poeta rector Carlos Martín y su esposa.

En ese hotel, (según Hernando Forero Caballero), "por iniciativa de Palencia, o de uno de sus compañeros de parranda, se organizaban frecuentes tertulias, 'tomatas' y reuniones musicales con sus mejores amigos del Liceo; es decir, con algunos de los costeños internos y con compañeros del interior, como Guillermo López Guerra, bogotano puro, con quien congenió desde el principio y quien era un año menor que García Márquez".
Según Luis Ariza, "Palencia, tenía dinero y se convirtió no sólo en mecenas de Gabo, sino que a nosotros nos invitaba a muchas cosas, a tomar, a tomar onces, a comer bizcochos y comer dulces... Una de las ayudas de Palencia a Gabriel, era cancelarle a Roberto 'Mogollita" Ramírez', (quien murió en la avalancha de Armero) los cigarrillos y galguerías que este le fiaba a Gabriel.

"Ramírez, que era un comerciante en potencia, se rebuscaba vendiéndole cigarrillos y 'comiso' a sus compañeros. En su pupitre casi no había libros o cuadernos, sino bocadillos, mogollas, colaciones y otras golosinas, y cigarrillos", cuenta Alberto Garzón, vecino de Roberto en el salón.

Billete emitido por el Banco de Cipaquirá, (con "C"), en 1882.

Ramírez, que terminó siendo odontólogo, compraba y revendía cigarrillos, panelitas, tortas y bocadillos. Y cuando llegó la campaña pro-excursión a Barranquilla, lo nombraron 'Jefe de finanzas' pues él se caracterizaba por vender de todo. Era famoso por coger las mogollas que sobraban en el comedor al desayuno, o al almuerzo, y después las vendía".

Continúa Ariza: "Mogollita' Ramírez se ganó el aprecio de don Ignacio García, ecónomo del Liceo, quien terminó aprovisionándolo de bocadillos, panela y pan, que le compraba a los proveedores del Liceo, para que este le vendiera a sus compañeros con el fin de que enfrentaran el frío de la ciudad. Este no sólo vendía y fiaba en el salón, también lo hacía en los recreos, en el campo de fútbol, o donde fuera".

Álvaro Ruiz Torres recuerda que, "José Palencia era tan amplio que regaló los instrumentos para el conjunto musical del Liceo; unos timbales, una guitarra, las maracas, una tambora, y el güiro (o guacharaca) que Gabo tocaba con mucho talento, tan bien como declamaba, dibujaba o componía. Palencia tocaba la guitarra y el "Mincho" Anaya, lo que le pusieran especialmente, el piano. El conjunto que se volvió famoso en el Liceo y en Zipaquirá, lo integraban también Alfredo García Romero, (un barranquillero a quien llamaban "El Loco"); Rubio, Ricardo González Ripoll, Cafronio y Luis Ariza. El único integrante del centro del país fue Guillermo López Guerra, quien tocaba la clave".

Héctor Figueroa Hernández: "El Infierno es la vejez"

El profesor Héctor Figueroa Hernández, quien nos enseñó inglés a Gabriel García Márquez, a mis hermanos Germán y José Fernando y a mí, en el Liceo Nacional de Zipaquirá, murió el 4 de noviembre de 2008.

Mis hermanos y yo conservamos siempre un contacto físico y telefónico con el profesor Figueroa, por diferentes motivos; entre otros porque cada vez que uno de nosotros tenía alguna figuración importante, nos llamaba a felicitarnos, lo que apreciábamos mucho. Nunca olvidaré una frase que me dijo el último día que lo vi, cuando lo invité a almorzar en mi casa, por ahí un año antes de su muerte.

Me dijo con mucho sentimiento: "Gustavo, yo ya descubrí cuál es el infierno". Y yo le pregunté, ¿cuál es, profesor Figueroa? Y con los ojos llorosos, me respondió: "El infierno es la vejez". Lo único que atiné hacer fue cambiarle el tema muy diplomáticamente sin entrar a sus sentimientos íntimos.

No me atreví a preguntarle a ese profesor de Gabo (uno de los únicos dos que vivían aún) por qué lo decía, pero con el sentimiento que me habló me hizo pensar que tenía una pena que pudo nacer cuando se murió su esposa, que era hermana de José Fajardo, alumno suyo en el Liceo, graduado en 1944. Su frase aún me retumba en la cabeza, he meditado en ella, y me dejó un sinsabor, no haberle preguntado al profesor Figueroa por qué la decía; a lo mejor yo le hubiera podido ayudar en algo.

Hasta ese día en el que hablamos como cuatro horas de Gabriel García Márquez y del Liceo, de las pilatunas de sus alumnos y de otras cosas, nunca le escuché una queja, era un hombre sonriente, francote pero amable, y culto. Esa última vez que lo vi llegar e irse parecía muy vital manejando su eterno Volkswagen "escarabajo", azul, con la única mano que tenía, pues como Cecilia González, le faltaba una. El timón de su carrito era muy duro, pero él lo dominaba.

Sobre la vida del profesor de inglés de Gabo, supe que su papá lo mandaba en vacaciones a la hacienda de unos amigos cuyos hijos no podían estudiar, porque vivían muy lejos de la ciudad y no había escuela cerca. Él les daba clases, los enseñó a leer y a escribir y le quedó gustando enseñar; por eso se volvió profesor a tan temprana edad. "El papá de los chinos (contaba) salía y suspendíamos el estudio para irnos a coger frutas, y cuando aparecía en la loma, volvíamos a coger los cuadernos".

Figueroa hizo bachillerato en San Bartolomé, colegio en el que Gabo pretendía estudiar, al llegar a Bogotá.

Cuando iba en quinto de bachillerato, Héctor Figueroa fue profesor de obreros en una jornada nocturna. Luego de terminar bachillerato ingresó a la Normal Superior, donde se volvió izquierdista. Y de allí, a Zipaquirá, de donde recuerda los discursos y los poemas de García Márquez, sus clases de inglés; los boleros que cantaban a dos voces en el patio del Liceo; los bailes a los que asistían con él y con otros internos, que a pesar de ello, lo respetaban.

Otros profesores que compartían con Figueroa y con Gabo, fueron Eufrasio Páramo y Joaquín Giraldo, quien estuvo enamorado de Rosita Márquez, la primera reina de belleza que tuvo Zipaquirá, hermana de unos muchachos del Liceo; fue profesor de Gimnasia en el Liceo y terminó suicidándose.

Rosita, que era una excelente columnista de prensa, fue elegida como la primera Reina de la Sal, el 31 de diciembre de 1943, al concluir los carnavales de dicho año, cuya finalidad era puramente social; carnavales que García Márquez no pudo disfrutar nunca, pues era en época de vacaciones de final de año, cuando él viajaba a su tierra. Según Guillermo López-Guerra, "a Gabriel también le gustó mucho esa bella mujer, pero puso los pies en la tierra pues ella tenía un novio en serio".

El profesor Figueroa no sólo fue profesor, también era amigo de Gabriel García Márquez; compañero de "tomata", bailes e interpretación de boleros, afición común que descubrieron tener, recién llegado Gabo al Liceo. Figueroa contaba: "La mayoría de los profesores del Liceo, éramos solteros; parrandeábamos con los estudiantes, especialmente los sábados y los domingos; compartíamos bailes y otros programas, como el traguito; había una real amistad, guardando cada uno su sitio; eran unas relaciones especiales y respetuosas".

Figueroa siendo manco era tan normal como cualquiera: jugaba tejo, manejaba carro, bailaba, lo hacía todo. Él contaba: "Yo les ayudé a organizar la excursión al curso de Gabo, en 1946 y recuerdo los bailes que hicieron. Y también me acuerdo que Gabriel y Álvaro Ruiz a quienes les decían, 'las mancornas'; caminaban en el patio; García, como embutido en un sweater de contra el frío del que tanto se quejaba".

Sobre la tendencia política de García Márquez en el Liceo, pensaba: "Sí, ciertamente varios profesores teníamos ideas de avanzada y Gabriel fue un alumno aventajado en teorías marxistas".

Joaquín Giraldo Santa, último profesor vivo de Gabo, murió en 2011

El profesor de Matemáticas de García Márquez, Joaquín Giraldo Santa, nació el 9 de febrero de 1920, en Líbano, (Tolima), y murió el 10 de febrero de 2011, en Maracay (Venezuela) a la edad de 90 años. Giraldo fue el último de los educadores de Gabo en morir; él se caracterizó por ayudarle con las notas a García Márquez, quien era pésimo en sus clases de Matemáticas.

Giraldo, que era un excelente profesor, estricto y serio, sobre su ayuda al hoy Nobel: "Él desarrolló en el Liceo su gran talento como escritor y haberlo hecho perder un año por unas materias que no eran las suyas, hubiera sido frustrarlo. Sí, fui condescendiente con él, y no me pesa, pues mire adonde llegó".

Giraldo era estricto con los demás alumnos, pero en la calle era un excelente amigo de ellos; él influyó para que muchos estudiantes del Liceo se graduaran como ingenieros y arquitectos.

El profesor Giraldo, que estaba soltero, era una persona muy seria, pero fuera del Liceo se tomaba unos tragos con sus alumnos con quienes se divertía, bien fuera en los billares o en los bailes "caseros" de los sábados o los domingos.

Elvira Ramírez de Giraldo, su esposa, cuenta que se casó con él cuando ella era alumna suya, en la Normal Superior (hoy Universidad Pedagógica, de Bogotá), a donde él llegó como profesor, luego de que dictara clases en el Liceo Nacional de Zipaquirá, donde fue profesor, entre 1942 y 1948.

A Joaquín Giraldo Santa, la muerte de Alejandro Ramos lo impactó mucho pues había sido profesor suyo en Líbano (Tolima), razón por la cual, con el ecónomo del Liceo, Ignacio García, le organizaba paseos a los internos a esa ciudad, en la que los muchachos se alojaban en el colegio.

Gabriel dijo: "Ave César, los que vamos a morir te saludamos"

El profesor Giraldo, recuerda: "Carlos Julio Calderón exigía mucho a García Márquez, lo ponía a que elaborara más y más trabajos de literatura, creía tanto en él que por su iniciativa decidimos encomendarle a Gabriel que pronunciara el del entierro de Alejandro Ramos".

Y anota: "Gabriel me decía, profesor Giraldo hoy tengo 'algebrina' y eso quería decir que quería estudiar Álgebra; el hacía el esfuerzo pero no podía con las matemáticas. Perdió Álgebra en 1944, sacó 2 y pidió habilitación; pero tampoco pasó; entonces yo me reuní con el rector Oscar Espitia y le dije que García Márquez no iba a ser ingeniero y entonces resolví ayudarle para que rehabilitara la materia. En Física se le ayudó también, pero es que se sabía que iba a ser un buen escritor, ningún daño se causaba si no sabía Matemáticas".

Joaquín Giraldo Santa, fue el profesor de Gabriel García Márquez que vivió más tiempo; murió en Maracay, Venezuela, el 10 de febrero de 2011.

El profesor Giraldo terminó viviendo en Venezuela y dictando clases de matemáticas en el Departamento de Ingeniería de la Universidad Central, en Maracay, "por cosas de la vida". En una ocasión lo invitaron a un curso avanzado de Matemáticas Modernas en San Juan de Puerto Rico. De regreso, cuando hizo escala en Panamá, unos venezolanos que venían con él, le contaron que en su país estaban buscando especialistas en matemáticas; hizo el consabido contacto y lo contrataron en muy buenas condiciones. "Tanto que me quedé a vivir aquí", anota él.
A propósito de sus clases de Matemáticas en Zipaquirá, Giraldo comenta: "De las cosas que más recuerdo de Gabriel, es que un sábado en que había un examen y yo recién llegaba al Liceo, pues venía de Bogotá, me encontré con él y Gabriel entonces, me dijo: 'Ave César, los que vamos a morir os saludamos', y claro, yo me reventé de la risa".

El médico Alvaro Gaitán Nieto y el esqueleto "doña Bertha"

Frente al comedor del Liceo, en el primer piso, había una urna vertical con vidrios, en ella descansaba cuando no había clases de Fisiología, el esqueleto de mujer que tenía los huesos completos y los de las caderas muy amplios, al cual bautizaron, "doña Bertha", con el que el médico Álvaro Gaitán Nieto enseñaba Anatomía y Fisiología, y con el que además de estudiar, los internos hacían bromas y asustaban a la gente.
Este médico zipaquireño, dictaba parte de sus clases en el anfiteatro de Zipaquirá, donde practicaba autopsias con sus alumnos que a veces hacían de asistentes; como si ellos fueran estudiantes de Medicina. Por eso, a la influencia de Álvaro Gaitán se atribuye que la mayoría de los compañeros de bachillerato de Gabo hubieran estudiado Medicina; entre ellos, Marco Fidel Bulla, (del Valle de Tenza); Álvaro Pachón Rojas (de Zipaquirá); Jaime Amórtegui Ordóñez (de Albán); Hernando Forero Caballero, (de Pasca); Humberto Guillén Lara (de Facatativá), Fernando Acosta (de Sesquilé); Héctor Kairuz, "El Turco", (de Rovira); Sergio Castro Castro (de Quetame). Y por otra parte, Luis Ariza (de Quibdó); y Roberto Ramírez, "Mogollita", de Armero, quienes estuvieron cerca de la medicina porque fueron respectivamente, zootecnista y odontólogo.

Fila superior, de izquierda a derecha; Roberto Ramírez; le sigue un estudiante no identificado y luego Luis E. Lizarazo, Sergio Castro Castro, Marco Fidel Bulla y Jaime Amórtegui. En la segunda fila, de izquierda a derecha con corbatín, Gabriel García Márquez; Humberto Guillén, Álvaro Pachón Rojas, y de anteojos, Álvaro Ruiz Torres. En la tercera fila, Bernardo Ferreira, Emilio Castaño, el médico Álvaro Gaitán Nieto y el esqueleto de "doña Bertha", importante en las clases de Anatomía que dictaba Gaitán.

Álvaro Gaitán Garcés, el hijo mayor del profesor de Fisiología y Anatomía del Liceo, cuenta que él decía que García Márquez tenía 'madera' para ser médico, pues se le facilitaba y le gustaba esa materia".

El lunes 8 de julio de 1946, una semana antes de que Gabo viajara a pasar sus primeras vacaciones de mitad de año a Sucre, llegó a Zipaquirá la famosa declamadora argentina Bertha Síngerman. A las 11 de la mañana, antes del almuerzo que le ofrecían en el Club Social, los alumnos del Liceo Nacional de Varones y de los demás colegios, los empleados de la Administración de Salinas, las organizaciones cívicas y las autoridades de la ciudad, le dieron la bienvenida a la declamadora argentina, en la Plaza Mayor de la ciudad.

El médico Gaitán Nieto, invitó a ocho de sus alumnos del Liceo al recital poético que dio en el teatro Mac Douall. "La declamadora de la voz prodigiosa", le decían a la Síngerman. Como Gaitán era poeta, músico y un hombre muy culto, lo escogieron para ofrecer unas palabras en honor de la artista. Antes del recital, le dieron unas boletas y él decidió "rifarlas" entre sus alumnos; dos de los afortunados fueron, Álvaro Ruiz Torres (quien contó esta anécdota) y Gabriel García Márquez, para quien, "un acto de esa categoría, representaba algo excepcional. Imagínese con esa fiebre de Gabito y mía por la poesía, cómo gozamos esa velada".

El médico Gaitán, nacido el 4 de febrero de 1906, fue llamado en Zipaquirá, durante su infancia: "El niño prodigio". Era hijo de un célebre cronista llamado Braulio Gaitán. En julio de 1964, cuando a ese médico y profesor de Gabo le ofrecían un homenaje en el Club Médico de Bogotá, su discurso de agradecimiento se silenció porque él se desplomó tras sufrir un ataque cardíaco que le causó la muerte inmediata.

Álvaro Gaitán Garcés, hijo suyo, cuenta: "Mi padre, quien fue también músico, poeta, orador, compositor, hombre cívico, director del Hospital y Alcalde de Zipaquirá, gozaba mucho cantando con estudiantes del Liceo, cuando lo invitaban a tertuliar o a las veladas". Según Álvaro Ruiz, "Gaitán solía cantar allí boleros en coro con Gabo, con 'El Mincho' Anaya, Guillermo Granados ('El Rey del tango') con otros compañeros, y con el profesor Héctor Figueroa".

A propósito, Eduardo Angulo Gómez, anota: "Benjamín Anaya Angulo, a quien le decíamos 'Mincho', nacido en Barranquilla, componía boleros, tocaba piano y cantaba. Improvisaba en los descansos en el patio cantando sus boleros y otras canciones con Gabriel. A ellos también les encantaba la música tropical. Precisamente, 'Mincho' terminó actuando en el famoso cabaret Miramar, de Bogotá".

El tren y los billares

Miguel Lozano, cuenta: "Gabo era dicharachero, alegre, cantaba y era entrador. Al llegar o terminar las vacaciones vivíamos una sola parranda en el viaje de ida o de regreso a Zipaquirá. Gabriel salía de Sucre, navegaba por el río San Jorge y luego por el Magdalena hasta Magangué; y desde allí, como lo hacía yo, navegando hasta Puerto Salgar, donde tomábamos el tren a Bogotá y luego, otro que nos llevaba a la Estación del Ferrocarril de Zipaquirá, distante casi mil kilómetros de la Costa. Decían que el ferrocarril desarrolló a la ciudad; la verdad es que era el medio de transporte más apreciado por quienes vivíamos allí y por quienes visitaban la ciudad; nosotros viajábamos siempre en tren, no en bus".

A finales del siglo XIX, el tren comunicó a Bogotá y Zipaquirá; tenía seis locomotoras de 20 toneladas; 16 vagones de pasajeros y 50 para carga, en los que se transportaba la sal y el ganado".

Otro liceísta que se aprendió la historia de la Estación, fue Orlando Pió Noya, quien cuenta: "Nosotros frecuentábamos esa estación que le gustaba mucho a Gabo, quien se volvió 'buen cliente de ella'. Tanto, que en lugar de irse a jugar billar a otro sitio, se metía al que había diagonal de esta y como hacíamos los del Liceo, pasaba después a la estación, porque era un sitio alegre donde siempre había música y gente muy querida".

El pito de la locomotora y las campanadas de ese edificio, animaban la charla de quienes iban allí para hacer visita, tomarse un café, chismosear o pasar un rato agradable, disfrutando de la llegada de amigos o conocidos, o simplemente, porque la estación era un estupendo "tertuliadero", al que iban las niñas más bonitas de Zipaquirá, casi siempre con familiares.

Jorge Fajardo, "Fachardini", concluye: "Ya integrado con sus compañeros costeños, Gabo solía caminar las calles, iba a jugar billar, a bailes, a tertulias, a pasear o a hacer visitas a la gente que le brindó su amistad y su solidaridad; lo que en muchos casos generó un arraigo cariñoso a muchos internos venidos de todos los departamentos, que ciertamente disfrutaron del ambiente en el Liceo, de la tranquilidad y de la acogedora ciudad que fue Zipaquirá".

Un pariente de Shakira; López-Guerra, "El Chino" Cuéllar y "Mano Negra"

Cuando Gabo dijo en su discurso de despedida de los bachilleres de 1944, "aquí está el gran caballero del tubo de ensayos", se refería a Ricardo González Ripoll, "Mister Moto". Cuenta Alfredo García Romero, que, "la mamá de Ricardo (María de La Luz Ripoll de González) era prima de la mamá de Shakira, o mejor, Shakira

Mebarack Ripoll; en otras palabras, Ricardo, quien fue Alcalde de Barranquilla, era primo segundo de la famosa cantante nacida allí".

Guillermo López Guerra, nacido en Bogotá, y un año menor que García Márquez, era hijo del afamado abogado Fermín López Giraldo y de Alicia Guerra. Su acudiente fue Ignacio García, ecónomo del Liceo Nacional a quien le decían cariñosamente, "El Viejo". Como la mayoría de empleados del Liceo, no vivía allí.

López Guerra, cuenta: "Una vez yo invité a Gabo a hablar en el Club de los Lagartos; íbamos caminando y al pasar por la piscina, unos niños estaban tomando clase; uno como de once años dijo, ese es Gabo. Y ahí fue la locura. Muchos llegaron con servilletas para que les diera su autógrafo. Y él me dijo entonces, 'Llevo dos años firmando autógrafos'. Y en el recorrido salió gente a pedir su firma, hasta en la recepción, y en la portería".

"Nunca he aprovechado esa amistad, para nada, (advierte). Fue sincera desde que yo tenía 16 años, nos unió mucho que a los dos nos gustaba leer novelas; yo le prestaba libros y aunque teníamos una orientación intelectual y política distinta, él de izquierda, yo de derecha, siempre nos entendimos muy civilizadamente, tal vez por aquello de que los polos opuestos, se atraen".

Guillermo López Guerra, cuenta: "Al campo de deportes íbamos en fila y ya allí, junto a las canchas deportivas, Gabo, Álvaro Ruiz Torres y yo, nos poníamos a hablar de muchas cosas. Recuerdo que especialmente comentábamos de los sucesos de la Guerra Mundial que era un tema de gran importancia entre los internos y tema de diálogo con los externos.

"También cambiábamos ideas sobre los escritores y los poetas. Gabo leía a los poetas de 'la generación maldita' y Álvaro Ruiz Torres y yo, novelas románticas y poemas. Nuestro interés era más literario y de diálogo, que de deporte; mejor dicho, no éramos deportistas. Tampoco nos gustaba leer sobre filosofía. Y a propósito de deportes, recuerdo que un par de veces que vi a Gabo jugando fútbol, cuando venía el balón hacia él cerraba los ojos y extendía las manos, en actitud de defenderse".

"El último día que vi a Gabriel, (dice López Guerra) le mostré un poema escrito en un cuaderno, firmado por 'Javier Garcés', en 1945, titulado "Poema con dos recuerdos",y le pregunté: ¿Lo conoces? La verdad es que no se acordaba de él, entonces lo leyó y al final, le escribió una dedicatoria, que dice: "La firma es de sesenta años después y con ella doy fe que este pecado lo cometí yo", (Este poema lo escribí yo). Posteriormente está la firma del Nobel.

El abogado López Guerra, tenía unas caricaturas hechas por Gabo y las perdió, pero conservaba ese poema inédito del Nobel, escrito en Zipaquirá en1945, y de él me entregó una copia para que lo publicara en este libro.
Un fragmento del poema, dice:

La campana tenía el alba de regreso
apagamos los sueños hundidos en la niebla.
Yo sólo conocía la amorosa distancia
que había desde su clara mirada hasta la escuela.

Gabo escribió este poema en 1945, y lo fechó con números romanos. Al preguntarle a Guillermo López Guerra, por qué siendo él, un "cachaco" (bogotano), era tan amigo de Gabo, él respondió: "Porque mis padres eran muy bondadosos, y además le tenían aprecio a los costeños. Figúrese que mi madre en el colmo de la bondad, le planchaba vestidos en Bogotá a algunos de ellos. En esa tónica, mi amistad con Gabo fue fruto del buen ambiente del que gozamos, mutuamente".

Jorge Fajardo, "Fachardini", buen amigo de Gabo, se conserva como un roble en la época en que sale este libro, y goza de una memoria privilegiada. Él me entregó copia del famoso discurso de García Márquez cuando se graduaron los bachilleres de 1944 en el Liceo y aclaró la duda sobre el apodo de "Mano Negra" que le pusieron a Manuel Alvarado: "Recuerdo (dice Jorge:) que Manuel nos metía papeles entre los bolsillos sin que sintiéramos, con una leyenda que decía, 'cuídese, algo puede pasarle, no se deje sorprender' y firmaba 'La Mano Negra'. Entonces le pusieron Mano Negra'.

Según Álvaro Ruiz, "otro de los compañeros del Liceo cercano a Gabriel García Márquez porque los dos amaban la literatura, fue Mario Convers, quien nos entusiasmó con el tema de hacer un periódico distinto a los convencionales de otros colegios. Él, con Gabo, fundaron la Gaceta Literaria del 'Centro Literario de los Trece' que dirigía Convers, y supuestamente por un su artículo, 'Nova sit

Omnia' (Sea todo nuevo), en ese periódico, fue como el ministro de Educación destituyó injustamente al rector, Carlos Martín".

El ingeniero civil, Luis E. Lizarazo Gutiérrez, nacido en La Palma, Cundinamarca, fue compañero de clase de Gabo; él se caracteriza por ser un hombre muy tímido; vive en Bogotá y recuerda muy poco de su época del colegio. Sin embargo, a través de su hija María Claudia, logré conocer unos pocos recuerdos suyos sobre el Liceo, especialmente que siempre admiró a Gabo porque era un muchacho muy inteligente e influyente allí. Sus compañeros cuentan que él era buen estudiante, especialmente de matemáticas; que era amplio y buen amigo y que quien más influyó en él para que fuera ingeniero, fue el profesor Joaquín Giraldo Santa.

Capítulo 22

Gabo y el eje Roma-Berlín-Tokio-Fusa-Zipaquirá

El título de este capítulo parece una broma, pero no, ya veremos que tiene plena justificación, porque esos nombres de ciudades recuerdan momentos importantes en la vida de Gabo.

Dada la importancia que para los internos del Liceo Nacional de Varones de Zipaquirá, y específicamente para Gabriel García Márquez, tuvo la Segunda Guerra Mundial, es adecuado recordar algunos datos sobre este terrible conflicto, iniciado el 1° de septiembre de 1939, con la invasión del ejército alemán a Polonia; se trata del más cruel conflicto bélico en la historia de la humanidad.

Según Jaime Bravo, compañero de curso de Gabo, "La Segunda Guerra Mundial nos interesaba mucho a los internos del Liceo; era tema permanente de discusión hasta con mapas que estudiábamos para ver cómo se sucedían las acciones en el 'Viejo Mundo' en guerra".

Eduardo Angulo Flórez, buen amigo de García Márquez, tiene la memoria intacta, recuerda:"Con Gabo, y con nuestros profesores, todos sabíamos y hablábamos apasionadamente sobre protagonistas de la guerra, como: Winston Churchill, el Emperador Hirohito; Benito Mussolini, Charles De Gaulle, Adolfo Hitler, José Stalin; Harry Truman, el almirante naval japonés Isoroku Yamamoto, los generales Bernard Montgomery, Harry Douglas MacArthur, Dwight D. Eisenhower, George Smith Patton y Omar Bradley, los mariscales Erwin Rommel, Werner Von Blomberg, Bernard Montgomery y Henri-Philippe Pétain, Hermann Göring y muchos más. Sin duda éramos unos expertos en la guerra, aunque personalmente muy pacíficos, no matábamos ni una mosca".

Eduardo recuerda sobre todo lo sucedido en el Liceo, hasta con los más mínimos detalles, y cuenta:"La guerra nos marcó, era nuestro tema obligado en el comedor, el patio, o el dormitorio".

Hernando Forero Caballero, anota: "La Segunda Guerra Mundial, cuyos sucesos seguíamos con mucho interés, marcó diferencias entre los estudiantes del Liceo, quienes nos dividimos entre 'germanófilos' (los conservadores) y 'aliados' (los liberales), grupo en el que se alineó Gabito".

"Debatíamos y hablábamos mucho de la guerra; nos echábamos vainas, pero con respeto. A mí me llegaba propaganda de la RAF y era experto en aviación. Gabo ratificó que estaba del lado de los 'aliados', en su discurso luego del 'desfile de la victoria', el día cuando terminó la guerra, que concluyó con una espléndida fiesta en el Hotel Caribe de 'Las Peralta", en Zipaquirá, luego de bailar en la calle celebrando la magnífica noticia del fin del tenebroso conflicto".

Hernando, agrega:"Gabo se identificaba con los rusos, que eran aliados de los 'gringos' en la guerra, y no sólo por sus tendencias marxistas, sino especialmente por la literatura, pues para él los autores rusos tenían un significado especial".

Esa misma apreciación la tiene el hoy arquitecto Angulo Flórez: "Gabriel degustaba los cuentos de Leonid Nikolayevich Andreyev, escritor y dramaturgo que lideró el movimiento del Expresionismo en Rusia; al escritor, autor teatral y cronista, Anton Pavlovich Chekhov; y claro, obras como *El capital*, de Carlos Marx".

Angulo recuerda: "A nosotros, no sólo nos leyeron toda la obra de Alejandro Dumas allá en el dormitorio sin rejas, diagonal de la histórica casa del Presidente Santiago Pérez, que terminó siendo cárcel con barrotes, desde cuando a dos cuadras de la Plaza Mayor y de la Catedral zipaquireña alojaron en esa mansión a un puñado de presos. También nos leyeron *La montaña mágica*, de Thomas Mann, (quien fue Premio Nobel de Literatura en 1929), obra que se refiere a un estudiante que va a visitar a un primo enfermo en un hospital suizo, para acompañarlo por unas semanas, pero que terminan siendo más de siete años. Otro escritor que resultó apasionante para Gabo y protagonista dilecto en nuestro dormitorio, en la voz del profesor Manuel Cuello Del Río, fue Fiódor Mijáilovich Dostoyevski, con sus obras, *Humillados y ofendidos*, *Crimen y castigo*, *El idiota* y *Los Hermanos Karamazov*. Y también estuvo allí, con nosotros en las noches, el madrileño Pedro Calderón de La Barca, con *La vida es sueño* que Gabo recitaba con énfasis. ¿Recuerda?:

¿Qué es la vida? Un frenesí.
¿Qué es la vida? Una ficción,
una sombra, una ilusión,
y el mayor bien es pequeño.
¡Que toda la vida es sueño,
y los sueños, sueños son!

Volviendo a la Segunda Guerra Mundial, no es nada raro que haya sido un tema fundamental para Gabriel García Márquez y sus amigos en el Liceo Nacional de Varones, de Zipaquirá. Recordemos que ella se inició el primero de septiembre de 1939, a las cuatro y cuarenta y cinco de la mañana, cuando el buque de guerra alemán Schelswing-Holstein, atacó la base militar de Westerplatt, en Gdansk, Polonia. En esta espantosa guerra, se enfrentaron, por una parte, los países del Eje, (Pacto de Acero o Pacto Tripartito), conformado fundamentalmente por Alemania, Italia y Japón, con el respaldo de Eslovaquia, Finlandia, Hungría, Rumania, Bulgaria, Croacia, Tailandia y Austria; y por otra, por los países aliados: Francia, Reino Unido (Gran Bretaña), Estados Unidos y la Unión Soviética (URSS), respaldados por Polonia, Dinamarca, Noruega, Bélgica, Luxemburgo, Yugoeslavia, Grecia, Australia, Canadá, Unión Sudafricana, Nueva Zelanda, China, Brasil y México.

En total, en la guerra participaron 70 países. Otros, se declararon neutrales, entre ellos, Irlanda, Portugal, España, Suecia, Suiza y Turquía, e Irlanda; aunque a decir verdad, Suiza, Portugal y España, no fueron tan imparciales. Algunos países latinoamericanos como México y Brasil, intervinieron bélicamente en la confrontación; como proveedores de insumos para las armas, o apoyando políticamente a los Estados Unidos.

Este horror armado cegó la vida al dos por ciento de la población mundial; se calcula que murieron más de 60 millones de personas, 27 millones de soldados y 29 millones de civiles, discriminados, así: 17 millones de judíos, 8 millones de polacos, 1.5 millones de disidentes políticos; 500.000 gitanos, 300.000 discapacitados, 2.000 testigos de Jehová y 27 millones de soldados. Causó 35 millones de heridos; hubo tres millones de desaparecidos. En Europa, la guerra determinó la persecución no sólo de los judíos, sino también de gitanos, homosexuales, discapacitados, etc. que fueron internados en campos de trabajos forzados.

La guerra generó el lanzamiento de 1'350,000 millones de toneladas de bombas sobre Alemania y más de 74.000 toneladas sobre Inglaterra; y causó masacres infames de civiles, como las cometidas por el ejército japonés en China y del alemán contra los judíos; además, la deportación y confinación de judíos en campos de concentración y los malvados experimentos ejecutados por científicos alemanes.

Hernando Forero Caballero, recuerda: "Nosotros éramos ya expertos en temas como: "La Royal Air Force" (RAF) de Inglaterra; la "Luftwaffe", Fuerza Aérea Alemana, a cargo del Mariscal Hermann Göring; los Afrika Korps, los Panzers, la Wehrmacht, los cohetes V1 y V2, los kamikazes, y las tenebrosas S.S".

Jaime Bravo, dice: "Merecieron atención especial para Gabo y para nosotros, el suicidio de Adolfo Hitler y Eva Braun; la ejecución de Mussolini y su amante Clara Petacci"; la caída final del Tercer Reich, los trágicos 6 y 9 de agosto de 1945, cuando los B-29 Superfortress, Enola Gay y Bockscaruna, lanzaron respectivamente las bombas atómicas apodadas Little Boy y Fat Man, sobre Hiroshima y Nagasaki; y claro, la rendición japonesa en septiembre de 1945 y el terrible saldo de la guerra: más de 62 millones de vidas perdidas".

"Gabo relacionaba una por una, las batallas más importantes de la guerra, eran sucesos que nos motivaban a discutir y especular, (me contó Álvaro Ruiz Torres, que era otro experto liceísta en el tema), por ejemplo, las del Atlántico y el Pacífico, las batallas de Dunkerque, Calais, Tobruk, la guerra en la Unión Soviética, Stalingrado, Okinawa, Montecassino, Iwo Jima, la operación Barbarroja, la Resistencia italiana y la fabulosa invasión a Normandía, con su gigantesca Operación Cobra y por supuesto, la batalla del Río de la Plata entre el acorazado Graf Spee, y los cruceros Ajax y Exeter, y el hundimiento de la goleta sanandresana 'Rubby' por parte de un submarino nazi, lo cual llevó a Colombia a declararle la guerra a Alemania".

Todos en el Liceo, García Márquez y cada compañero suyo, más que estudiantes parecieran haber sido estrategas de guerra y dueños de memorias excepcionales, porque de esa catástrofe, todo lo saben.

Guillermo López Guerra, cuenta: "Al campo de deportes íbamos en fila y ya allí, junto a las canchas deportivas, Gabo, Álvaro Ruiz Torres y yo, nos poníamos a hablar de muchas cosas, recuerdo que comentábamos muy especialmente los sucesos de la Guerra Mundial, que era un tema de diálogo e intercambio de ideas con los estudiantes externos. Nos sentábamos en el potrero donde los alumnos del Liceo practicaban Educación Física, pero que nosotros cambiábamos por discusiones literarias, políticas o por lectura de poemas".

En ese mismo campo, varios años después, mi hermano Germán y yo jugábamos fútbol durante el recreo, todos los días, o hacíamos Educación Física los miércoles deportivos.

Cuando Colombia le declaró la guerra a Alemania

A raíz del ataque aéreo japonés a Pearl Harbor, el domingo 7 de diciembre de 1941, (cuando Gabo aún no estudiaba en Zipaquirá), el cual generó el ingreso de los Estados Unidos a la Segunda Guerra Mundial, Colombia canceló sus relaciones diplomáticas con Japón.

Según lo registraron los periódicos, El Tiempo, El Siglo y El Espectador, de Bogotá, casi dos años después, la noche del lunes 15 de noviembre de 1943, la goleta colombiana Rubby, que navegaba de la isla de San Andrés hacia Panamá, fue atacada cobardemente por un submarino alemán, dejando cuatro muertos: el capitán Archibold, comandante del buque, el contramaestre García, el marinero Bound y, otro tripulante no identificado, de la indefensa embarcación mercante que transportaba un cargamento de cocos, y correo.

En la goleta viajaban tres pasajeros: dos mujeres y el niño Dalton May, de seis años, quien sufrió heridas de bala. Su madre también fue víctima de una esquirla de bomba, al igual que Evangelina Archibold, quienes se salvaron milagrosamente, tanto del ataque como de la odisea como náufragos con la ayuda del agua de algunos de los cocos que llevaban, y porque casi dos días después, fueron recogidos por un buque de bandera estadounidense, que los llevó hasta Colón, Panamá.

Por este hecho, sucedido cuando Alfonso López Pumarejo era Presidente de la República, y con el apoyo del Congreso, diez días después, él estableció el 'Estado de Beligerancia', algo así como una declaratoria de guerra contra el gobierno nazi de Adolfo Hitler, lo que causó sensación internacional, y claro, conmovió a toda Colombia y al deliberante estudiante del Liceo Nacional de Zipaquirá, Gabriel García Márquez, quien se aprestaba a salir a sus primeras vacaciones de fin de año, y quien se iba muy preocupado porque por esos días dejaba a Lolita Porras, uno de sus grandes amores, muy enferma.

Algunos titulares de prensa, fueron: "Las Naciones que están en guerra con Alemania, dan la bienvenida a Colombia"; "La viril actitud adoptada por el gobierno colombiano, corresponde a la noble tradición de esa democracia, dijo el Secretario de Estado de los Estados Unidos, Cordell Hull". "Los principales periódicos de América, exaltan y aplauden la actitud asumida por Colombia".

Miguel Lozano, dice: "Por supuesto que este hecho causó un gran revuelo en el Liceo y nos indignó; la noticia nos llegó a través de la radio y de los informes que trajeron los estudiantes externos, luego de leer los periódicos en sus casas. Nos impactó mucho e hizo crecer nuestro nacionalismo". El ataque indignó tanto a los estudiantes del Liceo, y como en otras ciudades, originó una manifestación nacionalista y una concentración en la Plaza Mayor de Zipaquirá, en la cual Gabriel García Márquez se proyectó como un líder.

Los siguientes son algunos apartes de una extensa crónica de la periodista Brodie Burnham, de la agencia United Press, publicada en El periódico El Tiempo el martes 30 de noviembre de 1943:

"Estrada May, residente en la Isla de San Andrés, con dificultad por el agudo dolor de su codo derecho, que quedó destrozado por un fragmento de granada, manifestó cómo ella, con su pequeño hijo de seis años Dalton, gravemente herido, y otras cinco personas, sobrevivió al ataque a la "Rubby" y pasó treinta y seis horas en el mar tropical, en un pequeño bote, antes de ser recogida y traída a puerto para su hospitalización.

"Los tripulantes recuerdan las últimas escenas con angustia. Todos dicen que vieron al submarino como a "una cosa negra" cuando disparaba contra la frágil goleta, sin previo aviso. La nave, agregan, comenzó a sumergirse en tanto que los tripulantes se arrojaban a las aguas del Caribe y trataban de oponer, entre el fuego de metralla del sumergible y sus cuerpos. Uno de ellos es el tripulante Antonio Archibold, de 45 años.

"Cuando sonó la explosión (manifestó), todos los objetos cayeron en la embarcación; tropezando me dirigí rápidamente hacia el puente de la nave, y saltando sobre la borda me lancé de cabeza al mar. Vi a otros que me imitaban y también vi los cadáveres sangrantes de otros de mis compañeros.

"Nos mantuvimos asidos a un costado del barco, y cuando el submarino se nos acercó por el lado de estribor, nos sumergimos bajo el agua y nadamos al lado de babor. Cuando cesó el fuego subimos de nuevo a la cubierta, viendo cómo "Rubby" se balanceaba y se hundía.

"En la goleta llevábamos un "cayuco"(pequeña canoa), y comenzamos rápidamente a retirar las lonas con las cuales la teníamos cubierta; cuando la goleta comenzó a hundirse definitivamente, con trabajo la arrojamos por la borda al mar. Las olas eran altas y nos retiraban del "cayuco". Finalmente todos los siete sobrevivientes logramos reunirnos en la canoa, sentándonos unos sobre otros por lo reducido del espacio.

"La situación de todos era desesperada por la incomodidad en que nos encontrábamos y por los gritos constantes de los heridos, sobre todo del niño de seis años, que lanzaba lastimeros gemidos cada vez que la embarcación se movía por las olas".

Otro capítulo sobre la guerra sucedió en marzo de 1944, cuando el gobierno colombiano, días después del suicidio del rector del

Liceo, Alejandro Ramos, instaló en el Hotel Sabaneta, de Fusagasugá (enseguida del Puente del mismo nombre), un "campo de concentración" para japoneses y alemanes, en el que algunos zipaquireños insidiosos, creían que "debían ser confinados los ciudadanos de origen germano y sus hijos, residentes o nacidos en la ciudad", todos los cuales eran muy queridos allí por los ciudadanos. Se configuraba entonces el que llamó Guillermo Granados: "Eje Roma–Berlín–Tokio–Fusa–Zipaquirá".

Según me contó Hernando Benavides, dirigente sindical y admirador del talento de Gabo, "entre los instigadores estaban un personaje de Cogua y dos estudiantes del Liceo, a quienes con algunos de sus compañeros convencimos de que no insistieran en esa ridícula necedad. Los alemanes de Zipaquirá no tenían nada que ver en el conflicto y por eso hubo solidaridad con ellos".

Finalmente, ninguno de los integrantes de las familias Wiesner, Wagner, Hoffmann, Litchenhauer, etc, fue encontrado "peligroso para Colombia", y por lo tanto, no fueron confiscados sus bienes, ni enviados al insólito campo de concentración colombiano de Fusagasugá, 50 kilómetros al sur-occidente de Bogotá.

A propósito de esa anecdótica declaración de guerra y de la "apertura del campo de concentración de cuatro estrellas", el profesor Guillermo Hoffmann, tres años después declaró en una entrevista para el periódico local, Juventud: "Antes de que autoridad alguna intentara incomodarnos por las malévolas sugerencias de algunos equivocados, se generó un movimiento solidario en torno nuestro, que impidió cualquier acción impropia contra nuestras familias, que eran más zipaquireñas que la misma sal. Unos estudiantes del Liceo que se equivocaron al comienzo, nos dieron excusas después y no quedó ningún resentimiento".

Según Álvaro Ruiz Torres, "el Presidente Alfonso López, quería prevenir ataques o dificultades con algunos extranjeros residentes en Colombia, país que habían escogido con cariño, para vivir y para consolidar sus familias. A mí me parece que confinar a 151 alemanes y un japonés, hasta cuando terminó la guerra, por tratarse de personas que según el gobierno, podrían ser peligrosas para la seguridad nacional, fue una equivocación".

Tras la declaratoria de "Estado de Beligerancia", el lunes 20 de marzo de 1944, el destructor ARC Caldas de la Armada colombiana atacó (cerca de Cartagena) a un submarino "nazi". Todas estas noticias fueron seguidas con gran interés en el Liceo Nacional de Varones, de Zipaquirá.

El discurso de García Márquez cuando finalizó la II Guerra Mundial

La noticia de la rendición alemana conmocionó al mundo el martes 8 de mayo, de 1945, y las celebraciones brotaron espontáneas en Occidente, siendo declarado ese día, como "el de la Victoria". Era martes y día de mercado en Zipaquirá, había muchos visitantes de los pueblos vecinos, y además, quienes asistían a la feria ganadera, por esa época, la más importante del país.

Frases de dos de los líderes aliados: uno, el general Charles de Gaulle, en esa fría mañana que paralizó al mundo, a Colombia, a Zipaquirá y al Liceo Nacional de Varones. Gabriel García Márquez, como sus compañeros Ruiz, Bravo, Guillén y otros, sin saber lo que sucedería unas horas después,habían conocido ya la famosa frase de Charles André Joseph Marie de Gaulle (Charles de Gaulle), héroe de la Primera y de la Segunda Guerra Mundial, y Presidente de la República francesa, quien tras la rendición de los alemanes, expresó: "La guerre est gagnée. Voici la victoire"; (La guerra está ganada, he aquí la victoria).

Y la de Sir Winston Leonard Spencer-Churchill, Primer Ministro británico, quien en 1953 fue también -como Gabo- Premio Nobel de Literatura, y que tras el triunfo aliado, dijo: "In all our long history we have never seen a greater day than this": (En toda nuestra larga historia nunca hemos visto un día más grandioso que este).

Sí, ese histórico 8 de mayo se gestó en Zipaquirá una inmensa demostración de júbilo, similar al que se vivió en infinidad de sitios del mundo.

Ese día, el destino convirtió a Gabriel García Márquez en el personaje más destacado en Zipaquirá, pues fue escogido para que hablara a la multitud reunida luego de dos desfiles espontáneos en que las multitudes marcharon desde el parque de La Floresta y del parque Villaveces, hasta la Plaza Mayor, con banderas, pancartas y gritos de victoria.

La multitud se concentró en la Plaza Mayor de Zipaquirá. Allí, estaban los ciudadanos corrientes, los políticos y funcionarios municipales, los estudiantes, los trabajadores de las salinas, y todas las personas que habían oído las noticias sobre el final de la guerra, así como muchos visitantes de otras poblaciones que ese día habían llegado a hacer mercado en la ciudad.

Según el senador Alfonso Angarita Baracaldo, (compañero de García Márquez en el Liceo), quien se dedicó en el Congreso a la causa de los pensionados, logrando sacar todas las leyes que les favorecieran, cuando supo que García Márquez había sido el elegido para que hablar en la Plaza Mayor ante la multitud, le dijo: "Te voy a aplaudir mucho", lo que en efecto hizo en la que resultó ser una nueva exitosa alocución de Gabo.

Recordemos que Franklin Delano Roosevelt fue el trigésimo segundo Presidente de los Estados Unidos, responsable de la intervención norteamericana en la Segunda Guerra Mundial después del ataque japonés a Pearl Harbor, en 1941, y que murió de cáncer, un

Cuando había actos públicos especiales, como la terminación de la II Guerra Mundial en que García Márquez fue orador, la Plaza Mayor se colmaba de gente.

mes antes de que terminara esta horrenda confrontación mundial. Angarita dice: "Recuerdo mucho una frase de Gabriel ese día de la victoria aliada, cuando se convirtió en el personaje central de la celebración, de la terminación de la guerra, la cual me aprendí de memoria. García Márquez expresó antes de terminar su discurso: "Es que Franklin Delano Roosevelt supo ganar la guerra después de muerto".

Guillermo López Guerra, recuerda: "Ese día todo fue emocionante, no sólo el emotivo 'desfile de la Victoria' por las calles de Zipaquirá, también la estampida de la gente a ubicarse en la plaza, y además, la emoción que nos dio a sus amigos, cuando Gabo apareció, ante el delirio de los manifestantes, y pronunció un gran discurso, trepado en el balcón del Club Social. Me parece estar viéndolo allí y oyéndolo referirse a la guerra, a sus terribles resultados y al afortunado fin de la pesadilla; y no se me olvida que hizo una brillante alusión a la grandeza del Cid Campeador".

Gabriel García Márquez recién había cumplido 18 años exactamente dos meses antes; ese 8 de mayo de 1945 fue un día muy importante para él, pues el tercer discurso de su vida, desde el balcón central del Club Social de Zipaquirá, ante un mar humano, versaba precisamente sobre uno de los acontecimientos más importantes de la historia: la guerra que impactó a la humanidad, y que generó los más profundos cambios en el mundo, en lo político, lo científico y lo social, "asuntos que fueron temas del discurso de García Márquez", según me contaron Álvaro Ruiz Torres y Consuelo Quevedo en una tarde de tertulia, en casa de este.

Tremendo honor que bien hubieran querido tener los políticos de Zipaquirá, quienes escucharon al hijo de Aracataca, en la Plaza Mayor de la ciudad, dirigiéndose a los ciudadanos zipaquireños, a los estudiantes de los distintos colegios de la ciudad, a los obreros de las salinas que ese día, gracias a la gestión de Hernando Benavides, tuvieron permiso del administrador de Salinas, don Ignacio Villaveces López, para desfilar y concentrarse en la plaza.

También estaban allí muchos de los trabajadores de las más de 70 fábricas que tenía la ciudad, de gaseosas, cerveza, textiles, y de sal (hornos) cuyas más de 100 chimeneas que botaban humo durante las veinticuatro horas del día, le daban a Zipaquirá el nombre de "Villa Ahumada".

En la Plaza Mayor, las miradas de la multitud estaban fijas en el segundo piso del Club Social, en la esquina de la carrera Octava con la calle Cuarta, donde con un micrófono primario y levantando al máximo la voz, el joven Gabriel García Márquez, interpretaba el júbilo de la muchedumbre por el fin de la horrenda guerra.

Allí, en esa plaza de Zipaquirá, donde se firmaron las Capitulaciones Comuneras 164 años antes, escucharon a Gabo los concejales y los políticos, de entonces; entre ellos, Manuel José Cárdenas, Hernando Alvarado, José Quintiliano Robayo, Abel Rivera Wiesner, Juan Hernández, Miguel Antonio Cárdenas, Víctor M. Vélez, Alberto Villamil, Francisco Camargo, Arturo Sánchez, Luis A. Rodríguez, Asdraldo Porras (padre de Lolita a quien me refiero en otro capítulo de este libro), Ignacio Rodríguez, Celiano Silva, José J. Pinilla, Alberto Monroy, Carlos Navarrete, Luis F. Sarmiento, y también el Alcalde, José Vicente Bernal Mesa. Y también, Manuel Alvarado, Pedro Cañón; el administrador de Salinas, y el párroco, Monseñor Joselyn Castillo.

Y por supuesto, quienes más lo aplaudieron, sus compañeros del Liceo, sus profesores y sus amigas Sara y Virginia Lora, Cecilia González Pizano, Consuelo Quevedo, "La Nena" Tovar, Emilia Ramírez, Berenice Martínez, las hermanas Peralta y las hermanas Robayo, Carlos Julio Calderón Hermida, el vice-rector Rogelio Erazo, Héctor Figueroa, Hernando Forero Caballero, Joaquín Giraldo Santa, Álvaro Gaitán Nieto, Sara Lora, Álvaro Ruiz Torres, el Maestro Guillermo Quevedo Zornoza, Álvaro Vidales Barón, Eduardo Angulo Flórez, Guillermo López Guerra, Héctor Kairuz Gordillo, Humberto Guillén Lara, Jaime Bravo M, Alberto Garzón, Luis Ariza, Roberto Ramírez, el Padre de Las Heras y otros sacerdotes de El Cedro, Jaime Bravo Martínez y muchos otros. Ese día Gabriel García Márquez definitivamente dejó de ser uno más de los estudiantes del Liceo.

Capítulo aparte merece la felicidad que experimentaron Hernando Benavides y el profesor Manuel Cuello del Río, mentores de Gabo ese día tan importante, y a quienes, según me contó Hernando: "Nos felicitaron por haber descubierto al estupendo orador improvisado y su ardiente discurso, al que le puso garra, emoción y palabras inteligentes, emotivas y juiciosas". Hernando, emocionado rememora: "Ese día, con Manuel supimos que ese costeño iba a ser un personaje y estuvimos muy contentos de haberlo escogido para que hablara. Me parece estar oyendo su palabras, de alguna manera revolucionarias, que demostraba ser un buen marxista".

Ese día, la joven dirigente liberal Omaira Cortés, a quien le decían "La Mica Omaira", que era concejal, gordita, vestida de rojo, no gritaba vivas a la paz, sino vivas "al glorioso partido liberal", vivas a la victoria aliada. Ella hizo transportar gente desde el "Puente de los Micos", donde vivía, desde "El Alto del Páramo" y desde algunos barrios, para que participaran en el desfile de la victoria aliada. Hernando Benavides recuerda que Omaira se envolvió en una bandera de Colombia.

No debemos olvidar que aunque en Colombia (y también en Zipaquirá), había cierto sentimiento antinorteamericano nacido muchos años antes por el "raponazo" de Panamá a Colombia, y por su creciente influencia económica, el hecho de que los ejércitos ruso, francés, inglés y otros, hubiera luchado a su lado, hizo que profesores y estudiantes de izquierda, marxista, como García Márquez, sintieran como propia la victoria aliada, la cual celebraron durante otras horas más, luego de la gran alocución.

Días antes, el lunes 30 de abril de 1945, Álvaro Pachón Rojas, externo, compañero de curso de Gabo, había llegado mucho más temprano que de costumbre al Liceo y conmocionó a todos sus compañeros con la noticia del suicidio de Adolfo Hitler y de Eva Braun, la amante convertida pocos días antes en su esposa.

En su último testamento, Hitler había nombrado a Paul Joseph Goebbels como el nuevo Canciller alemán, pero el martes 1° de mayo, este también se suicidó.

"Todas la noticias de la guerra fluyeron esos días más que nunca en el Liceo Nacional: cuando el general Helmuth Weidling rindió a Berlín ante las tropas soviéticas, tuvo especial importancia para nosotros. Gabo era uno de los más interesados en esta noticia", cuenta su compañero Álvaro Ruiz Torres.

Lo mismo sucedió con la noticia del viernes 4 de mayo, que registró cómo el mariscal de campo inglés, Bernard Law Montgomery, recibió en Lüneburg, la rendición militar de las fuerzas alemanas en Holanda, Alemania Noroccidental y Dinamarca, señalando prácticamente que la guerra europea había terminado.

Luego llegó la gran noticia, que como ya dijimos dio origen al lucimiento de Gabriel García Márquez, "en plaza pública". A las 2 y 41 de la mañana del lunes 7 de mayo de 1945, el Jefe del Estado Mayor del Alto Mando de las fuerzas armadas alemanas, general Alfred Jodl, firmó el acta de rendición incondicional que decía: "Todas las fuerzas bajo el mando alemán cesarán las operaciones activas a las 23:01 horas, hora de Europa Central, el martes 8 de mayo de 1945".

Al día siguiente, pocas horas antes de la medianoche, un grupo de alemanes, con Wilhelm Keitel a la cabeza, firmaron un documento rindiéndose en Berlín, ante las fuerzas soviéticas y en presencia del general Georgy Zhukov. Mientras tanto los abrazos de felicitación, las palmaditas en la espalda y hasta los besos de algunas amigas, continuaron la celebración del éxito más importante conseguido por quien 37 años después, ingresara a la fama mundial, como ganador del Premio Nobel de Literatura.

Capítulo 23

Fines de semana: música clásica, pasillos y porros

Desde los tiempos de la Colonia, Zipaquirá fortaleció la cultura y el arte. Muchos músicos se destacaron allí desde entonces. Siendo la ciudad, Plaza Militar, a partir de la independencia gozó más de la música, pues las guarniciones tenían siempre bandas.

Gabo llegó a Zipaquirá con su amor por los géneros musicales vallenatos y porros, gusto que no abandonó pero que desde entonces alternó, especialmente los domingos, con pasillos, bambucos, las obras líricas y clásicas, géneros que eran pasión allí de virtuosos musicales, como el Maestro Quevedo, su hermana Conchita; los maestros Néstor Talero; Álvaro Gaitán Nieto (profesor y médico de García Márquez) y sus hijos; el guitarrista clásico Andrés Villamil; los integrantes de conjuntos como "Alma zipaquireña"; Luis y Ruperto Nieto, Carlos Rodríguez, así como el compositor tolimense Fulgencio García, gran ejecutante de la bandola, quien vivía en esa ciudad, a la que le compuso el pasillo, "El Zipa". El Maestro Quevedo le instrumentó la marcha, "Colombia", que fue himno triunfal durante la guerra con el Perú.

La más famosa obra de Fulgencio García, originalmente llamada, "Soacha"; fue rebautizada con el nombre, "La Gata Golosa", por un salón de diversiones bogotano del mismo nombre, abierto de día y de noche, y cuyo slogan, era:

"Donde se pasa la vida más alegre y más sabrosa,
en donde el placer se anida, es en La Gata Golosa".

Fulgencio García, murió en Bogotá el 4 de marzo de 1945, dos días antes de que García Márquez cumpliera 18 años de edad y en fecha igual a la que murió su abuelo, el coronel Márquez.

Un escrito del Maestro Guillermo Quevedo, el profesor de música y canto de García Márquez, expresa: "El señor Valerio Pachón, muy aficionado a la música, organizó unas clases y fundó una pequeña banda de músicos. Sus hijos desempeñaban las funciones de coristas. Por competencia con esta banda se formó otra, bajo la dirección de don Víctor Pinilla, cuyos hijos, todos músicos, merecieron, por su corta estatura y orejas largas, el nombre de "los conejos".

"Todavía en vida de estos musicómanos, se estableció en Zipaquirá el insigne músico don Julio Quevedo Arvelo, (tío de quien esto escribe), quien llevó a cabo una labor docente de gran lucimiento y provecho", concluye el maestro...

Esa época de mayor adelanto cultural para Zipaquirá, como lo cuenta el Maestro, fue cuando se colocó al frente de la enseñanza musical, el famoso Maestro Julio Quevedo Arvelo, llamado popularmente "El chapín". El hizo a finales del Siglo XIX, de esa ciudad, la sede de su arte, donde sembró la enseñanza técnica de la música coral e instrumental.

Al Centro Educativo Musical le siguió, en 1937, la "Escuela de Música", para la cual, el municipio que siempre financió la cultura, aportó un amplio presupuesto.

Esta Escuela obtuvo un éxito resonante en los conciertos celebrados en Ibagué, desde entonces "Capital Musical de Colombia", durante el "Primer Congreso Nacional de Música". La Escuela extendió sus clases a los colegios privados de Zipaquirá, becando a los estudiantes de menores recursos.

A propósito de la música vernácula, el Maestro Quevedo, profesor de García Márquez, había sido fundador y el primer director del exigente Conservatorio ibaguereño, el más reputado de Colombia. El Maestro fue impulsador, promotor y creador de cuanta manifestación cultural se generaba en su ciudad, o donde fuera, y Gabo, tuvo que ver en su asimilación cultural con todo lo que el Maestro le enseñó y en su ejemplo.

Quevedo disertaba sobre temas de la cultura en distintos foros, en uno de los cuales, dijo: "No ha sido asunto de hoy no más, esto de las disposiciones musicales de Zipaquirá. Desde muy remota fecha ya sonaba la 'tierra de la sal' como centro de devoción y culto de las Bellas Artes. No faltó, en la antigua encomienda de frailes y doctrinarios, allá por los tiempos de la rancia Colonia, un padre Prior peninsular que hiciera cantar a españoles y criollos, en honor del culto cristiano, en la casona contigua al primitivo templo de la ciudad".

Gabo y Guillermo Quevedo Z, el gran Maestro

"Nunca supo el Maestro Quevedo, ni me atreví a decírselo, que el sueño de mi vida de aquellos años era ser como él".
Gabriel García Márquez, *Vivir para contarla*, página 242.

El Maestro Guillermo Quevedo Zornoza, su profesor de música y canto en Zipaquirá durante los cuatro años que Gabo vivió allí; fue el zipaquireño que más lo marcó. Gabriel García Márquez, quien solía visitarlo en su casona colonial, ubicada a cuatro cuadras y media del Liceo Nacional de Varones y a cuadra y media de la Alcaldía.

El Maestro Quevedo fue uno de los zipaquireños que más lo apoyó y apreció, cuenta Guillermo Quevedo Navas, hijo suyo, quien dice: "Gabriel solía visitar a mi padre para hablar con él, por amistad, y para ensayar con mi hermana y unas amigas, sus presentaciones en comedias y zarzuelas, y por amistad".

Guillermo, anota: "García Márquez recibió de él apoyo, aprecio y cariño, a él le gustaba nuestra casa, y le llamaba la atención que tuviera un gran espacio para la caballeriza. Hablaba con mi padre, quien le daba consejos y le pedía prestada su máquina, en la que aprendió a escribir, y en la cual hizo tareas para el Liceo; en ella pasó

Maestro Guillermo Quevedo Zornoza a quien García Márquez respetó y admiró profundamente.

a limpio algunos de sus poemas, trabajos y notas literarias como, Recordación a Platero".

Esa máquina privilegiada aún se conserva en la que fuera casa del Maestro y donde está hoy la 'Casa Museo Quevedo Zornoza', allá en Zipaquirá".

Guillermo Quevedo, fue un artista con una capacidad polifacética: dramaturgo, educador, poeta, músico eminente; reconocido compositor de aires populares y de música religiosa y clásica; escribió música sinfónica y varias zarzuelas; fue historiador, pintor, poeta, educador, periodista, político, militar y guerrero. A los doce años no sólo era profesor de música, sino que además, ya dirigía la banda de Músicos del Batallón Bárbula.

En 1906 por iniciativa del general Rafael Reyes, fue director de la Orquesta del Club Militar. Con el Maestro Alberto Castilla, fundó y se dio el lujo de dirigir durante 16 años el Conservatorio de Música en Ibagué, capital musical de Colombia, el templo musical más exigente del país. En 1934 fundó la Banda Sinfónica de Zipaquirá; la cual recibió más de 60 galardones, otorgados por gobiernos, instituciones o concursos internacionales o nacionales.

El Maestro fue heredero del talento musical de su familia, en especial, de su tía Carolina y de su tío Julio Quevedo Arvelo, compositor de la célebre "Misa Negra", a quien llamaban "El Chapín Quevedo", que fue afamado violinista, pianista, compositor, profesor de música y constructor de órganos para Catedrales, incluyendo el de Zipaquirá, ciudad donde vivió y formó musicalmente a su sobrino, Guillermo. El principal profesor de julio fue su padre, Nicolás Quevedo Rachadel. Quevedo Arvelo hizo de "la ciudad de la Sal", sede de su arte y allí implantó la enseñanza técnica del mismo, y marcó la "Edad de Oro musical de Zipaquirá". Luego, dejó como sucesor al profesor de música y canto de Gabriel García Márquez.

Las obras más famosas de Quevedo Arvelo, fueron, la "Misa Negra", para coro y orquesta sinfónica, la "Misa Solemne de Gloria, en re mayor", para dos voces; "Jesucristo en la Cruz", marcha fúnebre, y la "Polka en fa mayor", para orquesta.

El Maestro Guillermo Quevedo Zornoza, compuso más de 300 obras, para orquesta; para orquesta sinfónica con voz, voces, solistas y/o coro; para orquesta de salón sola; para orquesta de salón con voz (voces) solista (s) y/o coro; valses, jotas, obras para pequeña orquesta sola; intermedios para orquesta; obras para pequeña orquesta con voz o voces; solista o solistas y misas. En música de cámara: obras para cuarteto de cuerdas, para violín y piano, suites sinfónicas, obras para piano a cuatro manos. Danzas, pasillos, tangos, gavotas, marchas, torbellinos, bambucos, peteneras, zarzuelas; música vocal para voz y piano; obras para voz sola, para soprano o tenor y piano, couplets coreables para voz y piano, valses para voz y piano, para dos voces y piano; bambucos para dos voces y piano, para canto y órgano, obras para coro a capella, y para coro con acompañamiento; obras para banda, para banda sola; marchas fúnebres, intermezzos, y otras.

50 de sus obras fueron grabadas en los Estados Unidos por discos Columbia, y en México por RCA Víctor, en los años 20 y 30 del siglo pasado, un verdadero récord discográfico, si se tiene en cuenta la época en que se mercadeó esa en América y Europa.

Gabriel García Márquez agregó en Zipaquirá a su gusto por los boleros y los ritmos vallenatos, el de la música clásica y el de la música colombiana, cuando se aficionó a los conciertos dominicales que dirigía Guillermo Quevedo, a los cuales los zipaquireños asistían, luciendo sus mejores atuendos. Gabo admiraba al Maestro, quien atraía muchos espectadores, incluso visitantes de Bogotá que viajaban para asistir a sus conciertos.

Hernando Forero Caballero, disfrutaba de esos conciertos en Zipaquirá: "Las retretas del Maestro los domingos, (dice) eran maravillosas, íbamos elegantes, me parece ver a Víctor Vélez y a Antonio Trujillo con capas españolas. A veces nos llevaban o nos dejaban

Banda de Zipaquirá en 1931, que fue la base para consolidar la banda sinfónica a cuyos conciertos dominicales asistía Gabriel García Márquez. En medio de los músicos aparecen, de derecha a izquierda, el Alcalde Carlos J. González, el Maestro Guillermo Quevedo y el Personero, Julio Quevedo Zornoza.

ir a los conciertos de los jueves, a las 7 de la noche, también a la Plaza. Para estos, enchufaban un gran candelabro de bombillos para aumentar la iluminación. El maestro Quevedo era nuestro profesor de música, piano, canto y solfeo y el mayor ejemplo inspirador de cultura que conocí en mi vida".

Consuelo "La bella" y García Márquez cantando Zarzuelas

Miguel Ángel Lozano, tercia: "El Maestro Quevedo y su hermana Conchita, presentaban espectáculos de gran categoría en el "Teatro Mac Douall", en los cuales los solistas eran Gabo y Consuelo, la hija del Maestro; yo recuerdo sus presentaciones como protagonistas de *El coro de los Martillos, La barcarola* y la ópera, *Los Cuentos de Hoffmann,* escrita por Jacques Offenbach. Y también recuerdo los relatos de la Guerra de los Mil Días que mi padre le hacía a Gabito, porque su abuelo también peleó en ella, del lado liberal como mi papá, que casi se muere esperando una plata del gobierno".

El Liceo Nacional de Varones de Zipaquirá, también tuvo un himno, estrenado en 1944; Consuelo revela que, "su letra fue escrita por Gabriel García Márquez y la música, por mi padre. Gabriel destacaba en ella la ciencia y la amistad, y hacía una comparación entre la amistad y un nudo, diciendo: 'Para que en los pliegues de este nudo, convivan el cóndor del escudo y la paloma de la paz".

"Le decíamos 'Consuelo La Bella', era muy especial entre las jóvenes zipaquireñas de esa época, por su cultura, y también por su belleza; estudiaba en el colegio de la Presentación y tenía una gran capacidad histriónica y cualidades artísticas dramáticas", comenta Manuel Alvarado Cañón.

Consuelo recuerda innumerables anécdotas y también de cuando Gabo la visitaba; "No olvido los conciertos dominicales en la Plaza Mayor, que Gabriel no se perdía, porque admiraba mucho a mi padre; de las onces en el comedor de mi casa y de una ocasión en que mi papá lo convenció de cantar en una velada musical en el 'teatro Mac Douall', en honor de Alberto Lleras Camargo, quien estaba unido a Zipaquirá por lazos familiares".

Ella, continúa: "Con Gabo hicimos de gitanos en la obra, *El coro de los martillos*, el 3 de agosto de 1945. Él se puso bigote postizo, patillas pintadas y un pañuelo 'rabo de gallo' en la cabeza, cantó con mucho éxito con Belisario Quevedo, Sofia Vega, 'La Nena' Tovar, Emilia Ramírez, Álvaro Ruiz, Belisario Quevedo, y Sigfrid Wagner".

La última vez que Consuelo y Gabriel se vieron, cuenta ella, "fue en el lanzamiento de un libro de Alberto Zalamea, cerca del "Parque de Lourdes", en Bogotá, hace 38 años, como en 1974 más o menos. Nos dimos un abrazo y su frase de despedida fue: 'Sigues tan linda como siempre', y eso me halagó a mí mucho".

Miguel Lozano, recuerda: Gabo cantaba en las 'veladas patrióticas', y en las sesiones solemnes del Liceo; casi siempre lo encargaban de decir los discursos en los actos especiales; actuaba con Consuelo Quevedo en el teatro Mac Douall, que era uno de los más importantes del país". Su acústica, el escenario y los camerinos, obra del arquitecto italiano Lascano Berti, eran excelentes.

Cuando hacía este libro, tuve el agrado de reunir, después de sesenta años, a Consuelo Quevedo Navas con Álvaro Ruiz Torres, un tiempo antes de que él muriera; una tarde que pasó volando entre recuerdos y anécdotas de ellos dos sobre Gabriel García Márquez en Zipaquirá. Como le dijo Gabo el último día que vio a Consuelo, Álvaro Ruiz, expresó: "Consuelito, sigues siendo tan bella como en Zipaquirá, cuando íbamos a tu casa con Gabito".

Álvaro Ruiz, recuerda: "Consuelito tenía que tener novio a escondidas del Maestro Quevedo, pues él era un padre celoso porque todos los jóvenes la pretendían".

Según Consuelo, "un día cuando le pidieron a papá que me dejara participar como candidata a un reinado, él respondió: 'Mi hija va a ser reina, pero de su hogar'. Uno de los pocos amigos que podía llegar de visita a mi casa era Gabriel García Márquez, cuando iba oíamos música, cantábamos zarzuelas como ensayos para nuestras presentaciones, lo mismo con las comedias, y ya por la pura tarde, tomábamos chocolate acompañado de almojábanas o té con colaciones".

Hablando de las actuaciones de Consuelo, Gabriel, Álvaro Ruiz, Sofia Vega, y otras amigas y amigos, Eduardo Angulo Flórez rememora: Me parece estar viendo y oyendo a Consuelo, expresándole a Gabo: "Y quien del gitano la vida alegra: la gitanilla"... Y también recuerda a su padre, "El Maestro, con su largo pelo plateado, que le daba visos de patriarca y cuya calidez humana y su sencillez, eran sus mayores virtudes".

Los zipaquireños aprendimos a admirar y a querer al Maestro Quevedo, desde cuando nos enseñaba música; apenas vestíamos pantalón corto y cantábamos canciones suyas, como su "Amapola", que le robó un "pirata mexicano de derechos de autor", la cual se cantó en toda Colombia y en el exterior. Asistíamos a los conciertos de banda sinfónica de Zipaquirá que él dirigía dos veces por semana. Él "metió" en la cultura musical a los niños y jóvenes zipaquireños, entre 1938 y 1964.

El apostolado musical del Maestro Quevedo, sembró el germen del amor a la música en centenares de discípulos, entre ellos en Gabriel García Márquez, y aportó también a su amor por la literatura con sus consejos (pues era escritor) y prestándole muchos libros de su inmensa biblioteca.

"El robo de Amapola, amapolita"

Gabriel García Márquez, refiriéndose el Maestro Guillermo Quevedo Zornoza, dice en su libro, *Vivir para contarla* (página 242): habla del Maestro y de, "Amapola (la del camino, roja como el corazón), una canción de juventud que fue en su tiempo el alma de veladas y serenatas".

El profesor Julio Cuervo, cuenta: "Una noche no llegó para el espectáculo de un teatro de Bogotá, uno de los artistas; y el director exclamaba ¡Qué hacemos, nos van a romper el teatro... El Maestro estaba dirigiendo la orquesta y supo el problema... Entonces hizo la improvisación de "Amapola, amapolita"; y a uno de los cantantes, aquí está la partitura, acomode esta letra y él dijo sí, hagámoslo y salvemos el teatro... gustó tanto repetirla que el señor se quedó sin voz a las tres de la mañana. Posteriormente se la robó un mexicano como si fuera de su autoría; canción que dice:

Novia del campo, amapola
que estás abierta en el trigo;
amapolita, amapola
¿te quieres casar conmigo?

Te daré toda mi alma,
tendrás agua y tendrás pan.
Te daré toda mi alma,
toda mi alma de galán.

Tendrás una casa pobre,
yo te querré como un niño,
tendrás una casa pobre
llena de sol y cariño.
Yo te labraré tu campo,
tú irás por agua a la fuente,
yo te regaré tu campo
con el sudor de mi frente.

Amapola del camino,
roja como un corazón,
yo te haré cantar, y al son
de la rueda del molino.
Yo te haré cantar, y al son
de la rueda dolorida,
te abriré mi corazón,
amapola de mi vida.

Novia del campo, amapola,
que estás abierta en el trigo:
amapolita, amapola
¿Te quieres casar conmigo?

La revista Horizontes, publicada por los estudiantes del Liceo, antes de que García Márquez llegara allí, tituló una crónica, "Los Quevedo en Zipaquirá", en la que decía: "El general Nicolás Quevedo Rachadel, poeta venezolano, edecán del Libertador Simón Bolívar, llegado a Colombia a principios del siglo XIX y condecorado con la 'Cruz de los Libertadores', fue además, un notable artista al que llamaban, "el Músico Guerrero", pues además de ser militar, dedicaba un tiempo a la enseñanza de este arte. Él se radicó en Zipaquirá, con su esposa Concepción Arvelo de Quevedo".

Allí nació Guillermo Quevedo Arvelo, y luego sus hijos, Nicolás; Conchita; Isabel y el Maestro Guillermo Quevedo Zornoza, en cuya casa se conservó siempre la "spineta" (piano) en que el "Chapín Quevedo", (tío del Maestro), compositor de música religiosa y sinfónica, y de zarzuelas, enseñó música y piano a Clementina y Tulia, las hijas del general Francisco de Paula Santander.

La familia Quevedo, estuvo vinculada a los próceres de la independencia, Bolívar, Santander, Páez, Urdaneta. Así lo testimonia un cúmulo de documentos originales y de autógrafos de aquellos héroes, que reposan en la "Casa Museo Quevedo Zornoza", que cuando era el hogar del Maestro Quevedo, era visitada con frecuencia por García Márquez. Al igual que una taza, con una inscripción que le hizo grabar el Libertador Simón Bolívar, tras una tertulia en la casa de don Nicolás Quevedo Rachadel, cuando al Libertador se le cayó y rompió el pocillo en que tomaba café. Bolívar lo repuso con uno de una vajilla.

Don Nicolás Quevedo Rachadel (el abuelo del Maestro), además de ser un músico excepcional, fue un gran patriota. Un documento del archivo de la "Casa Quevedo Zornoza", cuenta: "El 24 de julio de 1828, en ausencia del general Bolívar, se daba una gran fiesta para conmemorar su natalicio. A ella asistieron entre otros muchos: Manuelita Sáenz, el general Córdoba y un sacerdote de apellido Guerra, a la sazón canónigo de la Catedral. Cuando el licor hubo rodado en profusión y los asistentes estuvieron fuera de sí, nació en la mente de la bella quiteña la idea descabellada de fusilar al general Santander, para lo cual se hizo un muñeco y se ordenó que el batallón "Granaderos" descargara sus fusiles sobre el infeliz. A esta locura (con justicia) se opuso Quevedo quien por esta época ostentaba el grado de alférez, por lo cual fue encarcelado".

"Sin embargo, en medio de los aplausos de los fieles de Baco, el canónigo Guerra proporcionó los últimos auxilios al muñeco, y una descarga cerrada le destrozó el cuerpo. De lo sucedido dio cuenta Córdoba a Bolívar. Y en memorable carta del Libertador quedó plasmada toda su indignación. En ella daba orden de ascenso para el alférez Quevedo y culpaba la locura de su "querida gata. F.A.R".

Un ejemplar de la revista Viajes, editada en 1946, cuando Gabriel García Márquez estudiaba en el Liceo, decía: "La Banda Sinfónica de Zipaquirá, la ciudad más culta de Cundinamarca y una de las más adelantadas de Colombia, posee una excepcional Banda Sinfónica, dirigida por el internacional Maestro Guillermo Quevedo Zornoza.

"Reconocida como una de las mejores del país, aparte de su alta misión cultural y educativa, es indispensable para acompañar las muchas festividades, ya religiosas, ya profanas, o de carácter civil, como sus famosas Ferias y Exposiciones semestrales, consideradas las mejores de cuantas se realizan en el país".

Las retretas o conciertos dominicales de música clásica y colombiana, al medio día, luego de la salida de la "misa de Once", constituyeron una cita de honor tradicional a la que no faltó Gabriel García Márquez mientras estudió en Zipaquirá; espectáculo al que él regresó en varias ocasiones, luego de graduarse como bachiller.

Las retretas se repitieron durante muchas décadas, los domingos y los jueves en la noche, en la Plaza Mayor o Parque de Los Comuneros. Ver dirigir al Maestro Quevedo, y escuchar a los músicos, no era solo asunto de las personas más cultas o destacadas de la ciudad, que asistían luciendo sus mejores galas, sino también, de personas comunes y humildes, amantes de la música, quienes para esas ocasiones, también se vestían impecablemente.

Esta tradición, iniciada a comienzos del siglo XX, que cautivó a Gabriel García Márquez y lo maduró musicalmente, alimentó espiritualmente a miles de zipaquireños y de bogotanos que viajaban los domingos a Zipaquirá, para deleitarse con los conciertos de la Banda Sinfónica dirigida por Guillermo Quevedo.

Antes de la mitad del siglo pasado, por iniciativa del Alcalde Álvaro Gaitán Nieto (quien fue profesor de Fisiología y Anatomía de Gabriel García Márquez), y del secretario de Gobierno, Antonio José Caycedo Caycedo, fue fundada en Zipaquirá la "Academia Cultural"; ellos argumentaron: "El municipio tiene el deber de elevar el nivel cultural del pueblo, aprovechando unas excepcionales y reconocidas cualidades para las distintas manifestaciones culturales como la literatura, la pintura y la música. Dadas estas consideraciones lo más justo es que el municipio encargado de fomentar la cultura, a través de la Academia funde las escuelas de literatura, música, pintura y escultura".

Como testimonio que reitera la tradicional vocación cultural de Zipaquirá, donde Gabo se formó como escritor, y en prueba del aprecio que le guardaron en esa ciudad, año y medio después de su grado como bachiller de García Márquez, el recién fundado "Centro

Literario Porfirio Barba Jacob", le hizo a este un homenaje, el 19 de junio de 1948, antes de que fuera "dueño" de la fama.

Ese día se realizó un destacado acto cultural en el teatro Mac Douall, en el que hubo lleno total. Asistieron los personajes más importantes de la ciudad, algunos invitados de Bogotá y muchos de los compañeros de colegio que compartieron techo y formación en cursos inferiores con Gabriel García Márquez, a quien, a pesar de su ausencia, le fue dedicada la velada inicial del Centro, con una impecable dedicatoria musical del Maestro Guillermo Quevedo. En el discurso central, Gabo fue mencionado honrosamente por el rector, Rogelio Erazo, culto educador nariñense que fue vice-rector del Liceo Nacional durante los años en que Gabriel estudió allí.

Gabo y las conferencias magistrales de Andrés Pardo Tovar

El sábado era un día muy especial y variado para Gabriel García Márquez, y para sus compañeros del Liceo Nacional de Varones de Zipaquirá.

Según Guillermo López Guerra, compañero de curso de Gabito, "luego de las diez de la mañana, después de que nos tomábamos un café y nos comíamos un pan o una mogolla, de 'nueves', Gabo salía 'volado' a aprender de música. Él, Álvaro Ruiz y yo, éramos los más asiduos espectadores de las conferencias magistrales de 'Apreciación Musical', dictadas por el crítico y director de la Radiodifusora Nacional de Colombia, Maestro Andrés Pardo Tovar. Él llevaba los discos con las obras musicales que trataba cada sábado. Sus enseñanzas eran un verdadero privilegio para los estudiantes del Liceo, y nosotros les dábamos más importancia que a cualquier otra actividad sabatina".

Pardo Tovar, nació como Gabo, un domingo, el 5 de marzo de 1911 y murió el jueves 31 de agosto de 1972 en Bogotá, 10 años antes de que García fuera ungido en Estocolmo como el mejor escritor del mundo.

López Guerra, anota: "Las exposiciones de Pardo Tovar eran tan agradables que se nos hacían cortas, y por eso a la una de la tarde, cuando terminaba, quedábamos con deseos de oírlo más, ya fuera hablando de Ludwig van Beethoven, de Wolfgang Amadeus Mozart, de obras concretas como *La danza de los animales*, de 'Scheherazade' o, de todas las obras de Rimsky-Korsakov".

Sobre el origen e importancia de las conferencias del profesor Andrés Pardo Tovar, que a la vez demuestra el alto nivel cultural del colegio donde se educó Gabo, la revista Horizontes, órgano Cultural del Estudiantado del Liceo Nacional de Zipaquirá, editorializó, así: "No queremos dejar de protocolizar, la complacencia que nos produce una innovación que hemos hallado muy acertada dentro de las iniciativas que el colegio se propone sacar adelante. Se trata de las conferencias que sobre cultura artística, y auspiciadas por el rector don Alejandro Ramos, ha venido dictando en nuestro Liceo el señor Andrés Pardo Tovar, profesor de Historia de la Música en el Conservatorio Nacional y persona muy versada en lo concerniente a las Bellas Artes.

"Estas conferencias tienen una importancia innegable si se atiende al hecho elemental de que la educación ha de perseguir el desarrollo integral del hombre, es decir, de todas sus facultades. Las labores del señor Pardo Tovar habrán de encontrar entre nosotros vasto campo de resonancia, ya que ellas van dirigidas a dilatar nuestro horizonte espiritual y, sobre todo, a interesarnos por las cosas bellas, orientándonos en forma segura dentro del campo de las diversas manifestaciones estéticas.

"Dentro del plan de actividades por desarrollar figuran audiciones de música que tendrán como fin ilustrarnos acerca de los diversos géneros musicales y también sobre el estilo de los grandes maestros. A este efecto se ha logrado adquirir una magnífica radiola, quizá uno de los mejores aparatos de su clase entre cuantos se encuentran en los diferentes centros de educación del país.

"Existe, asimismo, el propósito de organizar una discoteca cultural, muy bien provista, como también el de ofrecer conciertos para el público, en el teatro Mac Douall".

Alfonso Angarita Baracaldo, dice: "El profesor Andrés Pardo Tovar, quien un tiempo antes de dictar sus conferencias, viajaba a Zipa para participar en las tertulias que Cecilia González Pizano realizaba en su casa, era ya en esa época un intelectual y crítico musical, caracterizado por su impecable manera de hablar". Sus viajes a Zipaquirá para educar musicalmente a los estudiantes de bachillerato, a pesar de su apretada agenda profesional, dan una idea de la importancia cultural que tenían la ciudad y su Liceo.

Y también testimonia esa importancia, la misma trayectoria de Pardo Tovar, fundador de varios centros musicales y director de otros, como el Instituto Colombiano de 'Etnomusicología y Folclor', y del Conservatorio Nacional de Música. Pardo era reconocido internacionalmente como insigne crítico, historiador, musicólogo, traductor, divulgador; y por otras de sus facetas intelectuales como fueron sus cátedras universitarias, sus artículos periodísticos, sus conferencias y discursos; así como por su obra radiofónica.

Es oportuno contar que el compositor parisino, "de música sinfónica, de cámara, coral, instrumental y para la escena", Georges Migot, elogió a Andrés Pardo Tovar, expresando: 'Yo no podría decir con simples palabras, el júbilo espiritual, musical y humanista que experimento en presencia de vuestra tan penetrante comunión con mi vida creadora".

Volviendo a Zipaquirá, cuando el profesor Pardo Tovar terminaba sus exposiciones, los estudiantes almorzaban. Luego, en una casa ubicada frente a la entrada principal del Liceo, por la calle Séptima, se celebraba religiosamente una famosa tertulia de contenido literario y político, en la que además de Pardo Tovar, participaban otros intelectuales llegados de Bogotá, García Márquez y algunos de sus compañeros del Liceo, y claro, la anfitriona Cecilia González, Pizano, ("La Manca" González), considerada como la persona más culta de la sociedad zipaquireña, por esa época.

García Márquez estaba ya relacionándose y construyendo cercanía con varios escritores e intelectuales de Bogotá, a través de Cecilia, así como lo hizo a través del rector del Liceo, Carlos Martín, que desafortunadamente no alcanzó a durar un año en Zipaquirá...

Estas veladas se extendían hasta horas de la noche, pero ya sin la presencia de Gabo y sus compañeros, quienes luego de las seis de la tarde, debían regresar al Liceo.

Alfredo García Romero, dice: "Nosotros, los internos, gozamos de un privilegio al que seguramente nadie pudo acceder en Colombia; el Maestro Quevedo llevaba su Banda Sinfónica uno que otro sábado al Liceo y dirigía una retreta en el patio central, cuando terminábamos de almorzar, con repertorio de obras clásicas y colombianas, que él dirigía pulcramente".

Para Miguel Ángel Lozano, "La vida del Liceo fue excelente porque, aun sin plata, todo era novedoso. Recuerdo que a media cuadra del palacio Municipal, en plena Plaza Mayor, en el local de fotografía de Pedro León Rozo, una de sus hijas ponía radio y ampliaba el sonido colocando en la puerta un parlante; ese era otro sitio que solíamos visitar, no sólo para oír las amplificaciones sino para ver a las Rozo, que eran muy bonitas".

Gabriel García Márquez, segundo de izquierda a derecha aparece aquí con algunos de sus compañeros y profesores, el 6 de diciembre de 1946.

Capítulo 24

Misa, conciertos dominicales, y la Hora Costeña

Lozano, cuenta: "Los domingos nos divertíamos con cualquier cosa; íbamos a pasear; asistíamos a los bailes en las casas de algunas niñas zipaquireñas. A veces salíamos a tomarnos una cerveza, no más, o a dar una vuelta por las calles de Zipaquirá. Cada uno de nosotros escogía programa, todo menos regresar al Liceo del que los sábados y domingos queríamos descansar".

Jaime Bravo dice: "Y llegaba el deseado domingo, en el que había programas para todos los gustos, bailes al ritmo de 'La Hora Costeña'; misa de 9, según Luis Ariza, 'misa a la que la mayoría íbamos más por obligación que por convicción; de los pocos que recuerdo que comulgaban era Silvio Luna, que fue uno de los mejores basquetbolistas del Liceo".

"Al salir de la Catedral, (continúa Jaime) nos íbamos a caminar, a jugar billar, a hacer visitas, a hacer compras y después, a las 12 del día, sagradamente como la mayoría de zipaquireños que lucían impecables, con corbatín o corbata, y las muchachas luciendo sus mejores atuendos y bellamente arregladas, asistíamos al concierto o retreta de las 12 del día en el centro de la Plaza Mayor, la cual era famosa por su director, el Maestro Guillermo Quevedo Zornoza, nuestro profesor que dirigía magistralmente la Banda Sinfónica de Zipaquirá, y a quien Gabo profesaba un gran respeto y admiración, y por quien se aficionó a la música clásica y colombiana que eran la música protagonista de esa famosa retreta".

A esos conciertos asistía mucha gente de Bogotá que aprovechaba el viaje para deleitarse con los caramelos, dulces y golosinas que vendían, una cuadra abajo de la Catedral Mayor, en Las Onces, a donde solían ir, Gabo, Berenice Martínez, "La Manca" González, Álvaro Ruiz y muchos otros amigos.

Después del concierto en la Plaza Mayor, había distintas actividades. Unas tardes los internos eran invitados a tomar onces, en la casa de algún externo. Otros, como Gabo, iban a hacer visitas a donde "La Nena" Tovar, Emilia Ramírez, Alix Afanador, Berenice Martínez, Consuelo Quevedo, etc. O casi siempre a bailar al ritmo de "La Hora Costeña", en la casa de Sara Lora.

Miguel Ángel Lozano anota: "Otros estudiantes organizaban paseos en bicicletas alquiladas, hasta "Tejidos Santana", antes de Cajicá; al Mortiño (donde acamparon los Comuneros), o cerca de Nemocón. Pero uno de los que no participaba en eso era García Márquez, por la sencilla razón de que, así como no le gustaba el deporte o la gimnasia, tampoco le gustaba montar en bicicleta.

Otros pasatiempos de domingo eran los paseos al río Susaguá, a nadar; o a las salinas, que quedaban a unas quince cuadras del Liceo. Algunos de los internos que ya se sabían las historias de la sal, hacían de "guías turísticos" y se ganaban unos centavos. Jaime Bravo, recuerda: "Yo subía a las salinas con Gabriel, "El Loco" Rubio, Alfredo "Memuerde" García, Alfredo García Romero y otros amigos, a ver turistas y a jugar; nos montábamos irresponsablemente en las góndolas donde transportaban las rocas de sal, sin ser conscientes de los riesgos".

Alfredo García Romero, cuenta: "Gabo solía tomarse una cerveza los domingos al salir de misa de 9, en un café en la esquina de la plaza, donde hoy está el Banco de Bogotá, antes de que empezara la retreta del Maestro Quevedo, que nadie se perdía. Y dice que Gabriel iba a jugar al café del primer piso de la casa de las Robayo, a cuyo hermano llamaban "El Pingo" Peralta. Allí estaba el "Café Lurroma", al frente de la Estación del Ferrocarril. Un tiempo después, por influencia de la 'Manca' González, de Carlos Martín y de los 'piedracielistas', García Márquez comenzó a ir al café Automático de Bogotá".

García Márquez en la estación del tren y en el Cedro

La bella edificación de la estación del tren en Zipaquirá, correspondiente al Ferrocarril del Norte, fue diseñada y construida por el arquitecto Alfredo Bazzani y bautizada con su apellido, el 8 de diciembre de 1927, año en que también se inauguró el emblemático Palacio Municipal; desde entonces, esa estación se convirtió en un importante sitio de contacto de los zipaquireños.

Humberto Guillén recuerda: "Después de los conciertos del Maestro Quevedo en la Plaza Mayor, algunos estudiantes iban a jugar billar frente a la estación del tren y luego entraban a esta; otros, nos íbamos directo a ese sitio que quedaba tres cuadras abajo de la Plaza Mayor, donde el ambiente era muy agradable. La estación se llenaba de gente, era un magnífico 'escampadero' donde siempre había un gran espectáculo; la gente iba allí, de verdad, o con la disculpa de despedir o recibir amigos o familiares, y se sentaban a tomar café o algo más. El programa era ver salir o llegar el tren; eso era como un aeropuerto, con saludos y despedidas, con muchos abrazos, lágrimas, besos y alegrías de los pasajeros y sus familiares y el agrado de los espectadores".

Luis Ariza, relata: "Gabo y yo no teníamos quien nos recibiera o despidiera en la estación cuando viajábamos en tren. A él, que yo recuerde una vez salió a despedirlo 'La Manca' González, y otra, la hija de la 'La Paradoja', quien estaba en la estación esperando a alguien".

Decía Álvaro Ruiz: "Normalmente viajábamos en tren, y en alguna ocasión especial, en la Flota Zipa, que pasaba por Chapinero y paraba en el Centro. Alfredo García Romero, señala que "el tren salía de Bogotá a las 7 de la mañana y llegaba a Zipaquirá a eso de las 8 y 25".

Agrega que, "aunque Gabo pasaba mucho de su tiempo leyendo en la biblioteca del Liceo, no se perdía una sola oportunidad y hasta 'se volaba' a jugar billar frente a la estación; a visitar alguna niñas, o a donde 'La Manca' y cada vez que había un baile un viernes, en más de una ocasión se escapó del colegio con otros compañeros".

Para Alfredo García Romero, "otro buen programa en Zipaquirá algunos domingos, era ir a la Plaza de Ferias, que quedaba frente de la Estación del Ferrocarril, cuando había ferias ganaderas, que eran eventos muy alegres e importantes, con participación de expositores de todo el país y de verdadero interés nacional. Había corridas de toros, desfiles con 'manolas' al estilo español; íbamos a oír retretas de la banda que programaban también allí, con obras del director Guillermo Quevedo, de Milcíades Garavito. Recuerdo que las fábricas de cerveza repartían botellas gratis a los asistentes".

Humberto Guillén, compañero de curso de García Márquez, cuenta: "A Gabo, Hernando Forero, Jaime Bravo, Álvaro Ruiz, 'Pajarito' (Guillermo López-Guerra) y a mí, nos gustaba ir a caminar hasta el Seminario de 'El Cedro', sede mayor de la comunidad de los padres Claretianos, que quedaba camino a Cogua, donde vivía el curita español Juan de las Heras, que era nuestro capellán y profesor de Religión".

La capilla de "El Cedro" es una de las joyas artísticas y religiosas más desconocidas pero importantes del país; tomó su nombre de un histórico árbol que le daba sombra a su fachada, debajo del cual descansó el Libertador Simón Bolívar el jueves 4 de enero de 1821, cuando cabalgaba viniendo del norte, a Zipaquirá, hecho evocado por Venancio Moreno en su poema, "El Cedro", que dice:

Hay un añoso Cedro corpulento,
legado de pretéritas montañas;
el agrietado tronco y sus entrañas
hablando están de su destino lento.

Siempre han jugado con su fronda, el viento,
inquietas aves, mariposas bellas;
sobre sus hojas fulgurar de estrellas,
sobre su tronco temporal violento.

Todos los años el turbión le lleva
la mustia fronda en remolino airado
y la vida del Cedro se renueva....

Hoy vive de recuerdos del pasado
y enardecida juventud se eleva
do rindióse Bolívar fatigado.

Guillermo López Guerra anota: "Cuando me quedaba en Zipaquirá algunos fines de semana, había cosas que se repetían: Gabriel nos invitaba a ir donde Cecilia González, a quien le decían cariñosamente "La Manca". Íbamos casi siempre con Álvaro Ruiz, tomábamos onces allá, hablábamos de poesía o de cosas simples pero agradables, era muy placentero compartir simultáneamente con ella y con Gabo, pues eran dos excelentes conversadores. A veces íbamos a la estación del ferrocarril a ver gente, a jugar billar ahí frente; subíamos a las salinas y eso sí, no podía faltar la retreta en la Plaza Mayor".

Los bailes dominicales a punta de radio y vallenatos

En los años cuarenta, por influencia de los estudiantes venidos de la Costa Caribe, incursionó la música costeña en Bogotá y en el interior del país. Su nombre genérico era, "vallenato", y sus variaciones, aires como: el "paseo", el "porro", el "merengue" (colombiano), la "puya" y las "tamboras", que enloquecían a los "cachacos", y claro, a los estudiantes de Zipaquirá. Todos los domingos, desde las nueve de la mañana y hasta las dos de la tarde, la emisora La Voz de la Víctor, transmitía desde Bogotá, "La Hora Costeña", en la que estaban de moda: "Compae chipuco", "El tigre mono", "Oye Morenita", "Atlántico", y los porros, porque por entonces, no había un género vallenato, como tal.

En el ambiente zipaquireño ya había entrado la "cumbia", pero estos nuevos ritmos hicieron furor, tanto entre los costeños internos, (que musicalmente y en materia de baile, eran liderados por el joven 'cataquero', Gabriel García Márquez), como también entre los estudiantes externos del Liceo y entre las jóvenes de la ciudad.

"Como por arte de magia, (dice Alfredo García Romero), con Gabo y Miguel Lozano, descubrimos que en Zipaquirá había familias enteras a las que les gustaban esos aires, y fue así como todos los domingos el ejército liceísta costeño, con García Márquez a la cabeza, tomábamos la iniciativa para que en las casas de nuestras amigas organizaran bailes con radio, al son de 'La Hora Costeña', que era el programa más famoso de esa época".

García Romero, agrega: "Coincidía esa nueva corriente musical, con que en aquella época los caribeños habíamos empezado a llegar masivamente al centro del país, a Bogotá y de allí a Zipaquirá. Los estudiantes costeños, con nuestra alegría característica, con nuestras pintas inconfundibles, apropiadas para la invasión musical, y con nuestra clara identidad cultural caribeña, bullanguera, que contrastaba con la forma más calmada de ser de los zipaquireños y de los estudiantes de otras regiones, a quienes contagiábamos con los ritmos que se les daba como nombre genérico, vallenatos; de los que García Márquez era un afiebrado".

Los antecedentes de "La Hora Costeña" se remontan a 1941, cuando Pascual Del Veccio y Enrique Ariza, la incluyeron en la programación dominical de la Voz de la Víctor; y gracias a ella empezaron a oírse los porros, las cumbias y otros aires que rápidamente "pegaron".

En esa época había tres compositores costeños que actuaban "en vivo" y que brillaban con luz propia: uno era Lucho Bermúdez, quien hizo famosos, temas como: "Kalamary", "Salsipuedes", "Borrachera", "Carmen de Bolívar", "Caracolí", el "Porro operático", Taganga", "La gaita", "Gaiteando", "Los primos Sánchez". El segundo, era el Maestro José Barros. Y el tercero, Antonio Peñalosa, autor de las canciones con ritmo de "garabato", tituladas: "Adiós fulana", "Chambacú", y "Te olvidé", la más famosa de sus canciones, que tuvo mucho éxito y fue grabada luego, en 1946, por "Toño" Fuentes, con el nombre de "La Vallenata".

Según Luis Ariza, "Gabo tenía una verdadera fijación y se identificaba mucho con la canción del compositor, trompetista y arreglista, Antonio María Peñalosa que él volvió famosa, en 1946, titulada, 'Te Olvidé', dolido por un fallido romance que quiso tener en Zipaquirá, pero que una niña del colegio de la Presentación no le correspondió. Esa fue una de las frustraciones de Gabriel en esa ciudad. Había días en que se le metía en la cabeza, y la cantaba muchas veces. Un fragmento de su letra, dice:

Yo te amé con gran delirio
y pasión desenfrenada,
te reías del martirio,
te reías del martirio
de mi pobre corazón…

En 1942 llegó a Bogotá el compositor, músico e intérprete, Luis Eduardo Bermúdez Acosta, (cuyo nombre artístico era Lucho Bermúdez), con su "Orquesta del Caribe", fundada en 1939, que incluía en su extenso repertorio música cubana, los viejos ritmos de la región Caribe, y también los nuevos, que en ese entonces eran desconocidos en la capital como la cumbia y el porro, y que sirvieron de marco para el nacimiento del programa ya mencionado, "La Hora Costeña".

El programa en el que brilló Carmencita Pernett, se convirtió en una sensación, por lo que era hecho con orquestas, en vivo, y por el impacto de la música vallenata, con acordeones. Y llegaron "Buitraguito" y Pacho Galán, a quienes Gabriel García Márquez y los estudiantes costeños del Liceo, se encargaron de popularizar en Zipaquirá, tras institucionalizar los bailes de los domingos a ritmo de "La Hora Costeña", de La Voz de la Víctor.

Humberto Guillén, compañero de curso de García Márquez, dice: "Entre semana nos divertíamos hablando, jugando, tocando música o bailando, solos, en el patio del Liceo; el martes era día de mercado, y era en el que los internos pedíamos más permisos para hacer diligencias".

Y prosigue: "Los fines de semana íbamos a los bailes que hacían en Zipaquirá, bien arreglados, con la mejor ropa que teníamos y lavados en lociones y en colonia, que solo tenían algunos compañeros, entre ellos José Palencia, Álvaro Ruiz Torres, Ricardo González Ripoll y Guillermo López Guerra, quienes las compartían con algunos de nosotros, pero especialmente con Gabriel García Márquez, a quien ellos consentían, entre otras cosas porque les ayudaba a hacer las tareas de Literatura o Castellano, y también porque era el más alegre de todo el grupo y un excelente bailarín".

Alfredo García Romero, anota: "A mí me encantaban los bailes informales y también los formales, que eran organizados con motivos especiales, como la excursión a Barranquilla, para los cuales había que vestirse bien, y a mí me pasaba lo mismo que a García Márquez: vivíamos muy escasos de plata y entonces, uno decía, ¿Y qué vestido me pongo? Y tenía que concluir: ¡Me pongo el gris, o el gris!".

Según cuentan algunos compañeros de Gabriel García Márquez, los bailes con música radial dominguera, bajo la modalidad de "empanadas bailables", los organizaban en las casas de "La Nena" Tovar, Sara y Virginia Lora; Alix Afanador, las Ramos, Lucy y Ligia Beltrán; "Las Caribes", dueñas del 'Hotel Caribe', y en otras más; a las cuales asistía Gabriel García Márquez con el grupo de internos amigos, (que eran "picaflores"), algunos profesores, y uno que otro estudiante externo, que eran calificados por la jóvenes, como, "muy buenos bailarines".

Así, las cumbias, merengues, puyas, sones, tamboras, paseítos y guarachas, "importadas de Cuba", y sobre todo el rey de la fiesta, el porro, "entraron en sociedad" en Zipaquirá, y en el corazón de Gabo, para quien la música era algo indispensable; mejor dicho, él no justificaba la vida sin música. Y allí, sin distingo de razas, clases sociales o ideologías, el motivo de la rumba dominguera se convirtió en algo institucional.

Julio E. Sánchez Vanegas, el famoso hombre de televisión a quien le dicen con cariño, "Cacharilas", padre del periodista Julio Sánchez Cristo, nació en Guaduas, Cundinamarca, al frente de la casa de la popular heroína y mártir patriota, Policarpa Salavarrieta, fusilada en Bogotá. Cuando él tenía doce años de edad, su familia se trasladó a Bogotá; estudió en el colegio Agustiniano, con media beca que le otorgaron por buen estudiante y deportista, pero a él lo que le gustaba era la radio.

Tenía 18 años, cuando le dieron el grado de locutor y se inició, precisamente, en La Voz de la Víctor, donde a veces le "soltaban el micrófono" para que hablara. Aunque estudiaba aviación, se apasionó por la radio. Luego dirigió programas musicales, leyó noticias y escribió libretos. Y un buen día se vio trajinando con "La Hora Costeña", ese programa radial que jamás olvidarán García Márquez y sus compañeros, ni la generación juvenil de zipaquireñas de los años cuarenta.

Muchas de las jóvenes que García Márquez conoció en esta ciudad eran aristócratas, como las que él sugiere en esa obra o nombra en *Vivir para contarla*; entre ellas, estaban dos jóvenes a quienes las llamaban igual: "La Nena" Patiño y "La Nena" Tovar.

Las novias de Gabo, sus amores platónicos y sus mejores amigas durante los cuatro años que vivió en Zipaquirá, aparecían fundamentalmente los sábados y los domingos, cuando los internos tenían el día libre, o cuando él se volaba a visitarlas.

Por 'La Paradoja', Gabo fue una especie de 'hijastro' de Sabas Socarrás

A las "onces", bailes, paseos, tertulias y reuniones, asistían alternadamente: Cecilia González Pizano ("La Manca"); "La Sardina" Berenice Martínez; Lolita Porras; Virginia Lora; Elvira González Torres; una hermana de su compañero de curso Rafael Gaitán, que vivía cerca de Terraplén; y la hija de una señora separada a quien llamaban "La Paradoja", (las dos muy delgadas) y que era novia de su compañero de colegio, "El Pibe" Sabas Socarrás.

Este, según cuenta Miguel Lozano, era nacido en Santa Marta, y fue uno de los primeros costeños que llegó al Liceo; cursaba sexto y Gabo iba en tercero. Era pariente del rector de la Normal Superior, José Francisco Socarrás. Así que siendo Gabriel novio de la hija de 'La Paradoja', por asimilación, Gabo era más o menos una especie de 'hijastro' de Sabas Socarrás.

Los recuerdos de Álvaro Ruiz Torres le llevan a reconstruir una lista de amistades a las que les gustaba mucho el baile; según él, "Gabo tuvo varias amigas que organizaban o asistían a las tertulias literarias, a las 'empanadas o melcochas bailables', o a las fiestas más formales que realizaban en Zipaquirá, donde estaban presentes sus madres, tías y hermanas de aquella, y a los que turnándose, asistían algunos de los internos y los profesores solteros del Liceo; entre ellos Héctor Figueroa y Joaquín Giraldo Santa, y claro, Gabriel García Márquez, Carlos González Ripoll y su hermano Ricardo, (enamorado de "La Nena" Tovar); Rafael Arnedo, Jaime Bravo, José Palencia, Miguel Lozano, Benjamín "Mincho" Anaya, Alfredo García Romero, Silvio Luna, Tulio Villafañe y Eduardo Angulo Flórez", y claro está, el mismo Álvaro.

Las jóvenes zipaquireñas que más gustaban de los bailes, eran: Consuelo Quevedo, Berenice Martínez y sus hermanas Leonor y Marina; Eva Puerto, Sara y Luz Virginia Lora; Elvira y Fany Aráoz,

Las fiestas de los jóvenes en el Club Social de Zipaquira, eran de ejemplar elegancia. En la foto, Alberto Huertas y Gabriel González, que estudiaron en cursos distintos al de Gabo, en el Liceo.

Damas en el Club Social de Zipaquirá, en 1943.

Emilia Ramírez, Marlén Ramos, "La Nena" Tovar; Elvira González Torres, quien vivía cerca del Parque de Terraplén y de quien se decía que fue novia de Gabo; las Duque, Lucy Beltrán, (hermana del "Pote"); Lula y Sofía Vega, "Jujú" Osorio, Cecilia Robayo y sus hermanas, Aurora y Tonsa", "La Mona" Peralta y su hermana; Bertha Ibáñez, Leonor Talero, Alcira Méndez, Marina y Miriam Ramos, Ligia Rivera, Teresita Patiño, Eva Puerto y Alix Afanador.

Contaba Miguel Lozano, que, "Alix era una de las muchachas más lindas de Zipaquirá. Estudiaba en el colegio de La Presentación y vivía abajo del 'Puente de la Leña', a cuatro cuadras del Liceo"; cuenta su vecino Álvaro Nivia, compañero de Gabo, que él, como otros estudiantes, "vivía enamorado de Alix, pero hasta ahí no más". Sus admiradores solían ir algunos domingos a las "empanadas bailables" del Club Social en el que a algunos jóvenes del Liceo les permitían la entrada, y a donde iban, "con la ilusión de poder bailar aunque fuera una vez con ella, o por lo menos, para poder verla", ya que Alix siempre asistía.

Según Miguel: "La bella zipaquireña Eva Puerto vivía al lado de la estación del Tren y frente a la casa de los hermanos Gustavo y Alfonso Pedraza, muy cerca de una cigarrería en la que vendían trago. Ella estaba ennoviada con Ricardo Martínez Ripoll, quien iba en cuarto, cuando Gabo estaba en tercero y yo en quinto. Eva nos organizaba bailes, hacía fiestas para Ricardo, Gabo y toda 'la costeñada'. Todos andábamos desplatados y hacíamos 'vaca', para comprar vino en la cigarrería; lo revolvíamos con agua para que rindiera y lo llamábamos 'vinola'; lo tomábamos aunque resultaba muy suave pero nos animaba lo suficiente".

Según Álvaro Ruiz, "muchas jóvenes zipaquireñas compartían su amistad con los internos del Liceo, (la mayoría costeños), por lo que estaban de moda el porro y otros aires que ellos sabían bailar muy bien. Y claro, les enseñaban a ellas los nuevos ritmos en las fiestas, los domingos". Y agrega, "Gabo era un gran bailarín, un verdadero espectáculo; por ello fue que el rector Óscar Espitia lo bautizó con el sobrenombre de, 'Mico Rumbero', en 1943, recién llegado al Liceo".

Miguel Ángel Lozano, anota: "Los estudiantes también le ponían apodos a las mujeres, generalmente positivos, a veces las conocíamos más por ellos que por sus propios nombres. Una era La Paradoja; a otra le decían La Griega, por las bellas facciones de su cara; también estaba La Firiguela, había una niña a la que le decían, La Princesa; y a Consuelo Quevedo, "Consuelo la Bella".

Luis Ariza recuerda que, "la celebración fastuosa del 3 de agosto, día de los mártires zipaquireños, y los carnavales de Zipaquirá, se preparaban durante casi todo el año, y su centro de operaciones era el Club Social donde dejaban entrar a: Gabo, 'Mincho' Anaya, Álvaro Ruiz, Ricardo González Ripoll, Guillermo Rubio, Víctor Urueta y Alfredo García Romero, quienes sin estar 'metidos en ese cuento' del carnaval (que se realizaba cuando ellos estaban de vacaciones en sus casas), bromeaban y hacían reír a sus organizadores cuando iban al club. Recuerdo claramente una tarde Gabo, gritaba allí: 'Que viva la señora del Carnaval', mientras Guillermo Granados, 'El ruiseñor de la pampa', cantaba".

Hernando Forero Caballero, recuerda: "Cuando nos portábamos mal o la embarrábamos, nos quitaban las salidas, teníamos que quedarnos encerrados en el Liceo y nos perdíamos de los bailes, las reuniones y las caminatas con nuestras amigas zipaquireñas".

Según Miguel Lozano: "Aunque a veces nos volábamos con ayuda de 'Riveritos', el portero del Liceo, (a quien Gabo le decía 'Nuestro rey de la complicidad'), y con la de uno que otro profesor, ya que con ellos nos encontrábamos en los bailes, cuando estábamos escapados; pero todos tan campantes".

García Márquez dijo: "Mierda, ahí viene tripas", y casi lo expulsan

"En una ocasión, (cuenta Lozano), al día siguiente de una volada, castigaron drásticamente a Gabo, pues estábamos haciendo una pilatuna y no se dio cuenta que se acercaba Gonzalo Ocampo, prefecto de Disciplina y profesor de Filosofía, y dijo muy duro: "Mierda, ahí viene 'tripas', (así le decíamos). Ocampo lo oyó y casi expulsan a Gabriel".

Otro programa de domingo para algunos de los internos del Liceo, "lo pone sobre el tapete", Lozano: "Cuando había temporada de fútbol, tomábamos el tren de la una de la tarde que nos dejaba en la Estación de 'La Culebrera', donde hoy está el Coliseo Cubierto El Campín de Bogotá; aún no había estadio de fútbol, pero ahí quedaba el Hipódromo al que adecuaban para los partidos que jugaban los únicos equipos que había en esa época: eran el Junior, el Nacional, el Juventud de Barranquilla; Santa Fe y Millonarios de Bogotá".

Y continúa:"Cuando el partido se acababa, y salíamos 'disparados' para Zipaquirá, no teníamos que hacer cola para esperar el tren, pues ya teníamos los tiquetes de regreso. El tren llegaba a las seis y media de la tarde, justo a tiempo".

Algunos domingos, García Márquez y sus amigos, iban a "gozarse" las "empanadas bailables" del Club, donde el personaje más pintoresco era "El Pingo", hermano de "Las Peralta", quien tocaba muy bien el piano. O viajaban en tren a Cajicá, donde las autoridades hacían 'taponar' las esquinas de la plaza, para hacer corridas de toros, en las que algunos costeños del Liceo se metían a torear.

Otro testigo excepcional de algunos sábados y domingos de la vida estudiantil de García Márquez, es el ex-ministro y dirigente político liberal, Edmundo López Gómez, quien estudió en el Liceo de Zipaquirá, pero que salió de allí cuando García Márquez apenas llegaba a esas aulas. Y eso tiene una explicación amarga para López Gómez: "Pues resulta que a mí y a otros compañeros nos expulsó del Liceo el rector Alejandro Ramos, debido a una especie de huelga que hicimos los estudiantes internos costeños rebeldes".

Gracias a la ayuda del ministro Darío Echandía, López Gómez, nacido en Córdoba, y algunos de sus compañeros vieron las puertas abiertas y se fueron a estudiar luego de su expulsión al colegio Antonio Nariño en Bogotá. Y cuenta: "Allí me encontraba yo con Gabo pues era la pensión donde yo vivía, la cual quedaba en la calle 15 N° 10–96".

Yo recordé que había visto antes esa dirección y días después encontré dónde; y aclarando que estaba en el acta de matrícula de José Palencia era la misma que dio su acudiente cuando llegó al Liceo, que era un amigo del padre de Palencia y que vivía en Bogotá. Pues ese señor, llamado Manuel Domingo Vega, nacido en Sucre (Sucre), resultó ser el dueño de la pensión donde se alojaba Edmundo López Gómez.

Yo sabía que este no estudió al tiempo con Gabo en Zipaquirá, sino antes, pero no tenía claro esa relación de los dos, pues el ex ministro me decía que cuando ocasionalmente Gabo iba a la pensión y se quedaba sábado y domingo allí, "hablábamos mucho de literatura, de política, de Zipaquirá, del Liceo y de libros y autores de la literatura colombiana y universal".

El responsable y financiador de esos contados viajes de Gabriel a Bogotá ese año, fue José Palencia, el amigo "platudo" y mecenas de García Márquez, a quien este le había conseguido el cupo para que estudiara sexto de bachillerato, en Zipaquirá.

En los archivos del Liceo encontré que Palencia tuvo que pagar veinte pesos por su matrícula extraordinaria, la número 261 del año 1946, cuando llegó a cursar el curso sexto y que su acudiente fue precisamente Manuel Domingo Vega, de quien hablaba Edmundo López Gómez.

Edmundo López Gómez, recuerda: "Las tertulias, las idas a cine, los 'palitos' que nos tomábamos en la fría Bogotá y la discusión de asuntos políticos, ocupaban las horas que pasábamos juntos un grupo de amigos entre quienes estaba en algunas ocasiones Gabriel García Márquez, amigo leal de muchísimos años. Por encargo suyo, yo fui quien llevó a Eduardo Zalamea Borda el primer cuento que él escribió, recuerdo que se lo dejé en la portería de El Espectador. Estuve cerca de Gabo en su etapa de desarrollo como escritor, que nació en Zipaquirá en ese colegio, donde estudiaba y donde la literatura tenía primerísima importancia".

"Hablando sobre el Liceo, mientras nos tomábamos un 'palito' en la tienda de la esquina, al lado de la pensión, los autores más importantes de la época y sus obras, nos enriquecieron intelectualmente. Recuerdo que hablando del Liceo, todos estuvimos de acuerdo con García Márquez en que lo único malo del Liceo zipaquireño, era el baño helado de las seis de la mañana", anota el ex-ministro.

"Sus primeros cuentos, escritos en Zipaquirá (dice López) fueron tema de nuestras tertulias en la pensión, porque realmente en eso es que invertíamos nuestro tiempo cuando Gabriel estaba allí. Con esos cuentos él rompió todo antecedente y proyectó maravillosamente su excepcional imaginación. En Bogotá pasamos con Gabo, José y otros amigos del Liceo unos días plenos de literatura, de la mejor, de la que dejaba vislumbrar ya a un gran escritor".

Al tiempo con Gabriel 28 mujeres estudiaron en el Liceo

Un capítulo curioso y un tanto insólito, por la época, fue protagonizado por 28 damas que profundizaron culturalmente en el Liceo Nacional de Varones, convirtiéndose en estudiantes de ese centro educativo, cuando Gabriel García Márquez cursaba allí cuarto de bachillerato.

Resultaba insólito en esa época que en cierta forma el Liceo se convirtiera en un centro educativo mixto, por iniciativa de su recién nombrado rector, el poeta 'piedracielista' Carlos Martín Fajardo, quien introdujo cambios muy importantes en ese privilegiado centro educativo de Zipaquirá, que pagó con creces a Gabriel García Márquez los cuatro años de frío que allí pasó y de lejanía de su Costa Caribe a la que siempre fue fiel mentalmente, durante su internado.

Analizado y visto hoy ese 6 de marzo de 1944, coincidieron tres asuntos que pasaron desapercibidos en ese momento: el primero, Gabo, quien cursaba cuarto de bachillerato, cumplió ese día 17 años.

El segundo, que comprueba el hondo espíritu cultural que se vivía en Zipaquirá hasta el siglo pasado, consistió en que la amiga, confidente y mecenas del estudiante Gabriel García Márquez, "La Manca" Cecilia González Pizano, (quien tenía 23 años) y otras 27 damas, revolucionando las tradicionales costumbres de la educación, iniciaron ese día un curso de "Extensión Cultural" en el Liceo Nacional de Varones, donde estudiaba Gabriel.

Y ese mismo día, bajo la presidencia del Designado Encargado, Darío Echandía, (quien gobernó entre el 19 de noviembre de 1943 y el 16 de mayo de 1944), fueron ratificados, los ministros: de Gobierno, Alberto Lleras Camargo y de Educación, Antonio Rocha; y reemplazado el de Trabajo, Higiene y Previsión Social, Jorge Eliécer Gaitán; quienes como veremos en este libro, tuvieron relación directa o indirecta con el joven 'cataquero', Gabriel García Márquez.

Según "La Nena" Tovar (quien murió el 14 febrero de 2009), durante el tiempo que estudió en el Liceo Nacional de Varones, terminadas las clases cada día, varias de las estudiantes de la cultura, se mezclaban con los muchachos y se ponían a jugar básquet en el "patio de atrás" del claustro. Esta contaba que, "a pesar del impedimento físico que afectaba a 'La Manquita', ella no jugaba pero saltaba mejor que cualquiera de nosotras; animaba el juego, gritaba y hacía barra". Y agregaba: "De lo que no había ninguna duda era del liderazgo de Cecilia en las clases, en el patio, o donde estuviera. Su capacidad histriónica, su gracia, su fuerza y su simpatía, que la convertían en el centro de atracción, donde y con quien estuviera.

"Nosotras nos dábamos el gusto de jugar con los mejores basquetbolistas del Liceo: Jorge Fajardo, Ricardo González Ripoll, Silvio Luna, Augusto Londoño, Jaime Bravo, Roberto Ramírez. (anota "La Nena" Tovar). Y sin que fueran alumnos del Liceo, también participaban en los encuentros, Hernando Benavides y Julio Múnera. Es que nuestra salida de clase se volvió famosa, y todos querían estar ahí, viéndonos, echándonos flores. Sin duda, vivían contentos con nuestra presencia en el Liceo. Gabo y Álvaro Ruiz Torres, quienes tenían fama de ser nulos para los deportes, sin embargo, se colocaban en una esquina del patio y no nos quitaban los ojos de encima, no se perdían ni un minuto del tiempo que jugábamos con sus compañeros".

Entre las 28 mujeres que estudiaron en el Liceo, al tiempo y cerca de Gabriel García Márquez, cuando él tenía 17 años, hubo desde una niña de trece años de edad, hasta una señora de 36. Entre ellas sobresalían, Leonor Ferro de Martín, esposa del rector Carlos Martín y Cecilia González Pizano, a quien Martín había autorizado además, asistir a las clases de literatura del profesor Carlos Julio Calderón Hermida, durante las cuales ella se sentaba al lado de García Márquez, de Álvaro Ruiz Torres o de alguno de sus compañeros.

Las otras damas que, testimoniando la vocación cultural de Zipaquirá, estudiaron en las aulas del Liceo Nacional de Varones, (entre ellas algunas jóvenes amigas de Gabo), fueron: Consuelo Quevedo, Soledad Yépez, Elvira Aráoz, Emilia Ramírez, Helena Tovar ("La Nena"); Helena Patiño; Ligia y Lucy Beltrán y su mamá, Soledad.; Sofy Hernández Villalva, Cecilia Abello, Helena Ferro de Pérez, Gilma Zapata, Mariana de López, Aura de Méndez, Olga Lucía González, Lucila Vargas, María Porras, Maruja Martínez, Lilia Garzón, Lola Cancino, Elvira González Torres, Leonor y Carmenza Talero Cuervo y María Inés Alba.

Las hojas de matrícula de estas damas, reposan aún en los archivos del Liceo. En estas hay una cláusula firmada por las ocasionales alumnas, y por sus padres, que dice: "Aceptamos los planes, programas y normas reglamentarias del Liceo y nos comprometemos a responder por cualquier daño material que el alumno ocasione en el colegio".

Dos años antes de su muerte, "La Nena" Tovar me contó: "A Gabito no le gustaba el básquet, ni el deporte. Él se 'parqueaba' en el patio para vernos jugar, con las manos metidas entre los bolsillos de su sweter para resguardarse del frío. Es que no había charla con él en la que no renegara contra el frío, que para nosotras era normal".

Álvaro Ruiz Torres, recuerda a Cecilia González: "Participaba en debates y recitales; también asistía ocasionalmente a las clases que nos daba el profesor Carlos Julio Calderón Hermida, y se ubicaba atrás del salón, en el mismo pupitre con Gabo, o conmigo. Y, organizaba famosas tertulias en su casa, a las que asistían algunos de sus amigos intelectuales bogotanos. Uno de esos días especiales fue cuando Cecilia le celebró los 30 años a Carlos Martín", en compañía de Eduardo Zalamea, Jorge Rojas, Andrés Pardo Tovar, Daniel Arango y uno de los Cano, que era director de El Espectador".

Alfredo García Romero dice que "a Cecilia en el Liceo la queríamos mucho, irradiaba alegría, iba y armábamos debates, o recitaba. Ella era culturalmente polifacética: daba clases de piano y de pintura; hablaba inglés y francés; bordaba, escribía poemas, organizaba las famosas literarias y políticas en su casa; se codeaba con intelectuales de Bogotá; luego de terminar bellas Artes en la Nacional, estudió en el Liceo con otras damas; asistía a las clases de Literatura que nos dictaba el profesor Calderón Hermida, mejor dicho, hacía de todo y todo lo hacía bien".

Elvia Pedraza de González, hermana de Gustavo y Alfonso, compañeros de colegio de Gabo, y casada con el historiador zipaquireño, Rafael González Rosas, cuenta que ella, "asistía a las tertulias donde 'La Manca' González, (quien tenía el gran don de la sociabilidad"). Y cuenta: "Gabriel, amigo de mi hermano Alfonso, era un joven simpático y agradable; sobresalía porque era alegre, porque recitaba y porque 'tomaba del pelo'. Tenía fama de 'picaflor', pero la verdad es que la única novia que yo le conocí, fue Berenice Martínez, aunque le tenían cuentos con otras personas, inclusive con Cecilia González, pero ella que tenía varios pretendientes, decía que con Gabriel eran muy buenos amigos, pero nada más. Yo nunca supe a ciencia cierta cómo fue ese asunto".

Elvira Aráoz, quien hoy vive en Tunja, fue amiga de Cecilia y dice sobre ella: "Era encantadora, cariñosa, de excelente humor, franca, independiente, moderna y tradicionalista a la vez, tenía una personalidad cautivadora. Ella relacionó muy bien a García Márquez, que era su protegido".

Un paseo a Pacho con robo de frutas y baño en el río

Humberto Guillén, recuerda el primer paseo de Gabriel García Márquez a Pacho, pueblo que tenía por entonces, unas nueve carreras por siete u ocho calles, situado sobre un sector quebrado, con temperatura media de unos 20 grados centígrados; y un camellón largo, que es la salida principal de la población hacia La Palma, San Cayetano, Caparrapí, El Peñón y otras poblaciones.

Guillén recuerda: "Tomamos el desayuno más temprano, a las cinco de la mañana y luego partimos con rumbo a Pacho; empezamos a subir en plena brisa sabanera y con el aroma de los eucaliptos, contentos y risueños, por la carretera que sale de Zipaquirá por Pueblo Viejo, a Pacho, que queda a 43 kilómetros de carretera y a muchos menos por entre cerros, caminos y curvas, como en nuestra ruta. Salimos por el 'Alto del Aguila', al oriente, por el Cerro del Zipa. Al fondo, atrás, se veía muy bella "La ciudad de la Sal", plena de humo que salía de los buitrones de los hornos, parecía una inmensa fábrica; Gabriel y los otros costeños que no habían visto tal espectáculo, estaban admirados. Nos encontramos muchos campesinos arriando vacas por la carretera, rumbo a Zipaquirá porque era día de mercado".

"Un poco más arriba, caminamos por la carretera que estaba metida entre sembrados, vacas y eucaliptos. Y el camino era cada vez más pendiente; ya en el cerro del Zipa habíamos ascendido más de 300 metros y llegábamos a 2.945 metros de altura", anota Guillén.

"Los recovecos en las curvas del camino, eran muy lindos; olían a 'musgo' y a 'quiches' y estaban adornados por bellas 'pajas de zorro' que hasta entonces Gabo no había visto nunca. Él se extasiaba desde el alto viendo los coloridos cultivos de papa, de maíz o de trigo, junto a potreros sembrados de pasto, o con una bella alameda de pinos o eucaliptos, que formaban paisajes muy distintos a los que había en Aracataca, Barranquilla o Sucre. Desde allí observaba el tren rodando con su columna de humo, allá a lo lejos, como yendo para Nemocón".

Según Álvaro Ruiz, "Sentado sobre un barranco, Gabito se ponía a observar la diversidad de colores del paisaje entre los cuales nos llamaba a todos la atención la multitud de matices en el color verde de la vegetación, que va desde un 'verde amarillento', hasta un verde oscuro, casi negro. Y al fondo, la majestuosa Sabana de Bogotá, que a pesar del frío, deslumbraba a Gabo; él vivía repitiendo eso".

"Cuando salió del éxtasis que le causó el paisaje, Gabriel comenzó a hacer chanzas y a 'mamar gallo', alegrándonos el rato. Caminábamos más y más, y nos reíamos; unos conversaban y otros silbaban o gritaban; era una verdadera locura. Luego de empinarse más la subida, ya sentíamos la altura; aún nos faltaban como dos kilómetros para llegar al 'Alto del páramo'. Había unos senderos por los que caminaban los campesinos, y por fin llegamos al 'Alto', sobre las cumbres de la cordillera; estaba nublado, y solitario y hacía mucho frío; coincidimos con que era la hora de almorzar; sacamos la ración de 'comiso' que nos había dado a cada uno el ecónomo del Liceo, don Ignacio García, y repusimos fuerzas".

"Y luego, comenzamos a descender sin detenernos, después de pasar el Alto. El tiempo era helado, a pesar de que el sol caía vertical, brillando mucho, porque casi no había nubes, aunque sí mucho viento; y García Márquez seguía quejándose y tiritaba como si estuviera en unas nieves perpetuas".

Humberto Guillén continúa, con la memoria reconstructora del paseo: "Después de charlar un buen rato, de contemplar el bello paisaje seguimos descendiendo por otro camino. Llegamos a la casa de unos campesinos que nos atendieron amablemente, con esa sencillez propia de las personas elementales, pero afables. Era la primera experiencia, el primer contacto con campesinos distintos a los que acostumbraba ver en Aracataca, o en la Costa".

"Y cuando nos ofrecieron guarapo, casi todos tomamos, fue la primera vez en su vida que lo hizo Gabriel; el que no quiso fue Álvaro Ruiz, porque le pareció que la totuma donde nos lo pasaron, estaba sucia. Como el día avanzaba rápidamente y la tarde se hacía más fría, después de compartir con los campesinos sobre la forma como se ganaban la vida con sus sementeras, sus burros, sus gallinas y sus conejos, prácticamente llegamos a las goteras de Pacho. Ya eran como las cinco y media de la tarde; llegamos muy cansados, y nos dejaron dormir en un salón del Concejo Municipal, en el piso".

Jaime Bravo anota: "Gabriel, a pesar del frío, fue uno de los compañeros que más gozó el paseo; estaba impresionado con la exuberante vegetación que había en los cerros y al lado de la carretera, la cual iba cambiando mientras avanzábamos; había partes quebradas muy pintorescas, y también precipicios; cerca de ellos, arrayanes, eucaliptos, pinos, y más abajo, ya en tierra templada, plátanos, naranjos, mandarinos, y plantas propias de la región".

Guillén, acota: "Al día siguiente, luego de dormir, incómodos pero 'fundidos', emprendimos camino a 'La Ferrería', que está abajo, al final de la calle larga, siguiente a la principal, tomando de Pacho hacia abajo. Allí había un centro turístico; en esa época decían que lo mejor de Pacho era la 'Colonia de vacaciones de La Ferrería', obra de don Agustín Nieto Caballero, que tenía un pequeño teatro al aire libre, campos de deporte, piscinas y muchos frutales, todo lo cual conocimos en la segunda mañana de nuestro paseo".

"Luego de caminar un buen tiempo, llegamos a la hoya del río Negro. La carretera era angosta. Por fin vimos un sol radiante. Olíamos el aroma de los cafetales, y los naranjos en flor, los árboles cargados de pomarrosas, y de mandarinas. Sobresalían los cultivos de plátano, la vegetación y el paisaje eran diferentes a los de Zipaquirá y 'levemente parecidos' a los de la Costa, según decía García Márquez".

Guillén, continúa: "Gran parte de la carretera iba paralela al río. A lado y lado del camino había muchos árboles frutales; pero era una tierra templada muy distinta a la suya, porque estaba rodeada de montañas. El calor aumentaba, y ya a todos nos pesaban los morrales repletos de bocadillos, pan, bananos, dulces y otras galguerías".

Álvaro Ruiz, dice que, "los naranjos abundaban, se veía caña de azúcar, platanales, pomarrosos, limoneros, y mucha maleza. Parte de la vegetación le recordaba a Gabito su Aracataca. Y cuando yo dije, aquí es el 'Pozo del Naranjal', el mejor para nadar, todos 'chiflaron' y gritaron y aplaudieron, felices. En segundos, nos metimos al 'Río Negro'. El agua estaba tibia y el sol picante, era un excelente día para nadar. Lo gozamos mucho".

"El Negro" Jaime Ariza, cuenta: "Nos metimos entre las ramas, nos pusimos la pantaloneta y directo al río; Gabo gritaba de la dicha, era su primer baño en tierra casi caliente desde cuando llegó a Zipaquirá. Ese día Álvaro Ruiz Torres disparó una y otra vez una cámara Kodak, que le había regalado de cumpleaños su tía, la poetisa, y en una de ellas quedó la imagen del Nobel, en la mitad del río. Ruiz usó la camarita durante todo el paseo, ya que después del río, nos bañamos en una piscina de cemento, a la que también le sacamos el jugo".

"La segunda noche, dormimos en una escuela, nos dieron posada y nos acostamos en esteras de junco, resultó una aventura estupenda", concluye Jaime, y cuenta: "Ya casi de regreso, fue cuando bajábamos unas naranjas de un árbol y nos 'pescó' un vigilante que nos encañonó con su escopeta, y cuando Gabriel se puso pálido del susto y se resguardó detrás de mí y de Álvaro Ruiz, pero por fortuna, no pasó nada. Fue parte de la aventura. De subida, luego de la impactante experiencia, irónicamente terminamos entrando a la plaza de mercado de Pacho a comprar frutas".

"El regreso a Zipaquirá (comenta Ariza) fue menos traumático, pero de caminar durante tres días, Gabriel se quejaba de los pies y

Gabriel García Márquez y sus compañeros bañándose en el río en uno de los paseos a Pacho. Gabo aparece en el extremo inferior de la foto.

se sentía agotado, en la subida que se pronuncia a cada metro, al salir de Pacho porque es demasiado pendiente, hasta llegar, en sentido contrario, a una zona cuya vegetación plagada de helechos, quiches, lama y pinos, nos avisaba que estábamos de nuevo en tierra fría; donde según García Márquez, 'nos esperaba nuestra irreemplazable cama del Liceo'. En el camino encontramos una carreta tirada por bueyes y los campesinos que la llevaban, nos dejaron subir a algunos y ahorrándonos una pequeña parte de la caminada; Gabo fue uno de ellos".

Hernando Forero Caballero, se refiere a otro asunto que sucedió en ese paseo: "Nunca se me olvidará, habíamos salido del 'Ríonegro' donde nadamos un buen tiempo; estábamos con Gabo y Álvaro Ruiz, nos habíamos subido a los árboles a coger naranjas, al día siguiente del incidente con el celador. De pronto yo me escondí y cuando estaban distraídos, cambié de voz y les grité: 'miserables, con que robándose las naranjas, carajo'. Ellos salieron corriendo muy asustados, 'como alma que lleva el diablo'. Yo casi me reviento de la risa; a los diez minutos Gabo todavía estaba pálido".

Capítulo 25

La primera vez que Gabo estuvo con un Presidente

Monseñor Rudecindo López Lleras, asesor del Liceo de Zipaquirá, fundador con Carlos J. Medellín, de la Universidad, fue pariente del Presidente Alberto Lleras Camargo. Álvaro Ruiz, sobrino de la poetisa Laura Victoria y ella, que era amiga del Presidente Alberto Lleras Camargo, consiguieron que recibiera, al rector del Liceo, Héctor Espitia, y a otros dos estudiantes de sexto de bachillerato del Liceo de Zipaquirá: Gabriel García Márquez y Guillermo López Guerra. Ellos buscaban apoyo estratégico para la excursión de su curso a Barranquilla. Lleras quien le profesaba especial cariño a Zipaquirá, ciudad donde vivían sus familiares, Ema y Carmelita Camargo, decidió ayudarlos.

Aunque Gerald Martin, en su libro *Gabriel García Márquez, una vida*, (Random House Mondadori S.A. primera edición en español, octubre 2009), asegura que Gabriel acudió al despacho del Presidente Lleras, "a solicitar recursos para visita de estudio a la Costa", no fue así; se trataba, como se dijo antes, de lograr su apoyo para la excursión de los alumnos de sexto de bachillerato, promoción de 1946, para que un avión de la FAC los trajera de regreso desde Barranquilla.

La escogencia que hizo Espitia de los estudiantes que habrían de acompañarle al Palacio Presidencial, fue; López Guerra, porque su familia era amiga del Presidente; Ruiz Torres, por ser el sobrino de la amiga de Lleras Camargo; y Gabo, por tratarse de un alumno destacado del Liceo Nacional de Zipaquirá.

Álvaro, cuenta: "Al entrar al Palacio Presidencial, los tres estábamos muy nerviosos… desde la víspera. Yo no sé si el más preocupado era yo, o Gabo. Esa mañana nos levantamos más temprano y revisamos como nunca nuestra mejor ropa, la de paño; nos arreglamos muy bien, embolamos los zapatos como nunca, nos peinamos varias veces, y claro, nos pusimos corbata. Nos peinamos con brillantina para que nos durara mejor el peinado. Yo le presté mi loción a Gabriel para que la echara. Esa visita al Presidente Lleras Camargo, fue una gran experiencia".

Guillermo López Guerra, recuerda: "El Presidente escuchó con atención todo lo que le dijimos. Y tuvo tiempo para que le habláramos del Liceo, de las materias, y especialmente de la literatura. Supo que Gabo era poeta, lo felicitó. Luego, accedió a nuestras peticiones, y además, prometió que asistiría a nuestra graduación en el Liceo, cuatro meses después, lo cual cumplió en ese diciembre de 1946". Es decir que ese día, cuando Gabriel, Guillermo y Álvaro recibieron su cartón, fueron aplaudidos con entusiasmo por el gran estadista, al que ellos ya consideraban, "su amigo".

Alberto Lleras Camargo terminó su primer período presidencial el 7 de agosto de 1946, cuatro meses antes del grado de García Márquez, al que asistió; fue elegido como director de la Unión Panamericana, en 1947; como Secretario de la Organización de Estados Americanos, (OEA) en 1948, y fue de nuevo Presidente de la República, desde 1958.

Laura Victoria había asistido el 6 de diciembre de 1946 al grado de bachiller de su sobrino, y ese día felicitó especialmente a García Márquez, pues ya sabía que era el mejor amigo de Álvaro.

Ella escribía poesía romántica y erótica, que por la época, causaba polémica. Ganó el Premio, "Los Juegos Florales", compitiendo, entre otros, con Eduardo Carranza; fue periodista; diplomática de Colombia en Roma y México, donde fue Canciller. Precisamente allá, por iniciativa de su sobrino Álvaro Ruiz Torres, apoyó decididamente a Gabriel García Márquez cuando este, en condiciones difíciles, llegó a vivir a la capital azteca. Laura Victoria murió allí, en mayo de 2004.

La tía de Álvaro, escribió los libros: *Llamas azules*, en 1933, *Cráter sellado*, en 1938; *Cuando florece el llanto*, 1960; *Viaje a Jerusalén*, en 1985; *Crepúsculo*, en 1989; y en 1995, *Actualidad de las profecías bíblicas*.

Rafael Maya, dijo: *Llamas azules*, sin disputa, el mejor libro poético publicado por mujer alguna en Colombia". Y Gustavo Páez Escobar, escribió: "Laura Victoria forma con Gabriela Mistral, Juana de Ibarbourou, Alfonsina Storni, Delmira Agustini y Rosario Sansores, la galería de grandes líricas hispanoamericanas", de quienes ella fue amiga. El siguiente poema suyo me lo entregó su sobrino, Álvaro Ruiz Torres, para incluirlo en este libro:

Venganza

Quieres borrar con el sopor del vino
la hiel de olvido que dejé en tu boca,
y eres la polvareda en mi camino
y yo soy en tus vértigos la roca.

Es inútil que sigas mi destino
con el sarcasmo que tu pie provoca.
Yo fui para tu orgullo el torbellino,
y tú la inundación que se desboca.

Por eso para ahogar tus ambiciones,
te azotaré con risa en mis canciones,
y como esclavo te unciré a mis huellas.
Mientras que cien pupilas de mujeres,
te ofrecerán en lúbricos placeres
mi propia imagen deformada en ellas.

Luis Ariza Villate, recordaba: "La noche del gran baile, pro-excursión de sexto, yo induje a tomar trago a Hernando Forero Caballero, quien manejó conmigo la venta de los licores, que fue muy exitosa porque todo se vendió. Arreglamos cuentas y luego lo convencí de que nos tomáramos un traguito con Gabo, fueron dos botellas que habíamos guardado. Gabriel esa noche se encargó del control en la portería, y de la parte social. Lo cierto del caso es que ya borrachitos, el profesor Óscar Espitia que era un hombre muy buena gente, nos llevó a tomar café para que llegáramos más sobrios al Liceo".

Hernando Forero Caballero, agrega: "A Jaime Amórtegui, durante el famoso baile, le correspondió preparar los cocteles, especialmente el ron con Coca Cola, y también terminó tomado. El balance final de esta fiesta a la que asistió la gente más importante de Zipaquirá, despejó las dudas económicas de la excursión a Barranquilla".

Jaime Bravo, cuenta: "Todos, incluyendo Gabriel, le decíamos a Roberto Ramírez, Mogollita, cuando estábamos 'mamando gallo'; pero cuando estábamos serios con él, le decíamos Mogolla. Él, por su experiencia en venta de 'comiso' (pan, bocadillos, galletas, etc.) fue definitivo porque organizó la tienda para vender cosas y ganar plata para la excursión. Nos repartíamos las actividades, todos teníamos como meta, lograr la plena financiación del viaje a Barranquilla. Los turnos eran de dos semanas, todos los del curso rotábamos".

Hernando Forero Caballero recuerda: "Para obtener recursos para la excursión a Barranquilla, nos encargábamos de la cafetería del colegio para compra y venta de las onces de los alumnos; celebramos una presentación del cómico 'Campitos'; organizamos una comedia y un baile en Nemocón; otro gran baile en un salón grande de las oficinas de Salinas, con asistencia de la sociedad zipaquireña, y un espectáculo de concierto y variedades en el Teatro MacDouall en el que Gabriel cantó zarzuela".

Según Humberto Guillén, "A la excursión de estudio y esparcimiento a la Costa Atlántica, en julio de 1946, nos acompañaron, el rector Óscar Espitia y su esposa, y los profesores Joaquín Giraldo y Rafael Acero. El recorrido, fue: de Bogotá a Puerto Berrío, en bus; tomamos un planchón para pasar el río Magdalena y tomamos el Tren, que iba por el 'Túnel de la Quiebra', hasta Medellín. De Medellín a Barranquilla viajamos en el avión de la FAC, ciudad en la que visitamos Bocas de Ceniza, y regresamos en el avión DC3 de la FAC por orden del Presidente Alberto Lleras Camargo".

Humberto Guillén, recuerda: "En Barranquilla, 'Mincho' Anaya, que era de allá y estaba muy bien conectado, nos organizó un baile muy bueno con unas amigas barranquilleras. En ese paseo, Gabo, no fue a Medellín sino que viajó directamente a Barranquilla en avión desde Bogotá, invitado 'de todo a todo' por José Palencia. Ya en Barranquilla, conoció a una muchacha muy linda en un café y quedó encantado con ella".

Ruiz Torres y Ariza, coinciden: "En Barranquilla, fuimos a un sitio llamado, 'Almendro Tropical', donde había una muchacha a la que le decían, 'La Negra' Eufemia. Gabo y Palencia nos invitaron a todos. Ellos estuvieron ahí casi todo el tiempo de la excursión, mientras nosotros que no éramos de allá, nos dedicábamos a conocer la ciudad".

Jaime Amórtegui, dice: "Luego de la excursión, cuando ya terminábamos el año, organizamos una 'parrandita' en la casa de una señora a la que llamaban 'Madam Meletrepo'; esa noche invitamos al profesor Ocampo, quien salió antes que nosotros; la fiesta estaba tan animada que nos dieron las 12 de la noche; entonces regresamos al colegio, se podía considerar que estábamos volados. Cuando llegábamos a la esquina del Liceo, vimos que prendieron la luz en la habitación del rector Espitia, y quedamos fríos".

"Llevábamos casi alzado a Sergio Castro Castro, (prosigue Jaime), porque se había emborrachado, y lo único que atinamos fue a correr hasta colocarnos debajo del balcón de la habitación del rector Espitia, para que no nos viera, y dejamos tirado a Castro, junto al andén. Gabo casi se tira todo, pues como también iba medio tomado, se resbaló y trastabilló. El rector abrió la ventana pero no nos vio, y al momento volvió a cerrarla".

"Esperamos un rato, en silencio, hasta cuando apagó la luz; recogimos a Sergio y le golpeamos en su ventana al portero 'Riveritos'; él nos abrió, y entramos sin ser descubiertos. Lo malo de este cuento fue el tremendo guayabo al día siguiente, agravado porque teníamos gimnasia con 'Míster Perry', quien nos llevó en trote en subida, hasta llegar a las salinas; y luego a regresar al campo de deportes, y después al Liceo a donde llegamos 'mamados' y sin fuerzas".

Por estar ebrio, García Márquez casi no se puede graduar

Jaime Bravo expresa:"La víspera del último examen de sexto, ya para graduarnos, hubo un suceso poco afortunado: Gabo y Guillermo López Guerra, se fueron en la tarde a estudiar al 'Hotel Caribe', de la Plaza Mayor de Zipaquirá, donde residía José Palencia, y lo comenzaron a hacer con mucho juicio.Gabo tenía buena memoria para la poesías, se sabía muchos poemas, y "recitaba versos que nos dedicaba a nosotros, sus compañeros".

Y prosigue: "Aunque Guillermo no tomaba, Palencia y Gabo alternaron los libros con una botellita de trago y no se dieron cuenta del paso del tiempo. Resultado: era muy tarde para regresar al Liceo, que a esa hora ya estaba cerrado. Cuando Guillermo y Gabriel llegaron, el portero, 'Riveritos' les abrió y trató de ayudarles a entrar sin que fueran vistos, con tan mala suerte que los descubrió el prefecto de Disciplina y profesor, Gonzalo Ocampo. Gabo le habló con un tono de voz subido y él, sin ninguna dificultad, se dio cuenta de que García Márquez estaba ebrio".

Según Bravo: "Esa noche fue dramática, Ocampo levantó la voz más que Gabriel, quien se fue al baño a echarse agua para ver si le pasaba la juma; Guillermo López estaba muy asustado sin saber lo que iba a pasar. La conclusión de ese triste capítulo que no olvidamos porque nos impactó a todos nosotros, los internos, es que al día siguiente, tras de una reunión urgente del rector y los profesores, la decisión fue no dejarle presentar el examen a Gabo y a López Guerra. Es decir, que no podrían graduarse de bachilleres. ¿Se imagina el drama?".

Jaime Bravo, concluye: "No recuerdo cómo y por qué, aunque entiendo que el Maestro Guillermo Quevedo y el padre de las Heras intercedieron por mis dos infortunados compañeros, ablandándole el corazón al rector Óscar Espitia, quien comprendiendo el drama de Gabo y Guillermo, tras una consulta urgente al Ministerio de Educación, consiguió que les permitieran presentar el examen en el propio ministerio, y fueron allí acompañados por Espitia. Finalmente, el profesor Ocampo, disgustado y a manera de protesta, no asistió a la ceremonia de graduación y milagrosamente García Márquez y López Guerra, recibieron su cartón de bachiller".

Fotografía tomada el 6 de diciembre de 1946, día cuando García Márquez se graduó de bachiller. Aparecen, de izquierda a derecha: El profesor Castaño, dos señoras sin identificar; Henry Sánchez, atrás de él, Roberto Ramírez ("Mogollo"); a la derecha, sonriente Carlos Guevara; una señora sin identificar; Marco Fidel Bulla; atrás y al lado de Álvaro Pachón Rojas, (el más alto) Eduardo Angulo Flórez; de gafas el rector Óscar Espitia; el profesor Jesús María "El Chulo" Rojas, (con papeles en la mano); a su derecha en la fila de arriba, de medio lado, Jaime Bravo, Hernando Forero Caballero y Luis Ariza; abajo de él, de gafas, Álvaro Ruiz Torres; luego José Palencia, (de bigote) y a su lado, a la derecha (bajito) Sergio Castro Castro, detrás de él, la tía poeta de Álvaro Ruiz, Laura Victoria, se ve sólo su sombrero. Luego de Castro, después, penúltimo, Gabriel García Márquez y último, Luis Garavito, detrás de Gabo.

Sobre ese capítulo, Guillermo López Guerra, dice: "Sí, es cierto, estuvimos a punto de que se frustrara nuestro grado, lo cual a mí me causó pánico, a Gabo también. El rector, presionado por los profesores en una reunión que se convocó al día siguiente, de urgencia, nos prohibió presentar el examen. Pero la gestión posterior del mismo Espitia, hizo que 'nos volviera el alma al cuerpo'; fue tan especial que él mismo nos acompañó a Gabito y a mí, a Bogotá, a presentar el examen en el ministerio".

Sobre la forma en que hacían los exámenes en el Liceo, Jorge Fajardo, "Fachardini", explica: "Las preguntas para los exámenes venían en 10 cuestionarios enviados por el Ministerio de Educación, con fichas marcadas de 1 a 10; cada estudiante escogía y respondía el formulario que le correspondiera. Un supervisor y un inspector del ministerio, supervisaban los exámenes".

"En cuatro años, Gabo sólo perdió una materia, Álgebra, en tercero. En dibujo sacaba 5, pintaba muy bien, hizo un mosaico alterno al del grado, con caricaturas estupendas de alumnos y profesores. Si hubiera seguido dibujando, hoy también sería un famoso caricaturista", asegura Jaime Bravo, un paisa nacido en Cisneros, (Antioquia), que tenía la misma edad de Gabo y cuyo padre, José Bravo, era un alto funcionario de la Contraloría General, en Bogotá.

Berenice Martínez, la novia zipaquireña de García Márquez, rememora: "Cuando Gabito se graduó, en 1946, yo hice de madrina junto con otra señora, cuando él recibió el cartón de Bachiller. No recuerdo bien quién era ella, pero nunca he olvidado esa mañana en el Liceo".

"Esa señora se llamaba Luisa María Torres de Ruiz; era mi mamá", repite Álvaro Ruiz para que yo le cuente a Berenice, la próxima vez que la llame a Pasadena. Y dice: "Gabito sentía mucho por ella, hablaba de ella, escribía su nombre en los cuadernos, le hacía poemas y soñaba con ella. Cuando la veía se emocionaba y me contaba con ansiedad sobre sus encuentros en el balcón de su casa. Otras veces, salíamos a dar vueltas con ella y con sus amigas".

El adiós de Gabo y sus compañeros después de graduarse

Y prosigue Ruiz Torres: "Se acercaba ya el momento de la despedida, aunque en esa tarde–noche, hubo una fiesta organizada por Sara Lora, "La Nena" Tovar, y si no estoy mal, por Consuelo Quevedo. Al día siguiente, enguayabados Gabito y yo por el festejo y por el inminente adiós, salimos cada uno por un lado, con nuestros baúles, nuestros bártulos, un cartón de bachiller y el recuerdo de cuatro años inolvidables, (por lo menos para mí) de esa ciudad donde nos acogieron con cariño, donde nos dieron amistad y donde supieron formarnos para bien".

Álvaro, cuenta: "Fui testigo de la despedida de Gabo y Berenice al día siguiente del grado, antes de que viajara a Bogotá: fue un adiós emotivo, él la miraba con cariño. A ella se le aguaron los ojos en dos ocasiones, él le prometió que volvería a Zipaquirá en cualquier momento, a visitarla. Ese día nos tomaron varias fotos, juntos, pero nunca supe quién lo hizo; yo conseguí sólo una del grado donde estamos todos los alumnos y familiares, pero las demás, quién sabe quién las tendrá. Y bueno, Gabito se fue entonces a pasar vacaciones en Sucre, con su familia".

"Había pasado ya un día luego del grado, era el sábado 7 de noviembre de 1946, la despedida fue muy triste para mí, y he de suponer que también lo debió ser para Gabo, pues nos despedimos con un cálido y sincero abrazo, a mí se me aguaron los ojos cuando nos dimos un fuerte hasta pronto". Hasta pronto que ya cumplía 62 años en esos días plenos de historias zipaquireñas que compartí entre 2002 y 2004, con Álvaro Ruiz Torres, que llegó a ser mi amigo, y quien murió el 6 de agosto de 2004.

Álvaro agrega: "Gabriel partió para Sucre, y yo para Pacho, a la finca de mi familia. Antes de esa despedida hablamos sobre muchas cosas, hicimos un repaso de las mil vivencias que compartimos, me regaló copias de otros poemas suyos".

"Me repitió su decisión de presentarse a la Universidad Nacional, tenía varias alternativas: Medicina, Arquitectura Ingeniería y Derecho; estaba más tentado por el Derecho, porque según me decía le sonaba más aplicar a esta carrera porque le dejaba más tiempo libre para conseguir algún trabajo para poderse sostener y no tener que depender de su papá. Y en realidad, así lo hizo finalmente, aunque renunció muy temprano a esa carrera que siguió más por física conveniencia, que por convicción".

A finales de 1946, cuando se fue de la ciudad, Gabriel García Márquez dejaba atrás un fiel grupo de amigos; una novia que lo recuerda como un muchacho muy simpático que despedía la adolescencia en medio de poemas y cantos vallenatos, y el padre de Berenice, Miguel Ángel Martínez, que pudo ser su suegro, y quien se la pasaba en los alrededores de Zipaquirá, con pinceles, lienzos y óleos, pintando viejas casas, rincones y paisajes con sauces, eucaliptos, borracheros y arroyuelos, reflejando el ambiente de las casonas coloniales o la cascada de "Los Coclíes", donde las jóvenes zipaquireñas solían ir de paseo a coger moras. Como el Maestro Martínez, quien ilustraba revistas y libros, Gabriel García Márquez, dibujaba caricaturas amables, entre ellas las de sus profesores y compañeros.

La última vez que Berenice ("Bereca") había sabido de Gabo, (antes de que él la "redescubriera") fue el 11 de septiembre de 1947, nueve meses después de que él terminara su bachillerato, cuando con motivo de la muerte de su padre, el Maestro Martínez, Gabriel le envió un telegrama que decía: "Para el artista, la muerte es una nueva vida. Comparto tu dolor".

Un tiempo antes de la muerte de Berenice Martínez, yo había escrito: Hoy, aunque ella quisiera, ya no puede recordar (como lo hizo hasta mediados del año 2003), todos los momentos que compartió con el hoy Nobel de Literatura, cuando siendo muy jóvenes, para ellos la vida tenía muchos sueños e ilusiones y era romántica y bella. La enfermedad implacable que la afecta, desafortunadamente le quitó la claridad a su pensamiento y le robó los recuerdos a su memoria.

En varias ocasiones Gabriel García Márquez regresó a Zipaquirá como a "recoger sus pasos", a visitar a Luz Virginia y Sara Lora, a "La Manca" González, a Consuelo Quevedo y a su padre, el Maestro quien le dio su aprecio y amistad y a escuchar los conciertos de la banda sinfónica, bajo su batuta.

Hernando Forero Caballero, anota: "Todos los alumnos del Liceo, del curso sexto de 1946, le rendimos un tributo de agradecimiento al Liceo Nacional y a sus profesores, porque la mayoría nos presentamos al examen psicotécnico de la Universidad Nacional, logrando fácilmente nuestro ingreso".

Y prosigue: "Por otra parte, cómo no vamos a llevar muy dentro el Liceo si fue testigo de nuestros primeros suspiros amorosos, de los primeros indescifrables guayabos; donde el insaciable apetito del crecimiento, por el frío a pesar de una alimentación excelente y muy buena, se quedaba corta. Donde temíamos mucho al castigo de quedarnos sin salida los fines de semana, por cualquier pilatuna. Donde aprendimos a respetar a los profesores; que eran unos caballeros. ¿Cómo vamos a olvidar los amables momentos compartidos con los amigos, las tertulias, los chistes, la 'mamadera de gallo', los bailes, los juegos, los paseos por el campo y a Pacho, y hasta la aceptación a veces a regañadientes, de un apodo?".

Hernando continúa haciéndole un homenaje a Zipaquirá y al Liceo: "Recordamos con especial gratitud la amabilidad de las niñas y la nobleza de las familias zipaquireñas, que sin ningún reparo abrieron las puertas de sus hogares y nos permitieron disfrutar del calor familiar y compartir gentilmente sus sanas costumbres".

"Yo me siento ligado a ese magnífico colegio que moldeó nuestros instintos, que reformó nuestras costumbres y que nos formó. Y a la señorial Zipaquirá, que muchos de nosotros llevamos con orgullo, con honor y con gratitud sincera, pues fundamentó nuestros éxitos profesionales, el de Gabo, el mío, el de todos. Mire, si Gabriel García Márquez no hubiera llegado a estudiar a Zipaquirá, no hubiera sido Nobel".

Se agotó el tiempo, las despedidas concluyeron; los abrazos y las promesas de amistad, antecedieron al adiós de Gabriel García Márquez, sus compañeros y amigos, y de sus enamoradas. Casi todos se fueron de Zipaquirá al día siguiente del grado. Hubo unos adioses más tristes que otros, los de Gabriel, Berenice, Álvaro, Consuelo, Sara, Cecilia, las tres "Nenas", Hernando, José, los Luises, los Jaimes...

La última vez que vi a Álvaro Ruiz Torres, estaba conectado a un tubo de oxígeno, "por haber fumado tanto". Ese día le pidió a su hijo Juan Manuel, su fiel compañero, que sacara el álbum con las fotografías y los recuerdos de su bachillerato en Zipaquirá, y de los poemas que guardaba de Gabriel García Márquez, y los versos que le había hecho García Márquez, que tituló, "Acróstico a guisa de iconográfica consorte" y que fuera conmigo y copiara todo, para que yo lo incluyera en este libro, lo cual hicimos con Juan Manuel, en un centro de servicio de Niza, muy cerca de su casa.

"Animal que camina porque ve las gallinas"

García Márquez solía hacerle bromas a sus compañeros. En 1944 le dedicó un simpático acróstico a su amigo y confidente, Álvaro Ruiz Torres, (quien también escribía), y lo tituló: "Acróstico a guisa de iconográfica consorte".

Según Álvaro Ruiz, "un sábado en la tarde fuimos con Gabo a la casa de Consuelo Quevedo, a pedirle prestado un libro a su padre, el Maestro; estaban allí de visita, Carlos Martín, 'El Vate' Saavedra, su hermana, Aura, y nosotros dos, nos dieron chocolate de onces; nos quedamos como tres horas y protagonizamos todos una magnífica tertulia literaria casual; el Maestro tocó piano, Aura declamó, Martín habló de poesía, y nosotros no nos quedamos atrás".

Cuando terminaron bachillerato, Ruiz tenía 21 años y Gabo 19. Casi todos sus compañeros, entraron a estudiar a la Universidad

- Acrostico a guisa de iconografica consort

Animal que camina porque ve las gallina
Loco que ve dos veces porque tiene antrojo
Vacuno indiferente que se tapa los ojos
Al ver que se desnudan sus mejores rein
Rumia - futuro médico - todas las medici
O "colincha" en autopsias para ver corazone
Riñendo a cada paso y echando maldicione
Urgido por la eterna necedad de Paorin

Un detalle del acróstico "mamagallista" que Gabo le escribió a Álvaro Ruiz Torres.

Nacional y terminaron exitosamente sus carreras; lo que muestra el alto nivel académico del Liceo Nacional de Varones de Zipaquirá.

La mayoría se graduaron como médicos, dada la gran influencia de su excelente profesor de Fisiología, Álvaro Gaitán Nieto, fueron ellos: Marco Fidel Bulla, del Valle de Tenza; Álvaro Pachón Rojas, de Zipaquirá; Jaime Amórtegui Ordóñez, de Albán (Cundinamarca); Hernando Forero Caballero, de Pasca (Cundinamarca); Humberto Guillén Lara, de Facatativá (Cundinamarca); Fernando Acosta, de Sesquilé(Cundinamarca); Héctor Kairuz, "El Turco", nacido en Rovira, (Tolima); Sergio Castro Castro, de Quetame, (Cundinamarca); Roberto Ramírez ("Mogollita"), de Armero, (Tolima) estudió Odontología y Luis Ariza, de Quibdó, (Chocó), estudió Zootecnia.

Guillermo López Guerra, bogotano; Álvaro Vidales Barón, de Chaparral, (Tolima), Gustavo Medina Nivia y Rafael Gaitán, de Zipaquirá, estudiaron Derecho.

Eduardo Angulo Flórez, fue arquitecto; Luis E. Lizarazo, Jaime Bravo, y Guilermo Granados, ingenieros.

Los médicos Víctor Urueta y Álvaro Pachón Rojas, se dedicaron también a la política y Luis Garavito, de Fresno, terminó de Contador.

Benjamín Anaya, barranquillero, iba a estudiar Arquitectura pero se arrepintió y se dedicó a lo que le gustaba: fue músico.

No se graduaron: Álvaro Ruiz Torres, bogotano, quien fue un médico frustrado; José Palencia, de Sucre; Carlos Guevara, bogotano; Benjamín Anaya, Alberto Garzón, zipaquireño, y Rafael Gaitán, bogotano.

Según Humberto Guillén, "varios personajes que rodearon a Gabo, terminaron siendo alcaldes: Roberto Franco Isaza, de Sogamoso, donde murió; nuestro profesor Álvaro Gaitán Nieto y nuestro compañero, poeta, Samuel Huertas, lo fueron de Zipaquirá; Ricardo González Ripoll, fue dos veces burgomaestre de Barranquilla, uno de sus arquitectos más destacados, que adelantó obras como el edificio del Sena y el Aeropuerto Internacional Ernesto Cortissoz y que además, fue presidente de la Sociedad Colombiana de Arquitectos".

Y anota: "En nuestro curso solían presentarse algunas confusiones pues había dos Jaimes, Amórtegui y Bravo; cuatro Luises, Garavito, Lizarazo, Ariza y Garzón; cuatro Álvaros, Vidales Barón (quien vivó en Europa); Pachón; Ruiz y Álvaro Gaitán, el Médico, con quien a veces se confundían".

Capítulo 26

García Márquez, del Liceo a la Universidad Nacional

La investigación y cierre de la historia de estudiante de Gabriel García Márquez, va hasta cuando estudió en la Universidad Nacional. Le faltaban 13 días para cumplir 20 años ese 25 de febrero de 1947, cuando su matrícula (la Número 65), de la facultad de Derecho de la Universidad Nacional fue realidad 82 días después de graduarse como bachiller, en Zipaquirá. Él presentó el certificado de su Diploma de bachiller, registrado en el libro 18, folio 345, el 12 de diciembre de 1946, en el Ministerio del Educación Nacional. La Tarjeta de Identidad que presentó, no tenía origen costeño, era la N° 4917, expedida en Zipaquirá.

El ministro de Educación era, Eduardo Zuleta, y el rector de la Universidad Nacional, Gerardo Molina, nombrado por Darío Echandía.

En la Universidad Nacional, el doctor Gabriel Escalante, quien tiene bajo su responsabilidad los archivos de la institución, luego de una extensa y minuciosa búsqueda, ubicó, reprodujo y me entregó una serie de documentos sobre el estudiante Gabriel García Márquez. Su examen de ingreso fue calificado con 3.10, sobre 5. Ese año, su profesor de Derecho Constitucional fue Alfonso López Michelsen, quien un tiempo después se convertiría en uno de sus buenos amigos.

Allí, en la Nacional, entre otros, fueron compañeros suyos: "El cura rebelde" Camilo Torres, quien se identificaba políticamente con García Márquez, entre otras cosas, porque también le gustaba la poesía; Gonzalo Mallarino, Carlos Holmes Trujillo, el escritor y académico tolimense, Eduardo Santa, y Jacobo Pérez Escobar, según Heriberto Fiorillo, "el mejor alumno de la facultad, nacido también en Aracataca".

Las calificaciones de Gabo durante el primer año de universidad no fueron ni sombra de las que obtuvo en Zipaquirá, especialmente las de sexto de bachillerato. García Márquez había entrado a estudiar Derecho, sin convicción. Allí, una vez más demostró que era nulo para lo que tuviera que ver con los "números", "se rajó" con 2.25 en Estadística. Estas fueron sus notas:

Introducción al Derecho	3.8
Historia Política y Económica de Colombia	3.4
Biología	3.5
Derecho Civil	3.5
Derecho Constitucional	3.0
Estadística	2.25
Derecho Romano	4.25
Economía Política	4.7
Seminario: Introducción al Derecho	3.0

Gabriel fue sincero cuando confesó que necesitaba encontrar una carrera que le permitiese trabajar. Se lo dijo a Germán Castro Caycedo: "Me vine después del bachillerato a Bogotá a estudiar Derecho, porque era la única carrera que sólo tenía clases por la mañana".

A él le habría gustado Arquitectura o Ingeniería. Entró a "escampar", no le ponía atención al Derecho; no le gustaba; su mente, su imaginación estaban en otra cosa; en la literatura y el periodismo.

Según el abogado, Guillermo López Guerra, amigo de García Márquez en Zipaquirá, "desde cuando Gabo ingresó a la Universidad Nacional, tenía claro que no quería estudiar, que lo suyo era escribir". Por eso, no asistía a clases o llegaba tarde. Se inventaba enfermedades, y mientras tanto, visitaba los cafés, donde cada vez era mayor su contacto con los intelectuales bogotanos.

Un "horror" de calificaciones. Últimos encuentros con sus compañeros

Sus calificaciones en 1948, lo dicen todo; corroboran que no quería estar más en la facultad de Derecho de donde desertó luego del 9 de abril de ese año.

Estadística	Perdió por Fallas
Antropología y Psicología	No presentó
Derecho Romano II	No presentó
Derecho Civil	No presentó
Derecho Internacional Público	No presentó
Derecho Constitucional	Perdió por fallas
Derecho canónico	No figura nada
Sociología General	Perdió por fallas
Historia de las Doctrinas	No presentó
Economía Política General	No presentó

Gabo abandonó la universidad, llegó al diario El Espectador y se dedicó al periodismo y a hacer lo que quería, lo que ha hecho brillantemente durante más de 65 años: escribir.

Algunos de quienes fueron compañeros de colegio, volvieron a ver a Gabriel García Márquez, y lo cuentan, así: Miguel Ángel Lozano se veía con Gabo cuando trabajaba en el periódico El Espectador, en la esquina de la Avenida Jiménez con la carrera Séptima, frente al sitio donde asesinaron a Jorge Eliécer Gaitán, y muy cerca de la Gobernación de Cundinamarca, donde Gabo fue a visitar a su profesor Carlos Julio Calderón Hermida, llevándole un ejemplar de la primera edición de *La hojarasca*.

Matrícula No. 65

REPUBLICA DE COLOMBIA

UNIVERSIDAD NACIONAL

EL SEÑOR GARCIA MARQUEZ GABRIEL NACIDO EL DIA 6 DE marzo DE 1927
EN /Aracataca DEPARTAMENTO DE Magdalena HIJO DE GABRIEL E GARCIA y LUISA MARQUEZ DE GARCIA
RESIDENCIA DE LOS PADRES Sucre (Bolivar)
DIPLOMA DE BACHILLER DEL Ministerio Educacion registrado al folio #345del Libro 18 con fecha 12 diciembre 1946

segundo año ESCALA DE CALIFICACION: 0 A 5. ES APROBATORIA DESDE 3.

AÑO DE 1.948 CURSOS EN QUE ESTA MATRICULADO	CALIFICACION	NOS SOMETEMOS AL REGLAMENTO DE LA UNIVERSIDAD.
Estadística	Perdió por fallas	EL ACUDIENTE.
ANTROPOLOGIA Y PSICOLOGIA	No presentó	CEDULA No.
DERECHO ROMANO II	No presentó	DIRECCION
DERECHO CIVIL (BIENES)	No presentó	EL ALUMNO. Gabriel García
DERECHO INTERNACIONAL PBLCO	No presentó	CEDULA No.
DERECHO CONSTITUCIONAL 2a	Perdió por fallas	DIRECCION
DERECHO CANONICO		BOGOTA DE 19
SOCIOLOGIA GENERAL	Perdió por fallas	EL DECANO.
HISOTRIA. DE LAS DOCTRINAS	No presentó	
ECONOMIA POLITICA GENERAL 2a	No presentó	EL SECRETARIO.
seminario: Civil		

ESCALA DE CALIFICACION: 0 A 5. ES APROBATORIA DESDE 3.

En la parte superior, la matrícula de García Márquez en la facultad de Derecho de la Universidad Nacional y abajo, las calificaciones de ese año.

"Yo estaba en el Consejo de Estado (dice Lozano), nos encontramos varias veces; en dos ocasiones estaba con su amigo, el exguerrillero Guillermo Franco Isaza, quien fuera compañero del legendario Guadalupe Salcedo y hermano de Roberto Franco Isaza, quien estudió con Gabriel en Zipaquirá y que fue luego arquitecto y Alcalde de Sogamoso".

"Después, cuando yo era juez Penal Municipal, el Gobierno del general Rojas Pinilla trató de seccionar al Chocó, para dejarle el centro del departamento a Antioquia; el sur al Valle del Cauca y el nor-occidente a Caldas. Entonces, Gabriel, quien trabajaba en El Espectador, inició una campaña en favor de los chocoanos y fue a Quibdó para organizar una manifestación permanente. Por mi cargo, yo no podía ir a las manifestaciones, pero si nos veíamos. Él estaba alojado en la casa de Primo Guerrero, corresponsal de El Espectador, y yo lo recogía para ir a comer; le encantaba el bocachico frito, con patacones. Y la última vez que lo vi, fue un domingo de 1976; nos encontramos en el parqueadero del conjunto residencial Centro Nariño, de Bogotá, estaba con su señora, hablamos sólo unas palabras, y nos despedimos".

Eduardo Angulo Gómez dice: "Antes de que Gabriel fuera Nobel, invité al profesor Calderón Hermida al Club Rotario, a que diera una charla sobre Gabo, lo que se convirtió en cinco conferencias. Era un tema que le interesaba a todo mundo. La última vez que vi a Gabriel, fue en Bogotá, vino a una reunión que tuvo el Presidente Alfonso López Michelsen con los mandatarios Omar Torrijos de Panamá y Carlos Andrés Pérez de Venezuela; para tratar un asunto del Canal. Ese día, fuimos a almorzar, Gabriel estuvo amable, como siempre; hablamos de la actualidad colombiana y lógicamente le dedicamos el mayor tiempo a recordar nuestros años en Zipaquirá".

Jaime Bravo, por su parte, se encontró con García Márquez en otro parqueadero, cerca del Hotel Tequendama. En la carrera Séptima con calle 26, de Bogotá, "esa fue la última vez".

"El Chino" Héctor Cuéllar, cuenta: "Después de que salimos de bachilleres no volvimos a vernos, hasta después de que la IBM, empresa con la que trabajaba yo, me trasladó a Barranquilla como gerente. Y allí nos encontramos, supe entonces que escribía para el periódico El Heraldo. Me contó que andaba muy corto de plata, y dijo: "Pero yo me eché la vida al hombro".

"Una noche que lo invité a comer cerca del Estadio, (comenta Héctor), salimos sin darnos cuenta de que yo no había pagado la cuenta, ya íbamos muy lejos cuando recapacité; le propuse que nos devolviéramos y él dijo: Mira, no hubo mala fe, aquí todo el mundo es muy fresco, dejémoslo así. Y así se quedó".

Cuéllar prosigue: "A Gabriel, un día que fue a mi oficina le impactó la palabra emblema de la IBM, que estaba sobre mi escritorio: 'Think', entonces me dijo: 'Carajo, aquí no sólo los ponen a pensar a ustedes, sino también a quienes los visitamos'. En otras ocasiones, nos reunimos con Ricardo González Ripoll otro compañero del Liceo, que estaba de Alcalde de Barranquilla".

Cuatro personas más quisieron volver a ver a Gabo algún día; tres de ellas murieron sin que se cumpliera su sueño de poder darle un abrazo y estrechar su mano de nuevo: Berenice Martínez, una de sus novias; Sara Lora, su acudiente en Zipaquirá, quien antes de morir, me decía: "Aunque fuera oírlo, con eso me conformaría", y Virginia Lora, hermana suya, a quien le escribió el poema, "La Niña de los ojos azules", que según su hija, Luz Virginia, insistía en su deseo de verlo, "aunque fuera un minuto".

También Álvaro Ruiz Torres, su mejor amigo en el Liceo, quien logró hablar con él, telefónicamente, pero que jamás lo pudo volver a ver: a raíz de mi artículo para la revista Diners sobre Gabo en Zipaquirá, (en el que conté sobre la vida y las añoranzas de Álvaro Ruiz Torres), y de una carta de su hijo, (también Álvaro) a Gabo, en relación con su padre, este recibió una llamada telefónica sorpresiva y extensa del Nobel desde México, y otra, y otras más.

Desafortunadamente Ruiz Torres, un hombre cálido, inteligente y bonachón, no vio cumplido su sueño, del que tanto me habló, y que me sirvió para titular una de mis crónicas que antecedieron a este libro: "Sueño con ver de nuevo a Gabo", su ilusión no pudo ser cumplida pues Álvaro murió el 9 de agosto de 2004, en Bogotá.

Capítulo 27

"Mi noche amarga cuando sacaron a Gabo de la TV"

La promoción de la transmisión de la entrega del Premio Nobel de Literatura que había decidido adelantar dada la importancia histórica del suceso, duró más de un mes, apoyada por innumerables mensajes institucionales diarios por todos los canales del Instituto Nacional de Radio y Televisión, y por avisos publicados en los periódicos. Y esa noche el país entero se paralizó, todos los colombianos llegaron puntuales a sus casas, prácticamente el viernes cultural en el país, fue la emisión de la entrega del Premio Nobel a Gabriel García Márquez. Yo estaba muy feliz de ser quien manejara este tema que interesaba al país entero. Me había preparado minuciosamente para tan magno evento, tal vez el más importante en la historia de la televisión colombiana, después del de la llegada del hombre a la Luna. En la mañana, cuando salí de mi casa, me "eché la bendición", llegué al despacho muy temprano y reuní a toda la gente para repasar toda la operación de transmisión.

A las 8 y 5 minutos de la noche de ese viernes 10 de diciembre de 1982, después de 2 horas y 5 minutos, la señal de televisión originada en Estocolmo fue cortada y tuve que "capotear", como director de Inravisión, la indignación de más de 15 millones de colombianos frustrados y dolidos porque no pudieron ver, 'en directo', la entrega del Premio Nobel a Gabriel García Márquez, planeada desde octubre, mientras el resto del mundo presenció el gran suceso que habían soñado los colombianos durante 40 días que duró la gigantesca promoción del especial que, con orgullo patrio, realizaríamos con RTI.

La primera llamada que recibí fue la del Presidente Belisario Betancur, quien a pesar de su tradicional equilibrio, no pudo ocultar su malestar. Luego, la de ministros, periodistas, congresistas... y las de ciudadanos furiosos, que terminaron por bloquear los teléfonos. ¡Colombia entera nos maldijo!

Me había tocado la triste suerte de responderle al país (sin que tuviera culpa alguna) por una falla que afectó al suceso internacional más importante en la historia de Colombia: la entrega del Nobel. El asunto que hoy es anécdota, me hizo conocer en vida lo que es el infierno.

Apedrearon la sede de Inravisión, los insultos telefónicos aumentaron y también las inculpaciones a su director. El Presidente Betancur me llamó 5 veces más. Patricio Wills, (hoy Presidente ejecutivo de Telemundo) que por entonces era vicepresidente de RTI, como yo, también sufría. Lo primero que hice fue pedirle al inolvidable Bernardo Hoyos, presentador del especial y extraordinario ser humano, que salvara la situación. El se dedicó a contar a los televidentes sobre la vida de Gabriel García Márquez, para ganar tiempo; era tal su conocimiento del tema y su manejo de la televisión, que logró cautivar a los televidentes y hacerlos olvidar por un buen tiempo su indignación porque no habían podido ver la anhelada entrega del Nobel a Gabo.

Mientras tanto, desde los télex del instituto, seguíamos buscando a alguien que restituyera la señal, cortada sin misericordia, por Trans World International, siete minutos antes de que premiaran a Gabo.

Conservo aún los 62 télex que cruzamos "con medio mundo", para tratar de lograr la señal, así fuera en diferido. Esto de las comunicaciones conforman un verdadero "best seller" de suspenso.

Copenhague, Washington, Londres, Los Ángeles, Estocolmo... Una a una, rechazaron la solicitud. Este "novelesco drama" se inició a las 6 y 49 p.m., cuando desde Londres nos avisaron que cortarían la señal a la 8 de la noche y sólo logramos que la prolongaran 5 minutos.

Fue angustioso. A las 8 y 2 minutos, hicimos contacto con Venevisión, en Caracas: "La retransmisión de la entrega del Nobel, es asunto de vida o muerte, no importa lo que nos cobren, por favor ayúdenos".

Allí respondieron: "Esperen a que venga el supervisor". Cuando este llegó, dijo: "Mira, para empezar, no fue el canal 4 sino el 2, Radio Caracas, el que lo transmitió. A las 8 y 5 minutos suspendieron la señal. Dicté: "Por favor, rogamos su ayuda. El país está conmocionado, es un problema de Estado, necesitamos esa señal. ¡Como sea!".

Mientras tanto, Bernardo Hoyos, incansable, inagotable, salvador, con sapiencia, sonriente ante la cámara (pero según me contó después, muerto del pánico) entretenía a los televidentes contando anécdotas e historias sobre la vida de Gabo.

Los minutos pasaban a ritmo de segundos, télex va, télex viene. A las 8 y 26 nos dijeron en Venevisión: "Definitivamente no va a ser posible, hoy es viernes. A esta hora no hay quien pueda dar esa autorización, mañana los atenderemos con gusto".

Respondimos: "Por Dios, ayúdenos, toda Colombia está pendiente. Para mañana sería catastrófico". Mientras tanto, (8 y 34 de la noche), Bernardo seguía cautivando a la audiencia con su voz culta y su acento pausado y ameno: por algo había sido locutor estrella de la BBC de Londres. Los televidentes parecían haber olvidado el mal suceso, mientras él daba disculpas a nombre mío y hacía la promesa: "Pronto volverá la señal".

Irremediablemente ligado a García Márquez

A las 8 y 34 ubicamos por teléfono a un directivo de Venevisión, en su casa: "Es una solicitud de la Presidencia de la República de Colombia", le escribimos; hubo muchos mensajes por télex.

El drama continuó hasta las 9 y 31, cuando leímos uno que decía: "Las imágenes de Radio Caracas, están autorizadas"... El grito de alegría de Patricio Wills y de todos mis empleados fue similar al de los científicos de la Nasa cada vez que logran un éxito aeroespacial. ¡Todos estábamos felices!

Yo le dicté a mi secretaria: Díganos que es verdad, que es cierto. ¿Cuál es su nombre?... Aquí, Juan Rodríguez... A las 9 y 44 entró la señal, con el audio muy ruidoso. Lo ajustaron y, a las 9 y 47, una hora y 42 minutos después, Bernardo dio paso a las imágenes y Colombia emocionada, vio cómo Gabo con su 'liquiliqui' blanco, recibía el Premio de manos del Rey Gustavo Adolfo de Suecia.

El último mensaje recibido por télex, fue: "Juanito, un abrazo fraterno desde Inravisión y de parte de todos los colombianos: gracias, te recordaremos siempre". Y Juan Rodríguez terminó el diálogo, escribiendo: "Lo mismo de parte nuestra, fue un honor ayudarles".

Este capítulo dramático e inolvidable que muchos colombianos deben haber retenido en su memoria, sucedido exactamente 30 años antes del día en que es lanzada la primera edición de este libro, me dejó claro que definitivamente yo estaba irremediablemente ligado a muchos momentos de "un compañero de colegio", (aunque de años diferentes), el Nobel Gabriel García Márquez, el ciudadano colombiano más famoso de toda la historia, si se tiene en cuenta que el Libertador Simón Bolívar no era nacional sino venezolano.

Capítulo 28

Gabo y Escalona: historias liceístas casi paralelas

Gabriel José de la Concordia García Márquez, nació en Aracataca el domingo 7 de marzo de 1927, le llevaba apenas 80 días de diferencia a Rafael Calixto Escalona Martínez, quien llegó al mundo en Patillal, Cesar, el viernes 27 de mayo de 1927. Al Maestro Rafael Escalona le faltaban 14 días para cumplir los 83 años, ese miércoles 13 de mayo de 2009, cuando partió de este mundo.

Gabriel fue el mayor de once hermanos (y de otros medio hermanos), y Rafael el séptimo de los nueve que hubo en el hogar conformado por Clemente Escalona Labarcés, coronel de la Guerra de los Mil días y apasionado por la literatura, y de Margarita Martínez Celedón, cuyo segundo apellido coincidió con el nombre del Liceo donde estudió Escalona, en Santa Marta, y al que se le dio ese nombre en memoria del Obispo Rafael Celedón.

Escalona Martínez y García Márquez, fueron grandes amigos. Gabriel escuchó varias veces los relatos sobre la Guerra de los Mil Días y sobre la matanza de las bananeras, al coronel Clemente Escalona, padre de Rafael, "El Gran Maestro del Vallenato", y añoró entonces los años en que su abuelo, el coronel Nicolás Ricardo Márquez Mejía, le relataba, en Aracataca, los mismos conflictos, desde sus vivencias personales.

Gabo y Rafa coincidían especialmente en temas como la música; las mujeres; su vida de estudiantes en dos liceos, uno en Santa Marta, y el otro en Zipaquirá. Y también en sus aventuras amorosas, y del amor, que Gabo conquistaba con sus poemas y Escalona con sus canciones vallenatas, que tuvieron origen en la antigua provincia de Padilla, al oriente del Magdalena, norte del Cesar y sur de La Guajira.

Rafael Escalona Martínez y Gabriel García Márquez se conocieron en 1950 en Barranquilla, cuatro años después de que este se graduara como bachiller en Zipaquirá, donde bailaba solo o acompañado al compás de las melodías y los sones de Rafa, quien fuera después, su amigo.

Escalona, poeta, trovador y juglar, sabía que Gabo, quien trabajaba como periodista en el periódico El Heraldo, lo admiraba y se sabía todas sus canciones. Y resolvió llamarlo para que se conocieran, y le puso una cita. Desde ese día nació una profunda y entrañable amistad que duró casi toda la vida, interrumpida sólo por la muerte del cantor vallenato.

Gabo se había integrado al llamado Grupo Barranquilla, del cual también fue asiduo, Rafa Escalona. Se trataba de una tertulia a la que pertenecieron los más destacados intelectuales de esa ciudad, entre ellos: Germán Vargas, Alfonso y José Félix Fuenmayor, Álvaro Cepeda Zamudio, Alejandro Obregón; Orlando Rivera, "Figurita"; Julio Mario Santo Domingo, Ramón Vinyes, y otros.

Se reunían en el bar de ambiente bohemio de Eduardo Vilá, llamado, "La Cueva", donde había una mezcla de poesía, crítica literaria, pintura, "mamagallismo" y "rumba".

Al Grupo Barranquilla, fueron llegaron personalidades como: Fernando Botero, Próspero Morales Pradilla, Antonio Roda, Enrique Grau; Héctor Rojas Herazo, Consuelo Araújo, Plinio Apuleyo Mendoza, Nereo López, Juan Antonio Roda, Marta Traba, Julio

Mario Santo Domingo, Luciano Jaramillo, Ricardo González Ripoll, (Alcalde de la ciudad y compañero de Gabo en el Liceo de Zipaquirá); Feliza Burzstyn, Meira Delmar, y Juan B. Fernández, entre otros.

Con Rafa Escalona coincidimos en diferentes momentos, cuando yo (quien escribe este libro) trabajaba en Cromos; luego en El Tiempo, después cuando fui director de Elenco, y de manera más cercana, cuando fui presidente de RCN Radio.

Una mañana de septiembre de 2006, cuando coincidimos con Rafael Escalona, con su esposa y con María Fernanda Valencia, alta funcionaria de Planeación Nacional, en la sala de espera de la vicepresidencia de la República porque debimos esperar a Francisco Santos durante más de una hora, debido a que la visita de una diplomática europea a su despacho se prolongó mucho más de lo esperado. Y entonces le conté a Rafael sobre este libro en el que ya había invertido varios años de investigación.

Hablamos de su relación con Gabo y de sus experiencias que tuvieron vivencias similares, cuando los dos estudiaban bachillerato, (Rafa en Santa Marta y Gabo en Zipaquirá); coincidencialmente en dos centros educativos llamados Liceo, palabra poco común, pues a los claustros estudiantiles les decían era colegio.

El diálogo sobre esa época de estudiante de Gabo y Escalona, fue motivo para reunirnos con este en dos ocasiones más, en las que hablamos nuevamente sobre el tema, porque yo había decidido escribir este capítulo dada la importancia que los dos le dieron, en la misma época, a su vida de estudiantes, porque encontraba en ellos una serie de situaciones coincidentes en asuntos de la cultura y del corazón, y muy especialmente por el influjo de los dos liceos en sus vidas.

Rafael Escalona me regaló una copia de la letra de las canciones que tenían relación con el Liceo, y un ejemplar de su biografía. Me contó que en una ocasión se fue para Aracataca con Gabriel García Márquez y otros amigos, y que armaron allí una parranda, "de padre y señor mío". Me repitió: "Ojalá termine pronto ese libro, para poder leer toda la historia de Gabo en su tierra (Zipaquirá) y también, para ver qué es lo que va a decir sobre mi amistad con él". Lo que yo no imaginé, (a pesar de que ya estaba un poco disminuido la última vez que lo vi), es que Rafa Escalona, muriera antes de que el libro fuera publicado.

Aunque se conocieron en 1950, tuvieron muchas vivencias algo similares, y que luego de amistarse, los acercaron. Dos detalles me llamaron mucho la atención, Gabriel García Márquez incluyó, con nombre propio, a Rafael Escalona en su obra magna, *Cien años de soledad*, y este, compuso una canción que llamó, "El Vallenato Nobel".

Por otra parte, metiéndome en las letras de cuatro vallenatos escritos por Rafa Escalona, en los que está presente su vida de estudiante en el Liceo Celedón, percibí momentos, detalles, frases, situaciones, que podrían haber sido tomadas de la vida de Gabo, en el Liceo de Zipaquirá.

Rafa estaba de acuerdo que en sus charlas con Gabo había descubierto lo mismo que yo le planteaba. Él me dijo: "Hablando con Gabriel, nos identificábamos con situaciones vividas por los dos en los liceos: la llegada del amor, las privaciones, los momentos de soledad y la sensación permanente de hambre".

Rafa enfatizaba en que habían nacido con muy pocos días de diferencia, el mismo año. Los dos fueron poetas, cada uno a su manera; los dos "picaflores" y enamorados; a los dos, la letra de su vallenato "El hambre del Liceo", los identificaba temáticamente.

Por otra parte, Gabriel García Márquez, que sabía todas las letras de las canciones de Escalona, escuchó de su propia boca, de primera mano, la historia que dio origen a su creación.

Rafael Escalona compuso su primer vallenato en febrero de 1943, cuando tenía 15 años; veinte días antes de que Gabo llegara a estudiar al Liceo Nacional de Varones, de Zipaquirá. La tituló "El profe Castañeda", y se la dedicó a Heriberto Castañeda, del Liceo María Concepción Loperena, mejor conocido como, Liceo Loperena. Después escribió, "El hambre del liceo", "El bachiller", y "El testamento", temas que afrontaban situaciones y vivencias con ojos estudiantiles, que bien hubieran podido ser los de Gabriel García Márquez.

Siendo apenas un niño, Rafael, el hijo del coronel Escalona, fue enviado a estudiar, desde Patillal (Cesar), donde nació, a Valledupar. Allí gozó porque aprovechó su forma de ser, alegre, elemental y fiestera; pero también pasó ratos amargos a más de 30 grados de temperatura; como los pasó Gabo, quien en Zipaquirá se reveló como experto en música vallenata, e intérprete de ella con sus amigos del Liceo, por las noches, antes de irse a acostar; pero no a 30 sino a unos 10 grados centígrados de temperatura, y algunas noches hasta de menos uno.

Como se sabe, el vallenato es interpretado con acordeón diatónico en reemplazo de las flautas de caña autóctonas, guacharaca, y caja, que es un tambor pequeño, originario de los indígenas 'chimilas', (de la tierra de Gabo), con un armazón de madera de entre setenta centímetros y un metro de diámetro, montado y cubierto en su parte superior por un parche de cuero de chivo, y abierto en el fondo. Las llaman caja en el Valle de Upar, sobre todo en los departamentos del Cesar, Magdalena y Guajira; pero las tocan en toda la Costa Caribe, aunque les dan diferentes nombres: guacherna, currulao, lumbalú; lo mismo que las tocaban los costeños en el patio del Liceo de Zipaquirá, y en el patio del Liceo Celedón.

Escalona en Santa Marta y Gabo en Zipaquirá

Escalona se fue a Santa Marta y empezó allí su bachillerato, en el Loperena, donde por fortuna se cruzó en su camino el profesor Heriberto Castañeda, un maestro sabio y cálido, cuya mayor ilusión era que sus estudiantes se formaran para la vida. A mi manera de ver, era el equivalente al profesor Carlos Julio Calderón Hermida, que inclinó y preparó a Gabo para que se convirtiera en un gran escritor.

El profesor Castañeda, jugaba fútbol con sus alumnos y se involucraba con ellos en las actividades más elementales, pero en 1943, año en que Gabo llegó al Liceo de Zipaquirá, el "Profe" Castañeda fue trasladado a un colegio de Ríohacha; capítulo que equivale en el caso de García Márquez, a la injusta destitución del poeta Carlos Martín como rector del Liceo Nacional de Varones, ordenada por el Ministerio de Educación en julio de 1944; o al encargo que se llevó a un colegio de Chiquinquirá al profesor Calderón Hermida, meses antes de que Gabo se graduara como bachiller y que le impidió estar ahí, junto a su mejor discípulo, en el momento de recibir su cartón de bachiller, temas estos que traté en otro capítulo de este libro.

Escalona lamentó el adiós de su gran maestro con un paseo vallenato cuya letra es bien descriptiva, y el que tiene elementos de tristeza, soledad y sentimiento, y en el que además, se queja del frío, como si se tratara de uno de los poemas escritos en esa misma época por Gabriel García Márquez, en Zipaquirá.

El primer vallenato del joven compositor Rafael Escalona, quien por entonces tenía 16 años, para su maestro, y que tituló: "El profe Castañeda", entre otras cosas, dice:

Él nos dijo adiós porque se ha ido,
le dijimos adiós pero que vuelva;
pero que vuelva el profe Castañeda.

Cuando ronca el viento frío de la nevada
que en horas de estudio llega al Loperena,
Ese frío conmueve toda el alma,
igual que la ausencia del profe Castañeda.

Desde entonces, Escalona compuso unas 90 canciones más, muchas de las cuales, tanto Gabriel García Márquez, como los colombianos de distintas generaciones, han cantado de memoria, entre ellas: 'La Casa en el Aire', 'El testamento', 'La vieja Sara', 'Jaime Molina', 'La Custodia de Badillo', 'La Brasileña', 'El almirante Padilla', 'María Tere', ''Rosa María', 'Dina Luz', 'El regalito', 'La molinera', 'Honda herida', 'La creciente del Cesar', 'El Arco Iris', 'La ceiba de Villanueva', 'El bachiller', 'El hambre del Liceo', 'La Patillalera', 'El jerre jerre', 'El Profe Castañeda', 'El general Dangond', 'Miguel Canales', 'El matrimonio de Colacho', 'Consuelo', 'El carro Ford', 'El copete', 'El hombre casado', 'El mal informado', 'El manantial', 'El medallón', 'El mejoral', 'El perro de Pavajeau', 'El pirata de Loperena', 'La despedida', 'La Flor de La Guajira', 'La golondrina', 'La letrina del cacique', 'La Maye', 'La Mensajera', 'La mona del Cañaguate', 'La Plateira', 'La resentida', 'Los celos de Maye', 'Mariposa bonita', 'Mariposa urumitera', 'Nostalgia de Poncho', 'Señor gerente', y otras.

La de Escalona era una familia acomodada; en su casa la comida era abundante, pero en el Liceo era muy escasa, y el hambre acosaba: "Porque un vallenato acostumbrado a comer sancocho no se puede conformar con un pedacito de pan y cuatro granitos de arroz", dijo una vez Rafa Escalona, quien convirtió sus vivencias en vallenatos.

En 1947 Gabriel García Márquez conoció en la Universidad Nacional al profesor de Derecho Constitucional, Alfonso López Michelsen, quien lo calificó con tres como nota final en esa materia, y quien luego se convirtió en amigo suyo. Y Escalona, también, en 1947, conoció al mismo personaje que llegó a ser Presidente, y caracterizado por ser un célebre amante del vallenato; fue amigo suyo y terminó siendo Secretario privado cuando lo nombraron de Gobernador del recién creado departamento del Cesar; y 27 años después, cónsul en Panamá, cuando López fue elegido como Presidente de la República.

En 1948, Gabo se rebeló y no quiso seguir en la universidad; a él no le gustaba el Derecho, lo único que quería era escribir, ser escritor. Lo mismo que hizo Escalona, pero por un problema médico. Cuando le dijo no más al estudio, se dedicó a lo que más deseaba que era componer vallenatos; lo que quería era la música; que alternó con la ayuda que le dio a su padre en su hacienda para que fuera ganadero y cultivador de algodón y que luego alternó con las parrandas, haciendo grande el "Festival Vallenato" de Valledupar, del que el Presidente López, "El Pollo Vallenato", fue uno de sus grandes fanáticos.

Escalona desertó del Liceo, como Gabo de la Universidad, sin haberse graduado. Rafa dice: "había tenido que repetir quinto año de bachillerato tres veces, hasta que aprobé; pero estaba en sexto y un día ingrato en que jugaba fútbol me dieron un golpe tan fuerte, sin mala intención, que me debilitó el nervio óptico. Y eso me obligó a abandonar el Celedón antes de poderme graduar de bachiller, cosa que siempre soñó mi padre", el coronel Escalona. Pero a cambio, esa deserción forzada del estudio, le hizo un inmenso aporte al folclor y la cultura colombiana; al igual que la huída de Gabo de la Facultad de derecho de la Universidad Nacional de Bogotá, que le permitió a Colombia, tener un Premio Nobel de Literatura.

Otra coincidencia en la vida de estos dos famosos colombianos, fue haber sido alumnos del profesor licenciado, Efraín Tovar Mozo, Escalona en Santa Marta y García Márquez en Zipaquirá. Tovar Mozo quien logró la nacionalización del Liceo Celedón cuando era su rector, terminó de profesor de Educación Física de Gabo, en reemplazo de Jorge Perry Villate, a quien botaron del colegio por tratar mal a los estudiantes y que murió en un accidente motociclístico.

Gabriel y Rafael: "Los dos eran buena muela"

Dos de los ángeles más venerados en el mundo son San Gabriel y San Rafael y dos de los colombianos más admirados han sido Gabriel y Rafael, García Márquez y Escalona, respectivamente. Otro vivencia común entre los dos fue la comida, o mejor, el hambre porque los dos eran "buena muela"; comían mucho y la alimentación en sus dos liceos les resultaba limitada dada la dimensión de su apetito.

A Gabo el frío de Zipaquirá le abría el apetito, y a Escalona le daba mucha hambre dado que la comida era escasa en su Liceo Celedón. Los dos tenían limitaciones económicas para comprar suplementos alimenticios, adicionales al "menú" de sus Liceos. Por eso no resultaría extraño que la primera confesión de Gabriel a Rafa, cuando se conocieron en Barranquilla, fue que aquel se identificaba con este, especialmente por su canción, "El hambre del Liceo", según me contó Rafael dos años antes de morir, cuando coincidimos en su despacho, en cumplimiento de nuestra cita con el vicepresidente de la República.

"El hambre del liceo"

¿Qué tiene Escalona,
qué tiene ese muchacho?
Dicen las personas cuando lo ven tan flaco
pero es que no saben el hambre que se pasa
cuando un vallenato se sale de su casa.

Cuando algún amigo me dice: voy para el Valle
Yo escribo a mi casa y na' más pongo en el papel:
que me manden de comer, que a mí me está
matando el hambre y con la letra bien grande
escribo abajo Rafael.

Otro elemento común entre Gabo y Rafa, es una despedida con sabor estudiantil; la de Gabriel, referida por su enamorada Berenice

Martínez, en otras páginas de este libro; y la de Escalona, expresada en su canción, "El Testamento", de la que algunos versos, dicen:

Oye morenita te vas a quedar muy sola
porque anoche dijo el radio
que abrieron el Liceo.
Como es estudiante ya se va Escalona
pero de recuerdo te deja un paseo.

Gabo se aficionó desde niño a la música autóctona de su Costa Caribe, en especial de los aires vallenatos; pero también de los boleros, por su romanticismo y su sentimentalismo, característico también en Escalona. Se sabe que desde siempre García Márquez fue un experto en boleros y que como los vallenatos, los canta muy bien.

Zipaquirá, donde Gabo también demostraba sus profundos sentimientos, no escribiendo canciones sino poemas, era una ciudad musical, como Ibagué; donde había tres academias y muchos conjuntos, estudiantinas, tríos, y hasta grupos de música de cámara. Y era una ciudad romántica, donde las serenatas eran frecuentes y la forma preferida para declarar amor. Era tan musical que al ilustre compositor zipaquireño, Maestro Guillermo Quevedo Zornoza, profesor y amigo de Gabo, lo llamaron para ser el primer director del Conservatorio de Ibagué, el más famoso de Colombia.

Así que, el ambiente musical de los boleros que alternaban en las noches con vallenatos en el patio del Liceo, era algo de todos los días. Allí, cuando dejaban de lado la música vallenata, Gabo, profundamente romántico, como Rafael Escalona, cantaba al amor y a las mujeres, con Guillermo Granados, Rafael Arnedo, el profesor Héctor Figueroa y algunas veces, con Álvaro Gaitán Nieto, Médico y profesor suyo de Fisiología e Higiene, en el Liceo.

Gaitán Nieto era un hombre culto: médico, poeta, músico y bohemio, que vivía a media cuadra del Liceo, y tenía un grupo musical que hizo fama en Zipaquirá; sus integrantes eran Luis Nieto y sus hijos, dos de los cuales fueron compañeros de colegio de Gabo; "El Burro" Carlos Rodríguez que era un virtuoso del tiple; el Maestro Jorge Talero, dos hermanos de apellido Pinzón y otros más. Ellos le daban serenatas a sus esposas o novias, con cualquier motivo, y aceptaban las peticiones de sus amigos para declararle el amor a sus parejas, serenatas que cuando eran cercanas al Liceo, despertaban y hacían suspirar al romántico estudiante costeño que llegó a Nobel.

Muchas noches, cerca del Liceo o en cualquier parte, incluyendo el sector donde vivíamos con mi familia, a una cuadra de la Catedral Mayor, las serenatas se repetían, razón por la que los zipaquireños crecimos, como Gabriel García Márquez, con el romanticismo a flor de piel.

Lo anterior explica por qué, estando en quinto de bachillerato, Gabriel García Márquez, quien de por sí era fanático de los boleros y se los sabía todos, escribió para quien fuera luego su esposa, el poema, "Soneto casi insistente en una noche de serenatas"; poesía que como la mayoría de las que se mencionan en este libro, fueron guardadas por compañeros suyos de curso, y escritas por él entre 1943 y 1946.

Los boleristas famosos en esa época, a quienes emulaba García Márquez, eran, entre otros: Leo Marini, Elvira Ríos, Rita Montaner, Toña La Negra, Agustín Lara, Rafael Hernández, Pedro Flores, Pedro Vargas, Alfonso Ortiz Tirado, María Luisa Landín, Chucho Martínez, Juan Arvizu, Benny Moré, Consuelo Velásquez, Tito Rodríguez, Virginia López, Gregorio Barrios, Hugo Romani, Genaro Salinas, Fernando Albuerne, Fernando Torres, Gregorio Barrios, y otros.

Los boleros que interpretaban en las serenatas o los que Gabo solía cantar en el patio del liceo, o donde fuera, eran según Álvaro Ruiz: ¿Por qué dudas?, Alma mía, Mi último bolero, No puedo callar, la historia de mi vida, Llanto de luna, Amor, amor, amor, somos diferentes, Prohibido, un año más sin ti, Solamente una vez, Sombras nada más, Qué me importa, Arráncame la vida, Flor de azalea, Angelitos negritos, Nosotros, Aquellos ojos verdes, Sin ti, Bésame mucho, Frenesí, Historia de un amor, Inolvidable, Cada noche un amor, Con mil desengaños, Contigo en la distancia, Qué Te Importa, Señora Tentación, Por Equivocación, Amorosamente, Ansiedad, Celos, Dos almas, Deuda, Dos gardenias, Mi carta, Toda una vida y Verdad amarga.

Leído lo anterior, se puede comprender mejor la razón de "Soneto casi insistente en una noche de serenatas", poema de Gabriel García Márquez, escrito en 1945 y guardado por su gran amigo Álvaro Ruiz Torres, en el que como en los vallenatos de Escalona, afloran la soledad y las aflicciones de amor. Estos son algunos de sus versos:

Quisiera una mujer de sangre y plata.
Cualquier mujer. Una mujer cualquiera,
cuando en las noches de la primavera
se oye a lo lejos una serenata.
tal vez porque oyendo serenatas
me duele el corazón musicalmente.

Escalona, a diferencia de quienes se dedican a los vallenatos, nunca supo interpretar un acordeón, o algún instrumento, pero nadie como él enriqueció la música vallenata, y la colombiana, dejándole de herencia a los colombianos, casi 100 canciones.

Así como Gabriel García Márquez en 1982 se ganó el famoso Premio Nobel, Rafael Escalona Martínez en 2006 obtuvo un galardón, si no tan importante como este, si de gran de prestigio, el Premio Grammy que le fue otorgado por el Consejo Directivo de la Academia de las Artes y las Ciencias de la Grabación.

Como ya se dijo, otro de los vallenatos que identificaron a Escalona y a Gabo, con temas liceístas, fue "El bachiller", algunos de cuyos versos, dicen:

Como yo no tengo diploma de bachiller
en el valle dicen que no puedo enamorar,

Felices aquellos los que pueden presentar
el grado bonito que conquista a las mujeres.

Porque eso si es digno de compadecer
todo el que no tenga el grado de bachiller.

Sin embargo, el 26 de septiembre de 1991, con motivo de la celebración de los 49 años del Liceo Loperena, donde se frustró su bachillerato, le fue otorgado al Maestro Escalona el grado "Bachiller Honoris Causa".Y casi cuatro años antes de su muerte, el 2 de agosto de 2005, más de 60 años después de salir del Liceo, el INEM de Cartagena, lo declaró por segunda vez bachiller, al entregarle otro título honoris causa, que sin duda compensó su frustración por no haberse podido graduar, cuando su padre tanto soñaba con ello.

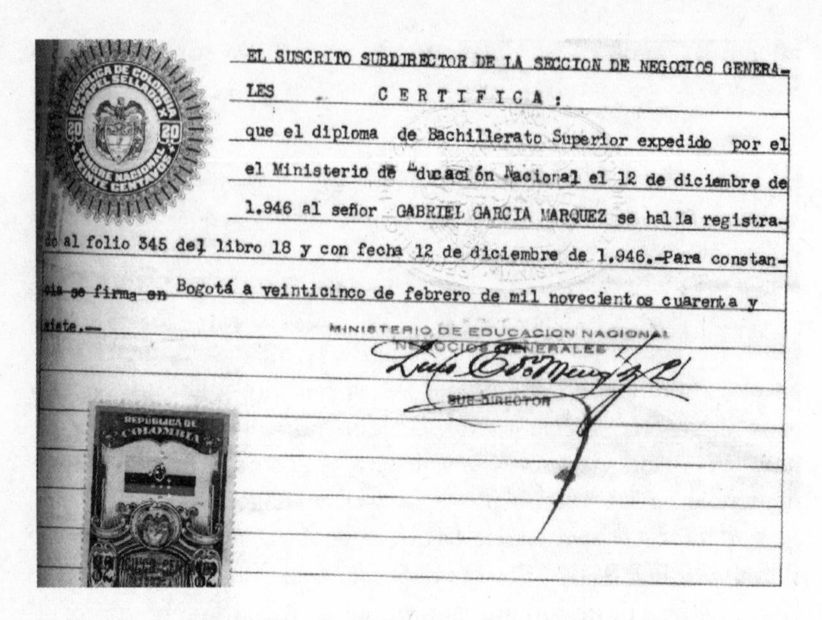

EL SUSCRITO SUBDIRECTOR DE LA SECCION DE NEGOCIOS GENERA-
LES . C E R T I F I C A :
que el diploma de Bachillerato Superior expedido por el
el Ministerio de Educación Nacional el 12 de diciembre de
1.946 al señor GABRIEL GARCIA MARQUEZ se halla registra-
do al folio 345 del libro 18 y con fecha 12 de diciembre de 1.946.-Para constan-
cia se firma en Bogotá a veinticinco de febrero de mil novecientos cuarenta y
siete.—

MINISTERIO DE EDUCACION NACIONAL
NEGOCIOS GENERALES
SUB-DIRECTOR

Registro en el Ministerio de Educación del grado de Gabo como bachiller.

La música de Escalona llegó a la televisión con Carlos Vives, sus discos han conquistado América y Europa, y la fama de Escalona que ya era grande, creció como espuma; tanto que de las canciones de Rafael, el hijo del coronel Clemente Escalona Labarcés, hay versiones en flamenco, en salsa, y hasta en música sinfónica.
Para finalizar este capítulo, repetimos por especial, que en su mítico libro, *Cien años de soledad*, Gabo dejó escrito el nombre de Rafael Escalona y que este compuso en su honor, "El Vallenato Nobel'. Pero el Maestro Rafael Escalona, uno de los acompañantes de honor de Gabo en Estocolmo, el 10 de diciembre de 1982, cuando recibió el Premio Nobel, ya no está en este mundo.

Murió y como en toda Colombia, lo lloraron en el Valle de Upar, tierra del legendario Cacique Upar. Allí, y en muchos sitios del país, los acordeones, las cajas vallenatas y las guacharacas, lloraron la muerte del Maestro Rafael Calixto Escalona Martínez, sucedida en Bogotá, el miércoles 13 de mayo de 2009, la cual tuvo repercusión en Ecuador, México, Venezuela, Costa Rica, España y otros países, donde también cantan sus canciones.

Gabriel García Márquez también lloró el adiós de su amigo Rafa Escalona y desde entonces, seguramente lo ha recordado más y ha cantado en silencio las canciones vallenatas con las que más se identificaba con él: "El hambre del Liceo", "El profe Castañeda", "El testamento", y "El bachiller".

Capítulo 29

La Guerra de los Mil Días se definió en Zipaquirá

El historiador, filósofo y escritor Carlos Vidal V. quien dio a conocer en 1977 en Estocolmo, una investigación titulada, la Guerra de los Mil Días desde una perspectiva internacional" (På svenska Mina svenska krönikor), que dice: "En junio de 1898 se reunieron en Zipaquirá los liberales guerreristas Foción Soto, Rafael Uribe Uribe, los hermanos generales Carlos y Ramón Neira Neira, Zenón Figueredo, el Comandante Juan MacAllister, Pablo E. Villar y otros, para trazar los planes conducentes a la declaratoria de guerra civil y el inicio de las hostilidades de la que resultó ser: la Guerra de los Mil Días.

Unánimemente se acordó que el departamento de Santander fuera el escenario de los primeros combates, no solamente porque la mayoría de su población era liberal sino además porque era fronterizo con Venezuela y se pensaba coordinar los movimientos con la revolución que fomentaba el general Cipriano Castro en el país vecino, quien adelantaba su marcha por el poder en Venezuela".

På svenska (en sueco)
Mina svenska krönikor
C.V. (c) Carlos Vidales
Estocolmo, 1997.

Los tratados de paz se firmaron en la hacienda Neerlandia en Ciénaga, Magdalena, el 24 de octubre de 1902, aunque los combates continuaron hasta noviembre de ese año. El tratado de paz definitivo se firmó en el acorazado estadounidense Wisconsin el viernes 21 de noviembre de 1902.

La guerra devastó al país y lo empobreció; causó más de cien mil muertos; llevó a Colombia a la ruina fiscal; muchos millares de jóvenes murieron en combate, o quedaron heridos o lisiados e incapacitados; el Presidente Manuel Antonio Sanclemente fue derrocado y reemplazado por José Manuel Marroquín.

Los daños y la destrucción a la red nacional telegráfica y a las líneas telefónicas afectaron todo el país, y uno meses después, en 1903, Colombia perdió a Panamá.

García Márquez, su abuelo el coronel y el capitán Quevedo

Esta historia está plagada de contrastes y coincidencias; de lugares comunes, de situaciones parecidas; veamos: los abuelos de Gabriel García Márquez y de su profesor, el Maestro Guillermo Quevedo Zornoza, se llamaban Nicolás: el de Gabo,Nicolás Ricardo Márquez Mejía y el del Maestro Guillermo Quevedo Zornoza, Nicolás Quevedo Rachadel.

El capitán Quevedo y el coronel Márquez, dejaron sus familias en 1898, para enrolarse en las fuerzas rebeldes liberales del general Rafael Uribe Uribe. Quevedo abandonó sus estudios de bachillerato, que adelantaba en los mismos salones de la casona zipaquireña donde Gabriel García Márquez estudió su bachillerato, cuatro décadas después. Y además, donde su profesor de Música y Canto fue allí, precisamente allí, el capitán Guillermo Quevedo Sornoza, a quien le habían cambiado el grado militar por la distinción de Maestro y de quien Gabriel García Márquez fue confeso admirador.

Una noche, a finales del siglo XIX, 16 estudiantes del colegio San Luis Gonzaga de Zipaquirá, (nombre anterior del Liceo de Varones de Zipaquirá, donde estudió García Márquez) que regentaba don José Joaquín Casas, se escabulleron de ese claustro y de la casa paterna y, se unieron a las fuerzas liberales comandadas por los generales Manuel Colmenares y Benito Ulloa, cuyo cuartel estaba ubicado en la población de Pacho, Cundinamarca.

Uno de esos voluntarios, quien apenas tenía 16 años, el joven Guillermo Quevedo, se incorporó al Batallón Figueredo y participó en la campaña revolucionaria del occidente de Cundinamarca y Boyacá, en la cual perdió amigos, compañeros, salud y fortuna.

La historia de Nicolás Ricardo Márquez, dio origen a la obra de Gabo, *El coronel no tiene quien le escriba*, y la del capitán Quevedo, bien pudo llamarse, "El capitán no tiene quien lo avale", ante la Comisión de Escalafón de Antiguos Militares.

La Guerra de los Mil Días en la que los dos militares pelearon, del mismo lado, se inició el 17 de octubre de 1898. La paz definitiva se firmó el día primero de noviembre de 1902.

La orden de pago de la "Recompensa" al capitán Quevedo, se dio el 30 septiembre de 1948, es decir, 45 años y 11 meses después. Pero el abuelo de Gabriel García Márquez, esperó 35 años y nada consiguió, y murió el 4 de marzo de 1937, dos días antes de que Gabo cumpliera 10 años, y cuando aún no había sido sancionada la ley correspondiente.

A Guillermo Quevedo, el "Escalafón como Antiguo Militar", le fue reconocido, y la "Recompensa" económica que le correspondía, de acuerdo con la Ley, en su condición de, "Oficial perteneciente al Escalafón de Antiguos Militares, con el grado de capitán".

Las veces que leí el expediente del capitán Quevedo al Ministerio de Guerra, me repitió la imagen del veterano coronel Márquez. El capitán tuvo que esperar casi medio siglo para lograr que, por orden del Presidente Mariano Ospina Pérez, en 1948, le pagaran el reconocimiento de su "Recompensa", por haber luchado en el ejército liberal entre 1898 y 1902, durante la Guerra de los Mil Días; pago que se materializó el 30 de septiembre de 1948, a los dos años de que luego de ser su profesor durante cuatro años, se graduara Gabriel García Márquez como bachiller en el Liceo, de Zipaquirá, y

Uno de los patios de la casona de la familia del Maestro Guillermo Quevedo; hoy Museo Quevedo Sornoza.

46 años después de que se declarara reestablecido el orden público y terminara oficialmente el horror de la guerra.

El Gobierno Nacional decretó el reconocimiento de la "Recompensa" solamente el 30 de septiembre de 1948, que era de $2.280 pesos al capitán Quevedo, por haber luchado en el ejército liberal durante la guerra, y previo un descuento del 15% ordenado por el artículo 20 de la Ley Séptima, de 1938.

Como dije antes, la historia del abuelo de Gabo, el coronel Nicolás Márquez, inspiró a Gabo su libro, *El coronel no tiene quien le escriba*, (publicado en 1961); uno de los personajes más queridos creados por aquel. Su propia situación económica difícil, en París, le aportó elementos para su obra, sobre lo que significa quedarse sin dinero, esperando inútilmente un giro que no llega; que es lo que le sucedió a él cuando escribía el libro en la capital francesa.

La novela, expone la vida de un coronel veterano de una guerra civil, que vive con su esposa en un pueblo de tierra caliente; están muy pobres y necesitan dinero para poder comer. El coronel espera en vano durante muchos años su pensión del gobierno que le prometieron al fin de esa guerra. Va cada semana a la oficina de correos a buscar un documento que le otorga esa pensión, que nunca llegará.

García Márquez y Guillermo Quevedo se conocieron en Zipaquirá en 1943, siendo aquel alumno y este, profesor. Curiosamente, Gabo quien lo admiró siempre, aprendió a escribir en la vieja máquina Underwood del Maestro, que aún se conserva en la "Casa Museo Quevedo Zornoza", de esa ciudad, y siguió muchos de sus consejos.

La crónica del capitán

Quevedo cumplió como combatiente y luego demostró reiteradamente que en realidad era un hombre pacífico que condenaba la violencia y los abusos; que lo suyo era la música, la literatura y la cultura.

Yendo más allá de lo que le exigía el gobierno, el capitán Guillermo Quevedo, narró su experiencia como soldado, en una estupenda crónica que escribió para sustentar su solicitud de "Recompensa", (que no pensión), titulada: "Recuerdos y apuntes militares sobre la campaña de occidente de Cundinamarca en la guerra de los tres años, escritos por un zipaquireño".

En ella, narra los momentos anteriores y posteriores a la decisión que tomó de irse a la guerra cuando era estudiante de bachillerato, en el mismo claustro donde 41 años después estudió Gabriel García Márquez. El Maestro vivió crueles pero formadoras experiencias en la guerra, y luego tuvo el valor de convertirse en un intelectual de trayectoria internacional.

La crónica reposa en el Archivo General de la Nación; Fondo Veteranos de la Guerra de los Mil Días, Caja 530, escrita en 1937. Transcribo algunas líneas de ese estupendo relato de guerra, escrito por el entonces capitán Quevedo, para sustentar su "respetuosa solicitud" para que se le reconociera su grado militar y su "Recompensa", repito, que no pensión.

Quevedo en su crónica, "Recuerdos y apuntes militares...", dice: "La mayor parte de la juventud que hizo esa breve, pero intensa y valientísima campaña, no volvió. Los que, como el autor de estos apuntes, regresamos al hogar enfermos y agotados, con la salud minada para siempre, fuimos víctimas de la cólera del vencedor. Imposible encontrar abierta la puerta de un colegio para un liberal. Nuestros cuatro o cinco años de literatura, ya ganados, se perdieron; y una generación de muchachos, ya sin horizonte y sin carrera, hubo de emigrar en pos de lo desconocido!... Y fue, por este aspecto, más cruel y definitivo el desastre del liberalismo. Ser hoy liberal, dentro del propio régimen... es muy fácil!

"El muchacho de ayer... lo perdió todo: salud, seguridad, libertad, fortuna y educación! Y ahora se nos mira por nuestros "modernos" copartidarios, como vejestorios inútiles. Ese -dicen-, es de los veteranos. Pero Veterano, para los barbilindos liberalitos al día, (los más modelo 1930), es sinónimo de imbécil. Ahora nos quieren mandar al Amazonas o al Putumayo, como premio, y no a cruzar la raza con los huitotos o carjones, que para eso ya no servimos, sino a que fundemos un "veteranocomio", o "veteranolepro", mientras los cachifos actuales dictan conferencias del más avanzado idealismo político y toman whisky "por la salud, y honra y prestigio del Gran Partido Liberal, que ellos solos, (manes de Uribe Uribe, Herrera, Pulido y demás "ilusos") que ellos solos,... óigase bien, han llevado al triunfo!..."

"Es fácil que algunas fechas estén erradas. Son recuerdos de treinta y siete años y escritos en la pesadumbre de la hora presente".

Zipaquirá, diciembre de 1937

Coronel zipaquireño compañero de combate del abuelo de Gabo

En el Archivo General de la Nación ocupa lugar especial la Guerra de los Mil Días; y hay decenas de historias de militares zipaquireños que combatieron en ese cruel conflicto. Se encuentran interesantes relatos de guerra como los del capitán José Joaquín Gaitán y Vega, y los de tres miembros de una misma familia: el teniente Milcíades Wiesner Díaz; el sargento mayor Luis Jorge Wiesner y Carlos G. Wiesner, capitán Ayudante del general Tomás Lawson.

Pero hay dos historias reales, relacionadas directa e indirectamente con el protagonista de este libro: Gabriel García Márquez. Una, es la del capitán y luego escritor, poeta, historiador y compositor, Maestro

Guillermo Quevedo Zornoza, quien estudió en los mismos claustros del Liceo Nacional de Varones de Zipaquirá, donde Gabo hizo cuatro años de bachillerato, y que 41 años después de la terminación del terrible conflicto de los Mil Días, Quevedo fue profesor de Música de García Márquez, allí, quien luego de ser su alumno se expresó elogiosamente de él en su libro *Vivir para contarla.*

Por otra parte, entre la vida del ilustre y polifacético Maestro Quevedo, y la del coronel Nicolás Ricardo Márquez Mejía, abuelo de Gabriel García Márquez, hubo asuntos muy coincidentes, como el de su "eterna" espera para recibir del estado el reconocimiento económico a su participación en la guerra, tema que amplío en otras páginas de este libro.

La otra historia es la del coronel liberal zipaquireño, Edilberto Zambrano, (quien terminó ciego), que tiene relación directa con la de Nicolás Ricardo Márquez Mejía, coronel en la Guerra de los Mil Días, (librada entre 1898 y 1902); famoso no sólo por haber sido el abuelo que tanto influyó en la vida del Nobel Gabriel García Márquez, y especialmente porque inspiró uno de sus libros estelares: *El coronel no tiene quien le escriba.*

Aunque no puedo precisar los detalles, los coroneles Zambrano y Márquez tuvieron que haberse conocido durante la guerra, pues los dos combatieron haciendo parte del mismo ejército, del mismo contingente, en la misma región, durante la misma guerra, contra los mismos enemigos y bajo órdenes de los mismos jefes; y porque a los dos, (como le sucedió al capitán Guillermo Quevedo), los unía la eterna espera de un reconocimiento económico como veteranos de la Guerra de los Mil Días.

Para poder cobrar el mencionado auxilio, los veteranos debían comprobar ante el ministerio de Guerra: primero, que combatieron en el conflicto, cuándo y donde; y después demostrar el grado militar con el que lucharon en el ejército rebelde liberal, durante la Guerra de los Mil Días. Los veteranos llevaron ante notarios y jueces, a capitanes, mayores, coroneles y generales para que, bajo la gravedad del juramento, testimoniaran lo que les constaba sobre lo que el Ministerio exigía. Insólitamente, sólo en mayo de 1948, es decir, 46 años después de 1902, cuando terminó la guerra, recibieron la bonificación.

El coronel Nicolás Ricardo Márquez Mejía murió el jueves 4 de marzo en 1937, a la edad de 73 años y después de haber esperado inútilmente durante 38 años que fuera decretada la "Bonificación" prometida a los veteranos.

La del coronel no era una pensión sino una bonificación

El coronel Márquez ni siquiera pudo tramitar tal "Recompensa", (que no era pensión) ni presentar los documentos exigidos para que se la otorgaran, sencillamente porque a pesar de haber sido anunciada desde muchos años atrás, se quedó en promesas, y llegó a ser un hecho legal, (solo para algunos veteranos), hasta 1938, cuando fue decretada la "Ley 7ª", que autorizó ese auxilio; es decir, al año siguiente de la muerte del coronel. Debe aclararse que el pago efectivo de la "Recompensa", a quienes lograron que les fuera reconocida después de sancionada la Ley, se les demoró 10 años más, hasta 1948, cuando ya muchos de los aspirantes a ella, habían muerto.

Sobre la participación del coronel Edilberto Zambrano en la guerra, el general Carlos A. Muñoz, declaró ante el Juez Civil del Circuito, y el Personero Municipal de Fusagasugá, el lunes 20 de febrero 1939, según consta en un documento histórico que reposa en el Archivo General de la Nación; donde también están los tres testimonios rendidos en favor de Zambrano, por los generales Aníbal Barbosa, Germán Vélez y Carlos Niño Beltrán, que hablan de los combates en los mismos sitios donde combatió el coronel Márquez.

Seleccioné apartes de los testimonios de los generales Carlos A. Muñoz y Germán Vélez, por considerarlos propicios para ilustrar este tema que relaciona al coronel zipaquireño con el coronel abuelo de Márquez. El primero, declaró: "Conocí al coronel Edilberto Zambrano durante la Guerra de los Mil Días, por haberse incorporado en las fuerzas revolucionarias de mi mando que actuaban en el Departamento del Magdalena, a mediados del año de mil novecientos dos; pero tengo la pena de no contestar afirmativamente el punto en que se expresa que el peticionario se incorporó al ejército de mi mando con el grado de coronel, pues lo cierto es que el grado con que el peticionario fue dado de alta fue el de sargento mayor, y luego después del combate de Saloa, fue ascendido por mí a comandante o teniente coronel".

"Es verdad y me consta que algunos meses después de terminada la aludida revolución, cuando el declarante gozaba del sentido de la vista, me mostró el peticionario varias notas y cartas escritas y firmadas del puño y letra del general Rafael Uribe Uribe, en los cuales documentos le reconocía este jefe el grado de coronel al peticionario, quien después de haber permanecido un corto tiempo como unidad de las fuerzas de mi mando, se incorporó el peticionario en el ejército que comandaban en Aracataca los generales Uribe Uribe y Castillo, dentro del cual, el peticionario continuó la campaña, habiendo sido destinado el Cuerpo de ejército que yo comandaba para actuar sobre la parte alta de los departamentos de Bolívar y Magdalena. También debo agregar que el mismo general Uribe Uribe me afirmó en su casa de Bogotá, hallándose presente el peticionario señor Zambrano, que este, dirigiéndose al coronel Zambrano, le reconocía el título de coronel, e hizo alusiones honrosas en su favor, relativas a la batalla de La Ciénaga".

"Esta, marcó el final de la guerra. En la casa de la hacienda bananera Neerlandia, cerca de allí, firmaron el tratado de paz diez días después, el 14 de octubre de 1902".

"El coronel Zambrano estuvo incorporado dentro de las fuerzas de mi mando; después del combate de Saloa, nos dirigimos a encontrar al general Uribe, quien venía del exterior, contramarchando yo con las fuerzas de mi mando como jefe de Operaciones en la parte alta de los departamentos de Magdalena y Bolívar".

A su vez el general Germán Vélez, declaró: "Me consta que el general Uribe Uribe después de la guerra última civil presentaba en toda ocasión como coronel del ejército revolucionario al señor Edilberto Zambrano, esto en Barranquilla en donde lo encontré allí con el grado de coronel. Igualmente yo vi el certificado del señor general Uribe Uribe en que nombraba coronel al señor Edilberto Zambrano, el cual adquirió en las campañas de Santander y la Costa".

Otro documento que encontré en el Archivo Nacional, firmado por el militar zipaquireño que luchó en Aracataca y en la Costa, dice: "Yo Edilberto Zambrano, mayor y vecino de Zipaquirá, con Cédula de Ciudadanía No 436.695, expedida en esta ciudad, participé en las campañas de los mil días, bajo las banderas y las órdenes del ínclito Caudillo Doctor y general Rafael Uribe Uribe".

"En la reorganización verificada para seguir a la Batalla de Palonegro fui promovido al batallón "Vargas Santos" a órdenes del coronel Manuel José Nieto, ascendido a capitán de la primera Compañía.

El general Vargas Santos marchó al Valle de Upar por la Ciénaga de Zapatoca; y disueltas las fuerzas del general Rodríguez quedé como guerrillero en esa región con el coronel Francisco Ortiz Garay, y después de que este cayó prisionero seguí al Valle de Upar con el general Carlos A. Muñoz, incorporándonos en las fuerzas del general Clodomiro F. Castillo".

Los mismos enemigos, en la misma región y en la misma guerra

Como lo registra Dasso Saldívar en su libro *El viaje a la semilla*, (Alfaguara, 1997) tras una juiciosa investigación, el coronel Nicolás Ricardo Márquez, tenía también como comandante al general Castillo, del que tanto Márquez como el coronel Zambrano hacen alusión como relacionados directamente con ellos, al igual que otros militares mencionados por Saldívar, que en su libro, entre otras menciones hace esta: "El general Clodomiro Castillo nombrado por Uribe Uribe como nuevo Jefe de los ejércitos en el Atlántico, nombró comisiones que debían alcanzar Valledupar por rutas diferentes en tiempo récord. Una fue la de los coroneles Nicolás Márquez y Octavio Gómez; su jefe era Clodomiro Castillo".

"El viernes 14 de agosto el general Rafael Uribe Uribe apareció en Riohacha procedente de Curazao. Asumió el mando, reorganizó sus tropas y con mil hombres partió a Valledupar, por Barrancas, llegando a Aracataca el 5 de septiembre. Acampó allí dos días, se reunió con el general Clodomiro Castillo y con sus oficiales, incluido el coronel Márquez".

Coincidiendo con las menciones del biógrafo de Gabo, el coronel Zambrano, prosigue: "Al regreso del general Uribe Uribe al país, el general Castillo le puso a sus órdenes el ejército, quedando en la región de Riofrío y la Ciénaga y trasladándose el general Uribe a Tenerife a detener en persona las fuerzas del gobierno que marchaban a Panamá, y con él las órdenes personales del ínclito Caudillo general Uribe, detuvimos a esas fuerzas con su flotilla durante quince días. A principios de octubre ordenó el general Uribe que regresáramos a Riofrío, y el 11 de octubre atacamos bajo las órdenes de los generales Uribe y Castillo a la Ciénaga de Santa Marta".

Y termina diciendo: "El día 13, estando triunfantes, entró por los caños el vaporcito del gobierno llamado 'Nely Gazan', atacándonos por retaguardia, produciendo con su cañoneo el pánico en nuestras tropas que abandonaron la línea de batalla. En aquel momento presencié los prodigios de coraje del general Uribe deteniendo a los derrotados. A mí me dijo: "Coronel Zambrano, detenga su tropa y ocupe la calle de la carrera". En esa carga quedaron heridos los coroneles Enrique Barreto y Fabricio Arosemena, jefes de La Artillería. El 18 de octubre se firmó un armisticio por diez días, y el 24 el general Uribe convocó una junta de oficiales generales. El día 26 de octubre me ratificó el ascenso a coronel que me había concedido en la línea de batalla, en el combate de Ciénaga", en el cual también participó el coronel Márquez, abuelo de Gabo.

Reitero que aunque no puedo precisar los hechos porque en ningún documento se hace mención simultánea de los coroneles Márquez y Zambrano, por la coincidencia de las narraciones sobre uno y otro y, repito, porque los dos combatieron haciendo parte del mismo ejército, en la misma región, durante la misma guerra, contra los mismos enemigos y bajo órdenes de los mismos jefes, entre ellos, los generales Clodomiro Castillo, Sabas Socarrás y Javier Romero.

El abuelo de Gabo murió sin el beneficio de la Ley 7ª de 1938

Los generales, coroneles y oficiales veteranos de la guerra, fueron sometidos al olvido y la pobreza, que los condenó durante muchos años a que, uno tras otro gobierno les incumpliera una promesa anunciada al término de la guerra. Muchos, (como el coronel Márquez) murieron sin recibirla. De nada les sirvió el artículo 10 de la Ley 7ª de 1938 que decretó unas recompensas, que sí favorecieron al coronel Edilberto Zambrano y al capitán Guillermo Quevedo Zornoza, quien fuera entre 1943 y 1946 profesor de Música de Gabriel García Márquez, en Zipaquirá.

La ley decía: "Se señala como valor de esta recompensa, un año del sueldo que le correspondiere según su grado si estuviere al servicio activo y que el Honorable Consejo de Estado ha dictaminado que el sueldo que debe tenerse en cuenta para liquidarla, es el que devenga un oficial de su graduación al entrar en vigencia la Ley citada, o sea el 25 de febrero de 1938".

En el caso del capitán Quevedo, el documento del reconocimiento, (como el del coronel Zambrano), terminaba diciendo:

"En mérito de estas consideraciones,
Resuelve:

"Reconocer a favor del Señor Guillermo Quevedo Zornoza, la suma de Dos mil doscientos ochenta pesos (2.280.00) m/cte, por concepto de la Recompensa que le corresponde, en su condición de Oficial perteneciente al Escalafón de Antiguos Militares con el grado de capitán.

"El pago se hará por el Departamento de Control y Ordenación del Ministerio de Guerra en la forma señalada por las Leyes 142 de 1938 y 18 de 1946, previo el descuento del 15% ordenado por el artículo 20".

Dada en Bogotá, a 11 de septiembre de 1948.

El Presidente de la República, Mariano Ospina Pérez
El ministro de Guerra, Germán Ocampo.
Antonio Salazar H., oficial mayor de la Presidencia

Capítulo 30

La historia zipaquireña que nadie le contó a Gabo

He de repetir que Gabo se declaró marxista por las influencias intelectuales que recibió en Zipaquirá; una de las razones fue haber vivido en una ciudad históricamente rebelde y en el Liceo en que estudió bachillerato, donde algunos de los profesores que lo formaron e influyeron en su vida, eran comunistas. Entre ellos, Héctor Figueroa, su profesor de inglés, quien dos años antes de morir, en una extensa entrevista que le hice, me dijo: "Varios profesores en Zipaquirá teníamos ideas de avanzada, y Gabriel fue ciertamente un alumno aventajado en teorías marxistas".

Ya había dicho que la mayoría de los profesores provenían de la Escuela Normal Superior, de Bogotá; dirigida por el médico psiquiatra, José Francisco Socarrás, nacido en San Juan del César, y confeso en las ideas de izquierda.

Más de cuatrocientos años antes de que, "el rebelde de Aracataca" pisara suelo zipaquireño, esta tierra muisca llamada "Chicaquicha", se había caracterizado por negarse a la conquista; por sublevarse en muchas ocasiones contra los abusos de los conquistadores y de los virreyes. En mi libro, *Lo mejor de Zipaquirá*, incluyo muchos ejemplos que ilustran la afirmación sobre la calidad de insurgente que ha caracterizado a esa ciudad, donde nací.

Muchos años antes de que naciera el Libertador Simón Bolívar, indios y criollos se levantaron en Zipaquirá contra la opresión española y contra las imposiciones confiscatorias del Virreinato y se habían amotinado contra los representantes del rey.

El ambiente que influyó en García Márquez y sus años en el Liceo, es parte de la tradicional rebeldía zipaquireña, registrada en innumerables capítulos históricos como la revolución comunera. Otros de origen libertario de los ejércitos patriotas y de guerrillas como la de los Almeida; en varios capítulos de guerras del siglo XIX y XX y en otros más recientes como el de la bien conocida época del M-19 allí, donde se hicieron visibles personajes como "La Chiqui", Gustavo Petro y Everth Bustamante.

Ciudad de rebeldes desde la época muisca

La ciudad donde estudió Gabo, fue sede de la primera revolución de América, y centro Político del Segundo Virreinato, entre el 28 de mayo y el 8 de junio de 1781, durante la "Revolución de los Comuneros", y la firma de las Capitulaciones en su Plaza Mayor, se consagró como un hecho fundamental de la historia libertadora, porque fue el primer grito de independencia en América, equivalente a uno de los momentos culminantes de la Revolución Francesa.

Los Comuneros exigieron la extinción de un cúmulo de impuestos que pesaban sobre la espalda de los indios, mestizos, criollos, y aun sobre la de los mismos españoles, particularmente la rebaja en el precio de la sal zipaquireña, y que esta volviera a manos de sus antiguos dueños, los indígenas muiscas.

En Zipaquirá se tomaron decisiones que marcaron distintas etapas de la Nación; allá los líderes liberales decidieron cuándo, cómo y dónde se iniciaría la Guerra de los Mil Días. La rebelión conservadora contra Murillo Toro, en 1865; y en 1873, fue protagonizada en esa ciudad revolucionaria, la que se llamó la "Rebelión de los Pobres".

El protagonista de la reyerta del florero el 20 de julio de 1810, coronel Francisco Morales Fernández, fue Administrador de Salinas, Jefe Civil y Militar de Zipaquirá y organizador allí de un Batallón Patriota de Caballería de 600 soldados.

En 1811, los disturbios allí fueron tan graves que el general Antonio Nariño tuvo que nombrar una comisión para solucionar el conflicto.

En diciembre de 1814, Nariño nombró como Sub-presidente y Jefe Superior Político de la Villa y Jefe Civil y Militar de Zipaquirá, al prócer don José Acevedo y Gómez, revolucionario que había participado en varios acontecimientos del proceso emancipador, como la proclamación de la independencia de Cundinamarca y de la Provincia de Tunja. Su influencia en esta Villa fue un elemento más que fortaleció la tradicional rebeldía zipaquireña, de la que García Márquez algo tomó.

En noviembre de 1815, la permanencia del Cabildo de Zipaquirá fue sometida a la decisión de un plebiscito, el primero que se conozca en la nación. El resultado fue adverso a esa institución. La libre voluntad de los zipaquireños fue rechazar y repudiar al cabildo que, desde luego, cayó.

Zipaquirá fue sede del gobierno patriota revolucionario en 1816, o Capital del Gobierno de las Provincias Unidas de La Nueva Granada, siendo Presidente José Fernández Madrid, quien sucedió a Camilo Torres desde el martes 14 de marzo de 1816. El martes 2 de abril, Fernández cerró su Palacio Presidencial en Santa Fe de Bogotá y lo trasladó a Zipaquirá, a donde llegó el 4, a la cabeza de su Guardia de Honor instalando allí la Presidencia.

Convirtió a la ciudad en Capital del Gobierno de las Provincias Unidas, y estableció la sede de su gobierno. Llegó acompañado de su Guardia de Honor, al mando del brigadier José Sanz de Santamaría, de la cual formaba parte el general Pedro Alcántara Herrán; el Secretario de Guerra, José María del Castillo y Rada, y el general Custodio García Rovira, Secretario General.

Don Tomás Barriga organizó en la ciudad, un Batallón de Milicias de Caballería, con 400 hombres para enfrentar a las fuerzas españolas, que avanzaban hacia Santafé.

Casa Obispal hoy, que antes fue: sede de la Presidencia de la Primera República, sede de la Sub-presidencia en 1811, durante el gobierno de don Antonio Nariño; sede de las gobernaciones de Cundinamarca y de Quesada, y sede del "Banco de Cipaquirá".

Fernández Madrid, con su Secretario Custodio García Rovira, el ministro de Guerra Castillo y Rada, del general José María Ortega Nariño, de Francisco de Paula Santander y de su alta oficialidad, definieron los cuadros del Ejército Patriota que buscaba defender a Santa Fe.

Pero días después, "El Pacificador" Morillo, implantó el "Régimen del Terror", instalando en Zipaquirá el Consejo de Guerra Permanente, el Consejo de Purificación y la Junta de Secuestros. Los patriotas zipaquireños, y los sospechosos, fueron puestos presos.

El sábado 25 de mayo de 1816, Pablo Morillo, Pascual Enriles y el Vicario del ejército español Luis Villabrile, llegaron con la retaguardia del ejército realista a Zipaquirá. Morillo no olvidó las "deudas" que tenían allí con el gobierno español. El ritual de muerte impuesto por sus tropas, el 3 de sgosto de 1816 llevó a la muerte a 9 Mártires Zipaquireños, (8 hombres y una mujer), 6 de ellos en la Plaza Mayor, de día, y los otros dos y la mujer, entrada la noche, en el Parque de la Floresta, a una cuadra de donde estudió Gabo. Morillo y Enriles se hicieron allí a fincas, alhajas, esmeraldas, copones, custodias, anillos, cadenas de oro y joyas, para cobrar los derechos de "Purificación", multa para quienes habían estado con la causa Patriota.

El indio Francisco Carate, prócer y mártir zipaquireño, trabajador de la mina de sal; teniente de Indios desde 1805, fue fusilado el sábado 3 de agosto; se le acusó de apoderarse de una imagen, (pintura), del Rey don Fernando VII. Estaba colgada en la oficina de la Audiencia de Zipaquirá, sacándola a la fuerza, en julio de 1810. La mostró a la multitud; "zarandeándola", la arrastró por la plaza principal, gritando "vivas" a la independencia y "abajos" a la Corona española. Finalmente, destrozó el cuadro frente a un tumulto de gente. Carate fue decapitado y su cabeza exhibida a la salida de Zipaquirá.

El indio muisca Juan Nepomuceno Quiguarana; protagonizó en Zipaquirá un motín contra el gobierno español, fue fusilado por la espalda y confiscaron sus bienes, el 3 de agosto de 1816.

El historiador Luis Orjuela, en "Minuta Histórica Zipaquireña", Editorial Luz-1909; escribió sobre Quiguarana: "Fue el principal agitador del tumulto del 21 de septiembre 1811, al arremeter contra la Guardia Española y desarmar de su fusil a uno de ellos, por lo cual fue apresado; pero apoyado por seis 'chapetones' o 'regentistas', el pueblo concurrió a sacarlo. Este había aportado dinero y un contingente zipaquireño para la captura y deportación del Virrey Antonio Amar y Borbón en 1810. Fue martirizado y destrozado a garrotazos y por acción de las bayonetas de los soldados".

El indio zipaquireño Luis Sarache, murió tras luchar por la independencia. Fue fusilado en Zipaquirá, también el 3 de agosto de 1816. Se involucró profundamente en la causa de la independencia, desde el mismo viernes 20 de julio de 1810. El "Pacificador" Morillo no le perdonó haber participado en la captura y conducción del teniente general y Caballero de la Orden de Santiago, Virrey Antonio Amar y Borbón, hasta el puerto de Honda, donde fue embarcado y expulsado del Virreinato.

Antonio Nariño, Pedro Fermín de Vargas, Bibiana Talero y Bárbara Forero

A don Pedro Fermín de Vargas, nacido en Socorro, (Santander), científico, investigador, estadista y rebelde contra la opresión española, le dieron título de "Precursor", como a sus amigos y compañeros de lucha, el general Antonio Nariño y Francisco José de Caldas. De Vargas fue defensor de indios y negros y miembro de la Expedición Botánica, Corregidor y Juez de Residencia de Zipaquirá, con la responsabilidad de las salinas, que representaban el mayor recurso económico de la época.

Don Antonio Nariño y su amigo Pedro Fermín de Vargas, unidos con las heroínas zipaquireñas, Bárbara Forero y Bibiana Talero, organizaron en Zipaquirá un Centro de Estudios, que realmente era una tertulia conspiradora contra el gobierno español, en la que participaban los rebeldes patriotas más connotados.

Siendo don Pedro Fermín Corregidor de Zipaquirá, huyó con un pasaporte falso, acompañado por Bárbara Forero Nieto, patriota de ascendencia indígena, y a quien amaba. Audazmente atravesaron los Llanos Orientales y luego navegaron hasta Cuba y los Estados Unidos y de allí a Europa. Las autoridades españolas, que perseguían a don Pedro Fermín, no pudieron capturarlo; él para ellos era tan peligroso como su compañero de lucha, don Antonio Nariño.

Bárbara Forero, ferviente revolucionaria, conspiró contra la corona española desde cuando el general Nariño publicó los Derechos del Hombre; ella regresó a los tres años de su fuga con don Pedro Fermín y fue capturada. El historiador Pedro María Ibáñez, hizo público un documento sobre su condena, firmado por Pablo Morillo en 1816, en el que se ordena el destierro de esta mujer.

Con la riqueza de sus salinas, Zipaquirá, que financió el Gobierno del general Antonio Nariño, en 1813, a partir de 1816 hizo lo mismo con la campaña libertadora emprendida por el general Simón Bolívar, aportando significativamente a la independencia de Venezuela, Perú, Ecuador y plenamente a la de Colombia. La sal también fue vital para financiar al gobierno del general Francisco de Paula Santander, en 1824, permitiéndole solidez a la naciente economía de la República de Colombia.

Bibiana Talero, otra heroína y mártir zipaquireña fue fusilada por mandato del Pacificador Pablo Morillo. Ella, que era amiga muy cercana de don Antonio Nariño, fue fusilada el viernes 21 de noviembre de 1817, tras ser sorprendida llevando correspondencia con información estratégica a los hermanos Almeyda, líderes de la guerrilla patriota que hostilizó al ejército español entre 1817 y 1818. Bibiana se distinguió como auxiliar de los Almeyda y de José Garzón quien fue fusilado con ella en Chocontá por ser espía. Garzón era compañero de lucha de la famosa heroína Policarpa Salavarrieta.

El general José María Ortega Nariño, Jefe político del Cantón de Zipaquirá y último Corregidor de esa ciudad, en 1833, fue otro guerrero que estimuló y enriqueció el sentimiento de rebeldía zipaquireña.

La tradición rebelde de esta ciudad, también originó los enfrentamientos con las guerrillas conservadoras de Guasca y otros alzamientos contra distintos gobiernos que usufructuaban las salinas, dejándole exiguas ganancias al pueblo.

Un ejemplo de rebeldía plena la dio el zipaquireño Santiago Pérez de Manosalbas, nacido en 1830 y llamado, "El Presidente de la educación". Fue uno de los líderes del Radicalismo y presidente de los Estados Unidos de Colombia, entre 1874 y 1876.

En el gobierno de Manuel Murillo Toro, Pérez fue rector de la Universidad Nacional, donde estudió Gabriel García Márquez. Participó en la guerra civil de 1860-1862 con el ejército liberal del general Tomás Cipriano de Mosquera, contra el conservador del gobierno de Mariano Ospina Rodríguez; y en el golpe de Estado del 23 de mayo de 1867, contra el régimen dictatorial de Tomás Cipriano de Mosquera.

Como periodista, dirigió la oposición de 1880, contra Rafael Núñez, y se enfrentó enérgicamente al movimiento de la Regeneración en 1893. Combatió a los Gobiernos de Núñez y del vicepresidente Miguel Antonio Caro; este, en agosto de 1893 lo desterró del país, porque, "su oposición es muy peligrosa para la seguridad del Estado". Exiliado, (como lo estuvo García Márquez), Santiago Pérez murió en París el 5 de agosto de 1900.

Zipaquirá "le declaró la guerra" dos veces a Bogotá

Otros capítulos de rebeldía zipaquireña, se dieron cuando este municipio, en 1931 y luego en 1939, se convirtió en líder de dos "guerras contra Bogotá, por sus medidas arbitrarias de circulación y tránsito".

El 20 de noviembre de 1931, la ciudad, "en su empeño de defenderse de los gravosos e ilegales impuestos que la Inspección del tráfico de Bogotá impone a los vehículos que llegan a la capital, procedentes de las poblaciones circunvecinas, ha acordado, a su turno, gravar también con un impuesto semejante al de Bogotá a los vehículos (camiones, automóviles, etc) que lleguen aquí". Zipaquirá, entonces, fue secundada por los municipios vecinos, logrando la derogatoria en Bogotá de ese impuesto.

Una Resolución zipaquireña del 31 de octubre de 1939, expresó: "La Oficina de Circulación de Bogotá, últimamente ha venido obstaculizando la entrada a la capital, de los vehículos matriculados en las demás poblaciones de Cundinamarca, cancelando los pases que no sean expedidos en Bogotá".

"Enfrentada a estas normas que causan graves y notorios perjuicios al Comercio y al gremio de choferes, y que establece un odioso y antipatriótico monopolio, la Alcaldía de Zipaquirá solicita

Gabriel García Márquez (último a la derecha en la fila superior) y sus compañeros de internado, no estudiaron en un colegio más, sino en un gran centro literario.

a la Oficina de Circulación de Bogotá, que lo revoque a la mayor brevedad. Hace saber a la ciudadanía y al gremio de choferes que si el asunto no es solucionado favorablemente para Zipaquirá, el Concejo Municipal dictará las medidas del caso a fin de proceder de idéntica forma a las que ha adoptado Bogotá"; y en Bogotá, cedieron.

Unos años después de que Gabo hubiera partido de Zipaquirá, siguieron sucediendo hechos que ratificaron el espíritu rebelde y revolucionario de esa ciudad. En Zipaquirá nació y vivió "La Chiqui", famosa guerrillera de la toma de la embajada dominicana, en Bogotá. En el Liceo Nacional, donde estudió Gabo, se educaron, entre otros dirigentes guerrilleros del M-19, Everth Bustamante García y Gustavo Petro, hoy Alcalde de Bogotá.

Con todos estos antecedentes es fácil concluir que Gabriel García Márquez no llegó a estudiar su bachillerato a un pueblo ni a un colegio pasivos, sino a un gran centro cultural, históricamente rebelde, donde siempre sobresalieron ideas revolucionarias; a una ciudad caracterizada en la historia, por contestataria.

Bibliografía

Anderson, John Lee; "Refriegas Otoñales", revista La Nación Digital.

Araújo Fontalvo, Orlando; Magíster en Literatura Hispanoamericana, revista de Estudios Literarios" Nº. 25, 2003, Bogotá.

Archivos de la Biblioteca Luis Angel Arango, del Banco de la República de Colombia.

Archivos de la Biblioteca Nacional de Colombia.

Archivo del Banco de La República, Colombia.

Archivo General de la Nación, varias consultas a Fondos, siglos XVIII a XX.

Archivo Histórico Nacional, Biblioteca Nacional, Bogotá, Colombia.

Archivos de la Administración de Salinas en Zipaquirá, Archivo General de la Nación (referencia desde el siglo XVII), Bogotá, Colombia.

Archivo General de la Alcaldía Municipal de Zipaquirá, Colombia.

Archivo General del Concejo Municipal de Zipaquirá, Colombia.

Bell Lemus, Gustavo; Instalación del "Primer Foro Internacional Sobre la Obra de Gabriel García Márquez"; discurso. "Zipaquirá: Seis años de soledad". 27 de abril de 2000,

Boletines Academia de Historia de Cundinamarca, números 5, 8, 13, 14 y 17.

Caballero, Lucas; "Memorias de la Guerra de los Mil Días", Instituto Colombiano de Cultura

Cardale de Schrimpff, Marianne; "Las Salinas de Zipaquirá y su explotación Indígena".

Castro Caycedo, Germán: "Gabo cuenta la novela de su vida", reportaje exclusivo para televisión, reproducido en el diario El Espectador entre el 16 y 23 de marzo de 1977.

Castro Caycedo Gustavo, *El milagro de la sal*, Panamericana Formas e Impresos, 2011.

Castro Caycedo, Gustavo; "Sueño con ver de nuevo a Gabo, revista Diners, septiembre de 2002.

Castro Caycedo, Gustavo; "Lo Mejor de Zipaquirá"; Alcaldía de Zipaquirá, diciembre de 2002.

Castro Caycedo, Gustavo; "La vida de Gabriel García Márquez en Zipaquirá". Varias publicaciones, 2003 a 2008.

Castro Caycedo Gustavo; *La sal de Colombia*, Santillana, diciembre 2006.

Colección: "Gaceta Ministerial de Cundinamarca", año 1811.

Colección: Periódico El Correo Nacional; desde el 1° de septiembre de 1890.

Colección: "Revista Ideales", años 1928 a 1934, colegio San Luis Gonzaga de Zipaquirá.

Colección, "Revista Municipal de Zipaquirá". Hemeroteca de la Biblioteca Luis Angel Arango. Bogotá, Colombia.

Colección, "Revista Zipaquirá"; del Club Zipa. Años 1953 y 1954. Zipaquirá,

De Castellanos, Juan; "Elegías de varones ilustres de Indias" (Alanis, España 1522 - Tunja, Colombia 1607); escritas a finales del siglo XVI. Edición de Eduardo Rivas Moreno, Fundación FICA, Cali; noviembre de 1997.

Fiorillo, Heriberto; "Gabo el bachiller", "Gabito el universitario", y revista del Jueves, periódico El Espectador, enero y febrero de 1978

Fiorillo, Heriberto. La Cueva, crónica del Grupo de Barranquilla. "Escalona, el creador que Gabito quiso ser", Ediciones La Cueva. Diciembre 2006.

Forero Caballero, Hernando; "Mi condiscípulo García Márquez", boletín N° 23 de la Academia de Historia de Cundinamarca. Marzo 2003.

García Márquez, Gabriel; *Cien años de soledad*, Editorial La Oveja Negra, Ltda. 10ª edición, diciembre de 1989, Bogotá.

García Márquez, Gabriel, *El coronel no tiene quien le escriba*, editorial La Oveja Negra, Ltda. 18° edición, diciembre de 1982, Bogotá

García Márquez Gabriel; *Vivir para contarla*. Norma, 2002.

G. Correal, T. Van Der Hammen & L C Lerman; Investigación, "Los abrigos rocosos del Valle de El Abra". 1970.

González Rosas, Rafael María; "Apuntes sobre la elaboración de la sal"; Desarrollo Histórico y Cultural de Cundinamarca, Academia de Historia de Cundinamarca. Editorial Guadalupe. Bogotá, diciembre de 2000.

Jaramillo, Darío, "Epitafio de Piedra y Cielo"; Boletín Cultural y Bibliográfico, N° 2, 1984". Bogotá" Instituto Caro y Cuervo". 1984

Martín, Carlos; "Epitafio de Piedra y Cielo". Bogotá", Instituto Caro y Cuervo". 1984

Martin, Gerald; *Gabriel García Márquez, una vida*, Random House Mondadori S.A., Colombia, octubre de 2009.

Martínez Dasi, Olga, directora de la editorial catalana Candaya; "Breve reseña biográfica de García Márquez".

Orjuela, Luis; *Minuta histórica zipaquireña*. Editorial Luz- 1909.

Pedraza, Gustavo; *Sueños y recuerdos*, edición propia, 2008.

Periódico el Espectador.

Periódico El Tiempo, del 30 de noviembre de 1943 y del 31 de diciembre de 1944.

Revista del Jueves, periódico El Espectador, febrero de 1978.

Quevedo Zornoza, Guillermo: "Apuntes militares sobre la Campaña de Occidente de Cundinamarca en la guerra de los tres años, escritos por un Zipaquireño". Archivo General de la Nación, Bogotá. Veteranos de la Guerra de los Mil Días. Caja 530 Ext 21. 1937

Resoluciones y Acuerdos del Concejo Municipal de Zipaquirá

Revista Semana

Rosselli Cock, Diego Andrés, MD; Neuroepidemiólogo, académico e historiador: "La tierra del Zipa, Crónicas de un médico andariego". 4 de junio de 2009. http://www.encolombia.com

Saldívar, Dasso; *El viaje a la semilla*, Alfaguara. 1997.

Santamaría Germán; "Carlos Julio Calderón Hermida, el profesor de García Márquez", Gaceta de Colcultura No. 39, 1983.

Suplemento Dominical de El Tiempo, 31 de diciembre de 1944.

Tisnés Jaramillo, Roberto María, J.C.M.F; *Capítulos de Historia Zipaquireña.* Volumen 1; Imprenta de Bogotá, Biblioteca Luis Ángel Arango. 1956.

Tisnés Jaramillo, Roberto María J.C.M.F; "Belisario Peña", Editorial ABC. 1989

Velandia, Roberto; *Enciclopedia Histórica de Cundinamarca.* Cooperativa de Artes Gráficas Ltda. Tomo V. Bogotá, 1982

Von Humboldt, Alexander. "Memoria Raciocinada de las Salinas de Zipaquirá". Imprenta del Banco de la República. Bogotá, 1952.